ZUM KAISERTUM KARLS DES GROSSEN

WEGE DER FORSCHUNG

BAND XXXVIII

1972

WISSENSCHAFTLICHE BUCHGESELLSCHAFT

DARMSTADT

ZUM KAISERTUM KARLS DES GROSSEN

BEITRÄGE UND AUFSÄTZE

Herausgegeben von

GUNTHER WOLF

1972

WISSENSCHAFTLICHE BUCHGESELLSCHAFT

DARMSTADT

wb Bestellnummer: 4549
Schrift: Linotype Garamond, 9/11

Satz: Maschinensetzerei Janß, Pfungstadt
Druck und Einband: Wissenschaftliche Buchgesellschaft, Darmstadt
Printed in Germany

ISBN 3-534-04549-1

INHALT

EINLEITUNG

Wenn heute in der Schule immer weniger Geschichtszahlen gelernt werden, so bleiben doch noch einige übrig, auf die man nicht verzichten zu können glaubt. Zu diesen gehört der „denkwürdige" 25. Dezember des Jahres 800 nach Christus, an dem der Frankenkönig Karl im Petersdom zu Rom die Kaiserwürde . . .: da beginnt nun schon die Schwierigkeit des Ausdrucks sowohl wie der Sache. Soll man sagen „empfing", oder „annahm" oder „aufnahm"? Wer waren die Akteurs? Welche Rollen spielten sie? Wer war die treibende Kraft? Wodurch wurde Karl Kaiser? Wann? Wirklich erst am Christgeburtsfest 800? Welcher Art war diese Kaiserwürde? Auf welcher Tradition gründete sie? Gab es andere Kaiservorstellungen? Etwa gar ursprünglich bei Karl selbst? — Eine Fülle von Fragen, die Gegenstand der Forschung und Geschichtsschreibung seit eh und je waren.

Schon zeitgenössische und andere mittelalterliche Quellen beschäftigten sich mit diesen Fragen; sie sind jetzt größtenteils greifbar und handlich im Heft 4 der von Borst und Fleckenstein herausgegebenen Reihe „Historische Texte — Mittelalter": Kurt Reindel, Die Kaiserkrönung Karls des Großen (Stallmann-Verlag 1966) zusammengestellt. Für eine Beschäftigung mit den Fragen der Kaiserkrönung Karls des Großen ist diese Sammlung stets heranzuziehen als Einstieg in das gesamte Quellenmaterial so wie für die ältere Forschung das 1928 erschienene Buch von Heldmann „Das Kaisertum Karls des Großen".

Für das gesamte Phänomen Karl ist weiterhin unentbehrlich das anläßlich der Aachener Ausstellung 1965 von W. Braunfels herausgegebene Sammelwerk „Karl der Große — Lebenswerk und Nachleben" (4 Bde. Düsseldorf Verl. Schwann 1965—67), insbesondere dessen 1. Band (3. Aufl. 1967), betreut von H. Beumann, dem ich selbst auch an dieser Stelle für mancherlei Rat aufrichtig danken möchte, und der daraus gesondert erschienene Aufsatz von P. Classen, „Karl der Große, das Papsttum und Byzanz — die Begründung des karolingischen Kaisertums" (Düsseldorf 1968). So wichtig gerade die Aufnahme der letztgenannten Arbeit gewesen wäre, so verbot sich das durch ihren Umfang, der den mir gesetzten Rahmen des Bandes gesprengt hätte, wie durch die jetzt verhältnismäßig leichte Zugänglichkeit.

Vermissen wird der Leser auch — und ich teile völlig dieses Bedauern — alle einschlägigen Arbeiten des kürzlich verstorbenen großen Mediävisten P. E. Schramm, der sich — gebunden durch den Hiersemann-Verlag, bei dem seine „Gesammelten Aufsätze zur Geschichte des Mittelalters" erschienen bzw. erscheinen — nicht in der Lage sah, diesem Sammelband einen Aufsatz zur Verfügung zu stellen.

Der Leser muß also verwiesen werden auf: P. E. Schramm, „Kaiser, Könige und Päpste — Gesammelte Aufsätze zur Geschichte des Mittelalters" Bd. I (1968), wo alle einschlägigen älteren und neueren Arbeiten Schramms, überarbeitet von ihm selbst in Auseinandersetzung mit der wissenschaftlichen Kritik, zu finden sind.

Der Leser wird auch manche anderen Arbeiten vermissen. Doch sind erfreulicherweise gerade die älteren Arbeiten Ohnsorges in Sammelbänden („Abendland u. Byzanz" 1958 und „Konstantinopel u. der Okzident" 1966) bei der Wissenschaftlichen Buchgesellschaft erschienen und leicht greifbar. Dasselbe gilt für den grundlegenden Aufsatz von H. Fichtenau, „Karl der Große und das Kaisertum" (MIÖG 61/1953), der wegen seines Umfangs von ca. 80 Seiten auf meine Anregung von der Wissenschaftlichen Buchgesellschaft gesondert herausgebracht wird.

Trotz all dieser Erschwerungen hoffe ich, daß der vorliegende Band einen Einblick in die wissenschaftliche Diskussion der letzten Jahre zu diesem umstrittenen Thema zu geben vermag. Dabei haben sich die Akzente verschoben: kaum jemand nimmt mehr die Bemerkung des Karls-Biographen Einhard, Karl sei wider seinen Willen Kaiser „geworden", im Wortsinne ernst; auch die Fragestellung Karl der Große oder Charlemagne ist heute nicht mehr aktuell. Dagegen stehen Fragen nach der Qualität des Kaisertums, seiner Qualität in Karls eigenem Bewußtsein, in dem anderer, seine Verbindung mit der populus-Christianus-Idee, mit der Rom-Idee, mit fränkischen Großreichs-Vorstellungen etwa im Vordergrund; auch die Interdependenzen Franken-Rom-Byzanz bis hin zu architektonischen Filiationen, ganz abgesehen von der immer wieder mitschwingenden Kontroversliteratur um das ewig junge Problem des Constitutum Constantini.

Viele der in diesem Band vorgelegten Forschungsergebnisse sind auch heute noch oder heute schon wieder strittig, manche können als „gesichert" gelten: Wege der Forschung!

Was bleibt, ist freilich das „Lebenswerk und Nachleben" Karls, das, wie die Aachener Ausstellung von 1965 oder die Stiftung des Karls-Preises, wie manche politischen Strömungen diesseits und jenseits des Rheins noch in unseren Tagen zeigen, immer noch lebendig ist, lebendig freilich in einem Sinne, der kritischer Reflexion bedarf.

Das Kaisertum Karls des Großen, seine Behandlung in Wissenschaft und Unterricht stellt, und damit schließt sich der Kreis, heute mehr denn je die Frage nach dem Sinn von Geschichte in Wissenschaft und Unterricht: archivalisches oder vitales Interesse!

Geschichte droht heute zu einer esoterischen Beschäftigung für Fachleute, vielleicht sogar für nur dem Gestern Zugewandte zu werden: eine Rolle, die viele schon resignierend akzeptiert haben. „Unser Bild von der Zukunft bestimmt auch unser Geschichtsbild", meint Friedrich Heer, die heute herrschende Grundtendenz pointierend. Doch: „Da eben der Mensch der in der Geschichte stehende ist . . ., so kann er nicht sein, was er sein soll, wenn der durchwanderte Weg und die auf ihm schritten, ihm nicht gegenwärtig sind" (Reinhold Schneider).

Zum „Weg" Europas auch heute gehört aber unzweifelhaft auch das mittelalterliche Kaisertum, das Kaisertum Karls des Großen.

Heidelberg, Sylvester 1970 G. Wolf

Deutsches Archiv für Erforschung des Mittelalters, Band 9, Heft 1 (1952), S. 103—121.

ROMANUM GUBERNANS IMPERIUM

Zur Vorgeschichte der Kaisertitulatur Karls des Großen

Von Peter Classen

I

Karolus serenissimus augustus a Deo coronatus magnus pacificus imperator Romanum gubernans imperium, qui et per misericordiam Dei rex Francorum atque Langobardorum.

So lautet der Kaisertitel Karls des Großen in den Urkunden[1]. *Serenissimus a Deo coronatus magnus pacificus imperator* waren, wie K. Brandi gezeigt hat, in Italien gebräuchliche Teile der Titulatur des byzantinischen Kaisers in Akklamationen und Urkundendatierungen[2]. *Rex Francorum et Langobardorum* nannte Karl sich seit der Eroberung des Langobardenreiches 774 (dazu oft *patricius Romanorum*)[3]. Die Devotionsformel *per misericordiam Dei* ist in dieser Form neu. Vielleicht hatte schon Pippin in seinem letzten Lebensjahr die vorher nur von Geistlichen gebrauchte Formel *Dei gratia* seinem Königstitel hinzugesetzt, sicher taten dies seine Söhne Karl und Karlmann seit Beginn ihrer Regierungszeit[4]. Die Bischöfe

[1] Zuerst in DK. 197 von 801 Mai 29, am Reno nahe Bologna ausgestellt. Die Schreibung *Karolus* statt *Carolus* seit der Kaiserkrönung (vgl. Th. Sickel, Acta Karolinorum 1, 1867, 264 mit Anm. 1) hat kaum besondere Bedeutung.

[2] K. Brandi, AUF. 1 (1908) 32 Anm. 1, 43, 44 Anm. 2, 57 Anm. 2, 60 Anm. 3.

[3] Zuerst DK. 80 von 774 Juni 5, *patricius* zuerst DK. 81 von 774 Juli 16.

[4] Vgl. K. Schmitz, Ursprung und Geschichte der Devotionsformeln bis zu ihrer Aufnahme in die fränkische Königsurkunde (Kirchenrechtl. Abh. 81, 1913), S. 171 ff.

wandten daneben die Wendung *misericordia Dei* an, jedoch nur selten, während im griechischen Osten ἐλέει θεοῦ die bei weitem häufigste Devotionsformel war[5]. Im Herrschertitel finden sich ähnliche Formulierungen in einem Kapitular Karls von 789: *ego Karolus gratia Dei eiusque misericordia donante rex et rector regni Francorum*[6] und in einem Gesetz des Langobardenkönigs | Ratchis von 746, der seinen Vater Liutprand erwähnt: *huius gentis gubernator et noster per Dei omnipotentis misericordiam nutritor Liudprand*[7]. Es ist zu beachten, daß Karl die Devotionsformel nur zum Königstitel setzt. Seinem Kaisertitel im engeren Sinne fehlt sie, so wie sie dem byzantinischen Kaisertitel fehlt.

Die eigentliche „crux interpretum"[8] bildet die Formel *Romanum gubernans imperium.* Mit ihr haben sich zuerst Breßlau und ausführlicher Schramm beschäftigt. Sie sahen in der Vermeidung des *imperator Romanorum* eine besondere Rücksicht auf das byzantinische Kaisertum. Ihnen folgte eine Reihe weiterer Forscher, zum Teil mit abweichenden Interpretationen[9]. Schon vor Schramm wies Heldmann eine Vorform in der Bezeichnung der Kaiser als *Roma-*

[5] Vgl. Schmitz an den im Register unter ἐλέει θεοῦ und *misericordia Dei* verzeichneten Stellen.

[6] MG. LL. 2 Capit. 1, 53 Nr. 22.

[7] MG. LL. 4 (Folioserie) 185 f., vgl. Schmitz S. 169 Anm. 3.

[8] E. Caspar, ZKG. 54 (1935) 262.

[9] H. Breßlau, AUF. 6 (1918) 24 f., P. E. Schramm, Kaiser, Rom und Renovatio 1 (1929) 13 f. Aus der weiteren Literatur nur das Wichtigste: Schramms Interpretation folgen: H. Löwe, Die karolingische Reichsgründung und der Südosten (Forsch. zur Kirchen- und Geistesgeschichte 13, 1937) S. 161 f., F. Dölger, Europas Gestaltung im Spiegel der fränkisch-byzantinischen Auseinandersetzung des 9. Jahrhunderts (in: Der Vertrag von Verdun 843, hrsg. von Th. Mayer, 1943) S. 217, W. Ohnsorge, Das Zweikaiserproblem im frühen Mittelalter (1947) S. 23 f. Die fränkischen Wurzeln betont R. Faulhaber, Der Reichseinheitsgedanke in der Literatur der Karolingerzeit bis zum Vertrag von Verdun (Hist. Studien 204, 1931) S. 18; stadtrömische Deutung des Kaisertitels bei R. Schlierer, Weltherrschaftsgedanke und altdeutsches Kaisertum (Diss. Tübingen 1934) S. 5 f. Erklärung des Titels aus der Auseinandersetzung mit Papsttum und Kirche bei H. Pirenne, Mahomet et Charlemagne (1937) S. 209 f., ähnlich F. L.

norum gubernatores nach, die in einer Urkunde aus Tivoli von 760 vorkommt[10]. Vorformen im fränkischen Bereich zeigte Caspar im Titel der Libri Carolini *(regis Francorum, Gallias Germaniam Italiamque sive harum finitimas provintias Domino opitulante regentis)* und in einem Brief Alchvines von 798 *(imperium quod divina pietas tibi tuisque filiis commisit regendum atque gubernandum)*[11]. Für die Byzantinisten wurden Schramms Ausführungen zum Anstoß, die Frage zu | untersuchen, seit wann der Titel βασιλεὺς Ῥωμαίων in Byzanz gebräuchlich war[12].

Die von Karl gebrauchte Formel *Romanum gubernans imperium* ist jedoch nicht, wie in den genannten Arbeiten allgemein angenommen wurde, von ihm neu geprägt worden. Im Folgenden soll eine Reihe von Stellen aus justinianischer Zeit, die sie wörtlich oder mit geringen Abweichungen anwenden, gezeigt werden. Diese Stellen sind in den Zusammenhang des allmählichen Vordringens des Römernamens im Kaisertitel einzuordnen. Dabei wird es wichtig sein, auch den Sprachgebrauch außerhalb der kaiserlichen Kanzleien zu berücksichtigen; denn die Entwicklung der amtlichen Formeln geht hier wie so oft hinter dem in der Volks- und Literatursprache zum Ausdruck kommenden Gang der Geschichte her[13]. Eine Vollzähligkeit der Belege wird sich hierbei freilich nicht erreichen lassen.

Ganshof, ZSchwG. 28 (1948) 432 f. Noch nicht erreichbar war mir: F. L. Ganshof, The Imperial Coronation of Charlemagne, Theories and Facts (Glasgow University Publications 79, 1949).

[10] K. Heldmann, Das Kaisertum Karls des Großen (1928) S. 368 f., 369 Anm. 3, vgl. A. Brackmann, Gesammelte Aufsätze (1944) S. 112 und unten S. 12.

[11] E. Caspar a. a. O. S. 238, 260 ff., Alcuini ep. 148 (MG. Epp. 4, 241).

[12] Vgl. unten S. 16—20 und die dort angegebene Literatur.

[13] Im Sommer 1948 wies Wilhelm Berges mich in Hinblick auf die unten angeführten Stellen des Codex Justinianus darauf hin, daß die fragliche Formel aus justinianischer Zeit stamme. Auf seine Anregung ist die vorliegende Arbeit entstanden, nachdem ich die Belege in den Ravennater Papyri gefunden hatte. Vgl. auch Th. Sickel, Acta Karolinorum 1, 262 Anm. 2.

II

Die Nennung des römischen Volkes oder Reiches in der Titulatur des Kaisers war nach der staatsrechtlichen Konzeption des Prinzipats unmöglich. Der Princeps war ja nicht der souveräne Herr eines Untertanenverbandes, sondern nur der erste Mann im Staate; die Souveränität des Staates trugen Senat und Volk, mit deren Zustimmung der Princeps herrschte. Gleichwohl war die politische Wirklichkeit stärker als die staatsrechtliche Theorie. So sprechen bereits Tacitus, der jüngere Plinius und Sueton vom *imperator populi Romani* oder vom *imperator Romanus*[14]. Die Regel bleibt aber, daß der Kaiser neben Senat und | Volk — zwar an erster Stelle, aber nicht als übergeordneter Herr — genannt wird, so vor allem bei Widmungsinschriften[15].

Auch die Kaiser des sogenannten Dominats hielten an den Grundsätzen der alten Titulatur fest. In einer aus dem Griechischen übersetzten literarischen Quelle, dem Chronographen von 354, findet sich jetzt aber zum ersten Male der Ausdruck *imperator Romanorum*. Er ist hier deutlich nach Analogie anderer Herrscher, die nach dem Volk ihrer Untertanen bezeichnet wurden, gebildet worden[16]. Hundert Jahre später (457) nimmt Kaiser Leo die Wahl durch das

[14] *Imperator populi Romani:* Tac. hist. I 37, ann. XII 19; Plin. paneg. 82.3; später: Paneg. Lat. VI (VII) 1.2 (diese Stelle wird von Eyßenhardt athetiert). *Imperator Romanus:* Tac. hist. IV 58, ann. XV 5, Suet. Vesp. 4.5; später: Script. hist. Aug., vita Avidi XI 5; vgl. das Briefpräskript Script. hist. Aug., vita Aureliani 26.6: *Aurelianus imperator Romani orbis et receptor orientis.* (Die Stellen z. T. nach dem Thesaurus linguae Latinae VII 1 col. 557).

[15] Z. B. Dessau, Inscr. Lat. sel. 112 (11 n. Chr.), 314 (129), 342 (ca. 158), Dittenberger, Orientis Graecae inscr. sel. 479, 625 (beide 2. Jh.), Singulär ist die Bezeichnung der Iulia Domna als μήτηρ ἱερῶν στρατευμάτων καὶ συνκλήτου καὶ δήμου Ῥωμαίων bei Cagnat, Inscr. Graecae ad res Romanas pertinentes 1, 557 und 578; sie heißt sonst nur *mater castrorum, mater senatus* oder *mater patriae.* [Vgl. H. U. Instinsky, Klio 35, 1942, S. 208 Anm. 5.]

[16] MG. AA. 9, 89 f. Vorher die *reges Persarum* und *reges Macedonum.* Übersetzung aus dem Griechischen: Mommsen, ebenda S. 81 f.

Heer mit den Worten an: *Deus omnipotens et iudicium vestrum, fortissimi commilitones, imperatorem rei Romanorum publicae me feliciter elegit*[17]. Dies ist noch kein kanzleimäßig festgelegter Titel, aber eine vom Kaiser selbst geführte Bezeichnung seiner Herrschaft: sie geht nicht einfach von den Römern, sondern von der *res publica Romanorum* aus. In anderer Weise nennnt Theoderich sich in einer Ernennungsurkunde *Romanus princeps*[18], sein Enkel Athalarich bezeichnet die Gotenkönige als *Romanorum domini*[19].

Diese Zeit, in der viele unabhängige Herrscher nicht nur im Gesichtskreis der Römer, sondern auf ihrem eigenen Reichsboden auftauchten — Germanen, Hunnen, Perser, Araber —, schien eine ständige Bezeichnung des Herrschers nach seinem Volk oder Reich zu erfordern. Das *Imperium Romanum* wurde aber immer noch anders als die Barbarenvölker aufgefaßt. Man sprach noch nicht vom Kaiser der Römer wie | vom König der Wandalen, der Franken oder der Perser, jedenfalls nicht in amtlichen Schriftstücken. Leo I. hatte sich *imperator rei publicae Romanorum* genannt; unter Justinian kam die Formel *princeps Romanum gubernans imperium* auf — auch sie nicht im Urkunden- oder Münztitel, aber der Sprache des Kaisers selbst nachgebildet.

Princeps ist in der Sprache des 6.—8. Jahrhunderts innerhalb und außerhalb des Reiches, in amtlichen Briefen und Gesetzen wie bei den Historikern das häufigste Wort für den Herrscher des Reiches; es wurde freilich auch auf Barbarenherrscher angewendet.

[17] Const. Porph. lib. cerem. I 91, Migne PG. 112, 752 [= ed. Bonn. S. 411 f.]; die Übersetzung nach Reiske darf in den entscheidenden Worten als sichere Rekonstruktion des Urtextes gelten. Griechisch: ὁ θεὸς ὁ παντοδύναμος καὶ ἡ κρίσις ἡ ὑμετέρα ἰσχυρώτατοι συστρατιῶται, αὐτοκράτορά με τῶν τῶν Ῥωμαίων δημοσίων πραγμάτων εὐτυχῶς ἐξελέξατο.

[18] Cass. var. III 16.3, im betonten Gegensatz zur Westgotenherrschaft über Gallien. Papst Gelasius nennt in einem Brief an Theoderich (JK. 722 von 496, MG. AA. 12, 391) die römischen Kaiser der Vergangenheit *Romani principes*. Ebenso Justinian im Einführungsgesetz der Institutionen: *princeps Romanus*.

[19] Cass. var. IX 21.4 (um 533); vgl. *domni vestri* Cass. var. X 14.1 (Theodahad an das römische Volk).

Ebenso verbreitet war der Ausdruck *imperium Romanum.* Mit dem Wort *gubernare* und seinen Ableitungen *gubernator, gubernaculum, gubernatio* drückte man in der Spätantike, besonders in den Rechtsquellen, eine Verwaltung im höheren Auftrag aus. Einerseits für private Guts- und Vermögensverwaltung, andererseits für die Führung von Staatsmännern gebraucht, begegnen die Ausdrücke sehr häufig in diesem Sinne[20]. Auf die Regierung des Kaisers wenden sie zuerst Majorian und Anastasius, beide in Gesetzesprooimien, an[21]. Besonders beliebt wurden diese Worte bei Justinian, der mit ihnen gern den göttlichen Auftrag für seine Regierung hervorhob[22].

Am prägnantesten und an besonders hervorragender Stelle erscheint dieser Gedanke in dem 530 ergangenen Erlaß zur Anfertigung des Digestenwerkes. Er beginnt mit den Worten: *Deo auctore nostrum gubernantes imperium, quod nobis a caelesti maiestate traditum est, et bella feliciter peragimus et pacem decoramus et statum rei publicae sustentamus . . .*[23]. |

Die Formel *princeps Romanum gubernans imperium* kommt in drei Ravennater Papyri vor. An allen drei Stellen erscheint sie in Beteuerungs- und Schwurformeln, in denen die *salus* des Kaisers aufgerufen wird. Sie schließt sich so eng an die zuletzt genannten

[20] Etwas anders liegt der Akzent des Wortes bei der Bezeichnung Gottes als *gubernator mundi*: Lenker der Welt.

[21] Nov. Maior. 6 praef. (von 458), Cod. Just. XII 35.18 (von 492).

[22] Coll. Avell. (CSEL. XXXV) 196.1 S. 655 (Justinian als Patricius an Papst Hormisdas, Juli 520), vgl. ebenda 143 S. 587 f. (Kaiser Justinus an den Papst, Sept. 518, Einfluß Justinians?), ebenda 201 S. 660 (Papst Hormisdas, Okt. 529). — Aus Justinians Kaisertum: C. J. III 1.14 § 1 (von 530), wichtiger: C. J. I 27.1 § 8: *(Deus) . . . faciat nos eas (sc. provincias) secundum suam voluntatem ac placitum gubernare* (vgl. § 15 über die *iudices*); C. J. I 27.2 praef.: *per ipsum* (sc. *Christum*) *et Africam defendere et sub nostrum imperium redigere nobis concessum est, per ipsum quoque, ut nostro moderamine recte gubernetur et firme custodiatur, confidimus.* (Die beiden letzten Gesetze von 534, Neuordnung Afrikas.)

[23] C. J. I 17.1 = Digesta, ed. Mommsen, S. XIII. *Gubernantes* schreiben die neuen Ausgaben richtig mit den Digesta Florentina gegen *gubernante* der übrigen Handschriften.

Worte Justinians an, daß man vermuten möchte, sie gehe auf eine nicht erhaltene Anordnung des Kaisers zurück. Jedenfalls hatte der Eid bei der *salus* des Kaisers eine rechtliche Bedeutung, die schon früher Gegenstand der Gesetzgebung gewesen war[24], und ohne Zweifel konnten auch die Worte des Schwörenden nicht in dessen Belieben stehen, sondern waren an gewisse Formeln gebunden. Die im Folgenden genannten Schwurformeln sind also, auch wenn sich ihr Ursprung in der Gesetzgebung nicht nachweisen läßt, auf jeden Fall Zeugnisse eines bei feierlichen Akten von öffentlicher Bedeutung angewandten Sprachgebrauchs.

1. Schenkung der Gotin Runilo an die Kirche von Ravenna, Ravenna 533: *invocata tremendi diem iudicii et salutem invictissimi principis obtestans Romanum gubernantis imperium*[25].

2. Quittung *(securitas)* des Gratianus für die Witwe Germana, Ravenna 564: . . . (Lücke) *invictissimi principis R[oma]num gubernantis imperium*[26].

3. Schenkung der gotischen Freigelassenen Sisivera an die Kirche von Ravenna, Ravenna, 2. Hälfte des 6. Jahrhunderts: *et pro maiori firmitatem iurata dico per Dm omnipotentem et sca quattuor evangelia quas corporaliter manibus meis teneo salutemque dom(inorum) n(ostrorum) invictissimorum principum Augustorum Romanum guvernantum imp adtestatione confirmo*[27].

[24] Cod. Theod. II 9.3 (von 395). Aus einem Gesetze Justinians ist nur der Treueid für den Kaiser bekannt, dieser konnte natürlich keine Anrufung der *salus* des Kaisers zur Beteuerung enthalten (Nov. Just. VIII Anhang von 535).

[25] G. Marini, I papiri diplomatici (1805) Nr. 86 S. 133 lin. 30 ff. — E. Spangenberg, Iuris Romani tabulae negotiorum sollemnium (1822) Nr. 31 S. 184. [Neuausgabe: J. O. Tjäder, Die nichtliterarischen lateinischen Papyri Italiens aus der Zeit 445—700, Bd. 1 (1955) Nr. 13 S. 304, vgl. S. 444 f.]

[26] Marini Nr. 80 S. 124—126, col. I lin. 12, Spangenberg Nr. 21 S. 144. [Neuausgabe Tjäder Nr. 8 S. 240, vgl. S. 431.]

[27] Marini Nr. 93 S. 144—146, Spangenberg Nr. 38 S. 214; unter Justinian und Theodora (540—548) oder Justin II. und Sophia (573—578) oder Maurikios und Theodosios (590—602), vgl. Marini S. 306 Anm. 13. [Neuausgabe Tjäder Nr. 20 S. 348, vgl. S. 463.]

Marini hat in den Anmerkungen seiner Ausgabe der Papyri diese Stellen bereits mit dem Titel Karls des Großen verglichen[28]; er zieht noch zwei weitere Stellen heran: |

4. Formel eines der Häresie abschwörenden Bischofs z. Zt. Gregors des Großen, wahrscheinlich von der Kurie dem Bischof Firminus von Istrien vorgelegt[29]: *Unde iuratus dico per deum omnipotentem et haec sancta quattuor evangelia quae in manibus meis teneo et salutem geniumque*[30] *illius atque illius dominorum nostrorum rem publicam gubernantium.*

Damit haben wir eine nur wenig abweichende Formulierung, deren genaue Herkunft nicht feststeht, die aber wahrscheinlich aus Rom stammt.

An letzter Stelle führt Marini eine 731 gesetzte Inschrift der Kirche San Apollinare in Classe bei Ravenna an[31]. Sie beginnt:

IN N PATRIS ET FILII ET SPS SCI. IMPB PIISSIMIS DD NN LEONE ET CONSTANTINO A DO CORONAT PACIFIC MAGNIS IMPB, LEONE QVIDEM CLEMENTISS IMP ANNO XV, CONSTANTINO VERO A DO CORON IMP ANNO XI, GVVERNANTEM ITALIA D N EVTVCHIO EXCELL PATRICIO ET EXARC, IIII KAL FEBRVARIAS IND XIIII HIC TITVLVS MONSTRAT OPVS LAVDAVILE FACTVM ...

Hier zeigt die Amtsbezeichnung des Exarchen eine Parallele zu den genannten Kaisertiteln. Sie ist darum wichtig, weil sie in anderem Zusammenhang als in der Schwurformel auftritt, und die Frage aufwirft, ob auch dem Kaiser die Wendung *Romanum gubernans imperium* nicht nur dort beigelegt wurde. Die Datierungen der Papsturkunden des 6.—8. Jahrhunderts zeigen keine Beispiele für

[28] Marini S. 268 b Anm. 20, S. 306 a Anm. 13.

[29] Reg. Greg. Magn. XII 7, Febr. 602 (MG. Epp. 2, 353 f.); vgl. die Anmerkung von L. M. Hartmann zur Ausgabe.

[30] Nach Anmerkung des Gussanvilleus, Migne PL. 77, 1348 ist *geniumque* Interpolation, da die Christen nicht beim Genius des Kaisers schwören. Die Überlieferung spricht gegen diese Vermutung.

[31] Gedruckt von Blanchinus in seiner Ausgabe des Liber Pontificalis (Romae 1718) tom. I cap. 51. [Den öfter, auch bei Mansi XII 297, gedruckten Text gebe ich jetzt berichtigt nach einem von meinem Assistenten J. Fried aufgenommenen Foto der Inschrift.]

die Nennung des Römernamens im Kaisertitel in irgendeiner Form. Auch unter den Inschriften und Privaturkunden habe ich kein Beispiel gefunden. Wenn auch ihre Zahl sehr gering ist, wird man doch schließen können, daß es zum mindesten ungebräuchlich war, dem Kaisertitel in den Datumsformeln die Bezeichnung des Reiches in irgendeiner Form hinzuzufügen[32]. |

Eine Ausnahme scheint die schon von Heldmann herangezogene Urkunde aus Tivoli von etwa 760 zu bilden[33]. Zugleich zeigt sie die aus den Ravennater Papyri bekannte Schwurformel in etwas veränderter Gestalt an einem Ort des römischen Dukats zu einem wesentlich späteren Zeitpunkt. Die im Register von Subiaco offenbar nicht ganz einwandfrei überlieferte Emphyteuseurkunde des Bischofs von Tivoli enthält folgende Worte: *jurantes dicunt utrasque partes per Deum omnipotentem sancteque sedis apostolice principatum a Deo coronatorum dominorum nostrorum Constantini et Leoni magni imperatoribus Romanorum gubernatores seu salutem viri beatissimi et apostolici domni Pauli summi pontificis.*

Die ersten Zeilen der Urkunde, die die Datierung enthalten haben, sind in der Handschrift ausradiert. Aus den noch erkennbaren Wortresten las der erste Herausgeber, Troya, hier neben anderen Datumsteilen *Romae gubernatores*; die letzten Herausgeber schreiben *Romanorum gubernatores,* ohne daß ganz deutlich wird, ob sie dies wirklich gelesen haben oder eine Konjektur aufgrund der Schwurformel vorliegt. Auf jeden Fall haben wir hier eine Formulierung, die in engem Zusammenhang mit denen der Ravennater Papyri steht und nicht nur in der Schwurformel, sondern — viel-

[32] Die Inschriften sind nur für die Stadt Rom ausreichend publiziert von Ioh. Bapt. de Rossi, Inscriptiones christianae urbis Romae septimo saeculo antiquiores (1857/88). Über die Datierungen vgl. dort vol. 1 praefatio S. III ff.

[33] C. Troya, Storia d'Italia del medio-evo tom. IV: Codice diplomatico longobardo parte 5, 1 (1855) Nr. 802 S. 228 ff.; Il regesto Sublacense dell'undecimo secolo pubblicato da L. Allodi e G. Levi (Biblioteca della R. Società Romana di storia patria, 1885) doc. 111 S. 157 f., dazu Heldmann a. a. O. S. 158 Anm. 4 und S. 369 Anm. 3 (vgl. oben Anm. 10).

leicht mit einer kleinen Veränderung — auch in der Datumszeile angewandt wird.

Aus der Literatur der Zeit kann ich nur ein Beispiel für unsere Formel anführen. Ein Kaiserverzeichnis, das in der überlieferten Form frühestens unter Justinian abgeschlossen wurde, führt an: *Anastasius Orientale gubernans imperium regnavit annos XXVII* ...[34].

Redewendungen, die an die Formel *Romanum gubernans imperium* stark anklingen, finden sich außerhalb Italiens mehrfach in den Briefen, die die Frankenkönigin Brunichild und ihr Sohn Childebert II. 584 und 585 nach Konstantinopel sandten. Wie bei den Schwurformeln handelt es sich auch hier nicht um die Wiedergabe der amtlichen Kaisertitulatur, | wohl aber um eine den staatsrechtlichen Formen und der Kanzleisprache gemäße Ausdrucksweise[35].

Childebert II. an den Patricius Venantius: ... *legatarios ad clementiam serenissimi principis distinasse Romanam rem publicam gubernantis*[36].

Childebert II. an Kaiser Maurikios: ... *supplicamus per qui vestrum culmen Romanam rem publicam longa feliciter faciat seriae gubernari*[37].

Brunichild an Kaiserin Anastasia: *Serenissimae dominationi vestrae quam tribuente domino summo principe coniuge Romanam cognovimus rem publicam gubernare*[38].

Childebert II. an Paulus, den Vater des Exarchen von Ravenna Smaragdus, mit Bezug auf diesen: *ut de vestro germine procrearetur feliciter qui gubernaret imperia*[39].

[34] MG. AA. 13, 423, vgl. ebenda: *Justinus Constantinopolim regens imperium per annos VIIII* ...

[35] Epistulae Austrasicae Nr. 25—39, 43—47, MG. Epp. 3, 138—145, 149—152. Zum Datum und politischen Zusammenhang W. Gundlach, NA. 13 (1888) 372—378.

[36] Nr. 39 S. 145, die Handschrift hat *gubernantes*, von Gundlach korrigiert.

[37] Nr. 47 S. 152.

[38] Nr. 29 S. 140.

[39] Nr. 37 S. 144.

Häufiger als die angeführten Wendungen ist in den Briefen die Bezeichnung *princeps Romanae rei publicae,* meist mit dem Zusatz *tranquillissimus* oder *serenissimus*; einmal steht *princeps Romanus*[40]. *Res publica Romana* wird in dieser Zeit innerhalb und außerhalb des Römischen Reiches als Name desselben so häufig verwandt wie *imperium Romanum.*

Während so der Kanzleistil den Ausdruck *imperator Romanorum* vermeidet, finden wir ihn in den Chroniken des 6. und 7. Jahrhunderts wiederholt, wenn auch nicht allzu häufig[41]. Im amtlichen Verkehr war er jedoch noch zu Beginn des 7. Jahrhunderts absolut unmöglich, wie ein schönes Beispiel aus dem Register Gregors des Großen zeigt. Der Papst schreibt im Jahre 600 an einen römischen Adligen: *Hoc enim inter reges gentium et imperatorem Romanorum distat, quia reges gentium domini servorum sunt, imperator vero Romanorum dominus liberorum*[42]. Deutlich ist hier der Ausdruck *imperator Romanorum* in Parallele zu *reges | gentium* gebildet. Diesen Parallelismus gibt Gregor aber auf, als er drei Jahre später wörtlich denselben Satz an den Kaiser Phokas schreibt. Statt *imperator Romanorum* schreibt er jetzt *rei publicae imperatores*[43].

III

Ehe wir die Formeln des karolingischen Kaisertums erörtern können, muß noch ein Blick auf die Entwicklung im allmählich ganz griechischen Charakter annehmenden Oströmischen Reich geworfen werden.

Viel früher als im Westen war im griechisch sprechenden Osten der Ausdruck Kaiser der Römer aufgekommen. Zuerst in der Zeit der Antoninen, bei Appian und Pausanias, findet er sich im pluralischen Gebrauch, gewissermaßen als Gattungsbe-

[40] Nr. 28, 32, 33, 34, 35, 36, 37, 38, S. 140—144. Die Wortstellung schwankt. *Princeps Romanus* in Nr. 31 S. 141.

[41] Z. B. MG. AA. 11, 206, 211 u. öfter. (Neben *imperator Romanorum* auch *princeps Romanorum.*)

[42] Reg. Greg. Magn. XI 4 von Sept. 600 (MG. Epp. 2, 263).

[43] Reg. Greg. Magn. XIII 34 von Mai 603 (MG. Epp. 2, 397).

griff[44]; in der ersten Hälfte des dritten Jahrhunderts wenden ihn Clemens von Alexandrien und Origenes dann auch im Singular an[45]. Euseb stellt den Ausdruck gelegentlich titelähnlich neben den Namen des Herrschers[46]. Dieser Gebrauch ist bei Prokop und Agathias bereits sehr verbreitet[47]; ja, Agathias kann von Justinian sagen, nach der Eroberung der westlichen Provinzen | des Reiches sei er von allen in Byzanz regierenden Kaisern als erster „dem Namen und der Sache nach" Kaiser der Römer gewesen[48]. Dies setzt voraus, daß im Volksmund dem Namen nach die Kaiser längst Kaiser der Römer waren, auch wenn dieser Titel erst Jahrhunderte später von den kaiserlichen Kanzleien aufgenommen wurde.

[44] Appianus, bell. civ. I 103: οἱ Ῥωμαίων βασιλεῖς. Pausanias II 8.1 τέμενος ἀνειμένον βασιλεῦσι Ῥωμαίων, VI 19.10 βασιλεῖς Ῥωμαίων; adjektivisch dagegen VI 24.10 βασιλεῦσι δὲ ἀνεῖται Ῥωμαίοις; nicht zu unterscheiden, ob adjektivischer oder substantivischer Gebrauch vorliegt: I 40.2, V 20.9. Bei genauer Durchsicht der Literatur dürften sich weitere Stellen nachweisen lassen. Über den Gebrauch des einfachen βασιλεύς für den römischen Kaiser seit dem ersten Jahrhundert vgl. L. Bréhier, Byz. Zs. 15 (1906) 165 ff.

[45] Clemens Alex., protrept. IV 49.1 (ed. Stählin S. 38) ὁ βασιλεὺς ὁ Ῥωμαίων. Origenes contra Celsum VIII 65 (ed. Kötschau S. 281) τοῦ Ῥωμαίων βασιλέως τὸν δαίμονα, VIII 35 (S. 250, Zitat aus Celsus) ὁ μὲν τοῦ Περσῶν ἢ Ῥωμαίων βασιλέως σατράπης. — βασιλεὺς Ῥωμαίων auf einem Papyrusfragment des 2.—3. Jh.s: BGU [= Ägyptische Urkunden aus den kgl. Museen zu Berlin, Bd. 2, 1898, Nr.] 588. — Die Formeln der Kaisertitel auf Papyri sind zusammengestellt von F. Preisigke, Wörterbuch der griechischen Papyrusurkunden (1931) 3, 41—72.

[46] Eusebius, hist. eccl. VI 28.1 (ed. Schwartz S. 582): τόν γε μὲν Ῥωμαίων αὐτοκράτορα Ἀλέξανδρον, vgl. IV 26.1 (S. 380) τῷ δηλωθέντι τοὺς χρόνους Ῥωμαίων βασιλεῖ. Hieronymus übersetzt einmal *imperator*, das andere Mal *imperatori Romano* und vermeidet so das *imperator Romanorum*.

[47] Procopius, bell. Pers. I 1.1 Ἰουστινιανὸς ὁ Ῥωμαίων βασιλεύς, I 2.1 Ἀρκάδιος ὁ Ῥωμαίων βασιλεύς, vgl. I 4.16; bell. Vand. I 1.1 Θεοδόσιος ὁ Ῥωμαίων αὐτοκράτωρ, vgl. bell. Goth. I 1.26 und viele andere Stellen; Agathias, hist. I 1, I 6, I 21 und öfter. Beide Autoren verwenden βασιλεύς häufiger als αὐτοκράτωρ, machen jedoch anscheinend keinen grundsätzlichen Unterschied.

[48] Agathias, hist. V 14 am Anfang.

Die amtliche Titulatur der Urkunden behielt in Byzanz bis ins 7. Jahrhundert die unter dem Prinzipat entwickelten Formen bei. Erst Herakleios führte einen neuen kurzen Titel in griechischer Sprache ein, in dem der Herrscher βασιλεύς genannt wurde[49]. Damit beginnt die staatsrechtliche Gleichung *imperator* — βασιλεύς, die die bisher häufige Bezeichnung barbarischer Herrscher als βασιλεῖς ausschließt. Im Laufe des 7. Jahrhunderts begann dann allmählich das Eindringen des Römernamens in die Kaisertitulatur, zuerst erkennbar auf Siegeln und Münzen, die noch bis in die Mitte des achten Jahrhunderts lateinische Schriftzeichen für die griechischen Worte der Legende verwandten. Da Zeitpunkt und Bedeutung des ersten Auftretens der Titulatur βασιλεὺς Ῥωμαίων in den letzten zwanzig Jahren heftig umstritten worden sind, soll im Folgenden die Reihe der Belege noch einmal kurz zusammengestellt werden[50].

A. Siegel

1. Siegel Konstantins IV. (668—685). Legende: CONSTANTINOS CONSTANTOS (K)E ANASTAS(IOS) (B)ASILIS PO(MAION)[51].

2. Siegel des Leontios (695—698). Legende: DEUS AIVTA . LEONTII / AUG ROMION[52]. |

[49] L. Bréhier, Byz. Zs. 15 (1906) 172 f., K. Brandi, AUF. 1 (1908) 34 f., G. Ostrogorsky, Geschichte des byzantinischen Staates (1940) S. 64 mit Anm. 1.

[50] Die für die eine Seite der Kontroverse grundlegende Arbeit von V. Laurent, ΒΑΣΙΛΕΥΣ ΡΟΜΑΙΩΝ. L'histoire d'un titre et le témoignage de la numismatique, Cronica Numismatica şi Arheologica, Bukarest 1940, Nr. 117—118 mit einer ausführlichen Zusammenstellung des Materials ist in Deutschland kaum zugänglich. Die Möglichkeit, sie zu benutzen, verdanke ich dem großen Entgegenkommen des Verfassers, der mir die Fahnen zuschickte, wofür ihm auch an dieser Stelle herzlich gedankt sei. Im Folgenden ist nach der Seitenzahl dieser Fahnen zitiert. Der mir ebenfalls nicht erreichbare Aufsatz des gleichen Verfassers: Échos d'Orient 38 (1939) 355—362 wird durch diese Arbeit ersetzt.

[51] Laurent S. 12 [vgl. Échos d'Orient 38 S. 359].

[52] Mordtmann, Byz. Zs. 15 (1906) 614, vgl. Goodacre, A Handbook of the Coinage of the Byzantine Empire (1931) S. 119; Laurent S. 12 [Échos d'Orient 38 S. 358 f.].

3. Siegel Leons III. (??) (717—741). Legende: LEONS CONST(A)NTINOS P(I)STOI BASILIS ROMAION. Die Zuweisung des Siegels zu Leon III. ist sehr zweifelhaft, wahrscheinlich stammt es von Leon V. (813—820)[53].

4. Siegel des Gegenkaisers Artavasdos (741 bis 742). Legende: ARTAYASDOS K NICIFOROS PISTOI BASILIS ROMAION[54].

5. Siegel Konstantins V. und Leons IV. (751 bis 755). Legende: KΩNCTANTINOC KAI ΛΕΩΝ ΠΙCΤΟΙ ΒΑCΙΛΕΙC ΡΩΜΑΙΩΝ[55].

B. Münzen — Münze der Kaiserin Eirene. Legende: AUGOUSTA R(OMAION). Die Lesung wird von F. Dölger bestritten[56].

C. Urkunden — Zuerst in den Briefen ausländischer Herrscher finden wir den Kaiser urkundlich βασιλεὺς Ῥωμαίων genannt. Der Chagan der Türken schreibt dem Kaiser Maurikios im Jahre 598: Τῷ βασιλεῖ τῶν Ῥωμαίων ὁ Χαγᾶνος ὁ μέγας δεσπότης ἑπτὰ γενῶν καὶ κύριος κλιμάτων τῆς οἰκουμένης ἑπτά[57]. Der Perserkönig Chosrau II.

[53] Lihacev, Byzantion 11 (1936) 471, vgl. H. Gregoire, ebenda S. 482. F. Dölger, Byz. Zs. 37 (1937) 578 f. macht dagegen die Zuweisung zu Leon V. wahrscheinlich, dazu vgl. Goodacre a. a. O. S. 168 Nr. 6—8, vgl. ferner F. Dölger, Byz. Zs. 31 (1931) 218 f.

[54] Lihacev a. a. O. 469 f.

[55] N. Banescu, Byzantion 10 (1935) 722 f., vgl. H. Gregoire, ebenda S. 822.

[56] W. Wroth, A Catalogue of the Imperial Byzantine Coins in the British Museum 2 (1908) 398 Nr. 4. Leider ist mir dieses Werk nicht zugänglich, so daß ich die von F. Dölger (Byz. Zs. 40, 1940, 519) bestrittene Lesung Laurents (a. a. O. S. 10 [vgl. Échos d'Orient 38 S. 360 Anm. 4]) nicht nachprüfen kann. [Wroth liest AVCYTR, so daß jede über Augusta hinausgehende Auflösung willkürlich ist.]

[57] Theophylactus Symocattes VII 7 (Corp. Bonn. 22, 282). Der Hinweis auf diese und die folgende Stelle findet sich bei R. Helm, AUF. 12 (1932) 378 f.

stellt in einem Brief von 591 bewußt die eigene Herrschaft und Titulatur in Parallele zu der des Kaisers Maurikios: Χοσρόης Περσῶν βασιλεὺς τῷ ἐμφρονεστάτῳ βασιλεῖ τῶν Ῥωμαίων ἀγαθοποιῷ εἰρηνικῷ δυνάστῃ φιλευγενεῖ καὶ τοῖς ἀδικουμένοις σωτῆρι εὐεργετικῷ ἀμνησικάκῳ χαίρειν. Δύο τισὶν ὀφθαλμοῖς τὸν κόσμον κατα- | λάμπεσθαι πάντα ἄνωθεν καὶ ἐξ ἀρχῆς τὸ θεῖον ἐπραγματεύσατο, τουτέστει τῇ δυνατωτάτῃ τῶν Ῥωμαίων βασιλείᾳ καὶ τοῖς ἐμφρονεστάτοις σκήπτροις τῆς Περσῶν πολιτείας[58].

Aus Byzanz selbst gibt es nur drei Belege aus der Zeit vor 800:

1. Unterschrift unter den Konzilsakten von 680: Κωνσταντῖνος ἐν Χριστῷ τῷ θεῷ βασιλεὺς καὶ αὐτοκράτωρ Ῥωμαίων legimus et consensimus[59].
2. Unterschrift unter den Konzilsakten von 692:

[58] Theoph. Sym. IV 11 S. 180.

[59] Mansi XI 655. Trennung der lateinischen und griechischen Worte nach K. Brandi, AUF. 1 (1908) 40. Vgl. E. Stein, Forschungen u. Fortschritte 6 (1930) 182 f. — Eine aus der Zeit des Papstes Sergius (687 bis 701) stammende Übersetzung ins Lateinische hat im ältesten Druck (J. Merlinus, Conciliorum generalium tom. II, Coloniae 1530, fol. LXXXVI verso): *Et subscriptio piissimi et Deo dilecti Constantini imperatoris: Legimus et consensimus*, im Druck bei Mansi XI 656 dagegen eine der griechischen entsprechende Fassung. Vielleicht ist Mansis Fassung durch den griechischen Text beeinflußt. Dann würde die alte Übersetzung einen Beweis für Dölgers Verdächtigung der griechischen Überlieferung (siehe unten) ergeben. Genaue Nachprüfung wäre nur an Hand der Handschriften möglich (Cod. Vindob. 468, Cod. Vatic. Reg. lat. 1040, vgl. F. Maaßen, Gesch. der Quellen und Lit. d. canon. Rechts 1, 1870, 148, 760 f.) [Wie Dr. P. Schreiner, Rom, mir freundlich mitteilt, lautet die Subscription in Reg. lat. 1040 fol. 72^r: *et subscriptio piissimi et Christo dilecti Constantini imperatoris: Legimus et consensimus.* Das bestätigt den Verdacht gegen die Überlieferung des griechischen Textes]. Auch eine andere alte Übersetzung hat eine ähnliche Fassung wie die von Merlinus gedruckte: Mansi XI 900.

Φλάβιος Ἰουστινιανὸς πιστὸς ἐν Χριστῷ Ἰησοῦ τῷ θεῷ βασιλεὺς Ῥωμαίων στοιχήσας ἅπασι τοῖς ὁρισθεῖσι καὶ ἐμμένων ὑπέγραψα[60].

3. Verordnung Konstantins VI. und Eirenes an das Konzil von Nikaia 787: Σάκρα. Κωνσταντῖνος καὶ Εἰρήνη πιστοὶ βασιλεῖς Ῥωομαίων τοῖς εὐδοκίᾳ καὶ χάριτι θεοῦ καὶ κελεύσει τῆς ἡμετέρας εὐσεβοῦς βασιλείας συναθροισθεῖσιν ἁγιωτάτοις ἐπισκόποις ἐν τῇ κατὰ Νικαίαν συνόδῳ[61].

Alle drei Stellen sind unsicher überliefert. Vor allem der älteste der drei Belege hat sicher eine Verände- | rung in der abschriftlichen Überlieferung erfahren; denn wie F. Dölger nachgewiesen hat, wurde der Titel βασιλεὺς καὶ αὐτοκράτωρ erst unter Nikephoros III. (1078—1081) üblich[62].

Zu den Urkunden tritt noch eine Inschrift in

[60] Mansi XI 988.

[61] F. Dölger, Regesten 346, Mansi XII 1002. Die Übersetzung des Anastasius Bibliothecarius von etwa 872 hat entsprechend *imperator Romanorum* (Mansi XII 1001, Migne PL. 129, 210).

[62] Konzilsakten falsch überliefert nach F. Dölger, Byz. Zs. 36 (1936) 136 Anm. 2 (Nachweis des ersten Vorkommens von βασιλεὺς καὶ αὐτοκράτωρ), Byz. Zs. 40 (1940) 519, Europas Gestaltung (vgl. oben Anm. 9) S. 215 Anm. 21; echt nach Laurent S. 10 [vgl. Échos d'Orient 38, S. 357]. — Vgl. auch oben Anm. 59 u. 60. — Sicher zu Unrecht führt Laurent noch Novelle 27 der Kaiserin Eirene an. In einer Handschrift enthält die Rubrik dieses Gesetzes die Worte Εἰρήνης μεγάλου βασιλέως Ῥωμαίων καὶ αὐτοκράτορος (Dölger, Regesten 358, Zepi, Jus Graeco-Romanum 1, 45). F. Dölger, Europas Gestaltung S. 215 Anm. 21 führt für (falsch überliefertes) βασιλεὺς Ῥωμαίων nach seinen Regesten noch an: Nr. 211 von 638 (anscheinend irrtümlich angeführt), Nr. 304 von 726/740: Ecloga Leons III. Diese hat in der ältesten Fassung (Collectio librorum iuris Graeco-Romani, ed. C. Zachariae, 1852, S. 10) einfach Λέων καὶ Κωνσταντῖνος βασιλεῖς (eine Hs. πιστοὶ β.); erst die jüngere Bearbeitung Ecloga privata aucta (Jus Graeco-Romanum IV, ed. C. Zachariae, 1865, S. 1) hat Λ. κ. Κ. πιστοὶ ἐν Χριστῷ ἀει[σεβασ]τοὶ βασιλεῖς Ῥωμαίων.

Saloniki, die Justinian II. 685/688 dem heiligen Demetrios setzen ließ[63].

Die Zusammenstellung ergibt, daß seit dem Ende des 7. Jahrhunderts ein langsames Vorschreiten des Römernamens im Kaisertitel zu bemerken ist; völlig unanfechtbare Belege liegen aber nur auf Siegeln vor. Die Meinung V. Laurents, daß schon Herakleios oder Konstantin III. den Titel βασιλεὺς Ῥωμαίων eingeführt haben, läßt sich nicht halten; die Verwendung dieses Titels im 8. Jahrhundert scheint aber doch größeren Umfang zu haben, als F. Dölger anzunehmen geneigt ist. Seit 812 tragen die Silbermünzen des Reiches oft die Legende N βασιλεὺς Ῥωμαίων, seit Leon VI. (886—912) regelmäßig[64]. Im 10. Jahrhundert setzt sich dieser Titel dann auf allen Münzen und Urkunden durch. |

Eine dem *Romanum gubernans imperium* entsprechende griechische Wendung scheint es nicht gegeben zu haben[65].

IV

Der Liber Pontificalis berichtet, daß Karl der Große am Weihnachtstage 800 zum *imperator Romanorum* gekrönt sei — und entsprechend lauten die Nachrichten des Griechen Theophanes und anderer Quellen[66]. Die Akklamation des römischen Volkes in der

[63] Corpus inscript. Graec. ed. Boeckh, IV 8642 S. 300: Ὦ μεγαλομάρτυς Δημήτριε μεσίτευσον πρὸς θεόν, ἵνα τῷ πιστῷ σου δούλῳ τῷ ἐπιγείῳ βασιλεῖ Ῥωμαίων Ἰουστινιανῷ δοίη μου νικῆσαι τοὺς ἐχθρούς μου καὶ τούτους ὑποτάξαι ὑπὸ τοὺς πόδας μου. Datierung nach A. Vasiliev, Speculum 18 (1943) 9 f. — Die von Bréhier noch genannte Inschrift CIG. 8634 entstammt dem hohen MA.

[64] E. Stein, Forschungen u. Fortschritte 6 (1930) 182 f., F. Dölger, Byz. Zs. 40 (1940) 518 f.

[65] Vgl. z. B. die kritische Schwurformel in einem Papyrus von 538 (Byz. Zs. 37, 1937, 15 f.): καὶ ἐπὶ τούτοις π[ᾶ]σι ἐπωμοσάμην τὴν ἁγίαν καὶ ὁμοούσιον τριάδα καὶ τὴν νί[κην δι]αμονὴν τοῦ καλλινίκου δεσπότου ἡμῶν Φλαυίου Ἰουστινι[ανοῦ τοῦ αἰω]νίου αὐγούστου αὐτοκράτορος ἐμμεῖναι πᾶσι τοῖς προγεγραμμένοις . . .

[66] Vita Leonis III. cap. 23 (Lib. Pontif., ed. Duchesne 2, 7), Theo-

Peterskirche lautete, dem Liber Pontificalis zufolge: „*Karolo piissimo Augusto a Deo coronato magno et pacifico imperatori vita et victoria.*“ Die fränkischen Reichsannalen fügen in ihrer Wiedergabe der Akklamation dem Kaisertitel das Wort *Romanorum* hinzu. Während der Verfasser der Vita Leonis genau zwischen der Sprache des konstitutiven Rechtsaktes und der des historischen Berichtes unterscheidet, übertragen die Annalen in naiver — fast möchte man sagen barbarischer — Weise die populäre Sprache auf den Rechtsakt. Es zeigt sich darin eine gewisse Unklarheit über den neuen Titel auf fränkischer Seite [67].

Die erste Urkunde des Jahres 801 zeigt die Schwierigkeit, die die Vereinigung der neuen und alten Würden Karls im Titel bereitete. Auf das Chrismon folgen die Worte *Carolus Dei gratia rex Francorum et* | *Romanorum adque Langobardorum* [68]. Man wird aus der nur abschriftlich überlieferten Urkunde nicht zu weitgehende Schlüsse ziehen dürfen; sie ist aber doch nicht hinwegzuinterpretieren, sondern als Zeugnis für eine vorübergehende Verlegenheit zu werten.

phanes ad ann. 6289 (Migne PG. 108, 962); vgl. Annales regni Francorum ad ann. 801 (SS. rer. Germ. S. 112 f.). Weitere Quellen bei BM.² 370 c.

[67] Vgl. E. Caspar, ZKG. 54 (1934) 232 mit Anm. 54, H. Löwe (vgl. oben S. 5 Anm. 9) S. 162. Wenn F. Dölger, Europas Gestaltung (vgl. oben Anm. 9) S. 260 Theophanes als Zeugen für den richtigen Wortlaut der Akklamation in den Reichsannalen anführt, so ist zu bemerken, daß Theophanes — wie der Liber Pontificalis — nur von der Krönung zum βασιλεὺς Ῥωμαίων spricht, die Akklamation aber gar nicht erwähnt. — H. Beumann, Welt als Geschichte 10 (1950) 123 Anm. 33, will die Überlieferung der Reichsannalen durch die Laudes von 800 stützen. Leider sind diese Laudes nicht bekannt; die von Beumann angeführten (Lib. Pontif., ed. Duchesne 2, 37 und Einhard, Vita Caroli, ed. sexta cur. O. Holder-Egger, S. 46) stammen aus der Königszeit Karls und nennen ihn nur *patricius Romanorum* — vom *imperator* ist keine Rede. — Vgl. auch E. Kantorowicz, Laudes Regiae (1946) S. 84, der die Akklamation in der Form des Liber Pontificalis anführt.

[68] DK. 196 von 801 März 4 Rom. Den Versuch von M. Kößler, Karls d. Gr. erste Urkunde aus der Kaiserzeit (Veröffentl. d. hist. Sem. d. Univ. Graz 8, 1931), die Urkunde als zweite Ausfertigung des Originals zu

Im April 801 brach Karl von Rom auf, um über die Alpen nach Norden zu ziehen[69]. Am 29. Mai wurde die erste Urkunde mit dem neuen Titel, von dem wir ausgingen, in der Nähe von Bologna ausgestellt[70]. Sie trägt neben dem Chrismon die trinitarische Invokatio *In nomine Patris et Filii et Spiritus Sancti,* die seit der Zeit Kaiser Leons III. in den Kaiserurkunden der Byzantiner angewandt wurde. Die Form des Urkundenprotokolls, die Karl jetzt gefunden hatte, blieb für seine ganze weitere Regierungszeit gültig[71].

Wenige Tage vor dem 29. Mai hatte Karl Ravenna besucht. Er hatte dort den Befehl gegeben, das Reiterbild Theoderichs nach Aachen zu schaffen[72]. Alle unsere wörtlich entsprechenden Belege für die nun von ihm angewandte Titelformel *Romanum gubernans imperium* stammen aus Ravenna, so daß sich die Vermutung aufdrängt, der Kaiser sei an diesem Hort der byzantinischen Tradition und des römischen Rechtes mit ihr bekannt geworden. Ein Beweis hierfür wird sich nicht erbringen lassen. Aber wenn auch Alchvine gelegentlich den byzantinischen Kaiser *gubernator* nennt und selbst in England Aldhelm einen unserer Formel ähnlichen Titel für den britischen König von Devon anwendet[73] — eine nordalpine Tradition des unter Justinian geprägten Titels ist nicht nachweisbar. Wie die voraufgehenden Epitheta stammt die Nennung des römischen

erweisen, hat P. Kehr, NA. 49 (1932) 702 f. widerlegt. Dennoch läßt sich die Urkunde nicht mit Kehr und Caspar (a. a. O. S. 261 f.) einfach ausschalten; gestützt wird sie durch einen ähnlichen Titel in einem Formular (Form. Morb. 5, MG. LL. 5 Formulae ed. Zeumer 331). Vgl. zuletzt F. L. Ganshof, ZSchwG. 28 (1948) 432 Anm. 1, ebenso schon Schramm, Renovatio 1, 13 Anm. 2.

[69] BM.² 371 b.

[70] DK. 197 für das Bistum Bologna. Vgl. oben S. 103.

[71] Die letzte erhaltene Urkunde ist DK. 218 von 813 Mai 9.

[72] BM.² 371 d.

[73] Alcuini ep. 174 von 799 (MG. Epp. 4, 288), Adelhelmi ep. 4 (MG. AA. 15, 480): *Domino gloriosissimo occidentalis regni sceptra gubernanti.* Zweifellos ist irgendein Stilmuster, vermutlich des 6. Jahrhunderts, benutzt. Vgl. auch Aldhelm, de virginitate cap. 24, 32 u. öfter (MG. AA. 15, 257, 273).

Reiches in Karls Titel aus Italien. Offen bleiben muß nur | die Frage, ob er bewußt an die Zeit Justinians anknüpfte oder einen noch am Ende des achten Jahrhunderts lebendigen Brauch aufnahm; es gibt Gründe, diese letzte Möglichkeit zu bezweifeln[74].

Jedenfalls steht die Form des Kaisertitels in einer Linie mit anderen Zeugnissen für die Aufnahme römischer Traditionen. Das erste für Italien erlassene Kapitular der Kaiserzeit trägt eine Datierung nach Postconsulatsjahren, eine von Byzanz schon im 7. Jahrhundert, von den Päpsten 772 aufgegebene Form[75]. Wichtiger und berühmter ist die Bulle, deren Zugehörigkeit zu Karl dem Großen P. E. Schramm nachgewiesen hat[76]. Wie auf alten römischen Münzen ist der Kaiser hier betitelt: *D(ominus) N(oster) KAR(lus) IMP(erator) P(ius) F(elix) P(er)P(etuus) AUG(ustus).* Die Rückseite zeigt ein Stadttor und die Umschrift: *RENOVATIO ROMAN(i) IMP(erii) / ROMA.*

Wie auf dieser Bulle bezieht sich im neuen Kaisertitel die Herrschaft Karls eindeutig auf das *imperium Romanum,* nicht auf die Stadtrömer, wie der Titel *patricius Romanorum* gedeutet werden konnte und man den *imperator Romanorum* hätte deuten können.

[74] Die Schwurformel einer Ravennater Urkunde von 767 lautet: *iurata voce dico per divina omnia et per scripta sacra sancta evangelia que corporaliter obsculans tango sedeque sanca apostolica et imperatorum salutem* (M. Fantuzzi, Monumenti Ravennati de'secoli di mezzo 2, 1803, Nr. 1 S. 1—4).

[75] MG. LL. 2 Capit. 1, 204 ff. Nr. 98. Wie die Consulatsdatierung sind auch Titel und Invocatio dieses Kapitulars singulär: *In nomine Domini nostri Jesu Christi. Karolus divino nutu coronatus Romanum regens imperium serenissimus augustus.* (Die gleiche Intitulatio erscheint noch einmal in Capit. 1, 267 Nr. 134, Ludwig d. Fr., 816 Nov. 1). Das Datum von Capit. I 98 liegt zwischen Anfang Juni und Ende August 801 *(anno regni ... in Italia XXVIII ... indictione nona).*

[76] P. E. Schramm, Die zeitgenössischen Bildnisse Karls d. Gr. (Beiträge zur Kulturgesch. d. Mittelalters u. d. Renaissance 29, 1928) S. 26—28, dazu die Abbildungen bei dems., Die deutschen Kaiser u. Könige in Bildern ihrer Zeit 1 (1928) Tafel 7 (dazu Textband S. 31 ff.), vgl. auch dens., Renovatio 1, 14, 42 f. — Die Münzen Karls kennen die Legende *PFPP AVG* nicht (Schramm, Kaiserbilder S. 29 ff., Tafel 6).

Nicht die Rücksicht auf Byzanz bestimmte also Karl zur Annahme dieses Titels: Im Gegenteil, den einzigen je in Italien amtlich gebrauchten Kaisertitel mit dem Römernamen nahm er auf und verknüpfte ihn mit den verbreiteteren Epitheta der Kaiser. Klarer konnte er den Byzantinern, mit denen er, wie H. Löwe jüngst nachwies[77], in den voraufgehenden Jahren | wiederholt in Verhandlungen über das Kaisertum gestanden hatte, seinen Anspruch auf das Römische Reich, dessen Kern für ihn in Italien lag, nicht vorführen.

Aber noch mehr läßt sich dem vollen Titel entnehmen. Er nahm die römischen Ansprüche auf, ohne die fränkischen zurückzustellen. H. Beumann wies kürzlich darauf hin, daß Karl vermied, die Römer — was immer man unter diesem Namen verstehen mochte, die Franken fühlten sich weder als Römer noch als Glieder des *imperium Romanum* — als Reichsvolk zu nennen und so die Franken und Langobarden in keiner Weise zurückstellte: eine für die personale Staatsauffassung der Germanen zweifellos wichtige Maßnahme[78]. Der Ausdruck des Regierens im höheren — göttlichen — Auftrag wurde bei Justinian durch das Wort *gubernare* deutlich, vielleicht darf man hier eine ähnliche Vorstellung dahinter sehen[79], die den Verzicht auf eine Devotionsformel beim Wort *imperator* möglich machte. Vor allem aber erlaubte der neue Titel eine Karls Vorstellung vom christlichen Kaiser entsprechende Deutung: Karl war *imperator* als Beherrscher des christlichen *orbis*, als *vicarius Christi*, als *imperator* herrschte er im ganzen Abendland. *Romanum gubernans imperium qui et per misericordiam Dei rex Francorum atque Langobardorum*, diese an den allgemeineren Kaisertitel angehängten Worte bezeichnen die einzelnen Rechtstitel, durch die der Kaiser drei Bereiche unmittelbar beherrschte. Über dem *qui et* vor dem Königstitel wird man die hinter *imperator* liegende Cäsur nicht übersehen dürfen. Die Dreiteilung war im Titel seit 774 vorgebildet und begegnet in einer besonderen Form im Titel der

[77] H. Löwe, Eine Kölner Notiz zum Kaisertum Karls des Großen, Rhein. Vierteljahresblätter 14 (1949) 7—34.

[78] H. Beumann, Welt als Geschichte 10 (1950) 122 f.

[79] Dies setzt H. Beumann a. a. O. voraus.

libri Carolini. Jetzt stand der Imperatoren-Titel übergeordnet vor den drei Bezeichnungen seines unmittelbaren Herrschaftsgebietes [80].

Die folgende Auseinandersetzung Karls mit Byzanz ist bekannt [81]. Sie endete mit der Anerkennung des neuen Kaisers als *imperator* im Jahre 812. Aber obwohl ihm die Byzantiner den römischen Titel nicht zugestanden, behielt Karl sein einmal formuliertes Urkundenprotokoll | bei; selbst Ludwig der Fromme, der sich in der Regel nur *imperator augustus* nannte, griff gelegentlich auf Titelformen des Vaters zurück [82]. Für die Byzantiner wurde aber die Schaffung des westlichen Kaisertums und insbesondere seine Anerkennung 812 zum Anlaß, den römischen Charakter ihres Reiches und ihrer Kaiserherrschaft fortan stärker zu betonen. Jetzt erst setzte sich bei ihnen der Titel βασιλεὺς Ῥωμαίων allgemein durch [83].

Nachtrag 1971

Der vorstehende Aufsatz erscheint, entsprechend dem Zweck der „Wege der Forschung", hier unverändert so, wie er 1950 als Nebenfrucht meiner Dissertation [1] verfaßt und im Herbst 1951 veröffent-

[80] Zur Dreiteilung des Herrschertitels vgl. E. Caspar, ZKG. 54 (1935) 260 f. Das Kaisertum Karls auch außerhalb des *imperium Romanum* hebt hervor M. Lintzel, Welt als Geschichte 4 (1938) 428 f. Wertvolle Anregungen für die oben gegebene Interpretation verdanke ich noch unveröffentlichten Ausführungen meines Freundes Dr. Jürgen Fischer in Göttingen. [Vgl. jetzt J. Fischer, Oriens — Occidens — Europa. Begriff und Gedanke „Europa" in der späten Antike und im frühen Mittelalter (Veröffentlichungen des Instituts für Europäische Geschichte 15, 1957), bes. S. 76 mit Anm. 11 auf S. 141.]

[81] Vgl. vor allem F. Dölger, Europas Gestaltung passim.

[82] Vgl. oben Anm. 75.

[83] F. Dölger, Europas Gestaltung S. 219 ff., 215 Anm. 21 und die oben Anm. 64 angegebene Literatur.

[1] Gedruckt unter dem Titel: Kaiserreskript und Königsurkunde. Diplomatische Studien zum römisch-germanischen Kontinuitätsproblem. Archiv für Diplomatik 1 (1955) S. 1—87 und 2 (1956) S. 1—115.

licht wurde. Es wurden lediglich Druckfehler ausgemerzt sowie Quellenzitate und Literaturhinweise nach neueren oder damals nicht zugänglichen Editionen verbessert; diese Zusätze stehen in eckigen Klammern.

In größerem Zusammenhange habe ich die hier erörterten Fragen aufgegriffen und dargestellt in dem Aufsatz „Karl der Große, das Papsttum und Byzanz. Die Begründung des karolingischen Kaisertums“, in: Karl der Große — Lebenswerk und Nachleben, Band 1: Persönlichkeit und Geschichte, herausgegeben von Helmut Beumann, Düsseldorf, Schwann, 1965, S. 537—608. Eine durch Nachträge, die zur jüngsten Forschung Stellung nehmen, erweiterte Sonderausgabe dieser Arbeit erschien bei demselben Verlag 1968. Nach dieser Ausgabe wird im folgenden zitiert.

Selbstverständlich haben sich bei der späteren Darstellung in größerem Zusammenhang neue Gesichtspunkte ergeben. Insbesondere die zusammenfassende Interpretation der Ergebnisse oben S. 20 ff. würde heute zum Teil andere Akzente erhalten. Das kann nicht an dieser Stelle wiederholt werden; doch seien einige Einzelheiten für die Kernfrage des vorliegenden Aufsatzes, den Kaisertitel, nachgetragen.

1. Alsbald nach dem ersten Erscheinen des Aufsatzes wies mein früherer Lehrer H. U. Instinsky mich darauf hin, daß die Formel *imperator Romanorum* zunächst ein Gräcismus ist: rein lateinisch muß es *imperator Romanus* heißen, wie es *populus Romanus, exercitus Romanus, senatus populusque Romanus* heißt, dem griechisch δῆμος Ῥωμαίων, στρατὸς Ῥωμαίων, σύγκλητος καὶ δῆμος Ῥωμαίων entspricht. Es kann also nicht wundernehmen, wenn der erste, oben Anm. 16 genannte Beleg für *imperator Romanorum* eine — wörtliche und ungeschickte — Übersetzung aus dem Griechischen ist. Die Deutung als Analogie zu *reges Persarum* (oben S. 7) ist also nicht ganz richtig, erst sekundär darf man diese Entsprechung zugrunde legen. Bezeichnend ist, daß Hieronymus an den oben Anm. 46 genannten Stellen die sprachlich einwandfreie lateinische Wiedergabe des Griechischen findet. Die Rückübersetzung aus den Wahlakten von 457, oben S. 8 mit Anm. 17, müßte dementsprechend richtig *imperator Roma*n*a*e *rei publicae* lauten. Auch die oben S. 13 f. genannten Stellen sprechen von der *Romana*

res publica. Aber schon Gregor d. Gr. scheint an der S. 14 genannten Stelle die sprachliche Analogie zwischen *rex gentium* und *imperator Romanorum* kaum als Gräcismus empfunden zu haben. Im 8. Jh. pflegen die Päpste dann bekanntlich von der *res publica Romanorum* zu sprechen. Im Hinblick auf neuere Kontroversen über den Patricius-Titel sollte man vielleicht anmerken, daß *consul Romanus*, griechisch ὕπατος Ῥωμαίων[2], seit Livius ganz gewöhnlich ist, vgl. Thes. Ling. Lat. 4, 566; dasselbe gilt für andere Titel, die es auch außerhalb Roms gibt, nicht aber für den spätrömischen und byzantinischen *patricius*, der seinem Wesen nach stets Römer ist und darum nicht ausdrücklich Römer genannt wird.[3]

2. F. Dölger hat bei dem Neudruck seines oben Anm. 9 genannten Aufsatzes in seiner Sammlung „Byzanz und die europäische Staatenwelt" (Ettal 1953 = ²1964) S. 298 ff. Anm. 21 f. zu dem vorliegenden Aufsatz Stellung genommen. Wenn er dabei meint, meine Aufstellungen wollten seine These entkräften, der Titel βασιλεὺς Ῥωμαίων sei seit 812 durchgesetzt worden, so liegt ein Mißverständnis vor: hierin besteht Übereinstimmung. Nur würde ich nicht sagen, Byzanz habe vor 800 den Titel *imperator Romanorum* „eifersüchtig gehütet" (Dölger S. 301 Anm. 22): diesen Titel gab es ja amtlich kaum (wenn es auch mehr als *ein* Siegel gibt, das Dölger S. 306 Anm. 34 einräumt), und eben deshalb ist die Forschung fehlgegangen, als sie Karls Formel *imperator Romanum gubernans imperium* unter die Frage stellte: warum nicht *imperator Romanorum*? Wenn Karl, statt auf jede Nennung des Römernamens im Titel zu verzichten, wie es die Byzantiner bisher in aller Regel taten, die einzige im amtlichen Sprachgebrauch Italiens übliche Formel aufgriff, die das Römische Reich nennt, so wurde die römische Seite des Kaisertums gerade hervorgehoben, freilich ohne daß die „Römer" in Erscheinung traten. Vgl. „Karl der Große, das Papsttum und Byzanz" S. 51 ff.

[2] Polybios bevorzugt στρατηγὸς Ῥωμαίων.

[3] Zum Patricius-Titel zuletzt J. Deér, Zur Praxis der Verleihung des auswärtigen Patriziats. Archivum Historiae Pontificiae 8 (1970) S. 7—25, hier bes. S. 19 ff., gegen Classen, Karl d. Gr., das Papsttum und Byzanz S. 16 und 74.

3. Entgegen dem oben S. 20 Gesagten gibt es eine Reihe griechischer Quellen, die dem *Romanum gubernans imperium* sehr nahestehende Formulierungen haben, im einzelnen freilich stark voneinander abweichen; sie dürften in spätlateinischer Sprachtradition wurzeln, haben aber wohl keine gewohnheitsrechtlich verbindliche Formulierung gefunden. Vgl. die „Karl der Große, das Papsttum und Byzanz" S. 78 genannten Stellen.[4]

4. Während eine Arbeit über königliche Intitulationen im frühen Mittelalter neuerdings vorliegt,[5] fehlt es nach wie vor an einer umfassenden Untersuchung der Geschichte der Kaisertitulatur, so wie ja auch ein Corpus der spätrömischen Kaiserurkunden entbehrt wird. Diese Lücke machte sich etwa bei der Diskussion über W. Schlesingers (m. E. richtige) These bemerkbar, die Intitulatio von Karls Divisio imperii von 806 sei vom Constitutum Constantini abhängig; vgl. dazu „Karl d. Gr., das Papsttum und Byzanz" S. 79 f. Im folgenden sollen nur einige wenige Nachträge zu dem oben gesammelten Stoff gegeben werden. (Vgl. „Karl d. Gr., das Papsttum und Byzanz" S. 53 mit Anm. 269 u. S. 78.)

Zu S. 7: Ammianus Marcellinus hat öfter *princeps Romanus*, auch *rectores Romani*: 31. 16. 8. Dagegen Anon. Vales. 36: *Nepos factus est imperator Romae* ist als Lokativ zu verstehen: in Rom.

Zu S. 13 Anm. 34: Anon. Vales. 83: *hominem bene rem publicam gubernantem* (sc. Theoderich).

Zu S. 22 Anm. 73: Aldhelm, MG. AA. 15 S. 65 Z. 7: *Memphitica regna sceptrum imperiale gubernat.* — Bonifatius ep. 73 (ed. M. Tangl, MG. Ep. sel. 1, 1916, S. 146) Adresse: *Domino ... inclita Anglorum sceptra gubernanti,* vgl. H. Beumann, Festschrift E. E. Stengel (1952) S. 169 Anm. 1. — Urkunde König Aethelbalds, ed. W. de Gray Birch, Cartularium Saxonicum 1 (1885) Nr. 167: *rex ... gentis Merciorum regens imperium,* vgl. C. Erdmann, Forschungen zur politischen Ideenwelt des Frühmittelalters (1951) S. 15 Anm. 6.

[4] Bei dem dort angeführten Beleg aus der Vita Nicephori ist zu lesen S. 145 statt S. 59.

[5] H. Wolfram, Intitulatio. I: Lateinische Königs- und Fürstentitel bis zum Ende des 8. Jahrhunderts. Mitteilungen des Instituts für Österreichische Geschichtsforschung, Erg.-Bd. 21, 1967.

Zu S. 23 Anm. 74: Auch aus Neapel gibt es Urkunden, in denen bei *salus* und *genius* der Kaiser geschworen wird, jedoch der Titel das Reich nicht nennt. B. Capasso, Monumenta ad Neapolitani ducatus historiam pertinentia I (1881) S. 263 f., Urkunden von 763 und 839.

Zuletzt seien einige wenige Stellen aus der Zeit nach 800 genannt:

Theodulf von Orléans, MG. Poet. 1 S. 563, carm. 71 Vers 91: *Det pater altithronus caelum terramque gubernans*, wörtl. wiederholt im Waltharius, Prolog Vers 15.

Vita Gregorii abbatis Porcetensis, MG. SS. 15 S. 1187: *Ottonum tercio . . . Romana imperia pio regiminis sceptro gubernante.*

Falsches Privileg, angeblich Papst Leos VIII. MG. Const. 1 S. 665 Zeile 14 f.: *rex Romanum gubernans imperium* . . . (Zur Entstehung der Fälschung in Ravenna um 1084 vgl. K. Jordan, AUF. 15 (1938) S. 435—442).

5. Zu dem oben Anm. 68 genannten DK. 196 vgl. jetzt H. Fichtenau, Genesius, Notar Karls des Großen, in: Folia Diplomatica I, Brünn 1971, S. 75—87, hier S. 82 ff., der die Urkunde für echt hält und meint, „daß der rex Romanorum von D. 196 mit der Ablegung des Patriciustitels seit der Kaisererhebung Karls zusammenhängt und mit populären Vorstellungen von einem Gleichgewicht zwischen Franken, Langobarden und ‚Römern' im Karlsreich" (S. 85). Auf tuskische Privaturkunden der Jahre 802 und 804 mit dem gleichen dreigliedrigen Königstitel in der Datierung wies Fichtenau, Mediaevalia Bohemica 1, 1969, S. 16 f. hin.

6. Auf das besondere Problem Karl der Große und Ravenna, das oben S. 22 berührt wird, hoffe ich bei anderer Gelegenheit zurückzukommen. Dabei wird neben früher erörterten Quellen die bei D. Spreti, De amplificatione, eversione et restauratione urbis Ravennae libri tres, vol. 1, Ravenna 1793, S. 211 Nr. 53 publizierte, heute im erzbischöflichen Museum von Ravenna befindliche Inschrift mit dem Königstitel Karls zu untersuchen sein, die der neueren Forschung völlig entgangen ist.

Schweizer Beiträge zur allgemeinen Geschichte 15, 1957, S. 5—63.

DIE VORRECHTE DES KAISERS IN ROM (772—800)

Von JOSEF DEÉR

In seiner umfangreichen, gehaltvollen und in der Fachliteratur bereits vielbeachteten Abhandlung „Die Anerkennung Karls des Großen als Kaiser. Ein Kapitel aus der Geschichte der mittelalterlichen Staatssymbolik“ [1], unternahm P. E. Schramm den sowohl methodisch wie auch sachlich höchst denkwürdigen Versuch, den engen Kreis einander vielfach widersprechender Berichte, die wir in den erzählenden Quellen über die Kaisererhebung von 800 besitzen, zu erweitern und dadurch zu einer besser fundierten Deutung dieser bis heute so heißumstrittenen Vorgänge zu gelangen. Seine „neuen“ Quellen sind die Fakten der „Staatssymbolik“ [2], die in der bisherigen Forschung höchstens nur eine untergeordnete Rolle gespielt haben und meistens auch in unbefriedigender Weise behandelt worden sind. Schramm will die Vorrechte, die der byzantinische Kaiser noch während des 8. Jahrhunderts in Rom genoß, festlegen und dann von dieser Basis aus danach fragen, wie und wann diese Vorrechte auf Karl den Großen übergegangen sind. Die Berechtigung eines solchen Versuchs ist einleuchtend, denn er verspricht uns nichts Geringeres als die Aufhellung der Vorgeschichte der ersten abendländischen Kaisererhebung, das heißt der Stellung Karls in Rom im Vergleich zu der des Basileus, über die wir sonst keine Quellen besitzen.

Wie ihre allgemeine Zielsetzung, so ist auch der Ausgangspunkt der Untersuchung als einwandfrei zu bezeichnen. Diesen bildet der

[1] Historische Zeitschrift, Heft 172/3, Dezember 1951, S. 449—515. Die Arbeit wurde beim Verlag R. Oldenbourg, München, 1951 unter dem gleichen Titel auch separat herausgegeben.

[2] Was darunter zu verstehen ist, hat Schramm in den abschließenden Betrachtungen seiner Arbeit (S. 511—515) mit aller Prägnanz dargelegt.

Bericht im *Liber Pontificalis*[3] über die Art und Weise, wie die Römer gegenüber dem durch Papst Konstantin (708—715) für häretisch erklärten Kaiser Philippikos Bardanes (Ende 711 bis Pfingsten 713) zum Ausdruck gebracht haben, daß sie ihn nicht mehr als ihren Kaiser anerkannten: |

cum statuisset populus Romanus, ne quaquam heretici imperatoris nomen aut chartas aut figuram solidi susciperent, unde nec eius effigies in ecclesia introducta est, nec suum nomen ad missarum sollemnia proferebatur.

Aus diesem Bericht folgert nun Schramm: „Die Römer gehen also in vierfacher Weise vor:

sie datieren nicht mehr nach Kaiserjahren,
sie prägen in der römischen Münzstätte keine Kaisermünze mehr,
sie bringen in den römischen Kirchen keine Kaiserbilder mehr an,
sie erwähnen den Kaiser nicht mehr im Gottesdienst.

Dieser Konflikt erledigte sich beim nächsten Thronwechsel, und den weiteren Kaisern sind — wie hätte es anders sein können? — diese vier Vorrechte wieder eingeräumt worden. Wie lange sind sie ihnen aber gewährt geblieben? Und von wann an werden sie an den Frankenkönig übertragen? Vor oder nach seiner Erhebung zum Kaiser?" (S. 452). Von besonderer Wichtigkeit ist die Antwort auf die letzte Frage, denn von ihr muß die konkrete Entscheidung darüber abhängen, ob Karl bereits als König und Patricius über die Kaiserrechte in Rom verfügte oder nicht, das heißt, ob die Kaisererhebung von 800 nur den formalen Abschluß eines langen Prozesses bildete, oder aber ob sie sich ohne jegliche imperiale Voraussetzungen, nur aus einer „Zwangslage staatsrechtlicher Art"[4] — nämlich

[3] ed. L. Duchesne I, p. 392. Den Bericht hat auch Paulus Diaconus in seine Historia Langobardorum lib. VI, c. 34 (MG Scriptores rerum Langobardicarum et Italicarum, 1878, p. 175 f.) beinahe wörtlich übernommen.

[4] K. Heldmann, Das Kaisertum Karls des Großen. Theorien und Wirklichkeit. Weimar 1928 (Quellen und Studien zur Verfassungsgeschichte des Deutschen Reiches VI, 1), und Zeitschrift für Rechtsgeschichte, Germ. Abt., 50 (1930), S. 625—667; Heinz Dannenbauer, Zum Kaisertum Karls des Großen und seiner Nachfolger, in: Zeitschrift für Kirchengeschichte 49 (1930), S. 301 ff.

aus der Notwendigkeit der Aburteilung der Gegner Papst Leos III. nach römischem Recht, das heißt durch einen Kaiser — ergab.

Durch eingehende Untersuchung der genannten vier Kaiserrechte während der Zeit der Königsherrschaft und des Patriziats Karls in Italien (774 bis 800) hat Schramm den unumstößlichen Beweis dafür erbracht, daß seit dem Pontifikat Hadrians I. (772—795) die Stellung des Kaisers in Rom im Spiegel seiner vier hauptsächlichsten Vorrechte als weitgehend erschüttert erscheint. Es läßt sich mit Sicherheit sagen, daß die päpstliche Kanzlei spätestens seit 781 die Urkunden nicht mehr nach Kaiserjahren datierte, und daß in Rom die Prägung von Goldmünzen im Namen und mit dem Bilde des Kaisers seit dem Tode Konstantins V. (775) aufhörte. Wenn auch nicht mit voller Bestimmtheit zu leugnen, so doch für höchst unwahrscheinlich zu halten ist die bei Regierungswechseln früher übliche feierliche Entgegennahme, Einholung und Aufstellung des Kaiserbildes seit dem Pontifikat Hadrians I.; auch für das Gebet für den byzantinischen Kaiser in der römischen Liturgie | fehlen uns für die gleiche Zeit jegliche direkten Belege. Man hat also dem Kaiser mindestens zwei seiner früher ihm zustehenden Vorrechte verweigert, hat ihn also in Rom nicht mehr als „Landesherrn“ anerkannt und damit seine Kaiserherrschaft über Rom in einer für die damalige Welt gemeinverständlichen Art und Weise in Abrede gestellt[5]. In dieser kaum anfechtbaren Folgerung sehe

[5] Daran kann auch der untertänige Ton der an Eirene und Konstantin VI. gerichteten Briefe Hadrians (Heldmann, S. 169 und Anm. 4) nichts ändern. Auch die Ansicht von E. Caspar, Das Papsttum unter fränkischer Herrschaft, Darmstadt 1956 (Sonderdruck aus Zeitschrift für Kirchengeschichte 54, 1935), S. 52, Anm. 40, daß trotz der Datierung nach Pontifikatsjahren von einer Usurpation der Kaiserrechte „bei dem bekannten behutsam vorsichtigen Verhalten des Papsttums zu Kaiser und Reich nicht die Rede sein“ kann, verkennt den Quellenwert „staatssymbolischer“ Fakten. Der Vorteil solcher Quellen besteht eben darin, daß sie über den politischen Augenblick hinaus die beständige Tendenz im Leben einer Institution aufzeigen, ja sie lassen „nicht nur erkennen was ist, sondern auch was sein sollte“ (Schramm, S. 514). Die unterwürfigen Äußerungen Hadrians gegenüber den Kaisern sind bloß Mittel zum Zweck im Dienste seiner Primatspolitik, die Datierung nach Pontifikatsjahren

ich den wesentlichsten Ertrag und damit auch das hohe Verdienst der Untersuchungen Schramms für die Erforschung der Vorgeschichte des Kaisertums im Westen. Im Besitze dieses einwandfreien Ergebnisses kann man kaum mehr mit Recht behaupten, daß die Hoheit des byzantinischen Kaisers über Rom staatsrechtlich bis Weihnachten 800 gedauert und erst im Moment der Ausrufung Karls zum Kaiser aufgehört hätte. Wenn das aber so ist, so muß auch die Erhebung Karls zum Kaiser noch andere Voraussetzungen als nur „die Notlage staatsrechtlicher Art", als Folge des Prozesses gegen die Feinde Papst Leos III., gehabt haben. Der durch die Ausrufung und Krönung von 800 geschaffenen Kaiserherrschaft Karls des Großen über Rom geht also jedenfalls eine längere, mehrere Jahrzehnte umfassende Übergangszeit voraus, während der, wie aus der sicher nachweisbaren Verweigerung der Datierung nach Kaiserjahren sowie der Prägung von Münzen mit | dem Kaiserbild hervorgeht, der in Konstantinopel residierende Kaiser nicht mehr als Kaiser zugleich auch in Rom anerkannt worden ist.

Da erhebt sich aber die weitere Frage, in wessen Händen sich während dieser Übergangszeit die vier kardinalen Vorrechte des Kaisers befunden haben, wer also der große Gewinner im Prozeß der nachgewiesenen Aushöhlung der Kaiserrechte war. Denn es kann kein Zweifel darüber bestehen, daß derjenige, der vor Weih-

und die Prägung von Münzen in seinem Namen und mit seinem Bilde sind dagegen Ausdruck der Selbständigkeitsbestrebungen des Papsttums. Es kommt ihnen schon deshalb ein größerer Quellenwert zu, weil Datierung und Münzprägung als politische Manifestationen eine unvergleichlich breitere Publizität als diplomatische Briefe und chronikalische Berichte besitzen, und weil die öffentliche Meinung der damaligen Welt auf derartige symbolische Manifestationen empfindlicher als auf gesprochenes oder geschriebenes Wort reagierte. Der Quellenwert der „Staatssymbolik" ist also letzten Endes in der seelischen Beschaffenheit des Menschen der Spätantike und des frühen Mittelalters begründet, in der Tatsache, daß für ihn die sinnbildlichen Handlungen verständlicher und wirksamer als Worte und schriftliche Äußerungen waren. Soweit wir der Einstellung der Menschen dieser Zeiten bei der historischen Rekonstruktion überhaupt noch Rechnung tragen wollen, müssen wir auch diese Gruppe von Quellen *neben* den Schriftquellen entsprechend berücksichtigen.

nachten 800 die dem Basileus verweigerten kaiserlichen Vorrechte innehatte, damit zugleich in die Stellung des Kaisers eingerückt, das heißt — wie Schramm sich ausdrückt — zum *quasi imperator* oder *imperatori similis* geworden war. Die Frage, wer nun dieser *quasi imperator* vor 800 gewesen sei, beantwortet Schramm folgendermaßen: „Die Päpste hatten Karl bereits zum *quasi imperator* werden lassen, indem sie ein kaiserliches Vorrecht nach dem anderen auf ihn übertrugen. Wie dem i der Punkt, so fehlte dem *quasi imperator* nur der Titel" (S. 482).

Bei dieser Schlußfolgerung, die dann seiner ganzen Deutung der Vorgänge vom 25. Dezember 800 zugrunde liegt, kann ich aber Schramm nicht mehr folgen, und ich schließe mich trotz der Anerkennung der grundsätzlichen Richtigkeit seiner Problemstellung, trotz der Bejahung seiner „staatssymbolischen" Methode und trotz der wesentlichen Übereinstimmung in der Beurteilung der Stellung des byzantinischen Kaisers in Rom vor 800 jenen Bedenken an, die Franz Dölger gegenüber seiner Anerkennungstheorie summarisch geäußert hat.[6] Die nachfolgende Analyse der einzelnen Kaiserrechte wird uns zeigen, daß in der Tat kein einziges von diesen Rechten vor 800 auf Karl den Großen übertragen worden ist.

1. Die Datierung nach dem Kaiser

Bezüglich dieses Vorrechtes bietet Schramm eine an die Arbeit von A. Menzer[7] sich anlehnende Schilderung der Geschichte der Datumformeln der päpstlichen Urkunden während des Pontifikats Hadrians I. (772—795) und Leos III. (795—816), die aber in mehrfacher Hinsicht einer Richtigstellung bedarf.

Es ist zwar durchaus richtig, daß die in der päpstlichen Kanzlei noch im Laufe des 8. Jahrhunderts übliche Datierung nach den Regierungsjahren der herrschenden Kaiser unter Hadrian I. das

[6] Byzantinische Zeitschrift 45 (1952), S. 465.

[7] Die Jahresmerkmale in den Datierungen der Papsturkunden bis zum Ausgang des 11. Jahrhunderts, in: Römische Quartalschrift 40 (1932), S. 27—103.

letztemal in der Urkunde vom 22. April 772 (JE. 2395)[8] vorkommt, und daß neun Jahre später — aus der Zwischenzeit sind uns keine Urkunden mit Datumzeile erhalten geblieben — dann eine neue Datumformel von großer staatsrechtlicher Bedeutung auf- | taucht. Diese seit dem 1. Dezember 781 (JE. 2435) nachweisbare Formel Hadrians I. zitiert aber Schramm leider unvollständig und zieht aus ihr deshalb auch Folgerungen, die mit der Aussage der vollständigen Datumzeile unvereinbar sind: „Dann heißt es im Dezember 781 auf einer päpstlichen Urkunde: *regnante Domino Deo et Salvatore Jesu Christo cum Deo patre omnipotenti et Spiritu sancto per infinita saecula.* Der seit 772 amtierende Papst Hadrian hat also in einem nicht mehr feststellbaren Augenblick, liturgische Formeln benutzend, an die Stelle des Kaisers Jesus Christus selbst gesetzt. Von Leo III. an, der Weihnachten 795 zur Herrschaft gelangte, geben die Urkunden statt dessen — wie bei einem Landesfürsten — in der Datierungszeile die Jahre seines Pontifikats an" (S. 456). Diese Formulierung kann im Leser nur den Eindruck erwecken, als ob die Angabe der Pontifikatsjahre in den Papsturkunden erst mit Leo III. begonnen hätte, und daß diese Datierungsweise in den Urkunden Hadrians noch nicht nachweisbar wäre. Nichts wäre jedoch irrtümlicher als eine solche Annahme!

Die hadrianische Datumzeile nach 781 ist uns in zwei Varianten erhalten geblieben:

1) In der Urkunde für St. Denis vom 1. Dezember 781 (JE. 2435)[9]: *regnante Domino et salvatore nostro Jesu Christo, qui vivit et regnat cum Deo patre omnipotente et spiritu sancto per immortalia secula, anno pontificatus nostri in sacratissima (sede) beati apostoli Petri sub die Deo propitio decimo, indictione quinta.*

2) In der Urkunde für S. Apollinare in Classe vom 1. November 782 (JE. 2437):[10] *regnante domino Deo et salvatore Jesu Christo cum Deo patre omnipotenti et spiritu sancto per infinita secula anno Deo propitio pontificatus domini nostri Hadriani in apostolica sede undecimo, indictione sexta.*

[8] P. F. Kehr, Italia Pontificia II, S. 60, Nr. 3.

[9] Baluzii Miscellanea, ed. Mansi, Luccae 1761, Vol. VII, p. 120.

[10] Mittarelli et Costadoni, Annales Camaldulenses, Venetiis 1755, Appendix c. 10, Nr. 3; Kehr, Italia Pontificia V, S. 103.

Wie man aus diesen Texten ersieht, hat Schramm den ganzen zweiten Teil der hadrianischen Formel einfach weggelassen.[10a] Die Änderung, die hinsichtlich der Datumformeln von JE. 2435 und JE. 2437 im Vergleich zur alten Datierung, wie sie noch die Urkunde Hadrians von 772 (JE. 2395) zeigt, in der päpstlichen Kanzleipraxis eingetreten ist, besteht also keineswegs nur darin, daß — wie Schramm meint — der irdische und temporäre Kaiser durch den Allherrscher Christus ersetzt worden ist, sondern auch darin, daß man gleichzeitig auch die Kaiserjahre durch die Pontifikatsjahre ersetzt hat, das heißt, daß man schon seit Hadrian I. und nicht erst seit Leo III. statt nach Kaiserjahren nach Pontifikatsjahren — also „wie bei einem Landesfürsten" — zählte. | Es ist zwar vollkommen richtig, daß Hadrian I. mit dem Weglassen der alten, bis 772 nachweisbaren Datumzeile — *imperante domino piissimo augusto a Deo coronato magno imperatore* etc.[11] — und deren Ersetzung durch die neue Formel — *regnante domino et salvatore nostro Jesu Christo* etc. — aller Welt unmißverständlich zur Kenntnis gab, daß er „außer Gott keine Obrigkeit mehr anzuerkennen gewillt sei" [12]; ebenso evident ist es aber auch, daß in der faktischen Datierung, das heißt bei der konkreten Angabe der Jahre, die bisherige Stelle des Kaisers nicht Christus, sondern der regierende Papst eingenommen hat. Laut JE. 2435 und JE. 2437 werden die Jahre in den Papsturkunden unter der ewigen Herrschaft Christi, als des Königs der Könige, nach dem Pontifikat des Papstes gezählt, dem auf diese Weise die erste irdische Stelle eingeräumt wird. In der hadrianischen Datumzeile kommt also dieselbe Auffassung des dualistisch-korrelativen Verhältnisses von himmlischer und irdischer, göttlicher und menschlicher Herrschergewalt zum Ausdruck, welche seit der christlichen Spätantike auch die bildliche Darstellung von Christus und Kaiser in zunehmendem Maße bestimmt hat und nach dem Bildersturm sogar zu kanonischer

[10a] Wohl versehentlich nach Menzer, a. a. O., S. 62; aber weiter unten, S. 70, gibt Menzer auch den bei Schramm fehlenden zweiten Teil der Formel an.

[11] Menzer, S. 48.

[12] Menzer, S. 62.

Geltung gelangt ist.[13] Schon deshalb läßt sich die Bedeutung dieser Änderung durch die Einwände Karl Heldmanns keineswegs abschwächen. Daß diese neue Art der Datierung damit zu erklären wäre, daß „seit dem 8. September 780 Kaiser Leos Witwe Irene für ihren minderjährigen Sohn regierte“ [14], das heißt, daß Hadrian diese Regentschaft als eine Vakanz in der Kaiserherrschaft aufgefaßt hätte, wird durch die Tatsache widerlegt, daß in Tuszien zwischen 774 und 796 in den Privaturkunden nur nach dem Papst datiert wurde [15], was ohne das Vorbild der päpstlichen Kanzleipraxis kaum denkbar wäre. Obwohl die erste erhaltene Papsturkunde, die nach Pontifikatsjahren datiert ist, erst aus dem Jahre 781 stammt, dürfen wir auf Grund der tuszischen Praxis mit gutem Recht annehmen, daß schon die früheren Urkunden Hadrians, die uns ohne Datumzeile überliefert sind, spätestens seit 774 im wesentlichen schon die gleiche Datumzeile wie JE. 2435 und 2437 enthielten. Den Anlaß zur neuen Datierungsweise mag wohl das Schenkungsversprechen Karls von 774 gegeben haben, das zu einer energischen Wiederaufnahme der päpstlichen Versuche zur Eingliederung des ganzen ehemaligen byzantinischen Gebiets Italiens geführt hat, und zwar „in der Richtung des territorialen Wunschzieles der konstantinischen Schenkung“.[16] Damit | war aber die Berücksichtigung der Kaiserrechte, wie etwa desjenigen der Datierung nach Kaiserjahren, gänzlich unvereinbar. Auch das Formular Nr. 85 des *Liber Diurnus* [17], das einem um 685 stilisierten Schreiben entstammt, kann um so weniger den Beweis dafür liefern, daß Hadrian „sich völlig als Reichsuntertan gefühlt“ hätte [18], als es nicht jener Gruppe der Formulare angehört (Nr. 82—99), die unter Hadrian I. in die Sammlung aufgenommen wurden [19]. Auch daraus, daß

[13] J. Deér, Das Kaiserbild im Kreuz, in: Schweizer Beiträge zur allgemeinen Geschichte 13 (1955), besonders S. 99 ff.

[14] Das Kaisertum Karls des Großen, S. 165 f., Anm. 2 (auf S. 166).

[15] Belege bei Heldmann, S. 165, Anm. 2.

[16] Caspar, a. a. O., S. 39.

[17] ed. Sickel, 1889, p. 110.

[18] Heldmann, S. 168 f., Anm. 4.

[19] Heldmann, S. 115 f., Anm. 3 (auf S. 116).

Hadrian zu Beginn seines Pontifikats — als er, wie JE. 2395 zeigt, noch nach Kaiserjahren datierte — der bisherigen reichskirchlichen Praxis entsprechend eine regelrechte *suggestio* an die *imperialis clementia* Konstantins V. und Leons IV. zur Bestimmung des Verbannungsortes des Paulus Afiarta richtete[19a], kann man kaum auf die permanente Loyalität dieses Papstes während seines langen Pontifikats schließen.

Zusammenfassend kann man also feststellen: Spätestens seit 781, höchstwahrscheinlich aber schon seit 774, hat Hadrian I. dem Kaiser in Konstantinopel das Vorrecht der Datierung der Papsturkunden nach dessen Regierungsjahren verweigert und dieses Recht unter einem invokatorischen Hinweis auf die Oberherrschaft Christi allein für sich in Anspruch genommen. In bezug auf die Datierung zeigt sich nicht einmal die leiseste Spur einer Bereitschaft Hadrians, dieses wichtige Vorrecht in irgendeiner Form dem Franken- und Langobardenkönig und Patricius der Römer abzutreten oder es mit ihm auch nur zu teilen; dieser wird in der Datierung überhaupt nicht berücksichtigt. Gewonnen bei der Ausschaltung des Kaisers hat — und eben diese der Anerkennungstheorie widersprechende Tatsache geht aus der Schilderung Schramms nicht hervor — einzig und allein der Papst, der in der Datierung an die erste irdische Stelle gerückt ist.

Diese Situation erbt der Nachfolger, Leo III. Aus der Königszeit Karls besitzen wir von diesem Papst Urkunden mit Datumzeile erst aus den Jahren zwischen 798 und 800; sie zeigen nicht unwesentliche Änderungen:

(anno) Deo propitio pontificatus domni nostri in apostolica sede . . ., atque domni Caroli excellentissimi regis Francorum et Langobardorum et patricii Romanorum, a quo cepit Italiam . . . (JE. 2497, 2498, 2499, 2503)[20].

Leo III. hat also den hadrianischen Hinweis auf die ewige Herrschaft Christi (*regnante domino et salvatore nostro Jesu Christo* etc.) weggelassen, demgegenüber aber die eigentliche Datumformel Hadrians mit der Angabe der Pontifikatsjahre beibehalten und

[19a] Liber Pontificalis I, p. 490.

[20] Menzer, a. a. O., S. 31 und 63.

diese dazu noch mit der Anführung der | italienischen Regierungsjahre Karls ergänzt. Aus dieser Ergänzung schließt Schramm, unter Hinweis auf ihre Übereinstimmung mit der Datumzeile der italienischen Urkunden Karls seit 774: „Dieser Papst räumte also Karl eines der vier Vorrechte ein, das die Römer dem Kaiser Philippikos Bardanes verweigert haben" (S. 456).

Diese Folgerung ist jedoch voreilig. Der Schein eines Einrückens Karls in dieses kaiserliche Vorrecht entsteht nur dadurch, daß auch diesmal nicht die ganze Formel in ihrem lateinischen Wortlaut zitiert wird. So wie bei der Anführung der Datumzeile Hadrians den zweiten, so läßt Schramm bei der Datumzeile Leos III. den ersten Teil der Formel weg. Dadurch wird aber die Aufmerksamkeit des Lesers von den folgenden zwei einwandfrei feststehenden Tatsachen abgelenkt:

erstens, daß man in Rom schon unter Hadrian, spätestens seit 781, nur nach Papstjahren datierte, und Karls dabei gar nicht gedacht wurde;

zweitens, daß auch unter Leo III., seit 789, der Papst immer an erster, Karl aber nur an zweiter Stelle in der Datumzeile genannt wurde.

Es kann also bei dieser Sachlage keineswegs davon die Rede sein, daß der nur an zweiter Stelle genannte König und Patricius in das Datierungsvorrecht jener alten Kaiser eingerückt wäre, die bis 772 in den Datumzeilen päpstlicher Urkunden ausnahmslos an erster Stelle genannt worden waren. Der Ausweg, daß diese Reihenfolge nur die Folge der gelasianischen Zweigewaltenlehre über den Vorrang des *sacerdotium* gegenüber dem *regnum* wäre, ist ungangbar. Dies zeigen uns die Datumzeilen der Urkunden Leos III. *nach* der Kaisererhebung von 800, denen in bezug auf unser Problem gerade die Bedeutung einer Gegenprobe zukommt, mit aller Deutlichkeit: es wird in ihnen nur noch nach Kaiserjahren datiert, und die Pontifikatsjahre fallen ganz fort[21]. „Nach der Kaiserkrönung Karls" — sagt A. Menzer[22] — „verschwinden aber die Pontifikatsjahre doch wieder. Noch scheint die kaiserliche Herrschaft keine Gleich-

[21] Epistolae Leonis papae III, in: MG Ep. V, pp. 87—104.

[22] a. a. O., S. 31.

stellung der päpstlichen zuzulassen. Die Nachfolger Leos III. datieren ihre Urkunden allein nach Kaiserjahren, an deren Stelle nur dann Pontifikatsjahre treten, wenn es im Reich noch keinen gekrönten Kaiser gibt."

Was bedeutet aber dann die zusätzliche sekundäre Datierung nach den italienischen Regierungsjahren Karls des Großen? Auffallend ist vor allem, daß der Name Karls nicht nur an zweiter Stelle nach dem Papst, sondern im Gegensatz zur Nennung des Papstes *(Deo propitio pontificatus domni nostri)* ohne die Anwendung einer „Devotionsformel", das heißt ohne Hinweis auf | sein Gottesgnadentum und damit auf seine Gottunmittelbarkeit[23] geschieht. Die Datumzeile Leos zwischen 798 und 800 weist zwar im Vergleich zur Formel unter Hadrian I. eine Erweiterung, die Nennung Karls und seiner italienischen Regierungsjahre auf; dem muß aber deswegen noch nicht die Bedeutung einer Rangerhöhung oder sogar der Verleihung eines kaiserlichen Vorrechtes zukommen. Denn die Nennung an zweiter Stelle bedeutet nur in der päpstlichen, nicht aber in der italienischen Datierungspraxis des 8. Jahrhunderts eine Neuerung. Hier war es längst vor Leo III. und Karl dem Großen üblich, den *rangzweiten* Mann Italiens, nämlich den Patricius-Exarchen von Ravenna, in der Datierung an zweiter Stelle mitzuberücksichtigen.[24] Stellen wir der Datumzeile Leos von 798 die in einer Inschrift erhaltene Datierung der ravennatischen Synode von 731[25] an die Seite:

[23] Siehe dazu die höchst lehrreichen Ausführungen von W. Enßlin, Gottkaiser und Kaiser von Gottes Gnaden, in: Sitzungsberichte der Bayerischen Akademie der Wissenschaften, phil.-hist. Abteilung, Jahrgang 1943, Heft 6, besonders S. 120 ff.: Dei Gratia. Ein Ausblick auf die Entwicklung im Westen.

[24] „Tous les actes officiels, tous les contrats étaient datés à la fois par l'année de l'empereur et par celle de l'exarque d'Italie": Ch. Diehl, Etudes sur l'administration byzantine dans l'exarchat de Ravenne (568 à 751), Bibliothèque des écoles françaises d'Athènes et de Rome, fasc. 53, 1888, p. 174.

[25] Spreti, De amplitudine, eversione et restauratione urbis Ravennae, Ravenna 1793, Vol. I, no. 325, p. 284.

JE. 2497.	*Synode von 731.*
(anno) Deo propitio pontificatus domni nostri in apostolica sede ... atque domni Caroli excellentissimi regis Francorum et Langobardorum et patricii Romanorum a quo coepit Italiam ...	*imperantibus piissimis dominis nostris Leone et Constantino a Deo coronatis magnis pacificis imperatoribus, Leone quidem clementissimo imperatore anno XV., Constantino vero a Deo coronato imperatore anno XI., guvernantem (sic!) Italia (sic!) domino Eutychio excellentissimo patricio et exarco IIII. Kal. Febr. ind. XIV.*

Aus diesem Vergleich geht eindeutig hervor, daß Karl in der Datumzeile der Urkunden Leos III. seit 798 dieselbe zweite Stelle nach dem Papst wie früher dem Patricius-Exarchen nach dem Kaiser eingeräumt wurde. Von einer Rangerhöhung kann man höchstens insofern sprechen, als Karl der Große von Leo III. ein Ehrenrecht erhalten hat, das ihm Hadrian noch nicht zugestanden hatte. Durch die Erwähnung seiner Regierungsjahre wurde seine | Stellung derjenigen der alten Patricii und Exarchen angeglichen, die in Rom auch sonst über unvergleichlich umfangreichere Rechte, als sie der fränkische König-Patricius noch unter Hadrian besessen hat, verfügten. Bei der Behandlung des Ehrenrechtes der Prozession werden wir noch sehen können, daß Karl anfänglich keineswegs im Besitze aller Rechte und Kompetenzen des einstigen *patricius et exarcha Italiae* war. Die Überschätzung der Stellung Karls vor der Kaisererhebung von 800 kommt unter anderem auch daher, daß Schramm der überragenden Position, die der Exarch zwischen Kaiser und Papst, zwischen Kaiser und italischen Untertanen einnahm, nicht gebührend Rechnung trug und demgemäß auch solche Ehrenrechte für ausschließlich kaiserlich hält, die in der Tat schon der Patricius-Exarch innehatte. Was Karl, bis zu seinem letzten Besuch in Rom im Spätherbst 800, erreicht hat, bestand im Vergleich zum Zustand von 774 höchstens darin, daß er, der ursprüngliche Titular-Patricius[26], inzwischen manche Rechte der Patricius-Exarchen erlangt hatte.

[26] Über diesen siehe: De Caerim. I, 56 (47), ed. A. Vogt II, p. 46_{7-8}

Das Resultat unserer Untersuchung der Datierung der Papsturkunden vor 800 wird auch durch die Beobachtung anderer Eigenheiten der päpstlichen Kanzleipraxis von protokollarischer Bedeutung bestätigt. Diese werden uns wiederum zeigen, daß Karl päpstlicherseits eben nur Ehrungen eingeräumt wurden, die ihm als Frankenkönig und Patricius gebührten, und die demgemäß von denen des Kaisers verschieden, mit denen des *patricius et exarcha Italiae* dagegen identisch waren. Ich denke dabei an die Superskriptionsformel, sowie an die Unterschriftzeile mit dem Gruß an den Adressaten, einerseits in den Briefen der Päpste an die Kaiser vor und nach 800, anderseits an die byzantinischen und fränkischen Patricii.

Die Adresse des Briefes Hadrians I. an Konstantin VI. und Eirene (785) lautet:

Dominis piissimis ac serenissimis imperatoribus ac triumphatoribus, filiis diligendis in Deo et domino nostro Jesu Christo.[27]

Diese Adresse stimmt im wesentlichen mit der alten Superskriptionsformel im *Liber Diurnus* überein:

Domino piissimo et serenissimo victori et triumphatori, filio amatori Dei et domini nostri Jesu Christi, ill. augusto.

Dazu kommt ebendort der folgende Gruß und Wunsch in der Unterschriftzeile vor:

Piissimum domini imperium gratia superna custodiat eique omnium gentium colla substernat.[28] |

Es steht nun einwandfrei fest, daß die päpstliche Kanzlei von diesen allein dem Kaiser vorbehaltenen Formeln in der Korrespondenz mit dem König-Patricius Karl keinen Gebrauch gemacht hat. Noch 798 schreibt Leo III. an Karl als

domino excellentissimo filio Carolo regi Francorum et Langobardorum atque patricii Romanorum . . .

und verabschiedet sich von ihm mit dem folgenden schlichten Gruß, ohne den Siegeswunsch:

incolomem excellentiam vestram superna gratia custodiat.[29]

[27] JE. 2448; Mansi XII, 1056.

[28] No. 1_1, p. 1.

[29] MG Ep. V, p. 59 f.

Woher stammen die beiden zuletzt angeführten Formeln? Aus dem *Liber Diurnus*, wo sie die Vorlage für die Korrespondenz mit dem Exarchen bildeten. Der Papst wendet sich in der Adresse an den kaiserlichen Statthalter als

domino excellentissimo atque precellentissimo filio N. eximio patricio,

und grüßt ihn am Schluß:

incolomem excellentiam vestram gratia superna custodiat.[30]

Wenn auch die Päpste in ihren an den König und Patricius Karl gerichteten Briefen mit Siegeswünschen keineswegs sparten, so geschah dies doch immer außerhalb dieser protokollarisch wichtigen Formeln, nur im Kontext ihrer Briefe[31]. Man kann darin schon deshalb nicht eine kaiserliche Auszeichnung erblicken, weil ein solcher Siegeswunsch schon Pipin gegenüber geäußert worden ist, der sicher nicht als *quasi imperator* betrachtet werden kann.[32] Entscheidend ist auch hier die Gegenprobe, die sich ebenso wie im Falle der Datumzeile mit der Exaktheit eines Experiments durchführen läßt: in seiner Korrespondenz mit Karl *nach* 800 kehrt Leo III. sowohl in der Superskriptionsformel wie auch in der Unterschriftzeile zur alten Kaiseradresse, beziehungsweise zum Kaisergruß zurück[33]. Die Grenze zwischen Kaiser und Patricius blieb also im ganzen Bereich der päpstlichen Kanzleipraxis auch während jener Zeit, als in das Datierungsvorrecht des Kaisers schon der Papst eingerückt war, ängstlich gewahrt.

2. *Das Prägen der Kaisermünzen*

Aus der Pontifikatszeit Hadrians I. sind zwei Sorten von Silberdenaren nachzuweisen. Auf dem Avers der einen Sorte ist die durch

[30] No. 1_{3-4}, p. 1 f.

[31] Siehe die Zusammenstellung in MG Ep. III, p. 498 n. 1. Sogar dem byzantinischen Hofe gegenüber wagt Hadrian Karl den Großen in seinem Brief von 785 (JE. 2448, Mansi XII, 1056) als Sieger über die Barbarenvölker der westlichen Welt zu feiern.

[32] Cod. Carol. ep. 6, 490_{21}.

[33] MG Ep. V, pp. 87—104.

ein Kreuz geteilte Inschrift HA-DRI//AN-VS//PA-PA, auf dem Revers zwischen zwei Querwülsten | S(an)CTI PET- RI zu lesen[34]. Viel interessanter ist die zweite Sorte: auf der Vorderseite das Bild Hadrians I. selbst mit der Legende D(ominus) N(oster) ADRIANVS P(a)P(a); (Die Buchstaben I und B rechts und links vom Papstkopf sind am wahrscheinlichsten als Zahlenzeichen IB = 12 zu deuten und sicher nicht als *Irene Basilissa* zu lesen); auf der Rückseite ein Krukenkreuz auf Stufenpostament, rechts und links davon die Buchstaben R und M, das heißt ROMA, darüber die Legende VICTORIA DN N CONOB = *Victoria domini nostri Constantinopolis obryzum*[35].

Die offensichtliche Anlehnung an byzantinische Münzbilder bei der zweiten Sorte der Denare Hadrians macht die Änderung von großer „staatssymbolischer" Bedeutung für uns besonders deutlich: Kaisername und Kaiserbild wurden durch den Papstnamen und das Papstbild ersetzt, wenn auch nur auf Silber- und nicht auf Goldmünzen. Bekanntlich haben die Byzantiner nur die Prägung von Goldmünzen als ein Reservatrecht ihres Kaisers betrachtet[36]. Aber man hat in Rom seit 775 aller Wahrscheinlichkeit nach überhaupt keine Goldmünzen mehr geprägt, und so sind die Silberdenare Hadrians doch als Symptome des Ausscheidens Roms aus dem Reichsverband aufzufassen. Der Kaiser verlor sein bisher ausgeübtes Münzrecht. Die Änderung erfolgte aber zugunsten des Papstes und nicht Karls, der — auch nach der Meinung Schramms — zwar in Italien ebenfalls Münzen mit seinem Bild und seinem Namen, mit dem Titel *rex Francorum et Langobardorum ac patricius Romanorum*, prägen ließ, aber sicher nicht in Rom, wo — wie wir es eben sahen — das Münzrecht der Papst ausübte.

Der Befund ist also eindeutig und für die Annahme der *quasi imperator*-Stellung Karls vollständig negativ: vielleicht das wesentlichste aller Kaiserrechte ging nicht auf ihn, sondern auf den Papst über, der sich so im Besitze des Münzrechtes und noch mehr durch die Aneignung der kaiserlichen Münzikonographie als *quasi im-*

[34] Abgebildet: P. E. Schramm, Herrschaftszeichen und Staatssymbolik, Bd. 1, 1954, Taf. 24, Abb. 31 g.

[35] Abgebildet: ebendort Taf. 24, Abb. 31 h.

[36] Prokop, De bello Gothico III, 33.

perator präsentiert. Beim Abschluß seiner Abhandlung hielt es Schramm noch für möglich, daß eine seine Anerkennungstheorie bestätigende Änderung in diesem Bereich der Kaiserrechte vielleicht erst unter dem Pontifikat Leos III. eingetreten sei. Damals kannte man nämlich noch keine Prägung dieses Papstes aus der mit der Königs- und Patriciuszeit Karls parallelen Phase seines Pontifikates. Heute stehen die Dinge anders; in jüngster Zeit kamen die Denare Leos III. sogar in zwei Exemplaren zum Vorschein: die eine Seite trägt die Legende DN LEONI PAPAE, die andere das Brustbild des Apostelfürsten mit der Umschrift SCS PETRVS [37]. Die Münze | Leos III. unterscheidet sich von der Hadrians vor allem darin, daß Papst Leo es für besser hielt, statt des eigenen Bildes das des Heiligen Petrus anzubringen. Karl der König und Patricius spielt auf den Denaren Leos III. ebensowenig eine Rolle wie früher auf denjenigen Hadrians. Zu dieser neuen Sachlage hat Schramm nachträglich und wie folgt Stellung genommen: „Aus der nunmehr an ihren richtigen Platz verwiesenen Leo-Münze ergibt sich also, daß bis zur Erhebung Karls zum Kaiser die Päpste das erloschene Münzrecht — im Gegensatz zu den übrigen als spezifisch kaiserlich angesehenen Rechten — festhielten und der Frankenkönig an diesem in keiner Weise beteiligt wurde" [38]. Diese Lücke in der Beweiskette erschüttert aber die Anerkennungstheorie seiner Ansicht nach noch keineswegs, da es sich hier nur um eine gut motivierbare Ausnahme handelt: „hier spielte die territoriale Frage hinein" [39]. Schramm beruft sich dabei auf Münzen Karls aus der Königszeit, die nach der Vermutung von Ph. Grierson in Ravenna geprägt worden wären. Diese für Ravenna beanspruchten Prägungen werden von Schramm als Beweise dafür angesehen, daß „der Papst dem Könige an allen kaiserlichen Rechten Anteil einräumte, nur am Münzrecht nicht". Leo betrachtete das Exarchat auf Grund der Schenkung Pipins und deren Erneuerung durch Karl 774 als Eigentum des hl. Petrus, und als er daher sah, daß der Frankenkönig dort Herrscherrechte wie

[37] Abgebildet: Schramm, Herrschaftszeichen und Staatssymbolik I, Taf. 24, Abb. 31 i—k.

[38] Schramm, Herrschaftszeichen und Staatssymbolik I, S. 293.

[39] Ebendort, S. 295.

die Münzprägung ausübte, soll er darauf mit der Verweigerung des Münzrechtes in Rom geantwortet haben.

Man hat es hier mit einer typischen Verlegenheitshypothese zu tun. Um das Fehlen des Münzrechtes für eine Ausnahme erklären zu können, wird zwischen der Prägung von Münzen in Ravenna in Karls Namen und der Prägung von Münzen in Rom im Namen des Papstes ein kausaler Zusammenhang konstruiert, der nie zu beweisen sein wird. Dagegen spricht schon die weitere Geschichte der päpstlichen Münzprägung in Rom, und zwar in der Zeit nach der Kaisererhebung Karls, die uns klar zeigt, warum der Papst schließlich doch gezwungen war, Karl auch auf seinen Münzen zu berücksichtigen. Nach 800 ließ Leo III. Denare prägen, „die auf der einen Seite den Karlsnamen mit dem Kaisertitel, und auf der anderen Leos Monogramm und s(an)c(tu)s PETRVS aufweisen“ [40]. Diese Münze liefert den Beweis dafür, daß das Vorkommen oder Nichtvorkommen des Karlsnamens auf römischen Prägungen einzig und allein von seiner jeweiligen staatsrechtlichen Stellung abhängig war. Dem Frankenkönig und Patricius wurde das erloschene kaiserliche Münzrecht nicht eingeräumt; dem Imperator und Augustus dagegen wurde es ebenso vollständig gewährt wie den Basileis vor 775. Im Bereich | der Münzprägung ist also dieselbe Gegenprobe möglich, wie früher im Falle der Datierung nach Kaiserjahren, und sie führt auch zum gleichen Resultat: erst zum Kaiser erhoben erlangt Karl auch die Vorrechte eines Kaisers. Vor 800 finden wir dagegen sowohl das Vorrecht der Datierung wie dasjenige der Münzprägung im Besitze des Papstes. Daß die Verweigerung des Münzrechtes keine Ausnahme in der Handhabe der Kaiserrechte während der Königszeit bildet, sondern diese Vorenthaltung eben die Regel ist, zeigte uns schon die Untersuchung der Datierung, und dasselbe wird uns im folgenden auch die Analyse der übrigen Vorrechte vor Augen führen.

[40] Abgebildet: Schramm, Herrschaftszeichen und Staatssymbolik I, Taf. 24, Abb. 31 l.

3. *Vexillum Romanae Urbis*

Die Behandlung des römischen Stadtbanners unter den kaiserlichen Vorrechten beruht bei Schramm auf den Untersuchungen von C. Erdmann[41]. „Die römischen Fahnen wurden benutzt beim Empfang des Kaisers und der Großen, die wie der Exarch und der Patricius an seiner Statt die gleiche Ehrung beanspruchen durften. Daß dies als ein kaiserliches Vorrecht aufgefaßt wurde, zeigt die konstantinische Schenkung; denn zu den kaiserlichen Rechten, die sie dem Papst zusprach, gehörten auch die kaiserlichen Lanzen, Signa und Fahnen. Mit diesen Fahnen war daher auch Karl der Große gleich bei seinem ersten Besuch in Rom (774) begrüßt worden" (S. 479). Es werden hier — und zwar nicht das erstemal in der Literatur[42] — zwei gänzlich verschiedene Dinge miteinander verwechselt: einerseits die seit der Spätantike nachweisbaren[42a] Fahnen und Signa, die den bürgerlichen Korporationen — *col-*

[41] Kaiserliche und päpstliche Fahnen des hohen Mittelalters, in: Quellen und Forschungen aus italienischen Archiven und Bibliotheken 25 (1933/34), S. 1—48.

[42] Erdmann, a. a. O., S. 11.

[42a] Über die *vexilla collegiorum*:

a) Inc. grat. act. Constantino 8, 4: *Exornavimus vias, quibus in palatium pervenitur, paupere quidem supellectili, sed omnia signa collegiorum, omnium deorum nostrorum simulacra protulimus.*

Vexilla collegiorum auf Inschriften: CIL III 7437, 7900, 8018, 8837.

b) Scr. Hist. Aug., Vita Gallieni 8, 4—6: *ipse medius cum picta toga et tunica palmata inter patres ..., omnibus sacerdotibus praetextatis Capitolium petit. Hastae auratae altrinsecus quingenae, vexilla centena praeter ea quae collegiorum erant, dracones et signa templorum omniumque legionum ibant.*

c) Scr. Hist. Aug., Vita Aureliani 34, 4—5: *iam populus ipse Romanus, iam vexilla collegiorum atque castrorum et catafractarii milites et opes regiae et omnis exercitus et senatus ... multum pompae addiderant. Denique vix nona hora in Capitolium pervenit, sero antem ad Palatium.* Dazu die Darstellung einer solchen Prozession auf einem Gefäß-Medaillon in: Laureae Aquincenses 1, 1938, Taf. 62, 4. Die in dieser Anmerkung angeführten Quellenstellen verdanke ich A. Alföldi.

legia — oder der | Miliz einer Stadt als Abzeichen angehörten und unter anderem auch bei Empfängen verwendet wurden; anderseits die Fahnen und Signa der kaiserlichen Prozession. Fassen wir die beiden Arten von Fahnen nacheinander ins Auge.

Die bei den Einholungen hochgestellter Persönlichkeiten verwendeten Fahnen und Signa sind Sinnbilder und Eigentum der Korporationen und Milizen, die sie mit sich führten. Mit ihnen zogen sie dem Einzuholenden entgegen, und zwar ungeachtet dessen, welches seine Rangstellung war. Mit denselben Fahnen und Signa wurde der Kaiser in Konstantinopel durch Senat und Volk[43], in Rom der Patricius-Exarch[44] und der Frankenkönig-Patricius[45], in Neapel der *dispensator* (= patricius) *Siciliae* und mit diesem zusammen zwei kaiserliche Spatharii[46], in Ravenna der neue Erzbischof der Stadt[46a] und wurde wohl auch der Papst sowohl in Rom

[43] De Caerim., app. ad. lib. I, ed. Bonn. I, p. 499_7.

[44] Vita Sergii, Liber Pontificalis I, p. 372: *Qui sic abdite venit, ut nec signa, nec banda cum militia Romani exercitus occurrissent ei in competenti loco, nisi a propinque Romanae civitatis.*

[45] Vita Hadriani I, Liber Pontificalis I, p. 496: (Hadrian) *direxit in eius occursum universos iudices ad fere XXX milia ab hac Romana urbe in loco qui vocatur Nobas: ibi eum cum bandora susceperunt. Et dum adpropinquasset fere unius miliario a Romana urbe, direxit universas scolas militiae una cum patronis simulque et pueris, qui ad didicendas litteras pergebant, deportantes omnes ramos palmarum adque olivarum, laudesque illi omnes canentes, cum adclamationum earumdem laudium vocibus ipsum Francorum susceperunt regem; obviam illi eius sanctitas dirigens venerandas cruces, id est signa, sicut mos est exarchum aut patricium suscipiendum, eum cum ingenti honore suscipi fecit.*

[46] Darüber zwei Briefe Hadrians I. an Karl den Großen aus dem Jahre 788:

a) Cod. Carol. Nr. 82: MG Ep. III, p. 616: *Neapolitani vero cum magno obsequio cum signis et imaginibus eos suscipientes ...*

b) Cod. Carol. Nr. 83, a. a. O., p. 618: ... *qui Neapolitani ipsos Grecos cum banda et signa suscipientes ...*

[46a] Agnellus c. 71, SS. rer. Langob. et Ital., p. 327: *Tunc surgente aurora ierunt unanimes omnes, quasi vir unus, et aperientes portas civitatis cum crucibus et signis et bandis et laudibus introduxerunt eum* (d. h. den Erzbischof Maximianus) *honorifice infra hanc civitatem Ravennae.*

wie in Ravenna[47] empfangen. Besonders die Einholung des Erzbischofs von Ravenna im Jahre 546 *cum crucibus et signis et bandibus* zeigt uns einleuchtend, daß in dieser Verwendung die Fahnen und Signa, ja selbst die Kreuze mit den Vorrechten des Kaisers nichts zu tun haben. Mit ihnen wird eine nichtkaiserliche Person nicht deshalb eingeholt, weil sie, wie Schramm meint, den Kaiser vertritt — davon kann im Falle des Erzbischofs von Ravenna wirklich nicht die Rede sein —, sondern weil die *signa* und *banda* die Abzeichen der Korporationen und Milizen sind, welche die Einholung durchführen. Wie manche andere Ehrenrechte — zum | Beispiel Akklamation, Wurf von Münzen unter die Menge und anderes — war auch die Einholung nicht allein auf den Kaiser beschränkt, sondern sie kam einer Reihe hochgestellter weltlicher und kirchlicher Würdenträger zu. Der Unterschied zwischen dem Kaiser und den weltlichen und kirchlichen Amtspersonen bestand keineswegs darin, daß nur der Kaiser mit Fahnen und Signa eingeholt worden wäre, sondern — wie wir noch sehen werden — darin, daß man dem Kaiser weiter entgegenging als dem Patricius, und daß der Papst mit dem Klerus nur den Kaiser außerhalb der Stadt empfing. *Signa* und *banda* bilden überhaupt kein unterscheidendes Merkmal bei den Einholungen, sie sind nicht als bezeichnend zu betrachten. Selbst die Kreuze sind im byzantinischen Heere als Feldzeichen nachzuweisen[48].

Ganz zu Unrecht identifiziert daher Schramm diese Fahnen und Signa der bürgerlichen Korporationen und der Miliz mit den gleichnamigen Verleihungen im Constitutum Constantini c. 14: *conferentes etiam et imperialia sceptra, simulque et conta atque signa, banda etiam et diversa ornamenta imperialia et omnem processionem imperialis culminis*[49]. Schon wegen der unmißverständlichen Betonung des imperialen Charakters aller dieser Zeichen muß uns klarwerden, daß hier nicht von jenen Fahnen und Signa

[47] Vita Zachariae, Liber Pontificalis I, p. 429 f.; Vita Leonis III, Liber Pontificalis II, p. 6.

[48] Deér, Das Kaiserbild im Kreuz, in: Schweizer Beiträge zur allgemeinen Geschichte 13 (1955), S. 75, Anm. 125.

[49] ed. Brunner-Zeumer in Festgabe für R. von Gneist, 1888, S. 56.

die Rede ist, mit denen Bürgerschaft und Miliz zu den Empfängen ausrückten, sondern von den eigenen Prozessionsinsignien des Kaisers, welche dieser als Würdezeichen sowohl in den Aufzügen in der Stadt wie auch bei seiner Rückkehr von außen in die Stadt mit sich führte. Die *signa et banda* sind die Abzeichen der Korporationen und der Miliz, die gleichnamigen Insignien im *Constitutum Constantini* dagegen Zeichen und Prärogative des Kaisers, beziehungsweise des Papstes. Von den vielen Quellenstellen, welche diese kaiserliche Prozession, die dem Fälscher zum Vorbild diente, beschreiben [50], greife ich nur das folgende Detail der Schilderung des triumphalen Einzugs Basileios' I. heraus; es werden den kaiserlichen Majestäten Fahnen, Labara, Signa, Banner, große Zepter, Goldfahnen und ein besonders großes und mit Edelsteinen reich belegtes Kreuz vorangetragen [51]. Die Übereinstimmung mit den Prozessionsinsignien im *Constitutum Constantini* ist einwandfrei [51a]. |

Diese spezifisch kaiserlichen Prozessionszeichen waren — wie aus anderen Stellen von *De Caerimoniis* zu ersehen ist — von den schlichten Zeichen der Bürgerschaft und Milizen in bezug auf Ausführung und Farbe freilich sehr verschieden. Beim Empfang Basileios' I. eilen Senat und Volk dem Kaiser mit einfarbigen, jedoch nicht mit purpurnen Fahnen entgegen [52], während *die* Fahne des Kaisers golden ist. Denn es ist keineswegs so, daß einander „bei der Verwendung der Fahne eine römische und eine germanische Auffassung gegenübergestanden" hätten, indem in Rom eine Vielzahl von Fahnen in Gebrauch gewesen wäre, während der germanische Fürst immer nur eine einzige geführt (S. 470) [53]. Einzahl oder Vielzahl der Fahnen kommt nicht von einer volkhaft bedingten

[50] Man findet sie vereinigt bei J. Ebersolt, Mélanges d'Histoire et d'Archéologie Byzantines (extrait de la Revue de l'Histoire des Religions, T. 76), Paris 1917, Chapitre V: La marche du cortège impérial, pp. 40—50. Über die Fahnen: p. 42 f.

[51] De Caerim., app. ad lib. I, ed. Bonn. I, p. 502_{9-12}.

[51a] Auch dem Papst trug man als Insigne ein großes und wertvolles Kreuz voran: Annales Altahenses Maiores a. 1060, ed. Oefele, SS rer. Germ., 1891, p. 56.

[52] De Caerim., app. ad lib. I., ed. Bonn. I, p. 499y.

[53] nach Erdmann, a. a. O., S. 12 ff.

verschiedenen Auffassung, sondern einfach von der Verschiedenheit der Bestimmung der Fahnen her. Auch im germanischen Bereich gab es mehrere Fahnen; so wurden zum Beispiel anläßlich des Empfangs Papst Leos III. fränkische Soldaten mit ihren *vexilla* erwähnt[54], also ebenfalls eine Vielzahl wie bei den *banda* der römischen, ravennatischen und neapolitanischen Miliz! Anderseits wissen wir, daß auch der byzantinische Kaiser eine spezifische, nur ihm gebührende und ihn repräsentierende Fahne besitzt, die er entweder persönlich führt oder einem besonderen kaiserlichen Bannerträger anvertraut. Beim Empfang ausländischer Gesandten steht ein hoher Würdenträger auf der höchsten Stufe der zum großen Triklinium der Magnaura hinaufführenden Treppe, der die „kaiserliche Goldfahne" hält[55]; auch bei der Triumphfeier auf dem Forum wird dem Kaiser durch den Protostrator „die kaiserliche Lanze und Fahne"[56] vorangetragen, genauso wie dem Papst laut *Constitutum Constantini* die *conta* und *banda*. Als der Fürst von Antiochien sich Kaiser Johannes Komnenos unterwirft, erscheint auf der höchsten Stelle der Zitadelle das *imperiale vexillum*[56a].

Bekanntlich schickte Papst Leo im Jahre 796 Karl dem Großen nicht nur sein Wahldekret, sondern zusammen mit anderen Geschenken auch die Schlüssel des Grabes des Apostelfürsten und das *vexillum Romanae urbis* zu[57]. Vier Jahre später wird in den Reichsannalen diese Römerfahne in der Vielzahl erwähnt: am 24. November 800 schickte der Papst dem Frankenkönig die *Romanae urbis vexilla* entgegen, während auf den entsprechenden Punkten | der Stadt die *turmae* der Ausländerkolonien und der Bürgerschaft aufgestellt wurden, die Karl auf seinem Wege zum Sankt Peter mit *laudes* zu begrüßen hatten[58]. Unter diesen *Romanae urbis vexilla* sind wohl jene *bandora* zu verstehen, mit denen Karl schon 774

[54] MG Poet. Lat. I, p. 378, v. 477.

[55] De Caerim. II, 15, ed. Bonn. I, p. 576_{20-22}.

[56] De Caerim. II, 19, ed. Bonn. I, p. 608_{14-16}, 609_{10}.

[56a] Wilhelm von Tyrus (Du Cange Gloss.: *vexillum*); vgl. auch Anna Comnena, Alexias XI, 6, ed. Leib III, p. 12.

[57] Annales regni Francorum a. 796, ed. F. Kurze in SS rer. Germ., 1895, p. 98.

[58] Ebendort a. 800, p. 110.

durch die *universos iudices*, das heißt durch die Richter der römischen Regionen begrüßt worden war. In ihrer Gesamtheit vertraten sie die Stadt Rom, ihre Fahnen sind daher die *Romanae urbis vexilla*. Die Zusendung einer einzigen Römerfahne im Jahre 796 an den fern weilenden König und Patricius in Stellvertretung der vielen, mit denen man diesen bei seinen Aufenthalten in Rom zu begrüßen pflegte, ist eine durch praktische Gründe bedingte symbolische Reduktion, die einzig und allein in den Vorstellungen der Stadtpersonifizierung wurzelt. Nicht nur in der Antike pflegte man die Frauengestalt der *Roma* — wie auch anderer Städte — mit einer Fahne abzubilden, sondern auch noch in der Kunst der Karolingerzeit[59], und eine solche fahnentragende *Roma* aus spätantiker Zeit schmückte damals noch im Lateran eine Wand[60]. Die Reduktion der Vielzahl der Fahnen zu einem einzigen *vexillum Romanae urbis* stammt also aus römischem Ideengut und hat mit germanischen Vorstellungen überhaupt nichts zu tun. Seine Übersendung an Karl ist daher nicht als eine Lanzeninvestitur „mit oder ohne Fahnenwimpel" aufzufassen, wie es Erdmann und Schramm tun möchten. Die Zusendung der Römerfahne ist nichts anderes als eine Ehrenbezeugung: wie der König-Patricius bei seiner Ankunft *missis obviam Romane urbis vexillis* begrüßt wird, so grüßt ihn der Papst in seiner Abwesenheit mit der Zusendung des *vexillum Romanae urbis*.

Diese Deutung findet in einem gleichzeitigen Parallelfall ihre volle Bestätigung. Während des letzten römischen Aufenthaltes Karls, gerade am Tage des Reinigungseides Papst Leos (23. Dezember), trifft in Rom jener Zacharias Presbyter ein, den Karl im Frühjahr mit Geschenken nach Jerusalem geschickt hatte[61]. Im Auftrag des Patriarchen von Jerusalem überreichen zwei orientalische Mönche, die mit Zacharias gekommen waren, dem König *claves sepulchri Dominici ac loci calvariae, claves etiam civitatis et montis cum vexillo*[62]. Es ist also dieselbe Ehrenbezeugung wie

[59] Belege bei Erdmann, a. a. O., S. 10, Anm. 4—5.

[60] J. Wilpert, Die römischen Mosaiken und Malereien I, S. 127, Taf. 125.

[61] Annales regni Francorum a. 800, p. 110.

[62] Ebendort a. 800, p. 112.

vier Jahre vorher die Zusendung der *claves ... confessionis sancti Petri et vexillum Romanae urbis* durch den Papst[63]. | Weder in dem einen noch in dem anderen Fall hatten solche symbolische Handlungen von rein ehrenrechtlichem Charakter irgend etwas mit „Herrschaft" oder mit „Investitur" zu tun. Die ganze Fahnensendung ist also für das Problem der kaiserlichen Vorrechte in Rom gänzlich bedeutungslos. In den behandelten Ehrenerweisungen kommt höchstens „eine starke symbolische Akzentuierung des fränkischen Patriziats" (Heldmann)[64] oder die Anerkennung der „valeur effective du patriciat" (Halphen)[65] zum Ausdruck. Die damaligen Verhandlungen Angilberts mit Leo III. sollten nach den Intentionen Karls des Großen innerhalb des Kreises der *patriciatus nostri firmitas*[66] bleiben.

4. *Kaiserbilder in den Kirchen*

In diesem Abschnitt faßt Schramm eigentlich nur die Ergebnisse seiner früheren Untersuchungen über die zwei Bildnisse Karls, die in Rom durch Papst Leo III. errichtet worden sind, zusammen[67].

Den Beweis dafür, daß Karl spätestens schon 795 und 800 in das Bildrecht des byzantinischen Kaisers eingerückt sei, soll vor allem jenes berühmte Mosaikbild liefern, mit dem einst Papst Leo III. die Apsis des von ihm errichteten *triclinium maius* des Lateranpalastes schmücken ließ, und welches heute in einer — durch

[63] Vgl. Erdmann, a. a. O., S. 9 f. und S. 11 mit Anm. 1: „außerhalb dieser Quelle (Ann. regni Franc.) ist keine Parallele bekannt geworden. Selbst die Stelle über die Geschenke des Patriarchen von Jerusalem hat keinen entsprechenden Ausdruck: die Annalen sprechen hier von einem vexillum schlechthin". Das *vexillum* wird aber in einem Atem mit den *claves civitatis* erwähnt. Schramm (S. 469, Anm. 6) spricht zwar richtig von den Schlüsseln „der Stadt Jerusalem cum vexillo", will aber die Stelle nicht mit in die Betrachtung einbeziehen.

[64] a. a. O., S. 180.

[65] Etudes sur l'administration de Rome au Moyen âge, Paris 1907, p. 6.

[66] MG Ep. IV, Nr. 93, p. 137.

[67] Die deutschen Kaiser und Könige in Bildern ihrer Zeit, Leipzig 1928, I. Teil, S. 26 ff.

frühere Zeichnungen zum Teil gesicherten — Rekonstruktion des 18. Jahrhunderts an der Piazza S. Giovanni in Laterano zu sehen ist[68].

Die Gesamtkomposition besteht aus drei Teilen: 1) In der Apsiskonche ist Christus mit den elf Aposteln dargestellt. In der Mitte steht der Heiland mit offenem Buch in der linken Hand und sendet die Apostel aus. Petrus, der die Schlüssel und geschultert ein Kreuz an langem Stabe trägt, „steht ungewöhnlicher Weise zur Rechten Christi: schon dies ein Hinweis auf den besonderen, Petrus und das Papsttum angehenden Inhalt“[69] der Darstellung. | 2) Auf der Stirnwand links von der Apsiskonche reicht der thronende Christus dem an seiner Rechten knienden Petrus die Schlüssel und dem auf der linken Seite knienden Kaiser Konstantin dem Großen eine Fahne. 3) Auf der Stirnwand rechts von der Apsiskonche thront der Apostelfürst Petrus selbst und reicht dem zu seiner Rechten knienden Papst Leo III.[70] das Pallium, dem zu seiner Linken knienden Karl[71] aber die gleiche Fahne wie auf dem Parallelbilde Christus dem Kaiser Konstantin.

Dieses Mosaikbild von höchst reicher und komplizierter Ikonographie will nun Schramm in wesentlichem nach demselben staatsrechtlichen Maßstab beurteilen wie jene Bilder, welche die alten Kaiser anläßlich von Regierungswechseln nach Rom geschickt haben. „Nach altem Brauch übersandte ein jeder neue Herrscher sein Bildnis, das nach der ihm in Stellvertretung des Kaisers gebührenden Ehrung in der Kirche S. Cesario in Laterano verwahrt wurde. Eine Anerkennung des Kaisers als ‚Landesherrn‘ ergab sich aber auch

[68] Zur Überlieferungsgeschichte dieses Mosaiks und auch des einstigen in der Santa Susanna: P. E. Schramm, Die zeitgenössischen Bildnisse Karls des Großen (Beiträge zur Kulturgeschichte des Mittelalters und der Neuzeit, hrsg. von W. Goetz, Bd. 29), Leipzig-Berlin 1928, und G. B. Ladner, Die Papstbildnisse des Altertums und des Mittelalters, Città del Vaticano 1941, I, S. 113 ff.

[69] Ladner, S. 117.

[70] Abgebildet: Schramm, Die deutschen Kaiser und Könige in Bildern ihrer Zeit, Abb. 4 c—d, und Ladner, Taf. XIIIa. Die Beischrift zum Papstbild: SCISSIMVS D. N. LEO PP.

[71] Beischrift: D. N. CARVLO REGI.

dann, wenn sein Bild an irgendeine Wand gemalt oder auf einem Kunstwerk angebracht wurde. Weder das eine noch das andere räumten die Römer dem Kaiser Philippikos ein" (S. 461). Wenn also Karls Bild in der Königszeit „an irgendeine Wand gemalt" erscheint, so sollte das als mit dem Besitz des kaiserlichen Bildvorrechtes gleichbedeutend angesehen werden.

Dazu ist zunächst zu bemerken, daß die Kirche S. Cesario, in der während des byzantinischen Zeitalters die nach Rom geschickten Bilder der in Konstantinopel residierenden Kaiser nach feierlicher Einholung aufgestellt zu werden pflegten, sich entgegen der Behauptung Schramms nicht im Lateran befand. Eine örtliche Kontinuität zwischen den alten *laureatae imagines* und dem Lateranmosaik Leos III. mit dem Bilde Karls besteht also nicht. Die uns allein ausführlicher bekannte Bildpublikation in Rom[72], die des Phokas und seiner Frau Leontia im Jahre 602, spielte sich folgendermaßen ab: *Venit autem icona suprascriptorum Focae et Leontiae augustorum Romae septimo Kalendarum Maiarum et adclamatum est eis in Lateranis in basilica Julii ab omni clero vel senatu: „Exaudi Christe! Focae augusto et Leontiae augustae vita!" Tunc iussit ipsam icona domnus beatissimus et apostolicus Gregorius papa reponi eam in oratorio beati Caesarii intra palatio*[73]. Der erste, der diesen klaren gleichzeitigen Bericht mißverstan- | den hat, war Johannes Diaconus, der Biograph Papst Gregors des Großen (827—873), der die zitierte Stelle in seine *Vita* zwar beinahe wörtlich aufgenommen hat, aber das dort erwähnte *palatium* schon mit jenem Lateran identifizierte, unter dem man eben zu seiner Zeit einen Palast zu verstehen begann[74]: das Bild wurde nach ihm *in oratorio sancti Caesarii Lateranensi palatio constituto* aufgestellt[75].

[72] Über das Kaiserbild: Alföldi, Die Ausgestaltung des monarchischen Zeremoniells am römischen Kaiserhofe, in: Mitteilungen des Deutschen Archäologischen Instituts, röm. Abt. 49 (1934), S. 66—79, und H. Kruse, Studien zur offiziellen Geltung des Kaiserbildes im römischen Reiche (Studien zur Geschichte des Altertums XIX, Heft 3), Paderborn 1934.

[73] Reg. ep. XIII, 1, MG Ep. II, p. 365.

[74] R. Elze, Das „Sacrum Palatium Lateranense" im 10 und 11. Jahrhundert, in: Studi Gregoriani Vol. IV, Roma 1952, S. 49 ff.

[75] IV, 20, Migne, Patr. lat. 75, p. 185.

Daß aber der Verfasser des gleichzeitigen Berichtes nicht an das — übrigens tatsächlich existierende — lateranische Oratorium des hl. Cesarius gedacht hat, ergibt sich daraus, daß er das Oratorium des hl. Cesarius, in dem die Kaiserbilder aufgestellt worden sind, *intra palatio* lokalisiert. Zu Beginn des 7. Jahrhunderts konnte aber der Lateran unmöglich schon als *palatium* bezeichnet werden. Zwischen Lateran und *palatium* unterscheidet schon die *Vita Vigilii* (537—551) unmißverständlich[76], noch deutlicher aber für unsere Frage die *Vita Sergii* (687—701) im Zusammenhang mit der tumultuarischen Papstwahl nach dem Ableben des Papstes Conon (687). Die Anhänger des Archipresbyters Theodor besetzten den inneren Trakt des Laterans, diejenigen des Archidiakons Paschal den äußeren, und keine der Parteien wollte der anderen weichen. Daraufhin begab sich die Mehrheit der römischen Geistlichkeit, der Miliz und des Bürgertums *ad sacrum palatium* und wählte dort Sergius zum Papst: *eumque de medio populi tollentes in oraculum beati Caesarii Christi Martyris, quod est intro suprascriptum palatium, introduxerunt et exinde in Lateranense episcopio cum laude adclamationibus deduxerunt*[77]. Daraus hat schon L. Duchesne in einer — von Schramm nicht berücksichtigten — Anmerkung zur betreffenden Stelle[78] den einzig möglichen Schluß gezogen, daß die Bilder des Phokas und der Leontia nicht im S. Caesarius im Lateran, sondern im gleichnamigen Oratorium im alten Kaiserpalast auf dem Palatin untergebracht worden sind. Eine solche Aufstellung war höchst sinnvoll: auf Grund der tiefeingewurzelten Vorstellung von der Identität von Person und Bild hatte die *laureata imago* die Gegenwart des Kaisers in jenem Palast zu versinnbildlichen, der als seine potentielle Residenz im „alten“ Rom galt, in der übrigens auch der letzte Kaiser, der Rom besuchte — Konstans II. im Jahr 663 —, abgestiegen war. Über diesen Palast verfügte aber nicht der Papst, sondern die kaiserlichen Organe, vor allem der mit der *cura palatii urbis Romae* beauftragte Beamte, der noch am Ende des 7. Jahrhunderts inschriftlich nachzuweisen ist[79]. Hier residierte

[76] Liber Pontificalis I, p. 297.

[77] Ebenda, p. 371.

[78] Ebenda, p. 377 f., n. 12.

[79] Ebenda, p. 386, n. 1.

ständig der Dux von Rom, aber bei seinem Auf- | enthalt in der Stadt auch der Exarch als Stellvertreter des Kaisers, der Rom neben Ravenna als seine zweite Residenz betrachtete[80]. Daß das Publikationsbild seine alte staatsrechtliche Bedeutung in Rom bis zum Ende der byzantinischen Herrschaft beibehalten hat, ist quellenmäßig belegt[81]. Deshalb wirkt der Papst als die ranghöchste, mit verschiedenen weltlichen Kompetenzen ausgestattete Persönlichkeit in der Stadt beim Empfang der *laureata* ebenso persönlich mit wie beim tatsächlichen Besuch eines Kaisers[82] oder bei der Einholung der Haarlocken kaiserlicher Prinzen[83]. Wenn also die Römer über den häretischen Kaiser Philippikos Bardanes unter anderem beschließen, daß *unde nec eius effigies in ecclesia introducta est,* so ist das sicher nicht mit Schramm so zu verstehen, daß die Römer ihm in den römischen Kirchen keine Bilder mehr errichten wollten (S. 453, vgl. 461), sondern — wie sich schon aus dem Ausdruck *introducta est* ergibt — allein dahin, daß sie seinem anläßlich seines Regierungsantrittes nach Rom geschickten Bildnis die feierliche Einholung und Aufstellung im Oratorium des Kaiserpalastes verweigerten, das heißt die übliche Bildpublikation verhinderten. Die Stelle in der *Vita* des Papstes Konstantin bezieht sich also nicht auf beliebige Bilder des Kaisers Philippikos in irgendwelchen römischen Kirchen, sondern nur auf seine *imago laureata,* die — ebenso wie früher diejenige des Phokas und der Leontia — in das Palastoratorium S. Caesarius eingeführt werden sollte.

Außer diesem Publikationsbild gab es nur noch eine Kategorie des Kaiserbildes, dem im byzantinischen Rom eine staatsrechtliche Bedeutung zukam, und dem wohl auch die herkömmlichen Ehrungen erwiesen worden sind. Es sind dies die auf Grund des zivilen Bild-

[80] Belege bei Diehl, a. a. O., p. 146, und H. Cohn, Die Stellung der byzantinischen Statthalter in Ober- und Mittelitalien (540—751), Diss. Berlin 1889, S. 71 ff.

[81] Siehe dazu den vielumstrittenen Brief Papst Gregors II. an Kaiser Leon III. (JE. 2180) und den Titel von De Caerim. I, 87, ed. Bonn., p. 393; Libri Carolini III, 15, ed. H. Baestgen MG Conc. II, Supplementum, p. 133.

[82] Liber Pontificalis I, p. 343.

[83] Ebendort, p. 363.

rechts des Kaisers an öffentlichen Plätzen errichteten Bildsäulen[84]. Auch diese Äußerung des Bildrechtes läßt sich in Rom durch die Bildnissäule des Phokas noch für eine relativ späte Zeit belegen, hat jedoch den Sturz des Tyrannen kaum überlebt. Die auf eine hohe Säule gestellte vergoldete Statue des Phokas hat aber laut der erhaltenen Inschrift[85] der *patricius et exarchus Italiae* Smaragdus errichtet, zu dessen Amtspflichten wohl auch die Publikation der *laureatae* in Ravenna gehörte[86]. Die | kultische Bildaufstellung ist also in ihren beiden Arten eine rein staatliche Angelegenheit, mit der die Kirche als solche nichts zu tun hatte. In Rom nimmt zwar der Papst an der Einholung des Publikationsbildes teil, die Prozession macht ferner in einer Kirche des Laterans einen kurzen Halt, wobei auch die Akklamation im überlieferten Wortlaut und genauso wie für den Kaiser in eigener Person durch Klerus und Senat stattfindet, doch landet das Bild schließlich im Palastoratorium und nicht in einer dem Volke zugänglichen Kirche. Denn eben in bezug auf die Stellung des Herrscherbildes im Heiligtum zeigt sich der Unterschied zwischen heidnischem und christlichem Kaiserkult. Während in heidnischer Zeit die Einführung solcher Bildnisse in die Tempel eine allgemeine Erscheinung ist[87], genügt in christlicher Zeit schon das Gerücht über eine solche Absicht, um im Volk Unruhe und Empörung hervorzurufen. So in Afrika unter der Herrschaft des Kaisers Konstans I., der zwei Beauftragte dorthin schickte, und die verdächtigt wurden, daß sie das Kaiserbild auf die Altarmensa stellen wollten. „Das Aufsetzen des Kaiserbildes würde nach den Vorstellungen der Zeit den geheiligten Altar entweiht haben, denn der Altar kann nicht zugleich mystischer Thron Christi und sinnbildlicher Kaiserthron sein"[88]. Das Verbot der Adoration der Kaiserbilder durch das Edikt von 425 blieb zwar für das öffentliche Leben ohne Wirkung, innerhalb der Kirche hat

[84] Kruse, a. a. O., S. 12.

[85] Corpus Inscriptionum Latinarum VI 1200.

[86] Vgl. Kruse, S. 33, Anm. 1 und S. 44, 46, Anm. 2.

[87] Alföldi, Die Ausgestaltung des monarchischen Zeremoniells, a. a. O., S. 66.

[88] Kruse, a. a. O., S. 106.

jedoch seine Begründung volle Geltung erhalten: *excedens cultura hominum dignitatem superno numini reservetur*[89].

Es gab freilich Herrscherbilder auch in den Kirchen; sie waren jedoch vollständig anderer Natur als das Publikationsbild und die Bildnissäule. Diese hatten eine besondere Funktion im Leben des Staates zu erfüllen, die in der Kirche von vornherein wegfallen mußte: „Erst durch die juristische Gültigkeit der Identifizierung von Person und Bild erlangt das Kaiserbild als Stellvertreter des Regenten eine politische Potenz, die vor allem bei den Thronwechseln, bei Unterwerfungsakten fremder Fürsten in Abwesenheit des Herrschers, dann als Prüfmittel der Loyalität von Untertanen mit besonderer Schärfe hervortritt"[90]. Eben diese Funktion der Stellvertretung hat in der Kirche keinen Sinn, denn dort herrscht Gott und nicht der Kaiser. Es wäre daher gänzlich verfehlt zu glauben, daß in den Kirchen des christlich gewordenen Reiches den jeweiligen Machthabern automatisch und obligatorisch Bilder hätten errichtet werden müssen, und daß die Bilder der Kaiser in den Kirchen dieselbe staatsrechtliche Bedeutung wie die *laureatae imagines* oder | die Standbilder auf den öffentlichen Plätzen der Städte besessen hätten, oder daß diesen kultische Verehrung erwiesen worden wäre. Es war unumgänglich, bei jedem Wechsel in der Regierung neue *laureata* herzustellen und diese in die Provinzen zu schicken sowie in den Städten Bildnissäulen zu errichten; dagegen hat sogar auf dem Höhepunkt der kaiserlichen Autokratie niemand von den zuständigen Kirchenmännern verlangt, daß sie den neuen Kaiser auch in den Kirchen im Bild verewigten.

Der Unterschied kommt von der ganz andersgearteten Bedeutung des Herrscherbildes in der Kirche, die wiederum die Folge der veränderten Stellung des Kaisers im christlichen Römerreiche ist. Schon ikonographisch kommt es zum Ausdruck: während das zivile und militärische Kaiserbild den Herrscher immer *in maiestate*, entweder allein oder mindestens als die Hauptfigur einer Gruppe zeigt, er-

[89] Codex Theodosianus XV, 4, 1, und dazu Enßlin, Gottkaiser und Kaiser von Gottesgnaden, a. a. O., S. 69 f.

[90] Alföldi, Die Ausgestaltung des monarchischen Zeremoniells, a. a. O., S. 70 f.

scheint derselbe in der Kirche immer wieder in der Gesellschaft ihm übergeordneter göttlicher oder heiliger Personen, denen gegenüber er seine Untertänigkeit durch Gebärden offen bekundet. Es sind die Bilder, die André Grabar unter der Bezeichnung „L'empereur et le Christ" zusammengefaßt und behandelt hat[91]. Sie zeigen uns den Herrscher in Adoration vor Christus oder der Gottesmutter, als Darbringer von Gaben; gekrönt durch Christus, Maria und von Heiligen. Alle diese Bilder sind dazu berufen, dem Betrachter die Frömmigkeit, Gottesfurcht und Freigebigkeit der Dargestellten vor Augen zu führen und in den Investiturszenen auf ihre Abhängigkeit vom Allherrscher Christus, die zugleich die Grundlage ihrer erhöhten irdischen Stellung ist, hinzuweisen. Auch diese Bilder haben bestimmt einen gewissen politischen Sinn und verbreiten auch in ihrer Art eine monarchische Propaganda, ohne jedoch im staatsrechtlichen Sinne des Wortes als Herrscherbilder, die Huldigung und Adoration verlangen, zu gelten. Jede Kirche ist Palast Gottes, dem allein hier Anbetung gebührt.

Daraus erklärt sich, daß die Errichtung eines Herrscherbildes in einer Kirche immer besondere und meist höchst konkrete Beziehungen des Dargestellten zur betreffenden Kirche und deren himmlischen Schutzherrn voraussetzt. Die bekanntesten Herrscherbilder in Kirchen, etwa diejenigen Justinians und der Theodora in S. Vitale, Konstantins IV. in S. Apollinare in Classe, die Mosaiken in der Hagia Sophia und in den Kirchen Palermos verewigen die Regenten immer wieder als Bauherren, Wiederhersteller und Gönner der Gotteshäuser, in denen ihr Bild angebracht ist. Einzig und allein solche Wohltaten oder Äußerungen frommer Gesinnung und nicht die bloße Tatsache eines faktischen Herrschertums wie bei den *laureatae imagines* oder bei den Statuen im Freien sind es, welche die Anbringung ihrer Bilder veranlaß- | ten, motivierten und vor Gott und Menschen rechtfertigten. Das Herrscherbild in der Kirche ist immer der Ausdruck eines besonderen Verdienstes gegenüber dem Göttlichen.

Das beste Beispiel dafür ist eben das frühmittelalterliche Rom, aus dem uns nicht nur keine Herrscherbilder in den Kirchen erhalten

[91] L'empereur dans l'art byzantin, Paris 1936, p. 98—122.

geblieben sind, sondern selbst die Überlieferung von solchen nichts zu berichten weiß[92]. Die kaiserliche Bautätigkeit hört dort mit S. Paolo fuori le Mura (386) gänzlich auf[93]; außer von einigen Goldschmiedearbeiten und Paramenten[94] hören wir von keinerlei größeren Schenkungen der Kaiser, die seit 476 nunmehr im fernen Konstantinopel residieren. Diese begünstigen in Italien nicht Rom, sondern das loyale Ravenna, wo einst viele ihrer Bilder existierten und die wichtigsten bis heute erhalten geblieben sind. Die ravennatischen Erzbischöfe hatten auch ihren guten Grund, die frommen Kaiser mit Bildern in ihren Kirchen zu ehren. Wen unter den Kaisern und Machthabern seit dem 5. Jahrhundert hätten dagegen die Päpste und die Römer als Wohltäter ihrer Heiligtümer feiern können? Etwa Theoderich, der trotz seiner guten Beziehungen zu Rom doch ein Arianer war, oder Konstans II., der nicht nur Papst Martin deportieren ließ, sondern bei seinem Besuche Roms dessen Kirchen wie Spoliengruben für die Schmückung Konstantinopels behandelte?[95] Oder seinen dogmatisch korrekten Sohn, Konstantin IV., der aber Papst Honorius I., zur großen Schmach der römischen Kirche, zum Häretiker stempeln ließ? Daß Herrschern, wie dem Mörder Phokas, dem grausamen Justinian II. oder den Bilder-

[92] Höchstens bei den Konzilsbildern, die Papst Konstantin in polemischer Absicht gegen den Häretiker Philippikos Bardanes in der Vorhalle der Peterskirche errichten ließ (Liber Pontificalis I, p. 391, und Paulus Diaconus, Historia Langobardorum VI, 34: SS rer. Langob., p. 176), könnte man in den vielfigürlichen Kompositionen auch Darstellungen der Kaiser, welche die sechs ökumenischen Konzilien präsidierten, annehmen. Daß diese jedoch nicht als kultische Herrscherbilder aufzufassen sind, und daß sie ihre Entstehung einem besonderen kirchlichen Anlaß verdankten, geht aus der Motivierung in den Quellen eindeutig hervor: man hat die Konzilsbilder in Rom deshalb errichtet, weil der häretische Kaiser die entsprechenden Bilderzyklen in Konstantinopel zerstören ließ.

[93] F. W. Deichmann, Frühchristliche Kirchen in Rom, Basel 1948, S. 31 ff.

[94] Der Liber Pontificalis berichtet nur noch von derartigen Geschenken (etwa I, p. 285), die dazu noch spärlich sind und die Schenkungen der Germanenkönige auch im Wert nicht übertreffen.

[95] Liber Pontificalis I, p. 343.

stürmern Leon III. und seinem Sohn Konstantin V., dem Kopronymos, in den Kirchen Roms kein einziges Bild errichtet wurde, dürfen wir mit voller Sicherheit annehmen. Man hat ihren *laureata* die schuldige Huldigung erwiesen, die Aufstellung ihrer Bildsäulen auf dem Forum durch den Exarchen geduldet — im Bildschmuck der Kirchen räumte man ihnen keinen Platz | ein. Allein diese Tatsache spricht mit aller Deutlichkeit für die vollständige staatsrechtliche Bedeutungslosigkeit von Kaiserbildern in den Kirchen.

Ebendeshalb besitzt der Kaiser in der Kirche auch kein Bildvorrecht gegenüber seinen Untertanen. Im Gegenteil, es war sowohl Geistlichen wie auch Laien durchaus erlaubt, sich unter den gleichen Voraussetzungen, die für die Kaiser galten, in Kirchen, die sie bauen ließen, wiederherstellten, ausstatteten und beschenkten, abbilden zu lassen. Es stand ihnen auch zu, ihre Ergebenheit gegenüber Christus, der Jungfrau oder Heiligen in entsprechenden Bildern festzuhalten.

Die These Schramms — die seiner ganzen diesbezüglichen Beweisführung zugrunde liegt —, daß „die Existenz und ebenso die Nichtexistenz eines Bildes" für die Anerkennung oder Nichtanerkennung eines Landesherrn entscheidend sei, und die Anbringung des Bildes einer nichtkaiserlichen Person „an irgendeine Wand" (S. 460 f.) mit dem Besitze des kaiserlichen Bildreservats gleichbedeutend sei, läßt sich nicht aufrechterhalten. Schon E. Rosenstock warf in Anlehnung an Schramms Ansicht von 1928 über das Trikliniummosaik K. Heldmann vor, er übersehe den Charakter, den das Bild einer lebenden Person im 8. Jahrhundert trage. „Sein Bild zeigen, das heißt herrschen[96]". Demgegenüber werde ich im folgenden den Beweis dafür erbringen, daß man gerade zu dieser Zeit sowohl ohne Bild herrschen, wie auch ohne Herrschaft abgebildet werden konnte. Sogar in bezug auf das zivile und militärische Bildrecht des Kaisers sind gewisse Einschränkungen am Platze, und man muß sich im allgemeinen hüten, das Bildrecht strenger zu fassen, als die alten Kaiser selber es gehandhabt haben.

Im Vergleich zur largen Praxis der späten Republik ist zwar schon unter dem Prinzipat hinsichtlich der öffentlichen Aufstellung

[96] Zeitschrift für Rechtsgeschichte, Germ. Abt. 49 (1929), S. 515.

der Statuen von Lebenden eine zunehmende Strenge festzustellen[97], die aber selbst im Dominat und in der frühbyzantinischen Autokratie nie zu einer gänzlichen Ausschließlichkeit zugunsten des Kaisers geführt hat. Das Ehrenrecht des Triumphes war bis ins 6. Jahrhundert hinein mit der Aufstellung einer Statue gleichbedeutend. Diese Ehrung hat selbst ein Justinian I. seinem Feldherrn Belisar nicht vorenthalten: die vergoldete Statue des Feldherrn wurde auf der linken Seite der Chalke neben derjenigen seines Kaisers aufgestellt[98]. Bei Anlaß des Vandalentriumphes erlaubte Justinian — laut Zeugenschaft des Kedrenos[99] — sogar die Prägung einer goldenen Festmünze mit dem Bilde Belisars. Auch | auf dem Mosaik der Chalke war der siegreich heimkehrende Feldherr dargestellt[99a]. Aber schon Jahrzehnte vorher ehrte Kaiser Zenon seinen siegreichen Konsul Theoderich ebenfalls nicht nur mit dem Triumphzug, sondern auch mit der Aufstellung seiner Reiterstatue (484)[100]. Noch ausgiebiger machte Theoderich der Große später in Italien, als König der Ostgoten, vom Bildrecht Gebrauch, ohne damit die Oberhoheit des Kaisers leugnen und aus der *res publica* austreten zu wollen. Er nahm zwar das gehütetste aller kaiserlichen Reservate, das Münzrecht, für sich nicht in Anspruch; doch er ließ ausnahmsweise, zu seinen Tricennalien, ein Goldmedaillon mit dem eigenen Bilde prägen, das ihn allerdings ohne Diadem zeigte[101]. Wir wissen auch von Mosaikbildern des Königs in Pavia, von einem Standbild in Neapel, von einer vergoldeten Statue und von mehreren Bildsäulen in Rom; seine ravennatische Reiterstatue hat bekanntlich Karl der Große nach Aachen überführen lassen[102].

Aber sogar die Senatsaristokratie derselben Zeit besaß, wie aus den Konsulardiptychen und ähnlichen Geschenkobjekten zu ersehen

[97] Mommsen, Römisches Staatsrecht I³, S. 250.

[98] Kodinus, Topographie 33 = J. P. Richter, Quellen der byzantinischen Kunstgeschichte, Wien 1897, S. 269.

[99] ed. Bonn. I, p. 649.

[99a] Prokop, Bauten I, 10 = Richter, a. a. O., S. 262.

[100] W. Enßlin, Theoderich der Große, München 1947, S. 60.

[101] Ebendort, S. 161.

[102] Ebendort, S. 69.

ist[103], ein Bildrecht, dessen Ausstrahlungsbereich, nach der einstigen großen Zahl dieser bebilderten Gegenstände zu urteilen[104], als sehr umfangreich gedacht werden muß. Die Bildnisse der Jahreskonsuln, eines Stilicho, Aspar usw., erhielten durch diese luxuriösen Geschenkobjekte eine sehr breite Publizität, so daß man an Hand der Bildnisse auf den Elfenbeindiptychen und Silberschalen sogar von einer privaten Bildpublikation der höchsten Magistraten und Staatslenker der Spätantike sprechen darf. Hierher gehören auch die Beamtenporträts und Beamtenstatuen aus theodosianischer Zeit[105].

Ein geradezu offizielles, dem des Kaisers weitgehend entsprechendes Bildrecht genossen die Bischöfe in ihren Kirchen. In Ephesus sorgte jeder neue Bischof für die Aufstellung seiner Bilder in den Kirchen der Stadt; die Bildnisse abgesetzter Bischöfe wurden entfernt, gegen jene, die sich dem widersetzten, wurde Anklage erhoben. Noch heute sieht man in den römischen Kirchen die Bildnisse des Papstes und der Kardinäle[106]. In diesen Zusammen- | hang gehören auch die Reihen von Papst- und Bischofsbildnissen in der Form von *imagines clipeatae,* die nicht nur aus Rom — in St. Peter und S. Paolo fuori le Mura[107] — sondern auch aus Ravenna[108] und anderswo[109] nachzuweisen sind. Kultisch verehrt hat man sie freilich nicht; sie dienten nur dem Sukzessionsgedanken.

Von diesen Amtsbildnissen der regierenden Bischöfe und ihrer

[103] Richard Delbrück, Die Consulardiptychen und die verwandten Denkmäler, Berlin/Leipzig 1929.

[104] A. Alföldi, Die Spätantike in der Ausstellung „Kunstschätze der Lombardei" in Zürich, in: Atlantis 21 (1949), Heft 2, Februar, S. 73.

[105] J. Kollwitz, Oströmische Plastik der theodosianischen Zeit, Berlin 1941, S. 122 ff., Taf. 17—18, 38—39.

[106] J. Kollwitz in Reallexikon für Antike und Christentum II, 1954, Sp. 330 f.

[107] Ladner, Die Papstbildnisse des Altertums und des Mittelalters, a. a. O., S. 38—59.

[108] Agnellus, Liber pontificalis ecclesiae Ravennatis c. 75: SS. rer. Langob. et Ital., p. 328.

[109] Kollwitz in RAC II, Sp. 330; eine späte Papstbildreihe — wohl nach solchen frühchristlichen Vorbildern — in der Kirche S. Piero a Grado in Marina di Pisa von Deodato Orlandi (um 1280).

Vorgänger sind nun jene Bildnisse von Priestern und Laien zu unterscheiden, welche diese in der Kirche, und zwar immer in der Gesellschaft von göttlichen Personen und Heiligen, als Stifter oder als Verehrer verewigten. In diesem Bereich blieb das private Bildrecht von Lebenden voll erhalten, und es wäre nicht einmal dem autokratischst gesinnten Kaiser eingefallen, seine Untertanen daran zu hindern, durch ihr Bild den Schutz und das Wohlwollen Gottes und seiner Heiligen für sich zu sichern. Wenn das anders gewesen wäre, wäre die Entstehung der Votivbilder in Hagios Demetrios in Saloniki, die vornehme Laien — Männer, Frauen und Kinder — in den Schutz des Titularheiligen empfahlen, völlig unerklärbar[110]. Solche Bildnisse sind uns aber nicht nur aus der östlichen Reichshälfte[111], sondern auch aus Rom erhalten geblieben. Die Tradition solcher Bildnisse geht bis auf die Katakombenmalerei zurück[112] und reicht kontinuierlich bis in die Zeit hinauf, die uns hier beschäftigt. Von den vielen Beispielen sei hier nur auf die verschieden datierte, spätestens jedoch aus dem Beginn des 7. Jahrhunderts stammende „Madonna Turtura" in der Capella SS Felix et Adauctus der Comodilla-Katakombe hingewiesen[113]. Die vornehme Römerin, die mit verhüllten Händen eine Schriftrolle — wohl eine Schenkungsurkunde — der Gottesmutter darbringt, wird hier im wesentlichen so abgebildet, wie später die byzantinischen Kaiserinnen | Zoé[114] und Eirene[115] in der Hagia Sophia. In diesem Bereich besteht also kein

[110] Ch. Diehl—M. Le Tourneau—H. Saladin, Les monuments chrétiens de Salonique, Paris 1918, p. 1066 ff. und Pl. XXXIII, 2 (der Hl. Demetrius mit zwei Knaben), XXXII, 2 (imagines clipeatae des Hl. Demetrius und von zwei Prälaten), XXXI, 3 (Eltern führen ihre Tochter dem Hl. Demetrius vor), XXXII, 2 (Mutter empfiehlt ihr Kind dem Heiligen).

[111] Bildnisse von knienden Stiftern in einer kappadokischen Höhlenkirche erwähnt Grabar, L'empereur dans l'art byzantin, a. a. O., p. 103 n. 5.

[112] Wilpert, a. a. O. II, S. 642.

[113] Wilpert, a. a. O. II, S. 938 f., Taf. 136; E. Kitzinger, Römische Malerei vom Beginn des 7. bis zur Mitte des 8. Jahrhunderts. Diss. München 1934, S. 21.

[114] Th. Whittemore, The Mosaics of Hagia Sophia at Istanbul III, Oxford 1942, Plate III, XIII.

[115] Ebendort, Plate XX, XXIX.

Unterschied zwischen der Ikonographie kaiserlicher und nichtkaiserlicher Personen.

Noch sprechender für diesen Charakter von Bildern in den Kirchen ist die Aussage der Malereien in der Quiricus- und Julitta-Kapelle der Santa Maria Antiqua aus der Zeit des Papstes Zacharias (741—752)[116], auf denen ein vornehmer Laie, Theodotus, der frühere Dux und Konsul von Rom, später *primicerius defensorum* der römischen Kirche und zugleich *dispensator* von Santa Maria Antiqua, der Onkel und Erzieher Papst Hadrians I.[117], sogar mehrmals im Bilde erscheint.

Die eine dieser Malereien, mit dem Bilde der Kreuzigung, befindet sich auf der Altarwand unterhalb der Nische: seitlich neben einer aus der thronenden Gottesmutter, den beiden Apostelfürsten sowie aus Quiricus und Julitta bestehenden heiligen Mittelgruppe sehen wir links Theodotus, der das Kirchenmodell in der Hand hält, und rechts den regierenden Papst Zacharias mit einem Buche abgebildet. Mutatis mutandis die gleiche Ikonographie also, wie diejenige des einstigen Mosaiks in der Apsis von Santa Susanna, auf dem Papst Leo III. (rechts) und Karl der Große (links) zu beiden Seiten von Christus, der hl. Maria, Petrus und Paulus, des hl. Papstes Gaius sowie des hl. Gabinus dargestellt waren[118]. Der Unterschied zum Bilde in der Quiricus-Julitta-Kapelle besteht nur darin, daß in der Santa Susanna das Kirchenmodell vom Papst gehalten wird, während der vornehme Laie, Karl, mit dem Gestus der Anbetung seine Verehrung der heiligen Gruppe gegenüber kundtat. Karl wurde also hier als ein Verehrer der dargestellten göttlichen und heiligen Personen vorgeführt. Wahrscheinlich unterstützte er Leo III., der diese Kirche erneuerte[119], mit seinen frommen Gaben, wie er es im Falle mehrerer römischer Kirchen getan hat[120].

[116] Wilpert, a. a. O. II, S. 691 ff., Taf. 179—184; Ladner, a. a. O., S. 99 ff., Taf. XI, Fig. 90—92.

[117] Die Quellenstellen über Theodotus bei Ladner, S. 105 f.

[118] Ladner, S. 127.

[119] Liber Pontificalis II, p. 3.

[120] Brief Hadrians an Eirene und Konstantin VI. von 785 (JE. 2448): Mansi XII, 1056 f.; Einhard, Vita Karoli Magni c. 27, ed. Halphen, p. 78, 80; Cod. Carol. Nr. 79, p. 611.

Eben zur Zeit des Pontifikatsantrittes Leos III. traf Karls Gesandter, Angilbert, mit einem bedeutenden Teil der Avarenbeute in Rom ein[121]. Die weitgehende Entsprechung mit dem Theodotus-Bild zeigt uns einleuchtend, daß man keineswegs Kaiser oder wenigstens | *quasi imperator* zu sein brauchte, um als Gönner oder Verehrer eines Heiligen in einer Kirche abgebildet zu werden. Der päpstliche Beamte Theodotus erscheint in der Quiricus- und Julitta-Kapelle im Besitze desselben „Bildrechtes", wie der Frankenkönig und römische Patricius Karl in der Santa Susanna. Beide wurden in der Gesellschaft des Papstes und beide im engsten Altarraum abgebildet[122]. In Übereinstimmung mit Ladner[123] datiere ich das Mosaik in der Santa Susanna noch in die Zeit vor 800. Dafür spricht nicht nur die mit der Königsfigur des Lateranmosaiks übereinstimmende fränkische Tracht Karls, sondern auch der Umstand, daß er seinen Platz auf der linken Seite der Komposition erhalten hat, während der Papst mit der ranghöheren rechten Seite ausgezeichnet wurde. Auch in dieser Hinsicht ist die Entsprechung mit dem Bilde des Theodotus und des Papstes Zacharias eine vollständige. Die Darstellung Karls in der Kirche Santa Susanna ist sicher kein Herrscherbild, weder im staatsrechtlichen noch im „staatsymbolischen" Sinne des Wortes, sondern das Bild eines Devoten, der zwar König und Patricius ist, dem aber deswegen keine höhere Stellung als dem Theodotus, dem römischen Exdux und päpstlichen *primicerius defensorum*, eingeräumt wurde. Aus diesem kaiserlichen, später päpstlichen Beamten hat die Anbringung seines Bildes an der Wand einer Kirche wohl noch keinen *quasi imperator* oder *imperatori similis* gemacht. Warum sollten wir einen anderen Schluß aus dem ikonographisch gleichwertigen Bilde des Frankenkönigs ziehen?

[121] Annales regni Francorum a. 796, p. 98.

[122] Vgl. Ladner, S. 127 f., Schramm, Die Anerkennung Karls des Großen als Kaiser, a. a. O., S. 461. Für die frühchristliche Zeit gibt es gewiß kein Beispiel für die Anbringung des Bildes eines weltlichen Donators in der Apsis (siehe Grabar in: Journal des Savants, janvier-mars 1956, p. 13); später verfuhr man aber nicht mehr so streng: Malereien in der Chorapsis des Domes von Aquileia um 1031 (Schramm, Die deutschen Kaiser und Könige in Bildern ihrer Zeit, Abb. 96 a—b).

[123] S. 126.

Dasselbe gilt aber auch vom zweiten Bild Karls in Rom, auf dem Mosaik, das Papst Leo ebenfalls vor 800 in seinem neuen *triclinium maius* im Lateranpalast errichten ließ, und auf das Schramm seine These von der Erlangung des kaiserlichen Bildrechtes durch Karl noch vor der Kaisererhebung vor allem gründet. Schon 1928 meinte er, daß dieses Mosaikbild, obwohl „Produkt einer plastiklosen Zeit", doch „an die Stelle jener Kaiserfiguren getreten" sei, „die einst von Konstantinopel nach Rom geschickt wurden, um hier zum Zeichen der Anerkennung feierlich aufgenommen zu werden. Dies Herrscherbild hat noch etwas von dem *staatsrechtlichen Charakter* bewahrt, der den Kaiserbildern von alters her zukam!" [124] Er gab zwar schon 1928 zu: „Das karolingische Bild empfing nicht mehr die Ehrenbezeugungen, die dem Kaiserbild früher erwiesen worden waren. Es wurde nicht mehr adoriert und | feierlich herumgetragen!" Wie soll es dann aber ohne das als ein Herrscherbild für die Römer des ausgehenden 8. Jahrhunderts gegolten haben? Vom fortdauernden herkömmlichen Kult der Kaiserbilder zeugt nicht nur der Brief Papst Gregors an Kaiser Leon III., sondern auch die Adoration, die Papst Leo III. am 25. Dezember 800 dem neuen Kaiser Karl *more antiquorum principum* erwiesen hat [125]. Denn der entscheidende Punkt ist hier eben die Bereitschaft zur Adoration, sei es der Person, sei es des Bildes des Kaisers. Wenn Kaiser Karl es gewollt, hätte Leo III. sein Bild nach 800 ebenso adoriert wie ihn selber in der Peterskirche, und er hätte dieses ebenso „feierlich herumgetragen" wie einst noch Gregor der Große das Bild des Phokas! Oder soll man sich der Illusion hingeben, daß die Äußerungen fränkischer Theologen über die Verwerflichkeit des Kultes der Kaiserbilder an der tiefeingewurzelten Einstellung des Papstes und seiner Römer zum Herrscherbild etwas hätten ändern können? Das dürfen wir mit ebensowenig Recht annehmen wie das Aufhören der Sitte bei den Römern — auf den Protest des hl. Bonifaz beim Papste Zacharias hin — am Neujahrstage *paga-*

[124] Die deutschen Kaiser und Könige in Bildern ihrer Zeit, a. a. O., S. 28.

[125] Annales regni Francorum a. 801, p. 112; dazu Heldmann, S. 290, Anm. 3.

norum consuetudine chorus ducere per plateas et adclamationes ritu gentilium et cantationes sacrilegas celebrare[126]. Dazu lebte das Stadtrömertum trotz des Zusammenbruchs der Kaiserherrschaft noch zu stark in der Vorstellungswelt und auch in den Ausdrucksformen der byzantinischen Vergangenheit. Adoration und Akklamation galten hier noch sehr lange als selbstverständlich. Von einer „neuen geistigen Umwelt", aus der Schramm auch das Lateranmosaik erklären möchte[127], ist im Rom Papst Leos III. nichts zu verspüren.

Deshalb ist es auch unrichtig, in Zusammenhang mit dem Mosaik, das dieser Papst im Triklinium seines Palastes erstellen ließ, von einem „neuen fränkischen Herrscherbild", von einem „karolingischen Bild" zu sprechen, dessen Bedeutung in der „Tiefe des geistigen Inhalts" bestünde. Im Gegenteil ist dieses Bild in jeder Hinsicht römisch und hat mit fränkisch-germanischen Vorstellungen nicht das geringste zu tun. Schon in der Anlage setzte Leo III. die Tradition seiner Vorgänger, vor allem des Zacharias fort, der ebenso wie er im Lateran *de novo fecit triclinium*, und der dieses nicht nur mit verschiedenen Sorten von Marmor, sondern es auch *musibo et pictura ornavit*[128]. Unter Tri- | klinium ist ein Repräsentationssaal zu verstehen, in dem Synoden, Gerichtsverhandlungen und Empfänge abgehalten wurden[129] und wo daher auch ein Thron des Papstes stehen mußte[130]. Die Dekoration eines päpstlichen Trikli-

[126] S. Bonifatii et Lulli epistolae (MG Ep. III, p. 301) Nr. 50. Der Papst verspricht zwar in seinem Antwortschreiben (ebendort Nr. 51, p. 304 f.) die Abschaffung der *auguria* und der *incantationes ... gentili more*, erwähnt aber gleichzeitig, daß sich um diese Dinge schon Papst Gregor III. bemüht habe. Vgl. Heldmann, S. 279, der m. E. mit Recht die Stelle auf den Amtsantritt der städtischen Beamten beim Beginn des Amtsjahres bezogen hat.

[127] Die deutschen Kaiser und Könige in Bildern ihrer Zeit, a. a. O., S. 28.

[128] Liber Pontificalis I, p. 342.

[129] So wurde z. B. die Voruntersuchung des Prozesses von 800 durch die *missi* Karls *in triclinio ipsius Leonis papae* abgehalten: Liber Pontificalis II, p. 6.

[130] H. Fichtenau, Byzanz und die Pfalz von Aachen, in: MIöG 59 (1951), S. 41.

niums mußte besonders seit der konstantinischen Fälschung, die den Lateran für einen Kaiserpalast erklärte, weitgehend einem kaiserlichen Triklinium angeglichen werden. Wie die Mosaiken und Malereien eines Kaisertrikliniums nichts anderes als die Idee des Kaisertums verkünden konnten[131], so dürfen wir in einem Papsttriklinium nur bildliche Darstellungen erwarten, welche die Idee des Papsttums zum Ausdruck brachten. Vom Triklinium des Zacharias wissen wir, daß der Papst es *orbis terrarum descriptione depinxit atque diversis versiculis ornavit*, „also deutlich genug die Universalität des Papsttums betonte“ (Fichtenau)[131a]. Schon auf Grund dieses evidenten *cui prodest* ist es völlig unwahrscheinlich, daß Papst Leos Absicht bei der Erstellung des Apsisbildes darin bestanden hatte, die Römer darüber aufzuklären, „wem nun die Herrschaft in Rom zustand“, nämlich „dem fränkischen Könige!“[132].

Wenn man dazu noch bedenkt, daß das Lateranmosaik auch in ikonographischer Hinsicht in den von Byzanz her bestimmten Überlieferungen der römischen Malerei des 8. Jahrhunderts wurzelt[133] und daß wir von derart monumentalen fränkischen Herrscherbildern aus dieser Zeit nichts wissen, so schwindet damit auch die Berechtigung, diese Darstellungen aus der Perspektive der *Libri Carolini* zu beurteilen.

In der Tat spricht das Lateranmosaik unmißverständlich eine kirchliche, und zwar — seinem Errichtungsort entsprechend — eine römisch-kirchliche Bildsprache. Die drei Szenen der Komposition

[131] Siehe dafür die Beschreibung der Bilder der Chalke bei Prokop, Bauten I, 10 = Richter, a. a. O., S. 262, und im Kainurgios-Palast Basileios I. bei Konstantinos Porphyrogennetos, Basiliken c. 58 = Richter, a. a. O., S. 363 f. Dazu Grabar, L'empereur dans l'art byzantin, p. 81 f., 36, 40, 55 f. Das beliebteste Thema solcher Palastmalereien, nämlich die Darstellung siegreicher Schlachten, läßt sich auch aus der Beschreibung, die Paulus Diaconus (Historia Langob. IV, 22, p. 124) von den Malereien des Palastes in Monza gibt, nachweisen.

[131a] Fichtenau, a. a. O., S. 43.

[132] Schramm, a. a. O., S. 28.

[133] Ladner S. 122; das Motiv der göttlichen Investitur ist eines der typischsten und häufigsten in der spätantiken und byzantinischen Herrscherdarstellung. Siehe: Grabar, L'empereur dans l'art byzantin, p. 112 ff.

führen dem Betrachter eine Reihe von Investituren vor Augen, die zugleich auch eine bestimmte Ansicht von der Verteilung der Gewalten verkünden. In der Apsiskonche investiert Christus bei der Aussendung der Apostel den hl. Petrus mit den Schlüs- | seln, mit den Insignien der Binde- und Lösegewalt, die unter anderem auch dem Anspruch der römischen Kirche auf die Primatstellung in der Weltkirche zugrunde liegt. Schon Ladner hat klar gesehen, daß allein schon in der ungewöhnlichen Anbringung der Gestalt Petri zur Rechten Christi eine spezifisch römisch-päpstliche Tendenz zutage tritt[134].

Für die Deutung der Darstellung auf der Stirnwand links von der Apsiskonche ist der Umstand entscheidend, daß die zur Rechten Christi kniende Figur nur Petrus und nicht Papst Silvester I. sein kann, da sie vom Heiland mit den Schlüsseln investiert wird, was bei einem Nachfolger des Apostelfürsten undenkbar, weil jeder ikonographischen Tradition widersprechend, wäre[135]. Dieses Bild ist also keine Illustration der konstantinischen Schenkung, sondern die der Gewalten-, beziehungsweise Kompetenzenteilung zwischen *sacerdotium* und *regnum*, konkretisiert in den Gestalten des Apostelfürsten und des ersten christlichen Kaisers.

Das Bild an der rechten Stirnwand zeigt uns die nächste Phase der Gewaltenteilung. Papst Leo III. und Karl der Große erhalten die Symbole ihres Amtes — und zwar Leo das Pallium, Karl eine Fahne — nicht direkt von Christus wie noch Petrus und Konstantin, sondern von dem Apostelfürsten.

Da Petrus von Christus die Schlüssel, Leo III. von Petrus das Papstpallium in Empfang nimmt, müssen auch die Zeichen, welche die weltlichen Fürsten auf diesem Bild erhalten, als Sinnbilder ihrer Gewalt gedeutet werden. Ob Konstantin der Große schon ursprünglich eine Fahne in der Hand hielt, oder etwas anderes, ist heute mit Bestimmtheit nicht mehr auszumachen[136]; dagegen ist die Fahne für Karl den Großen dank der Zeichnungen wenigstens für den Zustand in der zweiten Hälfte des 16. Jahrhunderts gesichert. Ent-

[134] a. a. O., S. 117.

[135] Ladner, S. 118, 120; vgl. Fichtenau, a. a. O., S. 41, Anm. 207.

[136] Ladner, S. 118 f.

scheidet man sich für eine schon ursprünglich vorhandene vollständige Parallelität zwischen den beiden Herrschergestalten auch in bezug auf ihre Attribute, so muß man nach dem Sinn dieser Fahne und der Investitur mit ihr fragen. Die herkömmliche Deutung, der sich auch Schramm anschließt, will in der Fahne Karls des Großen jenes *vexillum Romanae Urbis* erblicken, welches Papst Leo bei seinem Pontifikatsantritt zusammen mit den Schlüsseln des Petrusgrabes Karl dem Großen nach dem Frankenreich schickte. Ich habe aber oben bereits gezeigt, daß diese Fahne nie die Rolle eines Herrschaftszeichens gespielt hat und daher auch als Investiturzeichen nicht in Betracht kommen kann. Gegen die Identifizierung der Römerfahne mit der Fahne auf der Karlsseite des Bildes spricht auch der Umstand, daß Karl in der Beischrift seines Bildes nur als *rex Francorum* und nicht zugleich auch als | *patricius Romanorum* bezeichnet wird, obwohl die Fahne in seiner Hand nur als Abzeichen des Patricius gedeutet werden könnte.

Weiter kommt man erst, wenn man von der Tatsache der Parallelität zwischen Konstantin und Karl ausgeht. Am einfachsten wäre es dabei, an eine staatsrechtliche Parallelität, das heißt an eine Gleichsetzung des ersten christlichen Kaisers mit dem Frankenkönig in bezug auf ihre weltliche Stellung in Rom zu denken, was unter anderen auch Schramm getan hat. Dies wäre aber anachronistisch; denn niemals hat ein Papst einen späteren christlichen Herrscher mit Konstantin dem Großen in staatsrechtlich-politischer Hinsicht verglichen. Während im Ostreiche jeder Kaiser von vornherein als Nachfolger des ersten christlichen Herrschers in der Kaiserherrschaft, als ein „neuer Konstantin“ [137] schlechthin galt, steht es im Westen mit diesem Gleichnis von Anbeginn an anders. Hier ist Konstantin nicht die personifizierte Kaiserherrschaft, sondern nur das hohe Beispiel für die Schutzpflicht eines jeden christlichen Herrschers gegenüber Religion und Kirche. Nur in diesem Sinne konnte schon Gregor von Tours von dem zur Taufe bereiten Chlodvig sagen: *Procedit novus Constantinus ad lavacrum* [138]. Nur bei solcher

[137] O. Treitinger, Die oströmische Kaiser- und Reichsidee, Jena 1938, S. 128 f.

[138] Historia Francorum II, 31.

Auffassung des Gleichnisses konnte Papst Gregor der Große sowohl der angelsächsischen Königin das Beispiel der hl. Helena empfehlen[139] und zugleich auch der Kaiserin Leontia wünschen, daß sie — wie einst die fromme Pulcheria — als *nova Helena* gefeiert werde[140]. Maßgebend für uns sind jedoch vor allem die Konstantin-Vergleiche Hadrians. In seinem Brief von 778 erscheint Konstantin als der Herrscher, durch welchen die heilige römische Kirche *elevata atque exaltata est.* Er wünscht Karl, daß ihm *omnes gentes* zurufen möchten: „*Domine salvum fac regem ... quia ecce novus christianissimus Dei Constantinus imperator his temporibus surrexit, per quem omnia Deus sanctae suae ecclesiae beati apostolorum principis Petri largiri dignatus est*" [141]. Nicht in bezug auf seine staatsrechtliche Stellung oder Herrschaft in Rom wird also Karl mit Konstantin verglichen, sondern einzig und allein in bezug auf den Schutz, den die beiden der Kirche gewährten. Eben darum wird Karl als *novus christianissimus Dei Constantinus imperator* bezeichnet. Aber auch dem östlichen Kaiserhof gegenüber hat sein Konstantin-Helena-Vergleich nur einen rein kirchlichen Sinn. In seinem Brief | an Eirene und Konstantin VI. von 785 [142] wünscht er den Majestäten *piam appellationem in vestra cognomenta piissima et a Deo data transituram, ut per omnem terrarum orbem novus Constantinus et nova Helena praedicetur, per quos sancta catholica et apostolica ecclesia renovabitur.* Eine Parallelität einerseits zwischen Konstantin dem Großen und den gegenwärtigen Kaisern, anderseits zwischen Konstantin und dem Frankenkönig besteht also für Hadrian nur in bezug auf die *elevatio, exaltatio* und *renovatio* der römischen Kirche. Wir haben nicht den geringsten Anhaltspunkt dafür, daß Leo III. von dieser traditionellen Interpretation Konstantins und der neuen Konstantine abgewichen wäre und diesen Vergleich auf einmal, in der Bilddarstellung, staatsrechtlich umge-

[139] Reg. XI, 35 (MG Ep. II, p. 304): *Nam sicut per recordandae memoriae Helenam matrem piissimi Constantini imperatoris ad christianam fidem corda Romanorum accenderat, ita et per gloriae vestrae studium in Anglorum gentem eius misericordiam confidimus operari.*

[140] Reg. XIII, 42, p. 405.

[141] Cod. Carol. Nr. 60, p. 587.

[142] Mansi XII, 1057.

deutet hätte. Für die religiös-kirchliche Auslegung des Lateranmosaiks spricht auch die Gleichheit des Abzeichens im Falle Konstantins des Großen und im Falle Karls als eines neuen Konstantin. Ladner[143] hat schon richtig vermutet, daß mit der Fahne Konstantins des Großen „wohl das konstantinische Labarum, die christlich-römische Kaiserfahne“ als Sinnbild des Sieges in Christus gemeint sei, einen anderen Sinn kann eine Fahne in dieser Anwendung überhaupt nicht gehabt haben. Wenn es aber im Falle Konstantins so ist, so kann auch die Fahne in Karls Hand — eben wegen der Parallelität zwischen Karl und Konstantin — nicht das *vexillum romanae urbis,* sondern nur die Fahne des Beschützers der Kirche, das heißt des neuen Konstantin, bedeuten[144]. Lehnt man diese Deutung ab, so bleibt nichts anderes übrig, als mit Erdmann[145] und Schramm die Darstellungen des Lateranmosaiks als eine germanische | Herrschaftsübertragung, wie eine solche bei den Franken und Langobarden einst mit einer Lanze, „mit oder ohne

[143] a. a. O., S. 117.

[144] Für den Zusammenhang der Fahne der Roma mit der der Ecclesia in der Ikonographie siehe Erdmann, a. a. O., S. 10. Besonders die Fahne Konstantins auf dem Lateranmosaik erinnert sehr an die Fahne der als Kaiserin bekleideten Ecclesia auf der unteren Zone des Apsismosaiks von Alt-Sankt Peter aus der Zeit Innozenz' III. Eine Deutung der Fahne in der Hand Karls des Großen als Petrusfahne wäre aus den Quellen der Zeit nicht zu belegen, doch ist sie keineswegs so unwahrscheinlich, wie es Erdmann meint, der von einer Petrusfahne erst von der Zeit des Reformpapsttums an wissen will. Die von ihm zitierte, aus der Mitte des 10. Jahrhunderts stammende, metrische Vita des hl. Wilfried (Migne, Patr. Lat. 133, col. 1000) spricht von den *Petri vexilla beati.* Wenn auch aus dem Text hervorgeht, daß darunter päpstliche Papyrusurkunden verstanden wurden, so setzt diese übertragene Bedeutung doch die Existenz einer Petrusfahne spätestens für die Mitte des 10. Jahrhunderts voraus, die man nach auswärts zu schicken pflegte. Wie wäre man sonst auf die Idee gekommen, Papyrusurkunden „bildlich“ als Petrusfahnen zu bezeichnen? Und warum hätte eben der hl. Petrus keine Fahne gehabt, wenn andere Heilige und Schutzpatrone von Kirchen eine solche um die gleiche Zeit schon besessen haben, so z. B. der hl. Hermagoras von Grado?

[145] a. a. O., S. 13 f.

Fahnenwimpel als Symbol", vor sich zu gehen pflegte, aufzufassen. Daß aber dieser Weg ungangbar ist, hoffe ich bereits durch den Nachweis des durchaus römischen Charakters des Lateranmosaiks gezeigt zu haben. Papst Leo — *natione Romanus, ex patre Atzuppio*[146] —, der vor seiner Flucht noch nie im Frankenreich gewesen war und Karl vor Paderborn kaum näher kennenlernen konnte, war für die Errichtung eines „fränkischen Herrscherbildes" sicher der denkbar ungeeignetste Mann.

Sein Bild zeigt ferner den Frankenkönig nicht nur in eindeutiger Abhängigkeit vom Apostelfürsten — und zwar in Übereinstimmung mit früheren päpstlichen Äußerungen über die Natur des karolingischen Königtums[147] —, sondern dazu an rangzweiter Stelle nach ihm. Rechts vom Heiligen Petrus kniet der Papst, und diese Seite galt seit der Spätantike immer als die ranghöhere bei der Darstellung mehrerer Personen. Auf spätrömischen und byzantinischen Herrscherbildern steht die Kaiserin immer links vom Kaiser, und zwar auch dann, wenn das Paar um eine in der Mitte stehende göttliche Person gruppiert ist[148]. Dasselbe beweisen auch die Quellen. Laut Prokop[149] verabredeten 535 die Gesandten Justinians einen Vertrag mit dem Ostgotenkönig Theodahad, wonach ein Standbild aus Erz oder anderem Material nie mehr dem Theodahad allein er-

[146] Liber Pontificalis II, p. 1.

[147] Papst Stefan an Pipin und seine Söhne 755, Cod. Carol. Nr. 6, p. 489: *Coniuro vos, filii excellentissimi ... per beatum Petrum principem apostolorum, qui vos ad reges unxit ...;* 755, Cod. Carol. Nr. 7, p. 493: *... quia ideo vos Dominus per humilitatem meam mediante beato Petro unxit in reges;* Papst Paul I. an Pipin im J. 761 (?), Cod. Carol. Nr. 21, p. 523: *divina benedictione sanctae unctionis gratia per apostolum eius ... beatum Petrum, in regem, excellentissime atque praecellentissime rex, esse dinosceris unctus.* Auch in der Inschrift der Weihekrone Hadrians übt Karl sein Amt *dextra glorificante Petri* aus (MG. Poet. Lat. Nr. 13, p. 106).

[148] Schon auf den Bildnisschilden der Consulardiptychen und auf dem Kreuz Justins II. und der Sophia im Petrusschatz; siehe Deér, Das Kaiserbild im Kreuz, a. a. O., S. 102 f., Taf. XII, 1—3. Von den späteren Denkmälern nenne ich nur die bekannten Elfenbeintafeln des Romanos und der Eudokia, Ottos II. und der Theophanou.

[149] De bello Gothico I, 6, ed. Haury II, 29.

richtet werden sollte, „sondern immer nur in Verbindung mit dem Kaiser, und zwar so, daß dieser jedesmal rechts, Theodahad links zu stehen kommt“. Die mögliche Annahme, daß diese Regel bei der gemeinsamen Abbildung von Kaisern und Kirchenfürsten, der gelasianischen Lehre über das größere Gewicht des Priesteramtes entsprechend, keine Anwendung gefunden hätte, wird durch erhaltene Darstellungen dieser Art glatt widerlegt: in S. Vitale in Ravenna steht der Erzbischof Maximianus an der linken Seite Justinians[150] sowie auch in S. Apollinare in Classe | der Erzbischof Reparatus links von Konstantin IV. abgebildet ist[151]. Daß ein Kaiser mit einem Bischof „gelasianisch“ abgebildet wurde, war ebenso undenkbar, wie daß der Bischof im lebendigen Zeremoniell dem Kaiser gegenüber die ranghöhere Seite einnahm[152]. Dagegen konnte man sich päpstlicherseits erlauben, den Frankenkönig und Patricius sogar zweimal — in Santa Susanna und im Lateran-triklinium — auf der rangniedrigeren Seite darstellen zu lassen, und ihn auch in der akklamatorischen Inschrift des Lateranbildes nach dem Papst zu nennen. Dieser Zusammenhang erinnert uns daran, daß Karl auch in der Datumzeile der Urkunden Leos III. an zweiter Stelle nach dem Papst genannt wurde, und dasselbe Rangverhältnis wird uns auch die Untersuchung der Laudes vor Augen führen. Daran kann auch der Umstand nichts ändern, daß Karl in der akklamatorischen Inschrift des Lateranmosaiks DN = *Dominus Noster* genannt wird, was nach Schramm „ein Teil der kaiserlichen Titulatur ist“ (S. 462). Schramm ist dabei entgangen, daß schon der Exarch von Ravenna von den höchsten Vertretern der römischen Kirche und des Dukats von Rom anläßlich der päpstlichen Sedisvakanz als *Dominus Noster* bezeichnet worden ist[153].

[150] Wilpert I, Taf. 109.

[151] Aufnahme: Anderson 27.382.

[152] Für die niedrige Wertung eines Bischofs, insbesondere eines aus Italien, in der Sitzordnung des kaiserlichen Banketts, selbst gegenüber einem bulgarischen Titular-Patricius, siehe Liutprand, Relatio de legatione Constantinopolitana c. 18, SS. rer. Germ., ed. Becker, 1915, p. 185 f.: der Bulgare *patricius tamen est, cui episcopum praeponere, Francorum praesertim, nefas decernimus, iudicavimus.*

[153] Liber Diurnus Nr. 59, p. 49, und Nr. 62, p. 58.

Auch die Bürger von Ravenna haben den Stellvertreter des Kaisers so angeredet und ihm gelegentlich sogar die Proskynese erwiesen[154].

Wie Karl *nach* seiner Erhebung zum Kaiser vom Papst alle Vorrechte der alten Kaiser — in der Datierung, in der Münzprägung, in der Superskription und Subskription — vorbehaltlos eingeräumt wurden, so wurde auch im Bereiche des Bildes die Stellung des Kaisers des Westens nach 800 eine ganz andere, als sie Karl noch auf den Mosaiken in der Santa Susanna und im Laterantriklinium eingenommen hatte. Wir wissen zwar nichts von einem Bildnis Karls, das in Rom nach dem 25. Dezember 800 errichtet worden wäre, doch kennen wir aus der folgenden Zeit eine dem Lateranmosaik ikonographisch sehr nahestehende Darstellung eines Papstes und eines Kaisers in der Gesellschaft von heiligen Personen. Die Aussage dieses Bildes ist von grundlegender Bedeutung für die Entscheidung der Frage, ob die Regeln, welche im byzantinischen Italien für die Abbildung von Kaisern und Kirchenfürsten maßgebend waren, auch während der karolingischen Zeit in Geltung geblie- | ben sind, oder ob sie einer „gelasianischen" Ikonographie haben weichen müssen.

Im Jahre 1689 hat Ciampini am Abhang des Caelius in einem seither verschwundenen Oratorium ein Wandgemälde, welches sich schon damals in einem schlechten Erhaltungszustand befand, aufgefunden, gezeichnet und beschrieben: Christus zwischen Petrus und Paulus, neben den beiden Apostelfürsten der hl. Laurentius und der hl. Hippolyt, ferner zu Füßen Christi zwei ursprünglich wohl kniende Figuren, von denen die eine schon zu Ciampinis Zeit verschwunden war, doch auf Grund der Beischrift FORMOSV mit Papst Formosus (891—896) zu identifizieren ist; auf der anderen Seite kniete eine weltlich bekleidete Figur ohne Nimbus, von welcher Kopf und Oberkörper noch gezeichnet werden konnten. Zu diesem Befund stellt Ladner[155] treffend fest: „Bei jeder Deutung dieser Gestalt ist davon auszugehen, daß sie den Ehrenplatz zur Rechten Christi einnimmt, während der Papst Formosus zur Linken dargestellt war." Es muß sich also bei diesem Fürsten um einen

[154] Agnellus c. 120, p. 356, und c. 122, p. 359.
[155] S. 155 ff., Taf. XVI b.

mit Formosus zeitgenössischen Kaiser, das heißt Wido, Lambert oder Arnulf handeln. Als Vorbild für diese Wandmalerei diente sicher das Trikliniummosaik Leos III.[156], wobei aber in der Zuweisung des Ehrenplatzes eine Änderung zugunsten des weltlichen Fürsten eingetreten ist, die einzig und allein mit dem kaiserlichen Rang des Dargestellten erklärt werden kann. Seit 800 gebührte also der erste Platz auch im Bilde nicht mehr — wie vorher — dem Papst, sondern dem Kaiser. Indem Karl weder in der Santa Susanna noch im Laterantriklinium der Ehrenplatz eingeräumt wurde, kann davon nicht die Rede sein, daß Papst Leo III. ihm durch Abbildung seiner Figur das kaiserliche Bildvorrecht zugewandt hätte (Schramm, S. 463).

5. *Prozession, Akklamation, Kirchengebet, Laudes*

„Als Karl am Karsonnabend 774 zum ersten Male seinen Einzug in Rom hielt" — schreibt Schramm S. 446 f. —, „wurde er bekanntlich empfangen, ‚wie es Sitte beim Empfang des Exarchen oder Patricius ist', also auch — wie der Liber Pontificalis ausdrücklich vermerkt — mit dem Gesang der Akklamationen. Damit ist Karl in das Vorrecht der *processio* des Kaisers und seines Stellvertreters eingerückt." Die Formulierung des letzten Satzes ist geeignet, im Leser den Eindruck entstehen zu lassen, als ob zwischen der *processio* des Kaisers und der seines Stellvertreters eigentlich kein Unterschied bestanden habe, denn nur unter dieser Voraussetzung konnte der Verfasser später (S. 468) sagen, daß Karl bei seinen römischen Besuchen vor 800 „mit der kaiserlichen *processio* geehrt" worden sei. Schramm scheint zu glauben, daß bei dem Emp- | fang in Rom „der Exarch und der Patricius an seiner (das heißt des Kaisers) Statt die gleiche Ehrung beanspruchen durften" (S. 470). Eben mit dieser Voraussetzung stimmt es aber nicht, da sie den feinen Nuancen des im damaligen Rom herrschenden, im wesentlichen von Byzanz her bestimmten Zeremoniells nicht genügend Rechnung trägt. In der Tat waren nämlich der Empfang einerseits des Kaisers, anderseits seines Stellvertreters, des Exarchen, keineswegs identisch, und

[156] Ladner, S. 157.

die Unterschiede zwischen den beiden drücken den Rangunterschied zwischen dem Souverän und seinen hohen Beamten — wie auch sonst im ganzen Bereich der Ehrenrechte — in sinnvoller Weise aus. Worin der Unterschied in der Einholung des Kaisers und des Exarchen bestand, hat schon L. Duchesne[157] mit aller Klarheit herausgearbeitet: während der Kaiser beim *sechsten* Meilenstein empfangen werden mußte[158], spielte sich der gleiche Vorgang im Falle des Exarchen erst beim *ersten* Meilenstein ab[159]; während der Kaiser nicht nur durch die Scholen der *militia* des römischen Dukats, durch die Beamtenschaft und durch Abordnungen des Volkes, sondern *persönlich durch den Papst* eingeholt wurde, wirkte beim Empfang des Patricius-Exarchen der Papst in eigener Person nicht mit. Entscheidend für den Unterschied zwischen Kaiser und Patricius sind also der Ort des Empfangs und das Erscheinen oder Nichterscheinen des Papstes.

Betrachtet man den Empfang Karls des Großen bei seinem ersten Besuch von 774 unter diesen Gesichtspunkten, dann ergibt sich aus dem Bericht des *Liber Pontificalis* eindeutig, daß Hadrian den Frankenkönig, nach einem Vorempfang durch die Regionsrichter beim dreißigsten Meilenstein, erst beim ersten Meilenstein und dort nur durch Miliz und Schuljugend einholen ließ, während er selbst in Rom verblieb und seinen hohen Gast zusammen mit dem Klerus erst vor dem Atrium von St. Peter empfing. Wenn also zu diesem Zeremoniell in der *Vita Hadriani* ausdrücklich bemerkt wird: *sicut mos est exarchum aut patricium suscipiendum* — so kann nicht der leiseste Zweifel darüber bestehen, daß Karl 774 nicht als Kaiser, sondern nur als eine mit dem Exarchen und Patricius ranggleiche Person aufgenommen worden ist. Es kann also unter keinen Umständen behauptet werden, daß Karl vor 800 „mit der kaiserlichen *processio* geehrt" worden sei. Gerade das Gegenteil ist der Fall, und damit verliert die Anerkennungstheorie ein weiteres ihrer Argumente.

[157] Liber Pontificalis I, p. 378, n. 15.

[158] Liber Pontificalis I, p. 343; spätere Kaisereinholungen: Ludwigs II. durch Sergius II: Liber Pontificalis II, p. 88; Arnulfs von Kärnten durch Formosus: Annales Fuldenses a. 896, ed. F. Kurze, SS. rer. Germ., p. 128.

[159] Liber Pontificalis I, p. 372; I, p. 496 f.

In einer Hinsicht scheint Karl bei seinem Besuch von 774 nicht einmal jene Stellung erreicht zu haben, die den früheren Exarchen von Ravenna in Rom | gebührte. Während der Exarch nicht nur in Ravenna im *sacrum palatium* residierte, sondern auch bei seinen Aufenthalten in Rom im Kaiserpalast auf dem Palatin abstieg[160], wohnte Karl 774 als Gast des Papstes bei St. Peter — also außerhalb der aurelianischen Mauern —, und er holte für den Besuch der Stadt Rom die Bewilligung Hadrians in aller Form ein[161]. Und während der angekommene Exarch vom Papste erwartete, daß dieser ihn im Kaiserpalast auf dem Aventin besuche[162], empfing Hadrian Karl in St. Peter, nachdem der Frankenkönig den Weg vom ersten Meilenstein bis dorthin zu Fuß zurückgelegt und die Treppen, die zum Atrium hinaufführten, kniend und jede einzelne Stufe küssend, erstiegen hatte. Im Gegensatz zum Exarchen wurde er wie ein vornehmer Ausländer empfangen, der den Titel eines *patricius Romanorum* führt und welchem dementsprechend das Ehrenrecht des Empfangs beim ersten Meilenstein erwiesen wird, der aber innerhalb der Stadt über keinerlei Rechte verfügt, und sich dort wie ein fürstlicher Pilger zu gebärden hat. Für den zweiten und dritten Besuch Karls in Rom, 781 und 787, liegen uns keine ausführlichen Berichte über die Einzelheiten seines Empfangs durch Hadrian vor; aber aus der Bemerkung Einhards, daß mit Ausnahme des *ultimus adventus*[162a] Karl *tantum illo votorum solvendorum ac supplicandi causa profectus est*[163], darf man wohl mit Recht schließen, daß auch der Empfang bei diesen Besuchen demjenigen von 774 entsprach, als Karl — nach dem *Liber Ponti-*

[160] Ch. Diehl, Etudes sur l'administration byzantine dans l'exarchat de Ravenne, a. a. O., p. 174; H. Cohn, Die Stellung der byzantinischen Statthalter in Ober- und Mittelitalien, a. a. O., S. 71.

[161] Liber Pontificalis I, p. 497: *Expleta vero eadem oratione, obnixe deprecatus est isdem rex Francorum antedictum almificum pontificem illi licentiam tribui Romam ingrediendi;* das wurde ihm nach der Leistung eines Sicherheitseides gestattet.

[162] Martini ep., Migne, P. L. 87, col. 199; auch Belisar bestellte einfach den Papst Silverius in den Palast: Liber Pontificalis I, p. 292.

[162a] Einhard, Vita c. 28, ed. Halphen, p. 80.

[163] Ebendort c. 27, p. 80.

ficalis — sua orationum vota per diversas Dei ecclesias persolvenda[164] nach Rom gekommen war.

Davon abweichend war Karls Empfang am 23. November 800: Er erfolgte eindeutig nach kaiserlicher Art, das heißt durch den Papst persönlich und schon beim zwölften Meilenstein, wo für Karl ein Festmahl veranstaltet wurde. Ein weiterer und sehr wesentlicher Unterschied bestand darin, daß Karl 774 schon bei seiner Ankunft am ersten Meilenstein aus dem Sattel stieg und den Weg zu St. Peter mit seiner ganzen Gefolgschaft zu Fuß zurücklegte, während ihm im Jahre 800 von Papst Leo für die Strecke bis St. Peter eine glanzvolle Prozession bewilligt worden ist. Der Papst schickte ihm nicht nur | die *Romanae urbis vexilla* entgegen, sondern er ließ an den geeigneten Punkten des Weges die Scholen der Ausländer und die Korporationen der Bürgerschaft sich aufstellen, damit sie den Ankommenden mit Laudes begrüßten. Durch die Mitteilung, daß Karl erst, als er zu St. Peter angekommen, von seinem Pferde stieg, ist die Tatsache eines berittenen Aufzugs mit seinem Hofstaat völlig gesichert. Aus der Schilderung der Reichsannalen[165] gewinnt man also das Bild einer regelrechten kaiserlichen προέλευσις: Karl zog hoch zu Pferde und von den verschiedenen Korporationen wiederholt mit Akklamationen geehrt nicht anders in Rom ein als ein Basileus bei einem Triumph in seine Kaiserstadt oder an einem hohen Feiertag zurück nach seinem Palast.

Diese Einholung steht freilich schon im Schatten der kommenden großen Ereignisse — nur ein Monat trennt sie von der Erhebung Karls zum Kaiser. Sie galt dem Richter, dem das Urteil über die Gegner des Papstes zusteht[166], und der schon dadurch die staatsrechtliche Grenze zwischen König-Patricius und Kaiser bereits überschritten hat. Karl ist der Unterschied zu seinen früheren römischen Einholungen sicher ebensowenig entgangen wie dem Berichterstatter in den Reichsannalen; es mußte ihm gleich bei der Ankunft klar-

[164] Liber Pontificalis I, p. 497.

[165] Annales regni Francorum a. 800, p. 110.

[166] Alcuin schrieb nach dem 10. Juli 799 an Karl: *Ecce quid actum est de apostolica sede in civitate praecipua, in dignitate excellentissima. Quae omnia vestro tantummodo servantur iudicio* ... Alcuini epistolae Nr. 177, MG Ep. IV, p. 292.

werden, daß der Papst diesmal nicht wie früher nur *sicut mos est exarchum aut patricium suscipiendum eum cum ingenti honore suscipi fecit,* sondern wie einen Kaiser *summa eum humilitate summoque honore suscepit.* Denn Karl besaß für das, was wir heute „Staatssymbolik" nennen, einen wachen Sinn. Als er nach dem Tode des Fürsten Arichis (787) — also noch in seiner Königszeit — dessen Sohn Grimoald zum Herrscher in Benevent einsetzte, tat er dies erst, nachdem er die eidliche Versicherung erhalten hatte, daß Grimoald *Langobardorum mentum tonderi faceret, cartas vero nummosque sui nominis caracteribus superscribi iuberet*[167].

Einem Staatsmann von seiner Erfahrung in diesen Dingen konnte schon bei der Ankunft kaum verborgen bleiben, was der Papst mit ihm beabsichtigte, worin das *consilium pontificis*[168] bestehen würde. Der Bericht in den Reichsannalen über die Einholung Karls in Rom unterstützt daher meines Erachtens den Bericht in den *Annales Laureshamenses*[169] über die Verhandlungen unmittelbar vor der Kaisererhebung auf das entschiedenste. Nach diesem eindeutig kaiser- | lichen Empfang, welcher durch die Übernahme der Rolle des Richters bedingt war, war es unvermeidlich, daß Karl bald darauf vom Papst, von den Konzilvätern und vom übrigen christlichen Volk aufgefordert wurde, sich nunmehr auch *ipsum nomen* beilegen zu lassen. Und nachdem er einmal — für die ganze Stadt und damit für die ganze Welt sichtbar — nicht mehr als Patricius, sondern als Kaiser empfangen worden war, blieb nichts anderes übrig, als daß er *ablato patricii nomine imperator et augustus*[170] genannt wurde. *Nomen* — das heißt Würde, Amt, und nicht „Name" oder „Titel"[170a] — und Vorrecht sind also untrennbar — eine Feststellung, die weiter unten durch die Untersuchung der an-

[167] Erchemperti Historia Langobardorum Beneventanorum c. 4. SS rer. Langob. et Ital., p. 236.

[168] Einhard, c. 28, ed. Halphen, p. 80.

[169] MGSS I, p. 37. In der Wertung dieser Quelle schließe ich mich der Ansicht von H. Fichtenau (Karl der Große und das Kaisertum, in: MIöG 61 (1953), S. 287 ff.) an.

[170] Annales regni Francorum a. 801, p. 112.

[170a] Auch in dieser Frage bin ich mit Fichtenau (a. a. O., S. 259 ff.) einig.

geblichen Kaisertracht Karls vor 800 ihre weitere Bestätigung finden wird. Zwar muß die Beanspruchung des Vorrechtes nicht unbedingt erst nach der Annahme des entsprechenden *nomen* erfolgen; doch auch wenn die Reihenfolge umgekehrt ist, muß es zwischen beiden zu einem baldigen Ausgleich kommen, und zwar deshalb, weil in dieser Zeit der Führung des Vorrechtes die Bedeutung einer Ankündigung der Absicht zur Führung des *nomen* beigemessen wurde. Den Nachweis des kaiserlichen Empfangs Karls *unmittelbar vor* seiner Kaisererhebung stellt also ebenso eine Gegenprobe für uns dar, wie der Nachweis des Karlsnamens auf den Münzen und in der Datierung *nach* der Kaisererhebung.

Daß Karl in Rom vor 800 sowohl die Ehrung der Akklamationen wie die der Laudes erwiesen worden ist, steht schon in bezug auf seinen ersten Besuch von 774 eindeutig fest. Die Akklamationen ertönten bei seinem Empfang beim ersten Meilenstein [171]; ihr Wortlaut ist uns nicht überliefert, doch darf man auf Grund des Berichtes in der *Vita Hadriani* annehmen, daß auch sie genau auf jenes Protokoll abgestimmt waren, welches dem ganzen Empfang zugrunde lag. Wenn der Frankenkönig aufgenommen wurde *sicut mos est exarchum aut patricium suscipiendum,* so ließ man ihm sicher nur jene Akklamationen zurufen, die dem Patricius-Exarchen während der Zeit der byzantinischen Herrschaft gebührten.

Mit gleich gutem Recht dürfen wir aber auch annehmen, daß auch die Laudes, die schon bei Karls Ankunft in der Peterskirche am Karsamstag *Deo et eius excellentiae* (das heißt Seiner Excellenz dem Patricius) und dann in der Messe am Ostermontag *Carulo excellentissimo regi Francorum et patricio Romanorum* dargebracht wurden [172], der staatsrechtlichen Stellung des Geehrten genau entsprachen. Daß schon der Exarch von Ravenna bei seinen Besuchen in Rom mit Akklamationen aufgenommen wurde, gibt auch Schramm zu | (S. 464); es konnte dies freilich nur an zweiter Stelle nach dem Kaiser geschehen. Daß die römische Kirche durchaus bereit war, nicht nur für den Kaiser, sondern auch für seinen Stellvertreter,

[171] Liber Pontificalis I, p. 497.
[172] Ebendort I, p. 497 f.

den Exarchen, zu beten, ergibt sich aus dem *Liber Diurnus*[173]. In diesen Bereichen war also Karl nur in die Ehrenrechte des Patricius-Exarchen, und nicht in die des Kaisers selbst eingerückt. Dafür spricht auch die Inschrift zum entsprechenden Bild des Lateranmosaiks, deren Herkunft von Akklamationen oder Laudes mit Schramm (S. 468) für sehr wahrscheinlich zu halten ist: *Beate Petre donas vitam Leoni papae et bictoriam Caruli regis donas.* Hier steht der Papst — wie in der Datumzeile unter Leo III. — an erster und Karl an zweiter Stelle — genauso, wie während der byzantinischen Zeit der Exarch hinter dem Kaiser an zweiter Stelle stand. Der Siegeswunsch für Karl in der akklamatorischen Inschrift des Lateranmosaiks ist kein Siegeswunsch von kaiserlichem Charakter, wie wir es schon oben bei der Behandlung der Datumzeile dargelegt haben.

Als Stützen für die These Schramms bleiben also nur die zwei Laudes übrig, die uns im vollständigen Wortlaut erhalten geblieben sind, und die aus der Zeit zwischen 782 und 787, beziehungsweise 796 und 800, also noch aus der Königszeit Karls stammen[174]. Beide enthalten Elemente, die nicht nur römisch, sondern — was Schramm

[173] Nr. 55, ed. Sickel, p. 45: *quatenus pro inpensis patrociniorum vestrorum bonis et nos orare pro praecellentiae vestrae incolumitate enixius provocemur, et beatus Petrus apostolorum princeps, cui vestram operam commodatis, dignam vobis et hic et in futuro retributionem compenset ...*

Nr. 60, p. 54: *Scimus enim, quod oratio eius, quam ad pontificalis dignitatis Dei nutu culmen eligimus divinam omnipotentiam flectat suis praecibus atque complaceat, exoptatae felicitatis incrementa Romano imperio praeparavit vestramque a Deo custodiendam potestatem ad dispensationem huius servilis Italiae provinciae nostrorumque omnium famulorum presidium et subventum longevis annorum mentibus conservabit.*

Nr. 61, p. 56: die Vertreter der römischen Kirche ersuchen den Erzbischof von Ravenna, die Bestätigung des neugewählten Papstes bei dem Exarchen zu erwirken, damit der neue Papst *pro stabilitate a Deo decreti Romani imperii longevaque sospitate ad temporum prosperitatem predicti eximii domini exarchi indesinenti prece exoret.*

[174] H. Dannenbauer, Die Quellen zur Geschichte der Kaiserkrönung Karls des Großen (Kleine Texte für Vorlesungen und Übungen, hrsg. von H. Lietzmann, Nr. 161), Berlin 1931, S. 55—58.

entgangen ist — rein formal betrachtet auch eindeutig kaiserlich sind. Karl wird zwar in ihnen protokollarisch gänzlich korrekt als *rex Francorum et Langobardorum ac patricius Romanorum* genannt; aber zu dem zu diesen Titeln protokollarisch passenden Ehrenprädikat *excellentissimus* kommen noch weitere drei Ehrenprädikate, die niemals für einen Patricius-Exarchen, sondern einzig und allein für den Kaiser angewandt werden konnten, und zwar: *a Deo coronatus, magnus et (atque) pacificus. A Deo* | *coronatus* ist die wörtliche Übersetzung des griechischen θεόστεπτος oder θεοστεφής[175] und ist als solche der höchste auch in der kaiserlichen Ikonographie nachweisbare[176] Ausdruck imperialer Gottunmittelbarkeit. Die Formel stammt zwar nicht aus dem offiziellen Kaisertitel der Urkunden; um so häufiger kommt sie dagegen in den Akklamationen[177] und in der höfischen Anrede des Kaisers[178] vor. Auch die Inschrift der Bildnissäule des Phokas auf dem Forum bezeichnet diesen Kaiser als *imperator perpetuus a Deo coronatus*[179]. Die weiteren zwei Ehrenprädikate *magnus et pacificus* lassen sich in der offiziellen Kaisertitulatur nachweisen[180]. Alle drei zusammen kommen in der Datumzeile der Papsturkunden als Ehrenprädikate des byzantinischen Kaisers vor, und wohl unmittelbar aus dieser Quelle sind sie in die Laudes gelangt.

Wo sind aber jene Laudes entstanden, und wo hat man sie auf Karl gesungen? Ernst Kantorowicz[181] hat uns in sorgfältiger und scharfsinniger Analyse gezeigt, daß sie auf gallikanisch-fränkische Laudes aus der Zeit Pipins und Karls des Großen, zwischen 760

[175] Treitinger, a. a. O. S. 37, Anm. 30; Enßlin, Gottkaiser und Kaiser von Gottesgnaden, a. a. O., S. 55, 106.

[176] Alföldi, Insignien und Tracht der römischen Kaiser, in: Mitteilungen des Deutschen Archäologischen Instituts, Röm. Abt. 50 (1935), S. 55 f., Abb. 6; Grabar, L'empereur dans l'art byzantin, a. a. O., p. 112 ff.

[177] Siehe die Stellen bei Treitinger, a. a. O., Anm. 30 auf S. 31.

[178] Z. B. Mansi XI, 740 C—D, 858 E, 859 D, und XII, 1075 B.

[179] CIL VI 1200.

[180] Treitinger a. a. O., S. 186 ff.

[181] Laudes Regiae. A Study in Liturgical Acclamations and Medieaval Ruler Workship, Berkeley and Los Angeles 1946, pp. 13—64; fërner B. Opfermann, Die liturgischen Herrscherakklamationen im Sacrum Im-

und 780, zurückgehen, die zwar unter starkem Einfluß der römischen Liturgie, doch im fränkischen Bereich entstanden sind und dementsprechend auch eine fränkische Auffassung vom Verhältnis von *regnum* und *sacerdotium* verkünden. Auch nach Schramms Ansicht können sie daher „ohne weiteres nur für den fränkischen Brauch in Anspruch genommen werden". Trotzdem nimmt er an, daß „die fränkischen Laudes, wie sie jene beide Formulare bewahrt haben, in Rom erschallt sind" (S. 467). Die Argumente aber, die für diese Hypothese angeführt werden, sind keineswegs schlüssig.

Die Übereinstimmung der beiden Laudes fränkischen Ursprungs mit der Akklamation, mit welcher Karl am 25. Dezember 800 — freilich unter entsprechender Abänderung des Titels — zum Kaiser ausgerufen wurde[182], beweist | einzig und allein, daß die fränkischen Laudes der neuen Kaiserakklamation zum Vorbild gedient haben, nicht aber daß sie selber bei den früheren Besuchen des Frankenkönigs in Rom angewendet worden sind. Ebensowenig darf aus dem Umstand, daß drei Ehrenprädikate Karls in den fränkischen Laudes mit den Ehrenprädikaten des Kaisers in der päpstlichen Datumzeile übereinstimmen, gefolgert werden, daß diese Entlehnung „ohne die Sanktion des Papstes" nicht hätte geschehen können. Man kann sich die Sache auch — und zwar viel einfacher — so vorstellen, daß der Verfasser der fränkischen Laudes die drei kaiserlichen Ehrenprädikate in Papsturkunden vorfand, welche mit dieser Datumzeile bis zum Beginn des Pontifikats Hadrians I. in großer Zahl auch nach dem Frankenreich gelangt sind. Wir dürfen nicht vergessen, daß alle Originalbriefe der Päpste an die fränkischen Machthaber mindestens bis 772 mit einer Datierung nach Kaiserjahren versehen waren, und daß diese Datumzeilen erst bei der Eintragung in den *codex Carolinus* weggelassen worden sind. Dieselbe Datierung nach den Jahren des *a Deo coronatus, magnus, pacificus* genannten Kaisers trugen aber auch alle Papst-

perium des Mittelalters, Weimar 1953, S. 54 ff. Vgl. die Besprechung beider Werke durch R. Elze, in: Zeitschrift f. Rechtsgeschichte, Kanon. Abt. 40 (1954), S. 201—224.

[182] Annales regni Francorum a. 801, p. 112, und Liber Pontificalis II, p. 7.

briefe an fränkische Kirchen und Prälaten während dieser Zeit, so daß die Kenntnis dieser Ehrenprädikate als allgemein bekannt vorausgesetzt werden darf. Ihre Verwendung für die Laudes auf den König bedurfte einer Sanktion des Papstes kaum. Karl und seine Geistlichen, die in einer so wichtigen Frage wie der des Bilderkultes ihre eigenen Wege gingen, haben sich in einer derart unwesentlichen Detailfrage sicher nicht um die päpstliche Bewilligung bemüht. Dazu kommt noch, daß die Entlehnung der drei Ehrenprädikate aller Wahrscheinlichkeit nach ohne die Ahnung ihrer protokollarischen Bedeutung erfolgt war. Der Liturgiker, der die Laudes im fränkischen Geist abfaßte, empfand die Ehrenprädikate *a Deo coronatus, magnus et pacificus* als für seinen Herrn durchaus passend und nicht einmal als neu. Zwei von ihnen, nämlich *magnus* und *pacificus*, waren für Karl bereits geläufig. Als *magnus rex* bezeichneten ihn unter anderen selbst die Päpste[183], und bei *pacificus* mußte man an die entsprechende Herrschertugend Augustins denken. Und warum hätte Karl, der *Dei gratia rex Francorum*, zugleich nicht auch als ein *a Deo coronatus* gefeiert werden können? Ist Pipin und ist Karl nicht eben von den Päpsten als *a Deo protectus* oder *a Deo conservandus*[184] bezeichnet, König Pipin schon von Paul I. als *a Deo inspirata eximietas tua*[185] angeredet, als *a Deo institutus magnus rex*[185a] gefeiert worden?

Der Ausstattung Karls mit imperialisierenden Ehrenprädikaten in den beiden fränkischen Laudes würde aber auch dann keine besondere Bedeutung | für die Absichten der Päpste zukommen, wenn es nachzuweisen wäre, daß sie in Rom vor 800 erschallt sind. Denn selbst in diesen fränkischen Laudes wird Karl nur an zweiter Stelle nach dem Papst genannt, was für den fränkischen Brauch durchaus verständlich[185b], mit dem Wesen einer Kaiserakklamation aber

[183] Codex Carolinus, passim.

[184] Genau so wie früher der Patricius-Exarch.

[185] Cod. Carol. Nr. 17, p. 516, aus dem Jahre 758.

[185a] an Karl und Karlmann, zwischen 761 und 766: Cod. Carol. Nr. 33, p. 540.

[185b] Für die durch Gelasius bestimmte fränkische Auffassung bezüglich der Rangordnung von Papst, Kaiser und Frankenkönig siehe den Brief Alkuins vom Juli 799 an Karl: Ep. Alcuini Nr. 174, MG Ep. IV, p. 288.

völlig unvereinbar ist. In den uns überlieferten Akklamationen aus dem 7. und 8. Jahrhundert wird der Kaiser entweder allein genannt, oder, wenn neben ihm dem Papst oder dem Patriarchen ein Platz überhaupt eingeräumt wird, dann immer nur an zweiter Stelle[186]. Hier kommt Gelasius nicht zum Wort, und die Majestät des Kaisers schließt die Ausrufung des Namens einer anderen Person vor ihm von vornherein aus[187]. So hat Justinian von Theodahad verlangt, daß in Italien sein Name in der Akklamation vor dem des Gotenkönigs genannt werde[188]. Die Anwesenheit des Kaisers scheint sogar Akklamationen für Würdenträger auszuschließen. Wir hören im Zusammenhang mit der Einholung der Bilder des Phokas und der Leontia nichts davon, daß Klerus und Volk von Rom in der *basilica Iulii* des Laterans neben — geschweige denn vor — den Majestäten auch den anwesenden Papst Gregor den Großen akklamiert hätten. Als der Gesandte des Papstes Agatho, der Bischof von Porto, am 21. April 681 die Messe in Anwesenheit des Kaisers und des Patriarchen zelebrierte, erschallten dabei die lateinischen Laudes nur *(pro) victoriis piissimorum imperatorum*[189]. Dieser Tradition entsprechend wurde auch am 25. Dezember 800 in den Laudes nur Karl *vita et victoria,* und nicht wie früher in der Königszeit zuerst dem Papst *vita* und erst nach ihm dem Frankenkönig *victoria* zugerufen. Auf dem alleinigen Ausruf des Kaisernamens folgte nur noch die *Invocatio* mehrerer Heiligen[190]. |

[186] Die Belege bei Heldmann, S. 228, Anm. 1.

[187] Treitinger, a. a. O., S. 73.

[188] Prokop, De bello Gothico I, 6, ed. J. Haury II, p. 29.

[189] Liber Pontificalis I, p. 354.

[190] *Ante sacram confessionem beati Petri Apostoli plures sanctos invocantes, ter dictum est* (Liber Pontificalis II, p. 7). Die Reihenfolge der Nennung von Kaiser und Papst erfuhr erst später eine Änderung; sie spiegelt schon die neuen, von Nikolaus I. und Johann VIII. verkündeten und von Karl dem Kahlen angenommenen Ansichten über das Verhältnis von Kirche und Staat, Papst und Kaiser wider. Von der fränkischen Synode von 876 heißt es in den Annales Bertiniani, auct. Hincmaro, ed. Waitz, SS rer. Germ., 1883, p. 131: ... *et post laudes peractas in domnum apostolicum et domnum imperatorem ac imperatricem et caeteros iuxta morem*. Zur gleichen Zeit beginnt auch im Bereiche der bildlichen

Wenn also Schramm auf Grund des Vorkommens des Karlsnamens in den fränkischen Laudes der Königszeit behauptet, wo sie erschallten, sei klargestellt, wer Herr sei und wer nicht (S. 464), so bedarf diese Feststellung in zwei Hinsichten einer Richtigstellung. Einerseits muß man sich hüten, machtpolitische Tatsachen mit „staatssymbolischen" gleichzusetzen: „Herr" zu sein bedeutet noch nicht unbedingt Kaiser oder auch nur *quasi imperator* zu sein. Zweitens: So wie im Falle des Bildes nicht die bloße Tatsache der Anbringung „an irgendeine Wand", so ist im Falle der Akklamation auch nicht das bloße Erschallen des Namens das Entscheidende für die Stellung des Akklamierten, sondern der Umstand, an welcher Stelle dies geschieht. Wer in Rom in den Akklamationen und Laudes nur an zweiter Stelle genannt wird, war in der einstigen Kaiser- und nunmehrigen Apostelstadt sicher kein „Herr", sondern nur eine Amts- oder Respektsperson zweiten Ranges. Bekanntlich hat man in Konstantinopel auch den neupromovierten Patricius — aber *nach* dem Kaiser — mit Akklamationen geehrt.

In seinen Ausführungen über das Kirchengebet, das für Karl in Rom seit Hadrians I. Zeiten gesprochen wurde, faßt Schramm lediglich die Resultate der bisherigen Untersuchungen zusammen, wobei festzustellen ist, daß sein Standpunkt demjenigen von Hans Hirsch[191] am nächsten steht.

Im *Ordo Romanus I*, der noch dem 8. Jahrhundert angehört, wird Karl als Frankenkönig an zwei Stellen erwähnt. In c. 24 wird zur Liturgie der Fastenzeit bemerkt: „Denn für den Samstag ist zur Zeit Hadrians bestimmt worden, daß für König Karl das Knie gebeugt werde"[192]. Darunter sind allgemeine Fürbitten zu ver-

Darstellung im Frankenreich die Figur des Papstes der des Kaisers gegenüber den Ehrenplatz einzunehmen; siehe Ladner I, S. 148 f. und Fig. 117, der dabei auf den Gegensatz zu den frühkarolingischen Auffassungen hinweist.

[191] Der mittelalterliche Kaisergedanke in den liturgischen Gebeten, in: MIöG 44 (1930), S. 1—20.

[192] C. 24: *Nam sabbato tempore Adriani institutum est, ut flecteretur pro Carolo rege: antea vero non fuit consuetudo.* Ed. Mabillon, Museum Italicum, Paris 1724, II, p. 17.

stehen, „die damals noch nicht auf den Karfreitag allein beschränkt waren“ [193]. Im c. 28 heißt es dann vom Mittwoch in der Karwoche: „Der Papst spricht das Gebet *Deus a quo et Iudas,* und nach dem Amen fährt er fort und betet die feierlichen Orationen, wie sie in den Sakramentarien enthalten sind; nur das Gebet für sich selbst läßt er aus. Er spricht die Oration für den König der Franken und dann die übrigen der Reihe nach; bei der letzten für die Juden wird das Knie nicht gebeugt.“ [194] Daß diese *orationes sol-|lemnes* in die Liturgie des Mittwochs der Karwoche aus der Karfreitagsliturgie übernommen worden sind, ergibt sich aus einer Anweisung der Salzburger Synode des Jahres 799: „Wenn ihr dem römischen Brauch folgen wollt, so müssen auch am Mittwoch vor *Coena Domini* die für den Karfreitag vorgeschriebenen Orationen gebetet werden.“ [195] Von diesen Orationen beten zwei für den Sieg des christlichen Kaisers über die Barbarenvölker [196], beziehungsweise für das christliche Römerreich [197]. Der *Ordo Romanus I* sagt nur, daß in der Reihe der Orationen auch für den Frankenkönig gebetet werden soll, nicht aber daß die Orationen für Kaiser und Reich weggelassen oder in Gebete für den Frankenkönig und sein Reich umgebildet werden müßten. Im Gegenteil müssen alle Orationen *sicut in Sacramentorum continentur* gebetet werden, mit der einzigen Ausnahme, daß das

[193] L. Biehl, Das liturgische Gebet für Kaiser und Reich, Paderborn 1937, S. 85.

[194] C. 28: *Dat orationem, Deus a quo et Iudas. Post Amen sequitur et dicit orationes sollemnes, sicut in Sacramentorum continetur; tantummodo pro se intermisit. Dicit orationem pro rege Francorum, deinde reliquas per ordinem, ad ultimum pro Iudaeis non flectunt genua.* Mabillon II, p. 19.

[195] Hirsch, a. a. O., S. 7.

[196] *Oremus et pro christianissimo imperatore nostro ill., ut Deus omnipotens subditas illi faciat omnes barbaras nationes ad nostram perpetuam pacem . . .*

[197] *Omnipotens sempiterne Deus, qui regnis omnibus aeterna potestate dominaris, respice propitius ad Romanum benignus imperium, ut gentes, quae in sua feritate confidunt, dexterae tuae potentia comprimantur . . .* Beide bei H. A. Wilson, The Gelasian Sacramentary, Oxford 1894, p. 76.

Gebet für den Papst auszufallen hat, da dieser selbst die Messe liest. Wäre es die Absicht des Verfassers des *Ordo Romanus I* gewesen, auch das Gebet für Kaiser und Reich zu eliminieren, so hätte er sicher nicht unterlassen, dies offen auszusprechen, wie er es bei der Anweisung über das Weglassen des Gebets für den Papst getan hat. *Ordo Romanus I* nimmt also in der Liturgie des Mittwochs der Karwoche zwei Änderungen vor: erstens wird für den Papst nicht gebetet, zweitens wird für den Frankenkönig gebetet. Sonst geschieht alles *sicut in Sacramentorum continentur.* Diese einzig mögliche Interpretation der Stelle erhellt, daß es sich bei der Anweisung *dicit orationem pro rege Francorum* nicht um eine Ersetzung des traditionellen Gebets für Kaiser und Reich durch ein solches für den Frankenkönig, sondern nur um die Einschaltung eines neuen Gebets für ihn, und zwar *nach* den Orationen für Kaiser und Reich handeln kann. Karl nahm also selbst am Mittwoch der Karwoche nicht „die Stelle des Imperator Romanorum ein", wie Hirsch meinte, sondern — wie Schramm mit löblicher Vorsicht als Möglichkeit offen ließ (S. 466) — eine Stelle „neben ihm". Daß aber dieses „neben" in der konkreten Reihenfolge nur „nach" bedeuten kann, ist kaum zu bestreiten. Karl erhielt also auch im Kirchengebet nur einen zweiten Platz — diesmal aber nicht hinter dem Papst, sondern hinter dem Kaiser.

Dazu muß noch eine weitere, und zwar sehr wesentliche Einschränkung kommen. Hirsch hat in offensichtlicher Voreiligkeit aus der Anweisung bezüglich des Gebets für den Frankenkönig am Mittwoch der Karwoche ge- | folgert, daß Karl den Kaiser nicht nur aus der Liturgie des Mittwochs, sondern auch aus der des Karfreitags verdrängt habe[198]. Schramm macht zwar diesen Schritt nicht mehr mit; doch ist es für uns wichtig, die Frage des Kirchengebets am Haupttage der Karwoche abzuklären. Zu dem von Hirsch gezogenen Schluß berechtigen uns die Beziehungen zwischen der Liturgie der beiden Tage der Karwoche — Mittwoch und Freitag — keineswegs. Denn die Anweisung, die Oration für den König der Franken zu sprechen, gilt ausdrücklich nur für Mittwoch. Deshalb

[198] a. a. O., S. 5.

hat sich schon L. Biehl[199] gegen die Auslegung von Hirsch gewandt: „Ich möchte sie (das heißt die Oration für Karl) aber nicht auf den Karfreitag ausdehnen; in diesem Fall hätte es der Verfasser des Ordo an der nötigen Bemerkung nicht fehlen lassen. Weiterhin spricht dagegen die politische Bedeutung des Karfreitagsgebets. Hierin stimmte es mit dem Memento für den Kaiser im Meßkanon überein ... Mochte darum der Frankenkönig im weitestgehenden Maße vor 800 Aufnahme in die stadtrömische Liturgie gefunden haben, solange er nicht die römische Kaiserkrone trug, konnte er weder im Meßkanon noch im Karfreitagsgebet genannt werden. Der liturgischen mußte die staatsrechtliche Einsetzung vorausgehen." Schon vor Biehl wollte auch G. Tellenbach[200] aus dem Gebet für Karl nicht den Schluß ziehen, „daß die Gebete für den Kaiser gleichzeitig weggefallen seien".

Zusammenfassend können wir sagen: Die Aufnahme Karls in die römische Liturgie vor 800 beschränkte sich auf das für ihn am Karmittwoch und Karsamstag — hier wohl nach dem *praeconium paschale*[201] — gesprochene Gebet. Aber auch an diesen beiden Tagen wurden die herkömmlichen Gebete für Kaiser und Reich, welche in der Liturgie weiterhin ihre bisherige erste Stelle behaupteten, beibehalten. Am Karfreitag hat man unverändert nur für Kaiser und Reich, ohne die Erwähnung Karls, gebetet.

Die Nennung von zwei Würdenträgern in einer ihrem Rang entsprechenden Reihenfolge ist der alten Liturgie keineswegs fremd. Das beste Beispiel dafür ist die auch für Karl in Betracht kommende Oration, die am Karsamstag nach dem Hymnus *Exultet iam angelica tuba caelorum* gesprochen wurde. Darin betete man für den Frieden der Kirche, ihrer Diener, aber auch für den Kaiser und sein Volk. Mancherorten[202], so vor allem in Süditalien, schloß man nach dem Kaiser auch andere obrigkeitliche Personen, so die

[199] Das liturgische Gebet für Kaiser und Reich, a. a. O., S. 86.

[200] Römischer und christlicher Reichsgedanke in der Liturgie des frühen Mittelalters, in: Sitzungsberichte der Heidelberger Akademie der Wissenschaften, Phil.-Hist. Kl. 1934/35, Nr. 1, S. 32.

[201] Hirsch, a. a. O., S. 6; Biehl, a. a. O., S. 88 ff.

[202] Biehl, a. a. O., S. 90 f.

langobardischen | Prinzen von Capua, Benevent und Salerno, ins Gebet ein[203]. Auf diese Weise müssen wir uns nun auch die Erwähnung Karls als König und Patricius vor 800 vorstellen. „Es können sehr wohl Gebete für den Kaiser und für den König nebeneinander bestanden haben.“ [204]

Der Kaiser hat also im Bereiche des Kirchengebets seine frühere Ehrenstellung trotz der Konzessionen, die Papst Hadrian dem Frankenkönig machte, im wesentlichen beibehalten. Während der Basileus seine übrigen Vorrechte eingebüßt hat, ist er bis 800 die erste weltliche Person im Kirchengebet geblieben. Dies ist für Rom um so selbstverständlicher, als selbst im fränkischen Reiche „die Stellung des byzantinischen Kaisers in der Karfreitagsmesse unangetastet geblieben, insofern er dort neben dem fränkischen Herrscher, und das römische neben dem fränkischen Reiche bestanden haben“ [205]. Zu erklären ist diese Erscheinung einerseits mit dem Konservativismus der Liturgie, anderseits aber auch mit kirchenpolitischen Rücksichten. Hadrian konnte die bisherigen Kaiserrechte bezüglich Datierung und Münzprägung für sich in Anspruch nehmen, er konnte aber der frommen Eirene und ihrem Sohn gegenüber, die eben im Begriffe waren, zum Bilderkult zurückzukehren, hinsichtlich des Kirchengebets nicht mit derselben Schroffheit vorgehen wie einst die Römer gegenüber dem häretischen Kaiser Philippikos Bardanes. Überhaupt dürfen wir den ganzen Vorgang der Entziehung der kaiserlichen Vorrechte und ihrer Übertragung auf den Papst nicht übers Maß dramatisieren. Das *Constitutum Constantini* ist der beste Beweis dafür, wie vorsichtig man in diesen Dingen vorging, wie sehr man den Schein eines offenen Bruches meiden wollte, indem man alle faktischen Usurpationen auf eine *pragmatica sanctio* des ersten christlichen Kaisers zurückzuführen und dadurch zu legitimieren suchte.

Im Kirchengebet blieb man also beim alten Zustand, und trotz der liturgischen Neuerungen Hadrians zugunsten Karls sind wir

[203] G. B. Ladner, The „Portraits“ of Emperors in Southern Italian Exultet Rolls, in: Speculum 17 (1942), p. 187 ff.

[204] Tellenbach, a. a. O., S. 32.

[205] Biehl, a. a. O., S. 86.

sicher nicht berechtigt, die den Kaiser Philippikos betreffende Wendung im *Liber Pontificalis* für den Fall Karls in die Text-Montage Schramms umzusetzen: „Nomen eius ad missarum sollemnia ubique proferebatur" (S. 468). Auch hier standen ihm vor 800 keine anderen Ehrenrechte als eben nur die des Königs und Patricius zu.

6. *Die Kaisertracht*

Auf Grund von Einhards *Vita Karoli Magni Imperatoris*, Kap. 23[206], betrachtet es Schramm als erwiesen, daß Karl sich in Rom schon unter dem Pontifikat Hadrians — also noch als König und Patricius — in derselben Kaisergewan- | dung gezeigt hat wie später dann unter Leo III. am 25. Dezember 800 (S. 471 bis 474 und 486 f.). Diese Auslegung der Stelle wurde schon von Franz Dölger[207] abgelehnt — meines Erachtens mit Recht.

Auszugehen ist von der Tatsache, daß Einhard mit diesem Kapitel nicht das Ziel verfolgte, der Nachwelt Mitteilungen über die rangbezeichnenden Einzelheiten der Tracht seines Helden zu überliefern, sondern im Zusammenhang mit der Charakteristik seiner Persönlichkeit deren Einstellung einerseits zum *vestitus patrius*, anderseits zu den *peregrina indumenta* darlegen wollte. Er berichtet, daß Karl im allgemeinen *vestitu patrio, id est Francisco utebatur*, und daß er die *peregrina ... indumenta, quamvis pulcherrima, respuebat nec unquam eis indui patiebatur, excepto quod Romae, semel Hadriano pontifice petente et iterum Leone successore eius supplicante, longa tunica et chlamyde amictus, calceis quoque Romano more formatis induebatur*. Das *vestitus patrius* bedeutet also fränkische, die *peregrina indumenta* römische Tracht. Was Einhard in

[206] Ed. Halphen, p. 70.

[207] Europas Gestaltung im Spiegel der fränkisch-byzantinischen Auseinandersetzung des 9. Jahrhunderts; Neudruck im Sammelband: Byzanz und die europäische Staatenwelt, Ettal 1953, S. 293 f. Anm. 14, und Byzantinische Zeitschrift 45 (1952), S. 465; Deér, Ein Doppelbildnis Karls des Großen, in: Forschungen zur Kunstgeschichte und christlichen Archäologie, Bd. II: Wandlungen Christlicher Kunst im Mittelalter, Baden-Baden 1953, S. 153 f., Anm. 165.

bezug auf diese an Einzelheiten hervorhebt, sind Chlamys, das heißt der hellenistisch-römische Herrschermantel, weiter lange Tunika und „nach römischer Art geformte Schuhe“. Es handelt sich also um eine in der Literatur der Zeit keineswegs alleinstehende Konfrontierung der heimatlichen Tracht entweder mit fremder und neumodischer — so bei Notker von St. Gallen, *De Carolo Magno* I, 34[208] und II, 17[209] — oder mit römischer, wie bei Paulus Diaconus, *Historia Langobardorum* IV, 22[210], im Zusammenhang mit der Beschreibung der Malereien, die im langobardischen Königspalast von Monza die Königin Theodelinda errichten ließ. Außer von der Haartracht ist hier auch von dem *vestitus* und *habitus* der alten Langobarden die Rede, darunter auch von den *calcei*, die die Ahnen einst trugen, die aber unter dem Einfluß von Kleidern, welche die Langobarden *de Romanorum consuetudine sumpserunt*, außer Mode gekommen waren. Es ist also gar nicht so, wie Schramm (S. 473) meint, daß wir von einer besonderen nationalen Tracht, insbesondere von der Fußbekleidung römischer Laien, nichts wüßten. Es gab im Gegenteil — laut Zeugenschaft des Paulus Diaconus — eine *Romanorum consuetudo* — der unter anderen auch die bei | Einhard aufgezählten Ornatstücke — *chlamys, longa tunica* und *calcei Romano more formati* — angehörten. Daß der Unterschied zwischen römischer und langobardischer Tracht noch im 8. Jahrhundert groß war, zeigt sich etwa darin, daß König Liutprand *multos nobiles Romano more Langobardorum totondit atque vestivit*[211]. Auch ein Kapitular Karls des Großen aus dem Jahre 798 spricht im Titel von § 24 — der Text selber ist leider nicht erhalten geblieben — *de calciamentis secundum Romanum usum*[212]. Darunter ist hier zwar sicher priesterliche Fußbekleidung zu verstehen[213]; aber wir werden im folgenden in vollständiger Übereinstimmung mit L. Duchesne und Th. Klauser noch zeigen können, daß gerade

[208] ed. G. Meyer von Knonau in: St.-Gallische Geschichtsquellen Nr. 6, St. Gallen 1918, S. 30 ff.

[209] Ebenda, S. 57 f.

[210] SS rer. Langob. et Ital., p. 124.

[211] Liber Pontificalis I, p. 420.

[212] MG Capit. I, S. 64, Nr. 23.

[213] J. Braun, Die liturgische Gewandung, Freiburg i. Br. 1907, S. 390.

in dieser Hinsicht kein Unterschied zwischen höhergestellten Geistlichen und Laien gehobener Position bestanden hat. Auffallenderweise läßt aber diesmal Schramm die von ihm sonst so sorgfältig beachteten Wechselbeziehungen zwischen kirchlichem und weltlichem Ornat außer acht und will die *calcei Romano more formati* Karls, die dieser schon auf Bitte Hadrians, also noch in der Königs- und Patriciuszeit getragen hat, einzig und allein den purpurnen Kaiserschuhen des byzantinischen Basileus gleichsetzen: „Karl zog sich also auf Drängen des Papstes die Kaiserstiefel an, und — so können wir gleich fortfahren — dazu die Kaisertunika, deren Länge für einen Abendländer anstößig, weil weiblich, war. Und statt des kurzen Überwurfs, des *sagum*, der den Franken vertraut war, legte er die faltenreiche, an der rechten Schulter zusammengenestelte Chlamys darüber. Die Zuschauer mußten wähnen, einen Kaiser zu erblicken" (S. 474).

Schramm setzt die *calcei Romano more formati* Einhards dem Schuhwerk gleich, das in den Quellen als *campagus* bezeichnet wird. Diese Identifizierung ist richtig, und Schramms Irrtum beginnt erst, wenn er alles, was *campagus* heißt, dem purpurnen, „mit Gold und Edelsteinen besetzten" *campagus* des Kaisers, der eines seiner wichtigsten Insignien war und dessen Tragen sein Reservatrecht bildete[214], gleichsetzen will. Ein Schuhwerk von bestimmter Form und Schnitt, welches campagus, καμπάγιον genannt wird, hat aber keineswegs einzig und allein nur der Kaiser[215] getragen, sondern außer ihm noch eine ganze Reihe von Beamtenkategorien, vom Nobelissimos[216] und | vom Senatspräsidenten[217] bis herab zu den niedrigeren Rangstufen des Palastdienstes. Der eindrücklichste Beleg für das weitverbreitete Tragen von *campagi* am Kaiserhof von Konstantinopel ist die Schilderung des kaiserlichen Festmahls am

[214] Ebersolt, Mélanges d'Histoire et d'Archéologie Byzantines, a. a. O., p. 64; Alföldi, Insignien und Tracht der römischen Kaiser, a. a. O., S. 65 und die S. 65, Anm. 7, angeführte Literatur.

[215] De Caerim. I, 60, ed. Bonn., p. 275; I, 91, p. 414, 417; I, 92, p. 423; I, 96, p. 439; app. ad libr. I, p. 502.

[216] I, 44, p. 227.

[217] I, 97, p. 442.

Weihnachtstage im *De Caerimoniis* II, 52[218]. Die Eingeladenen nehmen an verschiedenen Tischen Platz. Mit dem Kaiser speisen zwölf Würdenträger, die die zwölf Apostel versinnbildlichen, darunter *magistri*, Patrizier, Strategen, aber auch Subalternoffiziere und Zivilbeamte niedrigeren Ranges, „alle bekleidet mit der ihnen zustehenden Chlamys und beschuht mit den ihnen zustehenden *campagi*". An anderen Tischen speisen insgesamt 168 Personen, darunter „der ganze Senat und diejenigen, die *campagi* tragen", bis herab zu den Zepterträgern. Alle diese Würdenträger „mit ihren Chlamyda und *campagi*" werden ihrem Rang entsprechend zur „heiligen Tafel" geführt.

Wie man daraus ersieht, sind *campagi* keine kaiserliche Reservattracht, sondern im allgemeinen die uniformmäßige Fußbekleidung der Offiziere und der Beamtenschaft, in Form und Schnitt im wesentlichen immer gleich, um so verschiedener freilich in bezug auf Farbe und Schmuck.

Das Schuhwerk, welches die Patricii zu ihrem Dienstkostüm tragen, heißt ebenfalls καμπάγιον[219]. Schon Johannes Lydus beschreibt in seiner Schrift *De magistratibus populi Romani* I, 17[220] die schwarzen patrizischen *campagi*, und diese Fußbekleidung wird in den *Variae* des Cassiodorus für den Patricius aus dem Jahre 526 geradezu als *calceus Romanus* bezeichnet: *velavit fortes humeros chlamydum vestis, pinxit suras calceus iste Romanus*[221]. Chlamys und „römische Schuhe" erscheinen also als die Hauptstücke der Amtskleidung des Patricius! Es ist mir vollends unverständlich, wieso Schramm in Kenntnis dieser Quellenstelle (S. 473, Anm. 2) die *calcei Romano more formati* allein auf die *campagi* des Kaisers und nicht auch auf die des Patricius beziehen konnte. Selbst im Westen wußte man sehr gut, daß unter *calceus* nicht allein Kaiserschuhe zu verstehen sind. Isidorus Etym. XIX, 34, 4[222] unterscheidet

[218] p. 742 f.

[219] II, 40, p. 639.

[220] ed. Wünsch, Leipzig 1903, S. 22. Vgl. J. Braun, Die liturgische Gewandung im Occident und Orient nach Ursprung und Entwicklung, Verwendung und Symbolik. Freiburg 1907. S. 422 f.

[221] VIII, 9. MG Auct. ant. XII, p. 237 f.

[222] ed. Lindsay, Oxford 1911.

zwischen *calcei,* welche *reges utebantur et Caesares,* und die eine bestimmte Form aufweisen, und solchen *hos soli patricii utebantur.*

Worin die beiden übereinstimmten und worin sie voneinander abwichen, können wir nun an Hand der übereinstimmenden Aussage unserer bildlichen | und schriftlichen Quellen ganz genau bestimmen. Sowohl auf den Kaisermosaiken in S. Vitale[223] wie auch auf jenen in S. Apollinare in Classe[224] tragen die Kaiser und ihre höchsten Würdenträger, die sicher Patricii oder Männer senatorischen Ranges sind, Sandalen, die in Form und Schnitt gleich sind: sie bedecken nur die Fußspitzen und die Fersen und werden durch Schnüre oder dünne Bänder zusammengehalten. Ein Unterschied zwischen Kaiser und Würdenträger besteht nur in bezug auf Farbe und Schmuck der Schuhe. Justinians und Konstantins IV. *campagi* sind mit Edelsteinen und Perlen besetzt und purpurn, diejenigen der Patrizier und Senatoren schmucklos und schwarz. Daß die Patrizier in Byzanz noch zu Beginn des 9. Jahrhunderts, also in der Zeit Karls des Großen, Schuhe trugen, die nicht purpurn, sondern schwarz waren, erhellt aus dem in diesem Zusammenhang unbeachtet gebliebenen folgenden Bericht in der Chronographie des Theophanes, der — zum Weltjahr 6295 = 803 nach Christus — die Absetzung der Kaiserin Eirene durch den Patrikios Nikephoros erzählt. Nach seiner Ausrufung und Krönung zum Kaiser besucht Nikephoros die abgesetzte Kaiserin und sucht diese heuchlerisch davon zu überzeugen, daß seine Erhebung eigentlich wider seinen Willen erfolgt sei: „Er wies auch auf seine schwarzen Schuhe hin, und versicherte, daß er sie entgegen der kaiserlichen Etikette weiterhin zu tragen gewünscht hätte“[225]. Daraus geht klar hervor, daß die Schuhe des Kaisers purpurn, diejenigen des Patrikios schwarz waren.

Schon L. Duchesne[226] machte darauf aufmerksam, daß der höhere Klerus von Rom und Ravenna im 6. und 7. Jahrhundert *campagi* trug, die sowohl in bezug auf den Schnitt wie auch auf die schwarze

[223] Wilpert I, Taf. 109.

[224] Aufnahme: Anderson 27.382.

[225] ed. De Boor I, p. 477.

[226] Origines du culte chrétien, Paris 1889, p. 380.

Farbe mit den *campagi* der hohen Würdenträger übereinstimmten. Daraus hat Th. Klauser mit Recht geschlossen, daß sowohl der ravennatische wie auch der römische Bischof „nicht anders an ihre Schuhe gekommen sind als die weltlichen Begleiter des Kaisers, nämlich durch kaiserliche Verleihung eines hohen Ranges, mit dem das Würdezeichen der *campagi* verbunden war“ [227]. Dies muß freilich schon früh, wohl noch unter Konstantin dem Großen oder unter seinen Söhnen, geschehen sein; denn schon unter Gregor I. dem Großen erscheint die Verleihung von *calcei*, die *campagi* heißen, an die Diakone anderer Kirchen als ein Vorrecht des Bischofs von Rom [228]. Darum läßt später der Fälscher des *Constitutum* | *Constantini* durch Konstantin den Großen *clericis diversis ordinibus eidem sacrosanctae Romanae ecclesiae servientibus* die gleichen Ehrenrechte verleihen, deren sich sein eigener Senat und Patrizierstand erfreuten; darunter auch die Schuhe mit weißen Strümpfen [229], wie sie etwa die Patrizier und Senatoren in der Umgebung Justinians in S. Vitale zeigen. Von diesem Hintergrund aus betrachtet wird es erst verständlich, daß der vorher erwähnte fränkische Synodalbeschluß von 798 von *calciamentis secundum Romanum usum* spricht.

Die geschilderte weite Verbreitung der Schuhgattung der *campagi* am Kaiserhof, im Offizierscorps, in den Kreisen der Reichsbeamtenschaft und des Reichsklerus erklärt uns die Bezeichnung der *campagi* als *calcei Romano more formati* bei Einhard vollständig. Es handelte sich um ein uniformmäßiges Trachtstück, dessen Tragen im römischen Bereich ganz allgemein war und daher auch als schlechthin „römisch“ bezeichnet werden konnte, ohne daß man dabei nur an die dem Kaiser vorbehaltene Abart denken mußte. Als „Schuhe nach römischer Art“ konnten die Patrizierschuhe Karls des Großen unter Hadrian mit dem gleichen Recht bezeichnet werden wie später unter Leo III. seine Kaiserschuhe. Wir dürfen aber die Stelle wohl

[227] Der Ursprung der bischöflichen Insignien und Ehrenrechte. Bonner Akademische Reden Nr. 1, Krefeld 1949, S. 20 ff.

[228] Reg. Greg. I, ep. VIII, 27. MG Ep. II, p. 28.

[229] § 15: *et sicut noster senatus calciamenta uti cum udonibus, id est candido linteamine inlustrari.*

auch so auslegen, daß Karl auch das zweite Mal auf die Bitte des Papstes nur im Ornat des Patricius an dem Gottesdienst des 25. Dezember 800 erschienen war, wo er dann *ablato patricii nomine imperator et augustus est appellatus*[230], und erst danach mit den kaiserlichen Gewändern — wie Theophanes und die Annales Northumbrani berichten (siehe Schramm, S. 486 f.) — bekleidet worden ist. Es ist also gut möglich, daß die *calcei Romano more formati* bei Einhard für beide Male nur Patrizierschuhe bedeuten.

Sicher ist jedenfalls, daß der Bericht Einhards über die von Karl ausnahmsweise getragene römische Tracht keineswegs als ein Beleg für das Anlegen kaiserlicher Gewänder schon während der Königszeit und damit auch nicht als ein Beweis für die vermeintliche „Anerkennung als Kaiser" gelten kann. Diese Theorie scheitert am offensichtlichsten gerade an jener „Erwähnung der Stiefel", die Schramm als besonders „beweisend" erschien (S. 472 f., Anm. 2). Für die Tatsache, daß auch die beiden anderen Einzelheiten der römischen Tracht Karls, nämlich die *chlamys* und die *longa tunica*, ebensowenig wie seine *calcei Romano more formati* als ausschließlich kaiserliche Gewänder ausgelegt werden können und dürfen, verweise ich auf die Zusammenstellung bei J. Ebersolt[231], in der alle Beamtenkategorien, die eine Chlamys, beziehungsweise ein Divitision, das heißt eine lange Tunika trugen, auf Grund des | *De Caeremoniis* vollständig aufgezählt sind. Die lange Reihe spricht für sich selbst, und zwar eindeutig gegen die Annahme einer Aneignung dieses kaiserlichen Vorrechtes durch Karl schon während seiner Königs- und Patriciuszeit. Die Tatsache, daß Karl auf seinen beiden Mosaikbildern in Rom unmißverständlich in *vestitu patrio id est Francico* erscheint (so auch Schramm, S. 473 f., Anm. 2), widerspricht zwar dem Bericht Einhards über das zweimalige Tragen von *peregrina indumenta* keineswegs; doch ist es als ein sicherer Beweis dafür zu werten, daß Leo III. den Frankenkönig vor der Kaisererhebung nicht als Kaiser abbilden ließ. Wäre es wirklich seine Absicht gewesen, auf Karl „ein kaiserliches Vorrecht nach

[230] Ann. regni Francorum a. 801, p. 112.

[231] Mélanges d'Histoire et d'Archéologie Byzantines, a. a. O., p. 54, n. 2, und p. 60, n. 5.

dem andern“ zu übertragen, so hätte er es sicher nicht versäumt, den König und Patricius durch die Verleihung der Kaisertracht im Bilde als einen „quasi imperator“ zu präsentieren. Eben das tat aber der Papst nicht. Es ist zwar richtig: „... für das Mittelalter gilt der Satz: Zeige mir deine Kleider, und ich will dir sagen, wes Volkes und Standes du bist“ (Schramm, S. 472); dieser Satz setzt aber die Gültigkeit eines anderen voraus: *Du darfst dir nur deines Standes Kleider anlegen!* Ein Fürst, der das *nomen* bloß eines Königs und Patricius besitzt, kann sich in seiner Tracht nicht als Kaiser gebärden. Indem Schramm dies für möglich hält, übersieht er den zwingenden Zusammenhang zwischen *nomen* und Vorrecht. Niemand konnte sich im Mittelalter ohne Konsequenzen Kaisergewandung anlegen. Wer es tat, verkündete eben in der Sprache der „Staatsymbolik“ auch seinen Anspruch auf das *nomen* des Kaisers: der Wechsel der Tracht zog automatisch den Wechsel des *nomen* nach sich. So begann auch die Revolte und Usurpation mehrerer Exarchen Italiens eben damit, daß sie sich den Purpur anlegten. Wäre Karl in Rom — wie Schramm meint — in Kaiserschuhen, mit der Kaiserchlamys und Kaisertunika erschienen, so wäre das von den Zuschauern als der sicherste Ausdruck seines Anspruchs auf die Kaiserherrschaft ausgelegt worden und hätte schon 774 oder 781 und 787 zwingend zu seiner Ausrufung zum Kaiser geführt.

Diese Zusammenhänge zwischen Tracht und Würde ergeben sich mit einleuchtender Evidenz aus der echt liutprandischen Erzählung von der eigenartigen Erhebung des Romanos I. Lekapenos zum Kaiser[232]. Zum *pater vasileos,* zum Schwiegervater Konstantins VII. geworden, soll er gesagt haben: *hoc aliqua imperialis ornatus inditio monstrari dignum reor in corpore, quod celebratur a populis ex dignitatis nomine.* Es wurden ihm zunächst die roten Schuhe bewilligt, die aber Romanos allein nicht genügten — er verlangte dazu auch das Diadem: *Risum denique aliis non solum, sed mihi etiam ipsi moveo, dum pedibus imperatorem, capite communem imitari videar plebem ... Igitur aut coronam praebete, aut caligas imperiales ... auferte.* Schließlich *coronam recepit et caligarum decorem minime per- | didit,* das heißt er ist zum Kaiser geworden *(imperatore con-*

[232] Antapod. III, 35, ed. J. Becker, SS rer. Germ., 1915, p. 90 f.

stituto) und hat nachträglich die formelle Ordination erhalten[233]. Auch im achten Jahrhundert dachte man über diese Dinge kaum anders als später zur Zeit Liutprands. Wenn Karl vor 800 so bekleidet gewesen wäre, wie Schramm es glaubhaft zu machen sucht — das heißt mit Kaiserschuhen, Chlamys und Tunika, aber ohne ein kaiserliches Diadem —, so hätten die Zuschauer sicher nicht „einen Kaiser zu erblicken geglaubt"; er hätte vielmehr — wie der Romanos bei Liutprand von sich sagt — *populo ridiculus* erscheinen müssen. Denn weder der Reif des Patrizius noch die Krone des Frankenkönigs hätte ein Kaiserdiadem im Auge der Römer ersetzen können. Zu den Kaisercampagi gehörte auch ein rangbezeichnendes Diadem[234]. Vor 800 trug aber Karl — wie wir sahen — weder das eine noch das andere[235].

Aber so wenig wie Karl die unwürdige Rolle eines diademlosen *quasi imperator* ist den Päpsten Hadrian I. und Leo III. die Absicht zuzumuten, daß sie den König-Patricius Karl stufenweise mit den Vorrechten eines Kaisers hätten ausstatten wollen. Ich bin in der Frage der Datierung des *Constitutum Constantini* mit Schramm (S. 453) völlig einig, und setze, wie er, die Kenntnis der Fälschung schon bei Hadrian I. voraus[236]. Laut *Constitutum Constantini* verleiht aber Kaiser Konstantin Papst Silvester und dessen Nachfolgern einen großen Teil gerade jener kaiserlichen Vorrechte, mit

[233] Antapod. III, 37, p. 91.

[234] Sehr bezeichnend für die Untrennbarkeit der einzelnen Teile des Kaiserornats ist die Erzählung der Anna Komnena von der Verleihung der kaiserlichen Vorrechte an den Mitkaiser Konstantin Dukas durch Alexios I. Dieser wird mit dem Diadem gekrönt und darf in der Prozession die Tiara tragen, ebenso die roten Schuhe: Alexias III, 4, 6, ed. Leib I, p. 115 f., und VI, 8, 3, II, p. 62.

[235] Karl der Große trug sowohl auf dem Mosaik in der Santa Susanna wie im Lateran ein auffallend schmales Diadem, das an die Diademe rangniedrigerer Fürsten, wie es byzantinischem Brauch entsprach, erinnert; siehe Deér, Der Ursprung der Kaiserkrone, in: Schweizer Beiträge zur allgemeinen Geschichte 8 (1950), S. 86. Wir haben keinen Grund, an der wesentlichen Richtigkeit der Wiedergabe dieses Details durch die alten Zeichnungen zu zweifeln.

[236] Cod. Carol. Nr. 60, p. 587, aus dem Jahre 778.

denen Schramm Karl den Großen durch Hadrian I. und Leo III. beschert wissen möchte, so zum Beispiel die *imperialia indumenta . . . diversa ornamenta imperialia et omnem processionem imperialis culminis et gloriam potestatis nostrae*[237]. Und eben mit diesen kaiserlichen Vorrechten haben gerade die Päpste Hadrian und Leo Ernst gemacht. Die der kaiserlichen Prozession in der Stadt nachgebildete päpstliche Prozession, diese regelrechte προέλευσις im Sinne des byzantinischen Hofzeremoniells, steht nicht nur auf dem Pergament des *Constitutum Constantini*, | sondern sie erscheint bereits im *Ordo Romanus I*, in der Schilderung des Aufzuges des päpstlichen Hofstaates, als Wirklichkeit[238]. Auch die Beschreibung der Krönung des Papstes mit dem *regnum* im *Ordo Romanus IX*[239] stimmt genau mit den Vorschriften im Zeremonienbuch Konstantins VII. über die Auflegung des Diadems oder der Tiara auf das Haupt des Kaisers beim Verlassen der großen Kirche überein[240]. Daß das päpstliche *regnum*, das später dann als Tiara bezeichnet worden ist, nichts anderes als die Tiara des byzantinischen Kaisers ist, habe ich an anderer Stelle gezeigt[241].

Die Päpste seit Hadrian machten auch von den Herrschaftszeichen, welche Kaiser Konstantin ihnen als den Nachfolgern Silvesters laut *Constitutum Constantini* verliehen haben soll, Gebrauch, das heißt, sie brauchten sie für sich selbst, und es fiel ihnen bis zum letzten Besuch Karls in Rom gar nicht ein, diese Vorrechte dem König-Patrizius abzutreten oder sie mit ihm auch nur zu teilen. Sonst hätte dieser Teil des *Constitutum Constantini* keinen Sinn gehabt.

Demgegenüber besteht ein einwandfreier Zusammenhang zwischen den Ehrenrechten, die Konstantin der Große dem Papsttum verliehen haben soll, und den Vorrechten des Kaisers, die wir untersucht haben, und die seit Hadrian für den Papst in Anspruch ge-

[237] § 14.

[238] c. 2, ed. Mabillon II, p. 4. Dazu R. Hirzegger, Collecta und Statio, in: Zeitschrift für Katholische Theologie 60 (1936), S. 511 ff.

[239] c. 6, ed. Mabillon II, p. 93.

[240] De Caerim. I, 10, ed. Vogt I, p. 72.

[241] Byzanz und die Herrschaftszeichen des Abendlandes, in: Byzantinische Zeitschrift 50 (1957), Heft 2.

nommen wurden. Die Prägung von Münzen mit Namen und Bild des Papstes, die Datierung nach Pontifikatsjahren, das Erscheinen des Papstes an der ranghöheren Seite auf dem Lateranmosaik, die Ausrufung seines Namens an erster Stelle in der Akklamation usw. ergänzen in durchaus harmonischer Weise die angebliche Verleihung der kaiserlichen Gewänder und Insignien, das Recht der Kaiserprozession, die Erklärung des Laterans als Kaiserpalast, des Stuhles Petri als Kaiserthron im *Constitutum Constantini.* Gerade in dieser Ergänzung der konstantinischen Schenkung liegt die Bedeutung des Besitzes der kaiserlichen Vorrechte durch den Papst, und zugleich auch der wissenschaftliche Ertrag der Beschäftigung mit dem Schicksal dieser Vorrechte zwischen 772 und 800. *Constitutum Constantini* und Vorrechte der Datierung, der Münzprägung usw. beweisen dasselbe: daß in die Stellung des Kaisers im Bereich der Herrschaftszeichen und der Vorrechte in der genannten Zeit der Papst eingerückt ist. Beide bilden den staatssymbolischen Niederschlag jener politischen Situation, welche durch die zähe Bestrebung Hadrians, „für St. Peter eine Stellung *zwischen* den Groß- | reichen des Ostens und des Westens zu behaupten“ [242], gekennzeichnet war. Die Behauptung dieser Stellung stieß nach dem Tode Hadrians sofort auf Schwierigkeiten, und mit dem Attentat auf Leo III. 799 scheiterte sie vollständig. Diesem Papst blieb dann nichts anderes übrig, als seinen fränkischen Schutzherrn zum Kaiser ausrufen zu lassen und ihm zusammen mit dem *nomen* zugleich alle jene Vorrechte zu verleihen, welche Hadrian für die Dauer eines Vierteljahrhunderts im Westen allein für den Nachfolger Petri beansprucht hatte. Durch die Fakten der Staatssymbolik können diese Vorgänge besser als bisher, das heißt besser als allein auf Grund der Schriftquellen, beleuchtet werden; sie ergänzen das bisherige Bild, stoßen es aber nicht um. Sie zeigen Hadrian in der Rolle des „Papstkaisers“, aber im Sinne des ausgehenden 8. Jahrhunderts, als es im Westen noch keinen Kaiser gab, als also die Beanspruchung der Kaiserrechte durch den Papst noch nicht zugleich die Rivalität mit einem weltlichen Kaisertum in *Hesperiae partibus* bedeutete.

[242] Erich Caspar, Das Papsttum unter fränkischer Herrschaft, a. a. O., S. 109.

Nachtrag 1970

Die an der Anerkennungstheorie P. E. Schramms geübte Kritik und die positiven Folgerungen, die ich daraus für die Stellung der Päpste Hadrian I. (772—795) und Leo III. (795—816) zwischen Byzanz und dem Frankenreich in der Stadt Rom sowie für die Vorgeschichte der Kaisererhebung Karls des Großen gezogen habe, fanden in der Forschung der darauffolgenden anderthalb Jahrzehnte in allen wesentlichen Punkten Zustimmung. Sogar in den Fragen, bei denen ich auf Widerspruch stieß (siehe unten die Bemerkungen zu den einzelnen Unterabschnitten), ist es nirgends zur Bestätigung der Aufstellungen Schramms gekommen. Dies gilt besonders für die Abhandlung von Peter Classen, Karl der Große, das Papsttum und Byzanz. Die Begründung des karolingischen Kaisertums (Erweiterte Sonderausgabe aus: Karl der Große Band I, hrsg. v. Helmut Beumann, Düsseldorf 1968). Vom ersten Besuch Karls in Rom 774 heißt es dort S. 550: „er tritt als Patricius auf" und, indem er außerhalb der Stadt bei St. Peter Quartier nimmt, steht damit „deutlich hinter dem einstigen Exarchen von Ravenna, der als Vertreter des Kaisers auf dem Palatin zu residieren pflegte, zurück. Der Anspruch des Constitutum Constantini, daß kein irdischer Kaiser residieren dürfe, wo der himmlische das Haupt der christlichen Kirche eingesetzt habe, wird auch gegenüber dem König Karl nicht eine Nacht lang aufgegeben. Dieser kommt nicht als Beherrscher Roms, sondern als Helfer und Verbündeter des Papstes, zugleich als Pilger zum Heiligen Petrus". Dazu ebendort Anm. 45: „Lib. pontif. I, S. 496 ff., danach auch das folgende, dazu Deér, Vorrechte, S. 422 ff., 18 ff. u. ö." Auch in der Frage der Datierung der Urkunden Hadrians I. ist Classen insofern mit mir einig, als er die von Schramm ignorierte Nennung des Papstes in der Datumzeile wahrnahm (S. 554, Anm. 62) und daraus — wie wir es gleich sehen werden — auch die entsprechenden Schlüsse für die Stellung Hadrians in Rom zog. Aber auch aus der Münzprägung dieses Papstes schließt Classen darauf, daß er begonnen hat, „sich der schon lange nur noch formalen Hoheit des Kaisers zu entziehen, und dies in der Herrschaftsymbolik äußert. Aber Hadrian vermeidet auch, den Franken an die Stelle des Kaisers treten zu lassen;

er bleibt dem Programm des Constitutum Constantini treu" (S. 554). Zusammenfassend stellt er sodann S. 565 fest, daß Hadrian bei allem Nachgeben gegenüber dem überlegenen König doch „prinzipielle Positionen wahren" mußte. „Er bekannte sich nicht als Untertan des Königs, der ‚Befehle' entgegennahm, wie einst — und noch 785 — von dem byzantinischen Kaiser; Münzen und Urkundendatierungen drückten den Anspruch auf Unabhängigkeit aus, und die Briefe an den König benutzten nach wie vor den Begriffsapparat des Bündnisses und des Schutzes, nicht den der direkten Herrschaft." Vgl. dazu ebendort S. 565, Anm. 127: „Für eine gerechte Würdigung Hadrians sind besonders Caspar 3, S. 210 ff., und Deér, Vorrechte S. 62 f. eingetreten." In Gegensatz zu Schramm und H. Löwe sieht er in der Zusendung der Schlüssel des Petrusgrabes und des *vexillum Romanae urbis* zusammen mit der Wahlanzeige an Karl (Annales regni Francorum a. 796, SS. rer. Germ. 1895, ed. Kurze 98) genauso nur „Ehrengeschenke des Schutzherren" (S. 568 Anm. 137) wie ich. Anschließend stellt Classen für die Zeit zwischen 796 und 799 mit Nachdruck fest: „nichts deutet darauf, daß er die kaiserliche Würde erstrebt hatte, und niemals hatte er in Rom Kaiserrechte an sich gezogen" (S. 572).

Sogar in der Beurteilung der Bilder Karls in Sta. Susanna und im Laterantriklinium, bei deren Interpretation unsere Meinungen noch am stärksten auseinandergehen, betont Classen wiederum im Gegensatz zu Schramm und in Übereinstimmung mit mir: „Wandbilder in Kirchen lassen sich nicht den von Kaisern in die Provinzen entsandten Statuen oder Büsten gleichstellen, die unter Akklamationen eingeholt und aufgestellt wurden und staatliche Hoheit öffentlich kund machten" (S. 575 f., dazu Anm. 184: „Deér, S. 24 ff., 27 ff."). Das Bild Karls im Laterantriklinium war auch Classens Ansicht nach „kein Ausdruck staatsrechtlicher Hoheit", sondern nur die Proklamation des Schutzes und der Rechtmäßigkeit der Ausübung des Richteramtes durch Karl gegenüber den Verschwörern (S. 576).

Am wichtigsten ist aber die Zustimmung Classens zu jenem Unterschied von staatsrechtlicher Bedeutung, den ich zwischen den Empfängen Karls in Rom einerseits 774, andererseits 800 nachgewiesen habe (S. 578 mit Anm. 198), während Schramm in der ursprünglichen Fassung seiner Arbeit eben diese — für eine jede Überrumpelungstheorie höchst ungünstige Differenz — herabzumindern suchte. Im gleichen Sinne nahm auch Helmut Beumann (Der Paderborner Epos und die Kaiseridee Karls des Großen, im Sammelwerk: Karolus Magnus et Leo papa, Paderborn 1966, 27 f.) zu dieser Frage Stellung: „Nach dieser J. Deér verdankten Klarstellung ist es auch nicht mehr statthaft, daran zu zweifeln, daß Karl die ihm von den in Rom versammelten Konzilsvätern angetragene Kaiserwürde angenommen hat, bevor es zu dem Akklamations- und Krönungsakt in der Peterskirche kam. Wenn Karl am 23. November 800 sich dazu bereit gefunden hat, wie ein Kaiser in Rom einzuziehen, so liegt es nahe, auch darin eines der Ergebnisse der Paderborner Verhandlungen zu erblicken. Denn in Paderborn hatten Leo und Karl zuletzt miteinander gesprochen, bevor sie sich am 12. Meilenstein vor Rom wieder begegneten." Den gleichen Schluß zieht daraus auch Eugen Ewig (Handbuch der Kirchengeschichte III/1, 1966, S. 107): „Das Zeremoniell, unter dem Karl 774 zum ersten Male in Rom einzog, war ganz anderer Art gewesen. Diesmal handelte es sich um eine kaiserliche Ehrung — und Karl mußte das wissen." Was nun die Stellungnahme von Robert Folz (Couronnement impérial de Charlemagne, Paris 1964) betrifft, so gibt Schramm (Kaiser, Könige und Päpste. Gesammelte Aufsätze zur Geschichte des Mittelalters I/1, Stuttgart 1968, S. 218) selbst zu: „Der Verf. geht auf meine Thesen ein, bewahrt aber seine Selbständigkeit. Ich habe keinen Anlaß gegen ihn zu polemisieren . . ."

Angesichts der geschilderten Forschungssituation kann in den nachfolgenden Ergänzungen zu den einzelnen Bereichen der Kaiserrechte in Rom auf eine weitere Auseinandersetzung mit P. E. Schramm um so mehr verzichtet werden, da er seinen ursprünglichen Standpunkt in der Neufassung seiner Abhandlung sowohl in der Frage der Datierungen und der Münzprägung, als auch in der der Bilder in den Kirchen und den Empfängen Karls in Rom revidiert hat. Auf diese Stellen wird unten hingewiesen.

Trotz aller Meinungsverschiedenheiten muß jedoch die Genialität der Fragestellung ebenso restlos anerkannt werden wie die befruchtende Wirkung, die aus dieser Arbeit auf die darauffolgende Forschung ausstrahlte. Man kann Ludwig Falkenstein (Hist. Jb. 89,

1969, 432—435) darin nur zustimmen, daß Schramm „die Entstehung des karolingischen Kaisertums unter sehr viel weiteren Aspekten erörterte, als die Mehrzahl aller vorausgehenden und nachfolgenden Autoren".

Zur „Datierung nach dem Kaiser"

Ich verweise vor allem auf meine Ergänzungen im „Patricius-Titel" S. 77—85 [hier S. 296 ff.], in denen ich die Datierung der Synode von 769 miteinbezog, und zwar ohne die Kenntnis der gleichzeitig erschienenen Arbeit von Classen, a. a. O., S. 545 mit Anm. 2. Zur Datumzeile Hadrians siehe jetzt Schramm, Neufassung S. 224, Anm. 19: „Mein Text hier verbessert nach Deér, a. a. O. S. 8—15: I. Die Datierung nach dem Kaiser." Zur Frage der Einführung der neuen, kaiserlosen Datierung evtl. erst im Jahre 781: Classen, a. a. O. 559. Eher für 774 tritt dagegen Beumann, Paderborner Epos S. 51, Anm. 196, ein. Gegen die Heranziehung der Datierung der Ravennatischen Synode von 731 als Parallele zu den Datumzeilen Leos III., in denen Karl an zweiter Stelle erwähnt wird: Classen, a. a. O. 554, Anm. 62: „unrichtig ist die Angabe von Deér, S. 13, alle Akten seien nach Kaiser und Exarch datiert worden. Außer dem Beispiel von 731 ist kein weiteres bekannt." Dagegen Charles Diehl (Etudes sur l'administration byzantine dans l'exarchat de Ravenne [568—751]. Bibliothèque des écoles françaises d'Athènes et de Rome 53, 1888, S. 174): „Tous les actes officiels, tous les contrats étaient datés à la fois par l'année de l'empereur et par celle de l'exarchat d'Italie." Die Frage muß weiter abgeklärt werden. Zur Zählung der Jahre nach dem eigenen Pontifikat und auch nach denen Karls *a quo cepit Italiam* in den Datumzeilen Leos III., s. Classen, a. a. O. 569: „brachte er Karls Herrschaft über Rom auch formell zum Ausdruck"; vgl. H. Löwe, HZ 185 (1958) 677 f. Für die Zeit nach 754 sind aber Italien und Rom keineswegs gleichzusetzen. Im Gegenteil bedeutet *Italia* in den Briefen Hadrians nach 774 immer nur die nord- und mittelitalienischen Gebiete des einstigen Langobardenreiches. In einem Fall ist sogar von Karls Reise *Italiam vel ad limina protectoris vestri, beati Petri apostolorum principis* (Cod. Carol. ep. 52, MGH Ep. III., S. 574, Z. 9) die Rede. Da dieses Datierungselement einfach aus der Datierung der italischen Urkunden Karls seit 774 übernommen wurde, kann es auch in den Urkunden Leos III. nichts anderes als das ehemalige Langobardenreich, nunmehr im Besitze Karls, bedeutet haben. Wie hätte ein Papst, selbst ein Leo III., behaupten können, daß der Frankenkönig zusammen mit Italien auch Rom *cepit*! Auf jeden Fall ist die Aufnahme Karls in die Datierung ein Symptom der zunehmenden Anlehnung des Papstes an die fränkisch-langobardische Schutzmacht. Man darf dabei nicht vergessen, wie die Datierung des *Concilium Romanum* von 743 (MGH Conc. II/1, S. 29) in der *forma uberior* lautete: *anno secundo Ardabasti imperatoris necnon et Liutprandi regis anno XXXII* ... Wollte Zacharias damit etwa dem Langobardenkönig Rechte in Rom einräumen?

Zum „Prägen der Kaisermünzen"

Der in der ersten Fassung der Abhandlung Schramms noch grundsätzlich offenstehenden Möglichkeit einer königlich-patrizialen Münzprägung in Rom, haben seither die Untersuchungen Philip Griersons (vor allem: The Coronation of Charlemagne and the Coinage of Pope Leo III. Revue Belge de Philologie et d'Histoire 30, 1952, 825—833) den Boden entzogen. Daraus die Folgerungen Schramms, Herrschaftszeichen und Staatssymbolik I, S. 293, und Neufassung 1968, S. 229: „Die Annahme, daß Karl als König in Rom geprägt hätte, ist preisgegeben." Zu den bisherigen Schriftzeugnissen über den Zusammenhang zwischen Herrschaft und Prägung von Münzen mit Bildnis, sei noch der folgende Beleg beigesteuert. In einer Urkunde aus dem Jahre 1123 begründet Herzog Richard II. von Gaeta seinen Anspruch, Münzen mit seinem Bildnis prägen zu lassen, folgendermaßen: ... *cum voluntati nostrae placuisset, ut sicut predicto ducatui concessit Deus nobis dominus fieri, ita et de moneta nostrum imago fieri cogitavimus et adimplere quaesivimus* ... (Cod. Dipl. Caietanus II, S. 215 f., Nr. 301).

Zum „Vexillum Romanae urbis"

Meine Auslegung über Sinn und Bedeutung des 796 von Leo III. Karl d. Gr. zugesandten *vexillum* kann ich — durch die Zustimmung Classens (siehe oben) unterstützt — auch gegen die Einwände von Heinz Löwe vollumfänglich aufrechterhalten (HZ 185, 1958, S. 677 f.). L. nimmt an, daß Leo III. „die langobardische und fränkische Lanzeninvestitur gekannt und sich bei einer politischen Sendung an einen Frankenkönig eines entsprechenden Symbols bedient" habe. Damit wird aber Leo III. Karl gegenüber eine Stellung zugemutet, die bei den Langobarden und Franken ein königlicher Vater seinem Sohn gegenüber besaß, ein souveränes Verfügungsrecht über die Herrschaft, also in diesem Fall über Rom, und all das bei einem Papst wie Leo, dessen Pontifikat von Anfang an gefährdet war und der gleich nach seiner Wahl zunehmende Anlehnung beim fränkischen Schutzherrn suchen mußte! Wenn L. behauptet, daß Rom sogar noch „in den Anfängen Hadrians eine nicht unbeträchtliche langobardische Partei in seinen Mauern gesehen hatte", so widerspricht einer solchen Annahme die Aussage des Papstbuches, daß bereits 768 der Presbyter Waldipertus *Langobardorum genere hortus* nur *aliquantos Romanos* für die Aufstellung des langobardischen Papstkandidaten gewinnen konnte (ed. Duchesne I, S. 470) und daß der Abfall der Römer von Christophorus und Sergius nur unter dem Druck der langobardischen Waffen erfolgte und daß Hadrian eben am Beginn seines Pontifikats zum Gerichtsverfahren gegen die Mörder von den *universi primati ecclesie ac iudices militie ... cum universo populo* aufgefordert wurde. Eine Saturierung des damaligen Roms mit den Vorstellungen des verhaßten Langobardenvolkes ist kaum anzunehmen. Das *vexillum Romanae urbis* steht auf der gleichen Stufe bloßer Ehrenrechte wie die mit ihm gleichzeitig Karl zugeschickten *claves confessionis sancti Petri*, welche *claves venerandi sepulchri* bereits Papst Gregor III. dem Hausmeier Karl Martell zugeschickt hat, um den Schutz der Franken gegen die Langobarden zu sichern (Fortsetzung der Chronik des sog. Fredaegar c. 22: MGH SS rer. Merov. II, S. 178). Auch die jerosolomitanische Parallele (Ann. regni Francorum ad a. 800, S. 112) kann mit dem Hinweis auf *benedictionis causa* erfolgten Sendung von Schlüsseln des Hl. Grabes, des Kalvarienberges und der Stadt selbst *cum vexillo* kaum abgeschwächt werden, da diese Geschenke der Patriarch schließlich nicht an den Papst, sondern *ad regem misit* und damit vor allem Karl ehren wollte. Es kann nicht zweifelhaft sein, daß Schlüssel und Vexillum auch nach erfolgter päpstlicher Benediktion im Besitze Karls geblieben sind, um ihn an seine Schutzpflicht gegenüber der Heiligen Stadt zu erinnern, die er unter den bestehenden Möglichkeiten durchaus ernst genommen hat (siehe dazu zuletzt Walther Björkmann, Karl und der Islam, im Karlswerk I, 1965, 672—682). Wenn dieser Schenkung auch eine politische Bedeutung keineswegs abgesprochen werden darf, so räumte diese Karl sicher nicht Rechte über Jerusalem ein, die mit denjenigen des Khalifen als Souverän vergleichbar gewesen wären. Über das Vexillum von 796 siehe auch Beumann, a. a. O., 44 f., vor allem aber in Zusammenhang mit der Fahnenlanze in der Hand Karls auf dem Mosaik des Laterantrikliniums. Darüber anschließend unten.

Kaiserbilder in den Kirchen

Den Unterschied zwischen den Bildern, die dem Herrscherkult dienen, und jenen in den Kirchen anerkennt außer Classen auch Hans Belting (Studien zum beneventanischen Hof im 8. Jahrhundert. Dumbarton Oaks Papers 16 [1962] S. 154, Anm. 85), meint jedoch, ich bagatellisiere „aber den Sinngehalt von Herrscherbildern in Kirchen durch den Hinweis auf private Stifterbildnisse". Sein Gegenbeweis ist die Erzählung des *Chron. Salernitanum* c. 11 (ed. Ulla Westerbergh, Stockholm 1956, S. 17) über die Zerstörung des Bildes des Fürsten Arichis II. von Benevent in der Apostelkirche zu Capua auf Veranlassung Karls des Großen. Dies geschah aber nicht wegen der Existenz eines Bildes des Arichis an und für sich in einer ihm besonders nahestehenden Kirche, sondern wegen der Art und Weise seiner Abbildung mit einem nach der Meinung des Frankenherrschers ihm nicht gebührenden Krone, welche ihn als einen unabhängigen Herrscher präsentierte. Darauf bezieht sich der Kommentar Karls zur Zerstörung: *Sic evenit omni qui super se ponit, quod ei licitum non est.* Beltings Ansicht schloß sich auch Classen, a. a. O. 576, Anm. 185, an, während Falkenstein (wie oben S. 434) für Vorsicht gegenüber phantasievollen Anekdoten plädierte. Will man den Chronisten überhaupt ernstnehmen, so muß man sich fragen, ob der Zerstörung auch ein Bildnis des dux Arichis ohne Krone dem Zorn Karls zum Opfer gefallen wäre. Schramm, Neufassung S. 231: „In Ravenna haben sich bis heute Bilder byzantinischer Kaiser erhalten. Für sie machen wir uns die Bestimmung ihrer Funktion, die Josef Deér gegeben hat, zu eigen: ‚Auch diese Bilder haben bestimmt einen politischen Sinn und verbreiten auch in ihrer Art eine monarchische Propaganda, ohne jedoch im staatsrechtlichen Sinne des Wortes als Herrscherbilder, die Huldigung und Adoration verlangen, zu gelten.'" Dazu ebendort Anm. 42: „In den folgenden trage ich den Einwänden Rechnung, die Deér, a. a. O. 23—42 . . ., vorgetragen hat."

Die Darstellungen Karls in der Gesellschaft Leos III. in Santa Susanna und im Laterantriklinium datiert Classen — Chr. Huelsen folgend — erst in das Jahr 800, also in die Zeit nach Durchführung der Untersuchungen der von Karl dafür eingesetzten Kommission und vor dem Eintreffen des Königs selbst in Rom am 23. November 800 (a. a. O. 575, Anm. 180). Die Abhaltung von Sitzungen in einer derart wichtigen Angelegenheit in einem unvollendeten Saal des Laterans ohne Mosaikschmuck ist aber wenig wahrscheinlich, besonders wenn man bedenkt, daß dafür im damaligen Lateranpalast mehrere repräsentative Säle zur Verfügung standen, unter anderen auch das von Zacharias errichtete Triklinium, ebenfalls mit *musibo et pictura* (Liber Pontificalis I, S. 342). Bedenken gegen diese Spätdatierung äußerte auch Beumann, Paderborner Epos S. 41 [hier S. 362], Anm. 165. Man kann also Falkenstein (wie oben S. 434) nur zustimmen: „Wer die Frage der Gerichtshoheit in Rom mit diesen Bildern verquickt, türmt nur neue Probleme auf." Und wenn Classen großes Gewicht auf die Darstellung Karls in Santa Susanna mit dem Schwert legt, so entgeht ihm dabei die unvergleichlich wichtigere ikonographische Einzelheit des Anbetungsgestus auf allen Zeichnungen, die wir von diesem untergegangenen Denkmal besitzen. Beumanns Erklärung knüpft wiederum an diejenige Schramms an, der im Lateranmosaik ein fränkisches Herrscherbild erblickte, und sucht diese Interpretation mit der Heranziehung eines Gedichtes Theodulfs von Orleans aus dem Jahre 800 zu unterbauen, in dem eine mit der des Mosaiks z. T. verwandte, z. T. von diesem abweichende Ämterfiliation zu lesen ist. Auf Einzelheiten möchte ich hier schon aus dem Grunde nicht weiter eingehen, weil ich zukünftig die Ikonographie des Lateranmosaiks auf seine Gleichzeitigkeit hin neu zu überprüfen gedenke. Der Literatur zu den Karlsbildern in Rom sind in letzter Zeit hinzugekommen die beiden Aufsätze von Cäcile Davis-Weyer: 1) Das Apsismosaik Leos III. in S. Susanna, in: Zeitschrift für Kunstgeschichte 28 (1965) S. 177 bis 194 und 2) Eine patristische Analogie des Imperium, in: Minuscula discipulorum, Kunstgeschichtliche Studien. Hans Kaufmann zum 70. Geburtstag 1966 (Berlin 1968) S. 71—83. Zum spätantiken Bilderkult und Bildrecht siehe noch die aufschlußreichen Arbeiten von Thomas Pekáry: Goldene Statuen der Kaiserzeit, in: Mitt. d. Deutschen Archaeologischen Instituts. Röm. Abt. 75 (1968) 144—148; Der römische Bilderstreit, in: Frühmittelalterliche Studien. Jb. d. Inst. f. Frühma. Forschung, hrsg. v. Karl Hauck 3 (1969) 13—26; Statuen in der Historia Augusta, in: Antiquitas, Reihe 4. Beiträge z. Historia Augusta-Forschung 7 (1970) 151—172.

Zur „Prozession“ usw.

Auch in diesem Abschnitt hat Schramm seine Auffassung über die Empfänge Karls in Rom 774 und 800 geändert, und zwar diesmal ohne Vermerk. Hieß es noch über den Empfang von 774 in der Originalfassung (HZ 172, 1951, S. 467): „Damit ist Karl in das Vorrecht der *processio* des Kaisers und seines Stellvertreters eingerückt“, so liest man in der Neufassung von 1968, S. 237 f.: „Damit ist Karl in das Vorrecht der *processio* des kaiserlichen Stellvertreters eingerückt.“ Über den Empfang im November 800 schrieb er 1951 (a. a. O. S. 468): „Karl, als er sich im November Rom näherte, nicht nur — wie schon bei den vorausgehenden Malen — mit der kaiserlichen Prozession geehrt und von den Einheimischen mit Laudes begrüßt wurde, sondern daß der Papst ihm bis zum 12. Meilenstein vor der Stadt entgegenkam.“ Die gleiche

Stelle lautet nun in der Neufassung von 1968 (S. 239): „als er sich Rom 800 näherte, nicht nur mit der patrizischen processio geehrt, und von den Einheimischen mit Laudes begrüßt wurde, sondern daß der Papst ihm bis zum 12. Meilenstein vor der Stadt entgegenkam." Durch diese Retouche wurde aber zugegeben, daß Karl vor 800 noch nicht in das Vorrecht der kaiserlichen Prozession eingerückt war.

Ergänzungen zu Anm. 158 f.: Wichtig für die kaiserliche Art der Einholung ist die Beschreibung des Besuches Papst Constantins in Konstantinopel im Jahre 710 (LP I, S. 390), für dessen Gestaltung Justinian II. seinen Organen den Befehl erteilte, *ita ut ubiubi denominatus coniungeret pontifex, omnes iudices ita eum honorifice susciperent quasi ipsum praesentaliter imperatorem viderent.* Dementsprechend wurde der Papst beim siebenten Meilenstein vor Konstantinopel durch den Sohn und Mitherrscher, sowie von Senat und Patriziern, auch vom Patriarchen und Klerus empfangen: *pontifex et eius primates cum sellares imperiales, sellas et frenos inauratos simul et mappulos, ingressi sunt civitatem* ... Hier liegen die Ansätze zur Beanspruchung der Ehrenrechte des Kaisers bei der Prozession für den Papst im *Constitutum Constantini*, insbesondere in bezug auf die Schmückung der Pferde des Papstes (c. 14): *et dignitatem imperialium praesidentium equitum* (ed. Fuhrmann S. 88) und derjenigen seiner Begleiter (c. 15): ... *decernimus et hoc, ut clerici eiusdem sanctae Romanae ecclesiae mappulis ex linteminibus, id est candidissimo colore, eorum decorari equos et ita equitari, et sicut noster senatus calciamenta uti cum udonibus, id est candido linteamine illustrari* (S. 89 f.). Wie ein Patricius wurde dagegen Grimoald, der Sohn des Fürsten Arichis, den die Byzantiner mit dem Patriziat auszuzeichnen beabsichtigten (Codex Carolinus ep. 83, MGH Ep. III, 617: Febr. 788), von den Bürgern von Salerno nach seiner Heimkehr aus dem Frankenreich empfangen: *Sed dum Salernitanis fuisset cognitum, repente ex urbe egressi sunt; tam virorum quamque et feminarum omnis sexus omnisque etas ei obvia exierunt fere miliarium unum cum ymnis et canticis* ... (Chronicon Salernitanum c. 26, ed. Westerbergh S. 28).

Ergänzung zur Anm. 170 a: Arno Borst, Kaisertum und Namenstheorie im Jahre 800, in: Festschrift P. E. Schramm I (1964) 36—51.

Nachtrag zum „Kirchengebet“ Anm. 194: Besprechung von R. Elze zu M. Andrieu, Ordines Romani 3, in: DA 10 (1953) 223, und J. A. Jungmann, Flectere pro Carolo rege. Mélanges Mgr. M. Andrieu, Strasbourg 1956, 219—228.

Nachtrag zur „Kaisertracht“

In der Neufassung seiner „Anerkennung“ von 1968 S. 242—246 wurden meine diesbezüglichen Belege von Schramm weitgehend verwertet, siehe ebendort S. 245, Anm. 86. Zur besonderen römischen Tracht siehe Liutprand, Legatio Constantinopolitana c. 51 (ed. J. Becker MGH SS. rer. Germ. 1915, S. 203): Der Papst nennt in seinem Brief Nikephoros Phokas nicht Kaiser der Römer, sondern der Griechen, was bei den Byzantinern freilich große Empörung hervorrief. Darauf die Antwort Liutprands: *sed quia linguam, mores vestesque mutastis, putavit sanctissimus papa ita vobis displicere Romanorum nomen sicut et vestem.*

Forschungen zu Staat und Verfassung. Festgabe für Fritz Hartung. Duncker & Humblot, Berlin 1958, S. 9—51.

KAISERTUM UND REICHSTEILUNG

ZUR DIVISIO REGNORUM VON 806

Von WALTER SCHLESINGER

Inhalt: 1. Historische Bedeutung der Divisio. — 2. Die Echtheitsfrage. — 3. Die Überlieferung. — 4. Die beiden Protokolle. — 5. Das Protokoll der Hss. 2—5: Herkunft und Bedeutung. — 6. Regnum atque imperium. — 7. Defensio ecclesiae Sancti Petri. — 8. Die Adresse der Hs. 1. — 9. Die Publikationsformel von DP 8 und ihre Bedeutung in der fränkisch-römischen Auseinandersetzung. — 10. Rückgriff auf die Publikationsformel von DP 8 in der Divisio? — 11. Karls Stellung zum Kaisertum 799 und 806. — 12. Das imperiale Königtum der Metzer Annalen. — 13. Reichsteilung und Übertragung des Kaisertums. — 14. Die doppelte Begründung des Kaisertums in der Divisio: imperiales Königtum, Nachfolge Konstantins. — 15. Regni consortes. — 16. Renovatio Romani imperii und Renovatio regni Francorum. — 17. Die Zweckbestimmung der Doppelfassung des Protokolls: das Kaisertum zwischen römischer Kirche und fränkischem Adel?

1.

Ohne Zweifel hat in der sog. Divisio regnorum von 806[1] eine der wichtigsten politischen Entscheidungen ihren Niederschlag gefunden, die Karl d. Gr. nach seiner Anerkennung als Kaiser getroffen hat. In der Art eines Grundgesetzes wurde über die Zukunft des Reiches im Sinne der bei den Franken wie bei anderen germanischen Stämmen altherkömmlichen Teilung unter die Söhne nach Ableben des Herrschers verfügt[2]. Dies war nicht selbstverständlich.

[1] Cap. I, nr. 45. Das Stück war im SS 1957 Gegenstand einer Übung im Friedrich Meinecke-Institut der Freien Universität Berlin.

[2] Zum Teilungsprinzip vgl. etwa G. Tellenbach, HZ 163 (1941), S.

Dem Teilungsprinzip stand der Gedanke der Reichseinheit gegenüber, und die Ordinatio imperii von 817[3] entschied sich für ihn, anders als 806[4]. Insbesondere mußte seit 800 die Führung des *nomen imperatoris* durch den König der Franken und Langobarden gegen Teilung sprechen, denn nicht um einen leeren Titel | handelte es sich dabei, sondern in konsequenter Fortbildung der einmal erreichten Weltstellung des Frankenreiches wurde jetzt die Lenkung auch des Römischen Reichs für den *serenissimus augustus, a Deo coronatus magnus pacificus imperator* Karl beansprucht, wie es der offizielle Kaisertitel zum Ausdruck brachte: *Romanum gubernans imperium*[5]. Dieses Reich war, so sollte man meinen, den Grundsätzen germanischen Hausrechts, wie sie beim Herrscherwechsel zu gelten pflegten, nicht ohne weiteres zu unterwerfen. In der Tat hat die Entscheidung über die Art der Fortführung des Kaisertums 806 offensichtlich Schwierigkeiten gemacht, wie allgemein bekannt ist und weiter auszuführen sein wird. Karl wurde allerdings später des größten Teils von ihnen — nicht aller — dadurch enthoben, daß zwei seiner Söhne noch zu seinen Lebzeiten starben und das Teilungsprojekt von 806 damit zunächst gegenstandslos wurde.

Seine Bedeutung für die Geschichte der Karlingerzeit wird dadurch nicht herabgemindert. Ludwig der Fromme, der sich 817 unter dem Einfluß der kirchlichen Reformpartei für die Einheit des Reiches entschieden hatte, griff um 830 auf die Gedanken der Divisio von 806 zurück und machte den Text zur Grundlage des Textes eines Reichsteilungsprojektes, das wohl mit Recht gewöhnlich ins Jahr 831 gesetzt wird[6]. Um Einheit oder Teilung ist dann

25 f.; H. W. Klewitz, WaG 7 (1941), S. 201 ff.; H. Mitteis, in: Der Vertrag von Verdun, hrsg. Th. Mayer (1943), S. 67 ff.; W. Schlesinger, ZRG germ. Abt. 66 (1948), S. 412 ff.

[3] Cap. I, nr. 136.

[4] F. L. Ganshof, Observations zur l'Ordinatio imperii de 817, in: Festschr. G. Kisch (1955) S. 15—32; künftig W. Schlesinger, Karlingische Königswahlen, in: Festschr. H. Herzfeld (1958), gegen Mitteis, a. a. O., S. 69 ff.

[5] Zur Herkunft dieser Formel P. Classen, DA 3 (1951/2), S. 103—121.

[6] Sog. Regni divisio, Cap. II, nr. 194.

lange und heftig gestritten worden. Wenn sich schließlich 843 im Vertrag von Verdun der Teilungsgedanke durchsetzte und damit eine der Voraussetzungen für die Entstehung eines Deutschen Reiches geschaffen wurde, so wurzelt dies in der Entscheidung von 806, die infolgedessen, obwohl zunächst nicht realisiert, die größte geschichtliche Wirkung erlangte. Darüber hinaus ist die ihr zugrundeliegende Gedankenwelt, in die der Text Einblick gewährt, natürlich schon an sich von erheblicher Bedeutung für die Kenntnis der Verfassung des Reiches zu Beginn des 9. Jahrhunderts, so wie sie von Karl selbst aufgefaßt wurde, in einem Augenblicke, als das fränkische Königtum soeben die Verbindung mit dem Kaisertum eingegangen war.

2.

Es kann daher der Forschung nicht gleichgültig sein, wenn neuerdings Walter Mohr versucht hat zu zeigen, daß der überlieferte, in der Ausgabe der Kapitularien von Alfred Boretius abgedruckte Text der Divisio nicht der ursprüngliche, sondern durch nachträgliche Zutaten verfälscht sei[7]. Die vorgebrachten Argumente sind vielmehr zu prüfen. |

Mohr ist der Ansicht, noch 831 habe der eben erwähnten sog. Regni divisio ein anderer, besserer Text der Divisio von 806 als Vorlage gedient. Die Bestimmungen der Kapitel 17 und 18 von 806, die 831 fehlen und sich mit der Frage der Behandlung der Töchter und Enkel Karls beschäftigen, erscheinen ihm als nachträgliche Hinzufügung, die durch Kapitel 19 notdürftig entschuldigt wird, das somit ebenfalls als nachträglich und unorganisch zu streichen wäre. Dasselbe gilt für Kapitel 20, da die hier geforderte *subiectio* der Söhne unter den Vater zwar in die Zeit Ludwigs des Frommen passe, aber mit den Bestimmungen der Einleitung von 806, die die Söhne zu *consortes regni* erhebt, nicht vereinbar sei. Es sei auf Grund des Kapitels 13 von 831 angefertigt worden. Vor allem aber seien die eigentlichen Teilungsbestimmungen, die 831 zwar nicht fehlen, aber in ganz anderem Wortlaut an ganz anderer Stelle stehen, nämlich an den eigentlichen Text angehängt sind, interpoliert. Abgesehen davon, daß 806

[7] W. Mohr, Bemerkungen zur Divisio regnorum von 806. Archivum latinitatis medii aevi 24 (1954), S. 121—157.

die Erinnerung an die einstige Teilung des Reiches zwischen Karl und Karlmann, auf die Kapitel 4 Bezug nimmt, für Karl unangenehm gewesen sein müsse, zeige auch der Text stilistische Härten und Unstimmigkeiten, die 831 nicht vorhanden seien. Der Text von 831 sei an dieser Stelle, also in Kapitel 1, „verständlicher und logischer" als der Text der Kapitel 4 bis 6 von 806; z. B. sei die Wendung *post hanc nostrae auctoritatis dispositionem* in 6 „weitschweifig und letzten Endes völlig überflüssig". Es wird nicht bestritten, daß die Teilungsbestimmungen der Kapitel 1—3 authentisch sind, doch hätten sie nicht in dem Schriftstück gestanden, das nach dem Berichte der Reichsannalen[8] 806 durch Einhard dem Papste zur Unterschrift überbracht wurde, sondern seien Einzelurkunden entnommen und dem vorliegenden Text nachträglich eingefügt worden. Gestützt wird diese Auffassung dadurch, daß der Bericht der Reichsannalen in der Tat sehr deutlich ein *testamentum* Karls *de hac partitione factum* von *constitutiones pacis conservandae causa factae* scheidet. Die Bestimmungen des Kapitels 4 aber über das Verfahren im Falle des Todes eines der Söhne Karls seien im Gegensatz zu den anderen Teilungsbestimmungen überhaupt erst nachträglich hergestellt worden, und zwar auf Veranlassung Karls des Kahlen, um 869/70 seine Ansprüche auf Lothringen gegen Ludwig den Deutschen zu unterstützen. Kapitel 4 zeige infolgedessen eine deutliche Bevorzugung des jüngsten Sohnes gegenüber den älteren im Hinblick auf den Besitz Austrasiens, den auch Karl erstrebt habe. Der Text bei Boretius sei, dies ist das Ergebnis, das Produkt einer verfälschenden Redaktion dieser Zeit, die außer dem Wortlaut des 806 an den Papst übersandten Originals, das neben der Einleitung nur die Kapitel 5 bis 15 enthalten habe, den Text von 831 benutzt haben müßte.

Die Kritik dieser Ansicht wird in hergebrachter Weise von den formalen Beanstandungen auszugehen haben. Nach Mohr hätte der ursprüngliche Wortlaut die Einleitung enthalten, um dann mit dem Eingang von Kapitel 4 fortzufahren: *Haec autem tali ordine* (831 *ordinatione*) *disponimus* (831 *disposuimus*) und zu Kapitel 5 überzuspringen: *quod, si talis filius* ... Sodann wäre ein Satz von 831 Kapitel 1 gefolgt, der im überlieferten Wortlaut von 806 ganz fehlt: *Quod si talem filium non habuerit* ... Die Kapitel 4 und 5 von 806 wären also aus Kapitel 1 von 831 aufgeschwellt worden. Es läßt sich aber zeigen, daß das Verhältnis umgekehrt ist, daß Kapitel 1 von 831 aus den Kapiteln 4 und 5 von 806 zusammengezogen wurde. |

[8] Ann. r. Fr., hrsg. Kurze, S. 121.

Wir stellen den Wortlaut einander gegenüber:

831	806
c. 1 *Haec autem tali ordinatione disposuimus, ut si post nostrum ab hac luce discessum aliquis eorum prius quam fratres sui diem obierit,*	c. 4 *Haec autem tali ordine disponimus, ut si Karolus, qui maior natu est, prius quam ceteri fratres sui diem obierit, pars regni quam habebat . . . dividatur . . . eo modo . . .*
et talem filium reliquerit, quem populus ipsius eligere velit, ut patri suo succedat in regni hereditate, volumus, ut hoc consentiant . . .	c. 5 *Quod si talis filius cuilibet istorum trium fratrum natus fuerit, quem populus eligere velit, ut patri suo in regni hereditate succedat, volumus, ut hoc consentiant . . .*

Die Gegenüberstellung macht die Übereinstimmungen deutlich. Sie zeigt zugleich, daß der Diktator von 831 aus der Konstruktion gefallen ist. Auf *ut* der zweiten Zeile, das ebenso wie das folgende *si* mit dem Text von 806 noch übereinstimmt, folgt nicht, wie dies in der Ordnung ist, ein Verb im Konjunktiv (806 *dividatur*), sondern das nächste und einzige in Betracht kommende Verbum ist *volumus,* das samt dem folgenden Nebensatze wiederum mit dem Text von 806 übereinstimmt, wo es, grammatisch völlig korrekt, Hauptverbum des Kapitels 5 ist. Damit ist das Verhältnis der Texte geklärt. Indem der Diktator von 831 den Text von 806 als Vorlage benutzte und dessen Kapitel 4 zunächst bis *ut si* folgte, dann aber die Bestimmungen über das Teilungsverfahren im Falle des Todes eines Sohnes wegließ, da sie nicht benötigt wurden — schon die Teilungsbestimmungen der Kapitel 1—3 waren weggelassen worden, weil sie für 831 nicht paßten — und sogleich zu den Wahlbestimmungen in den Teilreichen (831 sind es Unterkönigtümer) überging, die er wiederum brauchte, widerfuhr ihm das geschilderte stilistische Mißgeschick, da er den Text von 806 einfach übernahm. Durch die umfangreiche Weglassung genötigt, einen weiteren, selbständig zu bildenden Satz über den Fall anzufügen, daß ein dem Volke zur Wahl genehmer Sohn nicht vorhanden sei — hierüber hatte der weggelassene Teil des Kapitels 4 von 806 bestimmt —, erinnerte er sich zwar des Wortlauts von 806 *pars regni quam habebat dividatur,* kopierte aber nicht einfach, sondern schrieb *illa pars regni, quem idem habebat,* machte also wiederum einen Fehler, der auf seine grammatische Gewandtheit kein günstiges Licht wirft und den vorhergehenden Lapsus durchaus plausibel erscheinen läßt. Aber selbst wenn es sich in diesem Falle um einen Lese- oder Druckfehler unserer Ausgabe handeln würde, ist doch völlig klar, daß der Text von 831 auf dem von 806 beruht und nicht umgekehrt.

Dann muß aber auch im Text von 806 der durch *ut si* eingeleitete lange Passus gestanden haben, der mit *si vero* und *quod si* fortgesetzt wird, denn *ut si* ist ja 831 noch übernommen. Er enthält, wie gesagt, genaue Teilungsbestimmungen für den Fall des Todes eines der Söhne. Diese Bestimmungen wiederum setzen die Teilungsbestimmungen der Kapitel 1—3 voraus, die also ebenfalls nicht eliminiert werden dürfen. Kapitel 1—5 der Divisio regnorum von 806 lagen also 831 bereits vor und können nicht erst 869/70 eingefügt worden sein. Damit gewinnt auch die angeblich „weitschweifige und letzten Endes überflüssige“ Eingangswendung des Kapitels 6 *post hanc nostrae auctoritatis dispositionem* ihren guten Sinn: auf die eigentlichen Teilungsbestimmungen folgen nunmehr die Bestimmungen über den zwischen den Söhnen zu errichtenden und zu bewahrenden Frieden. |

Durch dieses Ergebnis mißtrauisch gemacht, werden wir auch den Gründen, die für eine nachträgliche Hinzufügung der Kapitel 17—20 geltend gemacht werden, mit Skepsis begegnen, zumal sie nicht formaler, sondern allein inhaltlicher Art sind, was immer mißlich ist. Es ist nicht einzusehen, weshalb Karl nicht auf die Zukunft seiner Töchter und Enkel bedacht gewesen sein soll, und wenn in 18 barbarische Maßnahmen gegen die Enkel wie Tötung, Verstümmelung oder Blendung und Verhängung von Klosterhaft ins Auge gefaßt und zu verhindern versucht werden, Maßnahmen, die angeblich nicht in die Zeit Karls passen, so ist dazu zu sagen, daß die Witwe seines Bruders Karlmann mit ihren Kindern sofort nach dem Tode des Gatten nach Italien entfloh, da sie von Karl offenbar Schlimmes befürchtete. Was dieser 771 beabsichtigt hat, können wir natürlich nicht wissen, aber daß er sich 806 seines Bruders und der Teilung von 768 recht genau erinnerte, wie dies ja bei der Absicht einer neuen Teilung auch ganz natürlich und naheliegend ist, zeigen die nunmehr als echt erwiesenen Bestimmungen des Kapitels 4, und man wird sich fragen müssen, ob Kapitel 18 nicht als eine freilich sehr verspätete Regung des schlechten Gewissens zu beurteilen sei. Daß Kapitel 19 einen vorherigen Einschub zu rechtfertigen suche, kann ich nicht finden. Die Möglichkeit von Abänderungen der erlassenen Bestimmungen in der Zukunft *(adhuc)*, wie sie hier vorgesehen wird, scheint mir vielmehr eine durchaus sachgemäße, ja notwendige Schlußbestimmung *(postremo)* zu sein, und wenn sie 831 wörtlich wiederkehrt (c. 14), wo sie nach den Erfahrungen, die Ludwig mit der Ordinatio von 817 gemacht hatte, in der sie fehlte, in der Tat größtes Gewicht besaß, so ist dies nach dem festgestellten Verhältnis beider Texte in den Anfangskapiteln kein Grund, sie zu verdächtigen. Vielmehr ist das Verhältnis der Schlußkapitel kein anderes; auch sie wurden wie jene und wie der Hauptteil der Bestimmungen, für die es auch Mohr nicht bestreitet, aus dem Text von 806 übernommen.

Dies gilt auch für Kapitel 13 von 831, das dem Kapitel 20 von 806 entspricht, aber einen nur aus den Vorgängen von vor 831 verständlichen Zusatz enthält, der uns hier nicht zu beschäftigen braucht. Wenn 806 bestimmt wird, daß sich Karl zu seinen Lebzeiten die volle Regierungsgewalt vorbehält und von seinen Söhnen den schuldigen Gehorsam fordert, so entspricht dies nicht nur der selbstherrlichen Art des Kaisers, sondern auch allem, was wir über das tatsächliche Verhältnis zu den Söhnen und ihre Stellung im Reiche aus den einschlägigen Quellen der Folgezeit entnehmen können. Von einer Mitregierung im Gesamtreiche kann keine Rede sein, und so bleibt der in der Einleitung ausgesprochene, weiter unten genauer zu erörternde Wunsch, die Söhne zu *consortes regni* zu erheben, ein Wechsel für die Zukunft, wie ja auch alles übrige gemäß Kapitel 20 erst nach Karls Tode in Kraft treten sollte und in Wirklichkeit niemals in Kraft getreten ist. Die Umstellung in der Reihenfolge der Kapitel 19 und 20 in dem Text von 831, wo sie als 14 und 13 erscheinen, dürfte sich daraus erklären, daß für Ludwig die Möglichkeit künftiger Änderung von vornherein das Wichtigste war und deshalb die Bestimmung hierüber um des Nachdrucks willen an den Schluß gestellt wurde.

3.

Obwohl der bei Boretius gedruckte Text damit als unverfälscht erwiesen worden ist, gibt er doch eine Anzahl Probleme auf, die bisher nicht oder nicht genügend beachtet worden sind. Um sie der Lösung näherzubringen, müssen wir uns zunächst mit der handschriftlichen Überlieferung des Stückes beschäftigen. |

Boretius kannte drei Handschriften und einen auf eine verschollene Handschrift zurückgehenden Druck, nämlich[9]

1. eine Handschrift des Britischen Museums (Egerton ms. 269) aus dem 9. oder 10. Jahrhundert, die aber nur ein ganz geringes Bruchstück des Textes enthält, nämlich einen Teil der Einleitung (Cap. I, S. 127, Zeile 10 bis *quisque* einschließlich);
2. eine Gothaer Handschrift (II nr. 189), die er nicht datiert und die nach

[9] Vgl. Cap. I, nr. 45, Vorbemerkung.

Werminghoff ins 10. Jahrhundert zu setzen ist[10]. Sie ist gleichfalls unvollständig (vgl. Cap. I, S. 127, Anm. q und g; S. 128, Anm. r und x; S. 130, Anm. g) und zudem teilweise in sehr schlechtem Zustand und schwer lesbar;

3. eine vatikanische Handschrift des 16. oder 17. Jahrhunderts (3922), die vollständig ist;
4. den Druck bei P. Pithou (1594), der ebenfalls vollständig ist; Cap. II, S. XXXIV.

Inzwischen ist hinzugekommen:

5. eine gleichfalls vollständige Darmstädter Handschrift (nr. 231) aus dem Beginn des 15. Jahrhunderts[11].

Schließlich ist daran zu erinnern, daß auch

6. die vatikanische (einzige) Handschrift (heute zerteilt in Cod. reg. Christ. 980 und Cod. 283 enthalten) des Textes der Divisio von 831, nach Boretius dem 10. Jahrhundert entstammend, für die Textherstellung zu benutzen ist; vgl. Cap. II, S. 538.

Die zahlreichen Varianten der Handschriften, die der kritische Apparat bei Boretius keineswegs alle wiedergibt, sind für unsere Zwecke meist belanglos und auch für eine etwaige Gruppierung der Handschriften unergiebig. Bemerkenswert ist allenfalls, daß die neu entdeckte Handschrift 5 den Cap. 1, S. 128, Anm. y vermerkten längeren Zusatz der Handschriften 3 und 4 zu Kapitel 8 nicht enthält, während er in Kapitel 4 des Textes von 831 enthalten ist. Der Zusatz ist damit einerseits in einer Handschrift des 10. Jahrhunderts belegt, während er bisher, wenn man Handschrift 6 unbeachtet ließ, nur aus der Überlieferung des 16. Jahrhunderts bekannt war; andererseits steht Handschrift 2, wo er fehlt, nicht mehr allein, sondern wird durch Handschrift 5 gestützt. Ob dies genügt, um zwei Überlieferungsäste zu vermuten, mag indes dahingestellt bleiben, denn obwohl die Handschriften 2 und 5 z. B. in Kapitel 12 wiederum zusammengehen, indem sie nach *exierant* mit *quamquam* fortfahren, während 3 *gaudere* einschiebt, stellt sich jetzt 4, wo dieses Wort ebenfalls fehlt, zu der ersten Gruppe, und während 4 und 5 eine Kapiteleinteilung haben, die mit Kapitel 6 bei Boretius als Kapitel 1 beginnt und in 4 durch römische Zahlen, in 5 durch die an den relativ breiten Rand geschriebenen Wörter *primus, secundus, tercius* usw. gegeben wird, die sich auf in den Text gesetzte Verweisungszeichen beziehen, fehlt eine Kapiteleinteilung in 3 zwar nicht durchaus, wird aber nicht durch Zahlen

[10] Cap. II, S. XV.

[11] Vgl. S. Krüger, Die Darmstädter Handschrift des Dietrich von Nieheim. DA 12 (1956), S. 200—220, bes. S. 214.

oder Zahlwörter gegeben, sondern nur durch Initialen angedeutet, und in 2 ist eine der Einteilung in 4 und 5 entsprechende in Zahlen am Rande offenbar nachgetragen, wobei nicht zu unterscheiden ist, ob die Nachtragung gleichzeitig | oder wenig später erfolgte[12]. Gehen hier also wiederum 2, 4 und 5 zusammen, so in anderen Fällen 2, 3 und 5 gegen 4, etwa in Kapitel 12, wo *legitime* allein in 4 fehlt; in der Einleitung haben 3 und 5 *huius a Deo conservati et conservandi regni vel imperii nostri* gegen *a Deo conservati et servandi imperii vel regni nostri* in 1 und 4. Die Beispiele ließen sich leicht vermehren. Die Bildung von Handschriftengruppen scheint danach nicht sehr aussichtsreich zu sein und mag zunächst auf sich beruhen, da hier nicht beabsichtigt ist, eine neue kritische Edition vorzubereiten.

Nicht auf sich beruhen kann allerdings die Kapiteleinteilung der Handschriften 4, 5 und 2. Sie beginnt mit Kapitel 6 des Drucks, dessen Beginn auch durch die Wendung *post hanc nostrae auctoritatis dispositionem* als Beginn eines neuen Abschnitts hervorgehoben ist. Die vorhergehenden Textteile heben sich ihrem Inhalte nach in der Tat von den folgenden ab. Sie enthalten die eigentlichen Teilungsbestimmungen, während die folgenden den Bestimmungen *propter pacem, quam inter eos perpetuo permanere desideramus*, wie es in Kapitel 6 heißt, gewidmet sind. Die oben erwähnte Unterscheidung der Reichsannalen zwischen *testamentum* und *constitutiones pacis conservandae causa factae*, auf die auch Mohr bereits hinwies, findet also eine Bestätigung nicht nur im Inhalt, sondern, was stets beweiskräftiger ist, auch in der Form unseres Textes. Nur sind, da 831 das Ganze vorlag, beide Stücke nicht erst lange Jahre nach 806, wie Mohr annahm, zusammengefügt worden, sondern,

[12] Die hier mitgeteilten Beobachtungen wurden an den von den Bibliotheken freundlicherweise übersandten Photographien und Photokopien gemacht. Der interessante Befund der Gothaer Handschrift wäre wohl nur am Original wirklich zu klären. Die Nachträge sind hier teilweise an die falsche Stelle geraten, ohne daß der Schreiber dies verbesserte; allerdings hat er bei 7 (= cap. 12 des Drucks von Boretius) vielleicht ein zwar schwer erkennbares *d* beigesetzt. Neben den Zahlen befinden sich Verweisungszeichen, die vielleicht im Text der Vorlage vorgefunden wurden, die allein am Rande aber natürlich sinnlos sind, zumal die Kapitelanfänge ohnehin durch Initialen gekennzeichnet sind.

wie ich meine, bereits 806 in Diedenhofen selbst. Der Text der Reichsannalen bestätigt dieses: *De hac partitione et testamentum factum et iureiurando ab optimatibus Francorum confirmatum,* dies sind die Kapitel 1—5, wozu ein Vorspruch gehört haben wird, der mit dem überlieferten aber nicht durchaus identisch sein muß; *et constitutiones pacis conservandae causa factae,* dies sind die Kapitel 6—20, die im Gegensatz zu dem ersten Stück von vornherein eingeteilt gewesen sein dürften, also die Form eines Kapitulars hatten[13] und vermutlich in einer sonst nicht erhaltenen Eingangsformel[14] eine Datierung enthielten, die in einem St. Galler Codex des 9. Jahrhunderts überliefert ist[15]; *atque | haec omnia litteris mandata sunt et Leoni papae, ut his sua manu subscriberet, per Einhardum missa,* dies ist der überlieferte Text, der mit einem dem Formular der Kaiserurkunden angepaßten Protokoll und einem Vorspruch versehen wurde, der dem vorhandenen des *testamentum* einfach entsprochen haben, aber auch neu formuliert worden sein kann. Die Verbindung der beiden Stücke wurde durch die schon zitierte Eingangswendung des Kapitels 6 hergestellt; auch das Wort *praedictos* dieses Kapitels gehört hierher. Möglich ist natürlich, daß bei der Redaktion der *litterae* auch andere Textänderungen vorgenommen wurden, die uns nicht mehr faßbar sind.

4.

Nicht berücksichtigt haben wir bisher das Protokoll. Seine Betrachtung führt wesentlich über das bisher Gesagte hinaus. Nur Handschrift 1 hat nämlich den üblichen Kaisertitel *Karolus semper*

[13] F. L. Ganshof, Wat waren de Capitularia? (1955).

[14] Vgl. etwa Cap. I, nr. 23, 27.

[15] SS I, S 70: *Anno DCCCVI. ab incarnatione Domini indictione XIIII. anno XXXVIII. regnante Karolo imperatore VIII. Idus Febr. die Veneris divisum est regnum illius inter filiis suis, quantum unusquisque post illum habet, et ego alia die hoc opus.* Damit bricht die Notiz ab, der Herausgeber ergänzt scribendo perfeci. Sie steht isoliert und kann nur von einem Schreiber stammen, der 806 in Diedenhofen beschäftigt worden ist.

augustus, a Deo coronatus magnus pacificus imperator, Romanum gubernans imperium, qui et per misericordiam Dei rex Francorum et Langobardorum, während die Handschriften 2, 3, 4[16] und 5 einen anderen, erweiterten Kaisertitel aufweisen: *Imperator Caesar Karolus, rex Francorum invictissimus et Romani rector imperii, pius felix victor*[17] *ac triumphator semper augustus*. Die Forschung hat von ihm, soviel ich sehe, bisher nicht Notiz genommen[18], obwohl er seit 1883 im Druck allgemein zugänglich ist[19]. Auch 831 dürfte dieser Titel vorgelegen haben. Er ist in der Regni divisio zwar durch den üblichen Kaisertitel Ludwigs des Frommen, der *Ludovicus divina ordinante providentia imperator augustus* lautet, ersetzt, aber die folgende Adresse *omnibus fidelibus sancte Dei ecclesie et cuncto catholico populo, presenti scilicet et futuro, gentium ac nationum, quae sub imperio ac regimine nostro constitutae sunt* entspricht bis auf geringfügige Abweichungen (*scilicet*; *nostro* für *eius*) wiederum der Adresse der Handschriften 2—5, während in 1 die Adresse lautet *omnibus fidelibus sanctae Dei aecclesiae ac nostris, praesentibus scilicet et futuris*. Die Fassung des gesamten Protokolls der Vorlage für 831 wird also derjenigen der Handschriften 2—5 entsprochen haben.

Bei diesem Befund — fünf Handschriften gegen eine einzige — gehört ohne Zweifel das Protokoll der Handschriften 2—6 in den Text der Aus- | gabe und die Variante der Handschrift 1 in die Anmerkung, auch wenn man vom Grundsatz der lectio difficilior absieht. Dies zu tun ist vertretbar, denn auch die Adresse der Handschrift 1 ist außerordentlich selten. Soviel ich sehe, kommt sie in Urkunden Karls nur zweimal vor[20]. Es kann also schwerlich ein

[16] Dies ist von Boretius nicht vermerkt.

[17] fehlt in 4.

[18] Vgl. die Zusammenstellung bei E. Caspar, Das Papsttum unter fränkischer Herrschaft. ZKG 54 (1935), Buchausgabe 1956, S. 174 f. — Als H. Beumann und ich im Frühjahr 1957 Fragen der Divisio regnorum und des Kaisertums Karls d. Gr. besprachen, stießen wir zu unserer großen Überraschung gemeinsam auf diesen Kaisertitel.

[19] Cap. I, S. 126 Anm. a.

[20] DK d. Gr. nr. 188 f., vgl. H. Helbig, Fideles Dei et regis. AKG 33 (1951), S. 275—306.

Schreiber den ganz ungewöhnlichen Kaisertitel der Handschriften 2—5 (und 6) einfach durch den ihm bekannten üblichen ersetzt haben. Andererseits wird man aber aus der objektiven Form des Protokolls von 2—5 *(eius)*, die zum subjektiven Stil des gesamten übrigen Textes nicht paßt, auch nicht auf Priorität von 1, wo das Protokoll subjektiv gefaßt ist *(nostris)*, schließen dürfen, denn wenn unsere oben geäußerte Vermutung richtig ist, dann ist das Protokoll vielleicht ohnehin nachträglich den in den *litterae* zusammengefaßten beiden Texten vorangestellt worden, wobei eine stilistische Unstimmigkeit sich leicht einschleichen konnte, und es ist durchaus denkbar, daß eine überarbeitete Fassung, die aus welchen Gründen immer ein anderes Protokoll wählte, diese beseitigte.

Das Ergebnis ist also, daß wir zwei sozusagen gleichberechtigte Fassungen des Protokolls vor uns haben. Von keiner von beiden können wir sagen, daß sie die frühere war. Das Beunruhigende ist dabei dies, daß die eine Fassung nur in einer Handschrift überliefert ist, die weiter nichts als eben dieses abweichende Protokoll und ein Stück der Einleitung enthält, um dann mitten im Satz abzubrechen. Wer sagt uns, daß der verlorene weitere Text nicht ebenso bedeutsame Abweichungen enthielt?

5.

Es ist nunmehr die Frage zu stellen, welchen Grund die doppelte Fassung des sonst doch gerade so formelhaft feststehenden Protokolls gehabt haben könnte. Ehe wir eine Antwort versuchen, vergegenwärtigen wir uns die Herkunft der unüblichen Bestandteile des Kaisertitels der Handschriften 2—5. Wir sind uns dabei bewußt, daß diese Erörterung nur vorläufigen Charakter haben kann, da für weitergehende Untersuchungen, die nötig wären, keine Möglichkeit bestand.

Der Name *Caesar* war als Bezeichnung des Kaisers der karlingischen Zeit nicht fremd. Vor allem muß er der Volkssprache geläufig gewesen sein, wie unser Wort *Kaiser* (ahd. *keisur*, *keisor*, *cheiser*; as. *kêsur*) bezeugt. Die Vereidigung des Jahres 802 erfolgte *nominis cesaris*[21], und im Kaisertitel des Konzils von Reims (813) taucht das Wort ebenfalls auf[22]. Noch im Beginn des 7. Jahrhunderts war *Caesar* Bestandteil des byzantinischen Kaisertitels. Besondere Schlüsse wird man aber zunächst | nicht ziehen dürfen. Auch das Wort *invictissimus* war ein alter Ehrentitel des römischen Kaisers, und man könnte vermuten, daß mit seiner Verwendung ein Anklang an das Kaisertum der Antike beabsichtigt war, das in Byzanz fortlebte, ohne diesen letzteren Titel noch in der gleichen Form zu führen. Aber er ist auch in Papstbriefen des 8. Jahrhunderts den Frankenkönigen beigelegt worden[23], und Erzbischof Odilbert von Mailand hat Karl noch 809/812 so angeredet[24].

Gewißheit bringt erst die Formel *pius felix victor ac triumphator semper augustus*. Sie entspricht wörtlich dem Schluß (nach den Siegeragnomina) des byzantinischen Kaisertitels, wie er bis zur Zeit des Heraklius († 641) in lateinischer Übersetzung üblich war[25], bis auf das 806 fehlende Wort *inclitus*. Die entsprechende griechische Formel lautet εὐσεβὴς εὐτυχὴς ἔνδοξος νικητὴς τροπαιοῦχος ἀεισέβαστος αὔγουστος. Zuerst 629 taucht in Byzanz ein neuer, kürzerer Kaisertitel auf, der den Nachdruck auf die Bezeichnung βασιλεύς legt und die zitierte Formel nicht mehr enthält. Nur einzelne ihrer Bestandteile kommen noch gelegentlich vor. So ist es in lateinischer Sprache auch in Italien gewesen, wo z. B. im Formular I des Liber Diurnus die Titel *victor ac triumphator*[26] begegnen. Sie sind noch in den Briefen Leos III. an Karl den Großen[27] verwendet worden. Aber nicht aus solchen Einzelbestandteilen konnte man einen Titelschluß wieder zusammenstellen, der in Byzanz längst ungebräuchlich geworden war. Wir müssen viel-

[21] Cap. I, nr. 33 c. 2.

[22] Conc. II, S. 254.

[23] E. Ewig, Zum christlichen Königsgedanken im Frühmittelalter, in: Das Königtum, Hrsg. Th. Mayer (1956), S. 50.

[24] Cap. I, nr. 126.

[25] K. Brandi, Der byzantinische Kaiserbrief aus St. Denis. AUF 1 (1908), S. 34 f.

[26] Hrsg. Th. Sickel, S. 1.

[27] E. Caspar (wie Anm. 18), S. 170.

mehr ein Vorbild möglichst in lateinischer Sprache suchen, das ihn ganz enthält, und zwar ohne das Wort *inclitus*, wegen dessen Fehlens 806 die kaiserlichen Gesetzessammlungen nicht als Vorlage in Betracht kommen, die an den wenigen Stellen, die einen vollen Käisertitel überliefern, dieses Wort haben (vor *victor*).

Das gesuchte Vorbild ist tatsächlich erhalten: es ist das Constitutum Constantini. Hier lautet der Titel Konstantins: *Imperator Caesar Flavius Constantinus in Christo Jesu, uno ex eadem sancta trinitate salvatore domino Deo nostro, fidelis, mansuetus, maximus, beneficus, Alamannicus, Gothicus, Sarmaticus, Germanicus, Brittanicus, Hunicus, pius, felix, victor ac triumphator, semper augustus*[28]. Der Schluß nach den Triumphaltiteln gleicht also dem Schluß des Titels von 806 aufs Wort, mit Weglassung des sonst überall belegten *inclitus*. Man wird nunmehr | auch die Bezeichnung *Caesar* am Anfang dieses Titels ohne Bedenken auf das Vorbild der Konstantinischen Schenkung zurückführen dürfen.

Hieran schließt sich eine weitere Beobachtung. Auch die Adresse der Handschriften 2—6 ist in den Verlautbarungen Karls des Großen, soviel ich sehe, einmalig. Sie hat, so scheint mir, ihr Vorbild ebenfalls in der Konstantinischen Schenkung, wenn dies auch nicht ganz so offensichtlich ist wie beim Titel. Wir stellen gegenüber:

Mirbt, S. 110, c. 11.	Cap. I, S. 126 Anm. a.
cuncto populo Romano gloriae imperii nostri subiacenti	*cuncto populo Catholico praesenti ac futuro*
c. 13	
nosse volumus omnem populum universarum gentium ac nationum	*gentium ac nationum que sub imperio et regimine eius constitute sunt.*

Die wörtlichen Entlehnungen sind zu eigentümlich und sachlich zu gewichtig, als daß sie Zufall sein könnten, und in dem Relativsatz von 806 wird man getrost eine Umschreibung von *gloriae imperii nostri subiacenti* sehen dürfen, auch wenn eine wörtliche Übereinstimmung nicht vorliegt.

[28] C. Mirbt, Quellen zur Geschichte des Papsttums und des römischen Katholizismus ([4] 1924), S. 107.

Diese Entlehnungen[29] sind um so wichtiger, als sie dem Protokoll unseres Stückes angehören, das, wie wir glaubten vermuten zu dürfen, nachträglich hinzugefügt wurde und als noch eine andere Fassung des Protokolls existiert. Ganshof hat gezeigt, daß die wenigen Kapitularien, die Diplomform zeigen, diese Form in der Kanzlei erhalten haben[30]. Es ist also so gut wie sicher, daß wohlüberlegte Formulierungen gewählt wurden, die die Auffassung des Kaisers selbst vom Wesen seines Kaisertums zum Ausdruck bringen sollten.

Es ist dabei deutlich, daß nicht beabsichtigt gewesen sein kann, die Titulatur des Kaisers in Byzanz einfach zu übernehmen. Sie war seit langem eine ganz andere, und dies mußte am Hofe Karls bekannt sein. | Man griff vielmehr in die Vergangenheit zurück, wie man dies ja auch in der Siegel- und Münzprägung tat[31]. Man wählte

[29] Mir scheint, daß damit allen Datierungen der Konstantinischen Schenkung nach 806 (aufgezählt bei W. Ohnsorge, ZRG Germ. Abt. 68, 1951, S. 80, und bei R. Bork in: Festschrift Adolf Hofmeister, 1955, S. 51 Anm. 6) endgültig der Boden entzogen ist. Ein Exemplar muß 806 in Karls Kanzlei vorgelegen haben. Daß es 804 vom Papst überbracht wurde, ist wahrscheinlich; daß aber die Fälschung zu diesem Zwecke überhaupt erst hergestellt worden sei, glaube ich nicht. Vgl. W. Ohnsorge, Saeculum 5 (1954), S. 204, Anm. 79 am Schluß. Zur Datierung zuletzt W. Gericke, Wann entstand die Konstantinische Schenkung? ZRG Kan. Abt. 43 (1957), S. 1—88, der m. E. nicht in allem überzeugen kann. Soviel scheint immerhin sicher zu sein, daß mindestens ein Grundstock der Fälschung bereits nach der Mitte des 8. Jhs. entstanden sein muß. Auf ihn nimmt der viel erörterte Brief Hadrians I. von 778 (Cod. Carol. 60) Bezug. Nach dreimaliger Ergänzung lag nach G. das Ganze spätestens 797 fertig vor. Die Sachkenner mögen entscheiden, ob die angewandten Methoden die gezogenen Schlüsse rechtfertigen. Fraglich scheint mir dies in mancher Hinsicht für den Diktatvergleich zu sein. Wer will z. B. beweisen, gewisse Wendungen des Abschnitts 19 seien vor 759 „nicht möglich", auch in einer Fälschung nicht? (S. 34).

[30] wie Anm. 13, S. 36 f. mit Anm. 140.

[31] Die Münzen Karls ähneln am ehesten einem konstantinischen Vorbild; vgl. R. Gaettens, Jahrbuch f. Num. u. Geldgesch. 2 (1950/1), S. 11 f. u. Tafel III, 2—3. Dazu Schramm (wie Anm. 123), S. 37 f. Dort S. 39 über die Kaiserbulle.

den Titel Konstantins zum Vorbild, oder das, was man für den Titel Konstantins hielt, des ersten christlichen Kaisers des Römerreichs. Karl versetzte sich selbst in die Rolle des *Novus Constantinus*[32]. Er drückte damit den Gedanken aus, den auch die Inschrift der Rückseite seiner zweiten Bulle ausdrückt: *Renovatio Romani imperii*[33]. Eine Erneuerung des Römischen Reiches sollte stattfinden, eine Anknüpfung an die große Zeit Konstantins, der auch seinerseits das Reich erneuert hatte[34].

Der Titel *Romani rector imperii*, den wir bisher unberücksichtigt ließen, kann dies nur bestätigen. Er entstammt der Liturgie, und zwar dem gelasianischen Sakramentar[35], dessen fränkische Überlieferung der Zeit vor 750 angehört und somit im Jahre 806 als sehr alt, als vorgregorianisch-römisch betrachtet worden sein mag. Man wählte, offensichtlich bewußt, nicht Gebete zum Vorbild, die das Reich und seine Herrscher nicht mehr als nur römisch, sondern

[32] Als solchen hatte ihn schon Hadrian I. in einem Briefe von 778 bezeichnet. Epp. 3, S. 587.

[33] P. E. Schramm, Die Anerkennung Karls d. Großen als Kaiser. HZ 172 (1951), S. 494 mit Anm. 2. Zur Datierung W. Ohnsorge, Legimus, in: Festschr. E. E. Stengel (1952), S. 24, und P. E. Schramm, Herrschaftszeichen und Staatssymbolik I (1954), S. 297 ff. Die Vorderseite zeigt übrigens u. a. die Buchstaben PFPPAVG, d. h. pius felix perpetuus augustus. Die Berührung mit dem Kaisertitel von 806 ist deutlich.

[34] Vgl. hierzu E. Ewig, Das Bild Constantins d. Gr. im frühen Mittelalter. Hist. Jb. 75 (1956), S. 1—46. Ders. sagt in dem Anm. 23 zitierten Aufsatz, S. 11: „Der erste christliche Kaiser ist damit ebenso wie Paulus, Moses und David zum Typos des christlichen Kaisertums geworden. Er trat so als zweiter Reichsgründer neben Augustus."

[35] G. Tellenbach, Römischer und christlicher Reichsgedanke in der Liturgie des frühen Mittelalters. SB Heidelberg, phil.-hist. Kl. 25 (1935), S. 56 nr. 8, S. 63 nr. 22. Demgegenüber dürfte die Formel *rector regni Francorum*, die Cap. I, nr. 19 (769) und 22 (789) vorkommt, wozu auch der längere Prolog der Lex Salica zu vergleichen ist, auf die Formulierung von 806 kaum von Einfluß gewesen sein. Sie mag sie allenfalls erleichtert haben. Wichtiger ist, daß Alkuin 798 Karl *dominus et rector* nennt, denn im gleichen Briefe spricht er vom *orbis christiani imperii, quod divina pietas tibi tuisque filiis commisit regendum atque gubernandum.* Epp. 4, S. 241.

zugleich oder sogar ausschließlich als fränkisch oder christlich bezeichneten, obwohl nicht wenige Formulierungen dieser Art zur Verfügung gestanden hätten und Alkuin im Zuge der Liturgiereform Karls des Großen für die Reichsbegriffe regelmäßig statt der römischen oder fränkischen Benennung die christliche eingeführt hatte[36]. Der absichtliche Rückgriff auf | das römische Altertum ist also auch hier deutlich. Aber dennoch ist dieses Reich natürlich ein christliches, es ist nicht das Römische Reich schlechthin, sondern das römische Reich der Liturgie als der Kern des orbis christianus[37]. Das *Romanum imperium* des Kaisertitels von 806 erscheint damit dem *Christianum imperium* Alkuins angenähert.

Galt das Reich Karls somit 806 als das erneuerte römisch-christliche Reich Konstantins, so war es doch keineswegs ein *imperium Romanorum*. Wir ersehen dies in erster Linie aus der Adresse. Karl wendet sich an den *cunctus populus catholicus* und nicht an den *cunctus populus Romanus*, wie in der Vorlage, dem Constitutum Constantini, gestanden hatte. Die „Reichsvolktheorie" H. Beumanns[38] erhält damit eine gewichtige Stütze. Das Reich umfaßt nach der Formulierung von 806 die Christen, den *cunctus populus catholicus*, der Völker, *gentium ac nationum*, die der Herrschaft Karls unterworfen sind, *que sub imperio et regimine eius constitute sunt*. Das führende Volk aber sind die Franken. Noch vor dem Titel *Romani rector imperii* steht der Titel *rex Francorum invictissimus*, in betonter Abweichung von der Reihenfolge des sonst üblichen Kaisertitels Karls, und es ist gewiß nicht unwesentlich, daß *et Langobardorum* entfallen und *invictissimus*, auf den Frankenkönig bezogen, an seine Stelle getreten ist, wohl doch in Anspielung auf die Siege der Franken über andere Völker[39]. Der Begriff dieses *Romanum imperium* ist nicht regional, es werden nicht *provinciae*

[36] Tellenbach, S. 19 ff., 26. Hierzu zu stellen ist Alkuins Bezeichnung *rector populi christiani* für Karl, Epp. 4, S. 288 (von 799), im Gegensatz zur Auffassung des Kaisers als *gubernator imperii* ohne nähere Kennzeichnung der Art dieses Reiches.

[37] Tellenbach, S. 10 ff.

[38] WaG 10 (1950), S. 121 ff. Ders., Romkaiser und fränkisches Reichsvolk, in: Festschr. E. E. Stengel (1952), S. 157—180.

[39] So ist mit Sicherheit das ständige Prädikat *invictus* der Metzer

und ihre *sedes* genannt wie in den Libri Carolini und in den Annales Laureshamenses[40], sondern „gentil", es umfaßt *gentes ac nationes*, von denen aber nur die Franken namentlich genannt werden, als Reichsvolk, das in Kapitel 20 unseres Textes als *Deo amabilis populus noster* bezeichnet wird.

Es kann danach keine Rede davon sein, daß Karl 806 sein Kaisertum nur als Herrschaft über Rom und das römische Italien aufgefaßt habe. Daß es ihm als schlechthin universal erschienen sei, wird man allerdings daraus nicht folgern dürfen. Die Auffassung des *imperium* als einer Herrschaft über viele Völker tritt auch in der Konstantinischen Schenkung entgegen. Neben die bereits zitierte Stelle aus Abschnitt 13 *populum universarum gentium ac nationum* treten andere: *omnium populorum in universo orbe terrarum; omnem populum et diversas gentium nationes; omnem populum universarum gentium ac nationum per totum orbem terrarum; omnis populus et gentium nationes in | universo orbe terrarum*[41]. Karl spricht die Völker an, *que sub imperio et regimine eius constitute sunt.* Man kann zwar aus dieser Wendung allein nicht entnehmen, in welcher Erstreckung der Machtbereich Karls gedacht wird, sein *imperium et regimen*[42] könnte dem Anspruch nach als über den ganzen orbis christianus ausgedehnt vorgestellt sein. Aber der Vergleich mit der Vorlage ergibt das Gegenteil. Hier ist vom *universus* oder *totus orbis terrarum* die Rede, von den *universae gentes ac nationes*, von *omnes populi*; *omnis populus et diversae gentium nationes* besagt nichts anderes. An anderer Stelle wird *universus populus in toto orbe terrarum nunc et in posterum cunctis retro temporibus imperio nostro subiacens* gesagt[43]. Das ist wirklicher Universalismus. Karls Anspruch aber wird eingegrenzt, er

Annalen gemeint; Ann. Mett. pr., hrsg. von Simson, S. 5 Anm. 1. Wir kommen hierauf zurück.

[40] Conc. II Suppl., S.1 . SS 1, S. 38.

[41] Mirbt, S. 107, c. 2; S. 108, c. 5; S. 110, c. 13; S. 111, c. 14.

[42] „Machtbereich des Kaisers und Königs" wird man schwerlich übersetzen dürfen, vgl. c. 20 *in regimine atque ordinatione*, erst dann folgt *et omni dominatu regali atque imperiali.*

[43] Mirbt, S. 112, c. 19.

erstreckt sich auf den *cunctus populus catholicus* nur insoweit, als die christlichen Völker[44] in sein *imperium et regimen* einbegriffen sind. Es erscheint mir ausgeschlossen, daß man die Möglichkeiten der Vorlage nicht ausgenützt hätte, wenn ein universaler politischer Anspruch hätte angemeldet werden sollen. Aus dieser Selbstbeschränkung spricht vielmehr deutlich die Rücksicht auf Byzanz. Angestrebt wurde 806 nicht universale Herrschaft, sondern Koexistenz mit dem östlichen Kaisertum, allerdings wohl unter Wahrung eines Ranganspruchs, dessen innere Überlegenheit Einhard später nochmals zu begründen suchte[44a]. Der Weg zu dieser Lösung führte über die Prätention, das römische Kaisertum Konstantins sei im Westen erneuert worden. Dies setzte voraus, daß es der Erneuerung bedürftig war, daß also das Kaisertum des angeblich „neuen Rom" im Osten als legitime Fortsetzung des konstantinischen nicht mehr gelten konnte[45]. Von dieser Basis aus war zu verhandeln. Daß man dabei zu Kompromissen geneigt sein würde, ließ die Beschränkung des beanspruchten Herrschaftsraumes schon jetzt durchblicken[46]. |

Ich sehe nicht, wie man die Meinung aufrechterhalten will, im Reichsteilungsprojekt von 806 habe das Kaisertum gar keine Er-

[44] Auch im Constitutum Constantini wird stillschweigend vorausgesetzt, daß die angesprochenen Völker des Erdkreises christlich sind. Es bliebe zu untersuchen, wie weit hier und 806 die Vorstellung des corpus Christi als der Gesamtheit der gläubigen Völker eingewirkt hat, wie sie bei Isidor zum Ausdruck kommt; vgl. H. Löwe, Von Theoderich dem Großen zu Karl dem Großen. DA 9 (1952), S. 365, Anm. 47. Seit der Zeit Konstantins galt in der Tat die kaiserliche Herrschaft als eine Herrschaft über gentes. Oder wurde etwa germanisch-fränkischen Anschauungen Rechnung getragen? Beides läßt sich vereinigen.

[44a] c. 28; dazu H. Beumann, HZ 180 (1955), S. 479 mit Anm. 1.

[45] Zur geistigen Vorbereitung dieser politischen Position vgl. den soeben zitierten Aufsatz Löwes.

[46] W. Ohnsorge, Jb. d. Ges. f. niedersächs. Kirchengesch. 48 (1950), S. 27 charakterisiert die „universale Kaiseridee" treffend als „Kampfmittel". Ich möchte übrigens nicht behaupten, daß die Selbstbeschränkung von 806 schon für die Jahre unmittelbar nach der Kaiserkrönung zugetroffen haben müsse.

wähnung gefunden, es sei mit Schweigen übergangen worden, es sei von ihm nicht die Rede, vom Kaisertitel sei nichts verlautet und wie die Formulierungen sonst lauten mögen. Ich glaube daher nicht, daß über die Einstellung Karls zum Kaisertum aus der Divisio nichts Sicheres erschließbar sei. Die Verwendung eines vom üblichen abweichenden, kunstvoll und wohlerwogen aus Elementen verschiedener, aber immer bedeutungsvoller Herkunft zusammengefügten Kaisertitels besagt das Gegenteil: gerade bei der Formulierung dieses Reichsgrundgesetzes muß Karl sich besonders intensiv mit dem Kaisertum beschäftigt haben, und die Meinung, die er sich darüber gebildet hatte, muß uns erkennbar sein. Die Divisio regnorum scheint mir infolgedessen eine der wichtigsten Quellen für die Erkenntnis des Wesens des Kaisertums Karls des Großen zu sein, wozu allerdings einschränkend zu sagen ist, daß die Anschauungen des Jahres 806 nicht die Anschauungen des Jahres 800 gewesen sein müssen.

6.

Aber was bisher ausgeführt wurde, ist nur die halbe Wahrheit. Wir haben ja noch die andere, im Londoner Fragment erhaltene Fassung des Protokolls. Setzt man voraus, der zu diesem Protokoll gehörige Kontext habe denselben Wortlaut gehabt wie der in den Handschriften 2—6 überlieferte, und es bleibt uns nichts als diese Annahme, da wir eine andere Überlieferung nicht haben und das Londoner Bruchstück des Prooemiums dem Text der anderen Handschriften immerhin wörtlich gleicht, so ergibt sich ein ganz anderes Bild, und es könnte scheinen, als sei den Stimmen der gekennzeichneten Art eine gewisse Berechtigung nicht abzusprechen. Wenn Karl in der Intitulatio *Romanum imperium gubernans* heißt, so widerspricht dies dem Gesagten nicht: wenn schon Diplomform gewählt wurde, mußte der übliche Kaisertitel automatisch erscheinen.

Allerdings hätte, auch wenn man allein von dieser Fassung ausging, von vornherein Aufmerksamkeit erwecken müssen, daß im Kontext der Divisio das Reich wiederholt als *imperium vel regnum*, *regnum atque imperium* bezeichnet wird. Karl nennt sich ferner, auch wenn man von der Intitulatio absieht, *imperator ac rex* und spricht von seinem *dominatus regalis atque imperialis*[47]. Man muß diese Wendungen folgerichtig vom Kaisertitel des Protokolls aus beurteilen, der der übliche, das Königtum neben das Kaisertum stellende ist, und *imperium vel regnum* kann dann nicht einfach als Hendiadyoin gemeint sein, als ab-|strakter Ausdruck für Herrschaft oder Reich schlechthin; für den *imperator ac rex* und seinen *dominatus* ist dies ohnehin klar. Unerwähnt bleibt also das Kaisertum auch im Kontext der Divisio keineswegs. Wenn im Prooemium die *post nostrum ex hac mortalitate discessum a Deo conservati et servandi imperii vel regni nostri heredes* genannt werden, so wird vielmehr die Fortdauer nicht nur des *regnum,* sondern auch des *imperium* nach Karls Tod vorausgesetzt, und man wird danach nicht vermuten dürfen, Karl habe das Kaisertum als nur ihm persönlich übertragen aufgefaßt. Aber eine Bestimmung über die Art dieser Fortdauer vermißt man in der Tat. Wenn man sie allein aus dem Text zu erschließen versucht, so kommt man zu Ergebnissen, die allen unseren üblichen Anschauungen vom Kaisertum widersprechen. Nach Kapitel 1 wird das *imperium* wie das *regnum* geteilt, es ist ein flächenhaft sich ausdehnendes Gebilde, mit dem *regnum* identisch[48]. Über *regnum atque imperium* erstreckt sich nach Kapitel 20 gleichmäßig die *potestas nostra,* nämlich des *imperator ac rex,* der *dominatus regalis atque imperialis,* und man wird folgern, daß wie das Gebiet so auch diese Herrschaftsgewalt beim Tode des Herrschers geteilt oder vielmehr nach germanischer Rechtsanschauung zu gesamter Hand ausgeübt werden sollte, ohne daß dabei allerdings vom *nomen imperiale* die Rede wäre. Dem würde entsprechen, daß nach Kapitel 15 die Brüder die *cura et defensio ecclesiae sancti Petri* ebenfalls gemeinschaftlich *(simul)* handhaben sollten, eine Aufgabe, die 806, nachdem der Titel des *patricius* aufgegeben worden war, gewiß als spezifisch kaiserlich anzusehen war. Also ein gesamthänderisch ausgeübtes Kaisertum? Dies wird niemand glauben wollen, und in der Tat sind die Folgerungen, die wir für einen Augenblick gezogen haben, in dieser Form falsch oder doch schief.

[47] Prooemium, c. 1, c. 20.

[48] Dies ist übrigens ein erneuter Beleg dafür, daß 806 unter *imperium* nicht etwa nur Rom und das römische Italien verstanden wurden.

7.

Der im Kapitel 15 geregelte Kirchenschutz ist nämlich nach Auffassung der Divisio gar nicht kaiserlich, sondern Karl greift an dieser Stelle ausdrücklich in die vorkaiserliche Zeit zurück, er beruft sich auf den Kirchenschutz, wie ihn einst Karl Martell und Pippin übernommen haben und wie er selbst ihn später *(postea)* übernommen hat *(a nobis suscepta est)*. Mit der Übernahme des Kaisertums im Jahre 800 hat dies gewiß nichts zu tun. Man darf vielmehr vermuten, daß Karl den Kirchenschutz nach dem Vorbild des Jahres 768 ordnete, indem er ihn nach Pippins Tod „übernahm". Daß er sich der Reichsteilung dieses Jahres erinnerte, war, wie bereits angedeutet wurde, gewiß naheliegend, wenn er selbst das Reich zu teilen beabsichtigte; in Kapitel 4 wird ja auch ausdrücklich auf sie zurückgegriffen. Karl und Karlmann waren seit 754 | *patricii*[49], nach dem Tode Pippins führten sie in den Papstbriefen beide den Titel unverändert weiter[50]. Es ist nicht anzunehmen, daß dieser Patriziat den Schutz der römischen Kirche ipso iure einschloß. Aber Karlmann jedenfalls hat ihn trotzdem ausgeübt, wie Papst Stephan III. bezeugt: *victoriam vobis de caelo pro suae sanctae ecclesiae defensione tribuat*[51], und Karl sagt selbst, er habe ihn übernommen, was doch wohl als vom Vater übernommen interpretiert werden muß, nicht etwa erst 771 vom Bruder; ein direktes Zeugnis fehlt leider, soviel ich sehe. Daß er den Schutz erst 774 übernommen habe, daß wir also 771 bis 774 sozusagen mit einer Lücke zu rechnen hätten, vermag ich nicht zu glauben. Alles spricht vielmehr dafür, daß der Schutz der römischen Kirche 768 automatisch auf die Söhne Pippins überging, die ihn nunmehr zu gesamter Hand ausübten. Auf die Art der 754 zwischen dem

[49] SS. rer. Merov. 1, S. 465: *in regem et patricium una cum predictis filiis Carolo et Carolomanno in nomine sanctae Trinitatis unctus et benedictus est.* Vgl. die Titulatur in den Briefen des Codex Carolinus nr. 6, 9, 26, 33, 35; Epp. 3, S. 488, 498, 530, 539, 542. Dazu ebenda, S. 505, Abs. 2, S. 535 unten und S. 556 unten.

[50] Nr. 44, 45, 46, 47, 48; S. 558, 560, 564, 565, 566; dazu S. 559 oben *Dei providentia nostri Romanorum patricii.*

[51] Ebenda, S. 566.

Papst und Pippin getroffenen Abmachungen läßt dies vielleicht einen Rückschluß zu.

Aber nicht auf diese nahm Karl Bezug, obwohl die Regelung von 806 der von 768 genau entsprach. Er berief sich vielmehr auf einen Schutz der römischen Kirche, den schon Karl Martell übernommen hatte. Wir wissen über ein Schutzversprechen Karl Martells sonst nichts, mit Sicherheit ist nur bekannt, daß Karls Schutz von Gregor III. dringend erbeten worden ist[52] und daß schon Gregor II. ihn einmal als *patricius* bezeichnet hat[53], worauf indes wenig Wert zu legen ist, da es sich sicherlich in herkömmlicher Weise um eine bloße Rangbezeichnung handelt. Ob ein wie immer geartetes Schutzverhältnis zu seiner Zeit tatsächlich bestanden habe, mag dahingestellt bleiben[54]. Praktisch ist dieser Schutz jedenfalls nicht geworden, er hat den Hausmeier zu tatkräftiger Unterstützung des Papstes nicht veranlassen können, und einen zeitgenössischen Niederschlag in den Quellen hat er nicht gefunden. Um so erstaunlicher ist es, daß Karl der Große sich 806 auf ihn beruft. Man kann sich des Eindrucks nicht erwehren, daß der Kaiser an dieser Stelle nicht nur die Vorgänge des Jahres 800, sondern auch die der Jahre 751/754 absichtlich ignorierte und das Verhältnis der Frankenherrscher zur römischen Kirche als in einer Zeit entstanden hinstellte, von der auch er in bezug auf diese Dinge doch anscheinend nur dunkle Kunde hatte. Auch die Wendung *quantum ad ipsos pertinet et ratio postulaverit* zeugt | von einer wohlüberlegten Zurückhaltung, die vom Überschwang der Papstbriefe, die er im Codex Carolinus hatte sammeln lassen, auffällig absticht.

8.

Noch an einer anderen Stelle greift Karl weit zurück. Die Adresse der Handschrift 1 lautet *omnibus fidelibus sanctae Dei aecclesiae*

[52] E. Caspar, Pippin und die römische Kirche (1914), S. 1 ff.

[53] Epp. 3, S. 274.

[54] J. Haller, Das Papsttum, 1. Bd. (^{2}1950), S. 360 möchte sein Bestehen für wahrscheinlich halten.

ac nostris praesentibus scilicet et futuris. Sie taucht, wie gesagt, in der Zeit Karls des Großen in der Form der Publikation nur noch in zwei Urkunden gleichen Formulars aus dem Jahre 799 auf[55]; erst in der Zeit Ludwigs des Frommen wird sie häufiger, um dann als Adresse oder Publikation bis in die Stauferzeit hinein immer wieder zu begegnen[56].

Man könnte versucht sein, den Ursprung der Formel in der päpstlichen Kanzlei zu vermuten. *Fideles sanctae Dei ecclesiae et nostri* begegnen in einem Briefe Pauls I. an Pippin von 764 und in einem Briefe Stephans III. an Bertrada und Karl den Großen von 771[57]; Anspruch auf Vollständigkeit der Belege erhebe ich natürlich nicht. Gemeint sind in beiden Fällen die weltlichen Getreuen des römischen Stuhls, was besonders dadurch deutlich wird, daß der zweite Beleg sie neben den *clerus noster* stellt. 783 heißt es dann in einem Briefe Hadrians I. an Karl: *qui prumpti fideles eiusdem Dei apostoli sunt, et vestri felicissimi regni fideles sunt*[58]. Es könnte also scheinen, als würden die Getreuen St. Peters, d. h. des werdenden „Kirchenstaats", dem Frankenkönig, der zugleich *patricius Romanorum* war, sozusagen zur Verfügung gestellt; man müßte die Formel von 799 und 806 dann auf diese rechtlich von den fränkischen und langobardischen zu unterscheidenden *fideles* Karls beziehen. Aber dazu will schlecht passen, wenn Hadrian fortfährt: *pariter et qui eius inimici esse videntur, vestri procul dubio inimici sunt.* Ein viel allgemeinerer, viel erörterter Gedanke wird ausgedrückt, den schon Paul I. 764 ausgesprochen hatte: *vestri amici sanctae Dei ecclesie et nostri existunt et hi, qui inimicitias contra vos machinantur, profecto inimici sanctae Dei ecclesiae et nostri esse conprobantur*[59]. Schon damals wurden im gleichen Satze die *amici et fideles sanctae Dei ecclesiae* zusammengestellt, und so kann es nicht verwundern, wenn Hadrian 778 die Franken als *fideles* des hl. Petrus und des fränkischen Königs bezeichnet: *pro cunctis Francis, fidelis* (= fidelibus) *beati Petri apostoli atque vestris*[60]. Die Frankenkönige ihrerseits wurden 755 als *fideles et defensores sanctae suae* (sc. redemptoris nostri) *ecclesiae*, 761/66 als *fideles Deo et beato Petro* ange-

[55] DK d. Gr. 188 f. Nr. 207 ist Fälschung des 10. Jh.

[56] H. Helbig, wie Anm. 20.

[57] Codex Carolinus, nr. 29, 48; Epp. 3, S. 535, 567.

[58] Ebenda, nr. 75, S. 606.

[59] Ebenda, nr. 29, S. 534. Vgl. auch nr. 45, S. 562.

[60] Ebenda, nr. 60, S. 586.

redet[61], und dies rückte sie bereits in bedenkliche Nähe der Formel *fidelis beati Petri et noster*, die 776/80 auf den Bischof Mauricius von Istrien angewendet wurde[62]. Ein weiterer Schritt auf diesem Wege wird 770/71 erkennbar, wenn von Pippin gesagt wird: *promittens ... Deo et beatę Petro atque eius vicario ... fidelitatem ...*[63] |

Es ist hier nicht der Ort, auf das Spiel einzugehen, das in diesen Briefen mit dem in seiner Bedeutung und in seinem Rechtsinhalt schillernden Worte *fidelis*[64] offensichtlich getrieben wird, auch nicht auf die absichtliche Verwechslung der Subjekte, denen *fides* oder *fidelitas* zu erweisen ist: St. Peter, die sancta Dei ecclesia und der Papst selbst, der durch das Possessivpronomen *noster* eingeführt wird[65]. Es wären dazu umfassendere Studien nötig, als sie hier geleistet werden können und als sie auch in unserem Zusammenhange nötig sind. Sicher ist, daß die Wendung *fideles sanctae Dei ecclesiae et nostri* in den Papstbriefen des Codex Carolinus nicht vor 764 auftaucht, und in der für die Divisio von 806 und die beiden Urkunden von 799 so charakteristischen Stellung in der Adresse oder Publikation ist sie hier überhaupt nicht bezeugt. Nach der Art dieser Quellen ist dies auch gar nicht möglich: es handelt sich nicht um Urkunden, sondern um Briefe mit bestimmtem Empfänger. Es läßt sich indes in diesen Briefen verfolgen, wie die Verschmelzung geistlicher und weltlicher Elemente im Begriffe der *fides*, die sich zur *fidelitas* wandelt, allmählich fortschreitet, so daß sie schließlich nicht nur Gott und seiner heiligen Kirche sowie dem Apostelfürsten Petrus, sondern auch dem Papste als Gottesvikar und zugleich doch als dem Herrn Roms und des römischen Italien, vielleicht sogar als Quasikaiser der *occidentales regiones* gemäß der Gedankenwelt des Constitutum Constantini[66], geschuldet wird. Bedeutet *fides* zunächst in den Papstbriefen noch im antiken Sinne Zuverlässigkeit, redliche Gesinnung, Vertragstreue, was im Verhältnis zu den Frankenkönigen besonders wichtig war, daneben natürlich Glaubensfestigkeit und den Glauben selbst, sind also die *fideles* oder *fidelissimi missi* der Könige von den *fideles filii* der Kirche noch deutlich zu unterscheiden, so findet durch das Hinzutreten eines dritten Elements, der germanischen Treue, wie sie besonders im Gefolgschaftsgedanken

[61] Ebenda, nr. 7, S. 491; nr. 33, S. 540.

[62] Ebenda, nr. 63, S. 590.

[63] Ebenda, nr. 45, S. 562.

[64] Vgl. Anm. 20.

[65] Vgl. hierzu in anderem Zusammenhang Caspar (wie Anm. 52), S. 168, 171.

[66] Ewig (wie Anm. 34), S. 31 f.

ausgeprägt war, offenbar unter fränkischem Einfluß eine Vermengung der Begriffe statt, die schließlich zu ihrer Verschmelzung führte. Schon die mit *puritas* und *amor* gepaarte *fides* gegen den Apostelfürsten, auf die 739 Karl Martell angesprochen wird[67], wird eine solche Vermengung andeuten, während im nächsten Briefe *fides* als Glaubensinhalt und als redliche Gesinnung, verbunden mit dem *bonum nomen*[68], wieder klar geschieden sind und der Treuegedanke nicht anklingt. Diese Scheidung ist auch weiterhin zu beobachten, etwa 755 der Vertragstreue, wiederum in Verbindung mit dem *bonum nomen*[69], vom Glauben, der durch die Werke gerechtfertigt wird[70]. Die Beispiele ließen sich leicht vermehren. Aber 755 ist zugleich von der *fides beati Petri* die Rede, von der *fides, quam erga eundem principem apostolorum colitis*[71], und man fragt sich, was hier eigentlich gemeint sei. Der nächste Brief stellt *fideles et defensores* zusammen, die *vere fideles Deo* beeilen sich, für die Verteidigung der Kirche die Waffen zu ergreifen[72]. Es wird ein Verhältnis vorgestellt, auf das ein Brief Stephans II. von 757 Licht wirft, wenn er vom Langobardenkönig Desiderius sagt: *fidelem erga Deo protectum regnum vestrum esse testatus est*[73]. Ein Verhältnis „außen- | politischer" Abhängigkeit nach verlorenem Krieg ist hier unter den Begriff einer Fidelität gebracht, die nur in der germanischen Vorstellungswelt wurzeln kann.

Fidelis ist schon im Merowingerreich derjenige, der einer nach meiner Meinung gefolgschaftlich gedachten Herrschaft des Königs unterworfen ist, wobei aus der eigentlichen Königsgefolgschaft der Frühzeit ein engerer, mit besonderen Aufgaben betrauter Kreis der *fideles* entstand; doch bleibt die allgemeine Bedeutung stets erhalten[74]. Die Möglichkeit der Ausweitung auf außenpolitische Abhängigkeitsverhältnisse ergibt sich aus dem Gefolgschaftsdenken der Zeit. Aber sie ist Ausnahme; die Regel ist die Treubindung der Reichsangehörigen. Sie war in Rom 740 durchaus bekannt. Gregor III. bezeichnet damals den Überbringer eines Briefes Karl

[67] Cod. Carol. nr. 1; Epp. 3, S. 477.

[68] nr. 2, S. 478, 479.

[69] nr. 7, S. 491.

[70] nr. 6, S. 490; nr. 7, S. 493.

[71] nr. 6. S. 488, 489.

[72] nr. 7, S. 491.

[73] nr. 11, S. 506.

[74] D. v. Gladiß, Fidelis regis. ZRG Germ. Abt. 57 (1937), S. 442—451. Dazu Waitz, VG II 1 ([4]1953), S. 346 ff. mit Belegen für nichtkönigliche *fideles*, die für den Ursprung der Fidelität wichtig sind.

Martells einfach als *fidelis vester*[75]. Die antike Bedeutung des Wortes, die in der Verbindung *fidelis missus*[76] noch unterstellt werden kann[77], ist hier durch eine neue Bedeutung germanisch-fränkischen Ursprungs ersetzt. Sie erst ermöglichte einen Gebrauch, wie er 760 (Kehr: 764) bezeugt ist: *quidem sincerissimi fideles spiritalis matris vestre, sanctae nostrae ecclesiae* berichten über eine byzantinische Flottendrohung[78]: die bloße Zuverlässigkeit kann diese Kundschafter nicht in ein so nachdrücklich hervorgehobenes enges Verhältnis zur Heiligen (römischen!) Kirche bringen, sondern hier wird eine Bindung vorausgesetzt, die derjenigen der *fideles* des Frankenkönigs entspricht[79]. Nur so ist es erklärlich, daß 758/63 (Kehr: 758) der Frankenkönig als *obtimus fidelis beati Petri* bezeichnet wird[80], mit einer Wendung, die alle Möglichkeiten offen ließ, und daß schließlich 764 der Papst selbst sich an die Spitze der *fideles* der römischen Kirche stellt, wenn er von *fideles sanctae Dei ecclesiae et nostri* spricht.

9.

Es ist von entscheidender Wichtigkeit, daß diese Entwicklung nicht möglich gewesen wäre ohne Einfluß vom Frankenreich her; sie gehört in den großen Prozeß der Germanisierung der Kirche im frühen Mittelalter. Nicht in Rom, sondern im Frankenreiche haben wir den Ursprung der Formel zu suchen, die uns beschäftigt. Hier finden wir in der Tat die Wendung *cognuscat omnium fidelium Dei et nostrorum ... sagacetas* bereits in der Publikation einer Urkunde Pippins von 755 für St. Denis, an deren Echtheit nicht zu zweifeln ist[81]. Man kann diesen Beleg bei der Spärlichkeit der Überlieferung aus dieser Zeit nicht als „vereinzelt" abtun, schon

[75] nr. 2, S. 479.

[76] nr. 2, S. 478 *(fidelissimus);* nr. 4, S. 487.

[77] Vgl. nr. 4, S. 487; *fidelis enim tuus est et prudenter reportat responsa.*

[78] nr. 20, S. 521.

[79] Es sei ausdrücklich bemerkt, daß für die im germanischen, auch im merowingisch-fränkischen Bereich nie ganz erloschene Gegenseitigkeit des Treueverhältnisses im kirchlichen Denken kein Raum war.

[80] nr. 24, S. 528.

[81] DP 8. Es handelt sich um eins der wenigen erhaltenen Originale Pippins.

wegen des Zeitpunkts der Ausstellung nicht, einen Tag nach dem ersten Jahrestag der Salbung Pippins durch den Papst in St. Denis, | so daß die Handlung am Jahrestage des Ereignisses selbst stattgefunden haben wird, das aufs engste zusammengehört mit dem Abschluß des Bundes Pippins mit der römischen Kirche. Die Erwähnung allein von *fideles* in der Publikation einer Urkunde Pippins würde in keiner Weise befremdlich erscheinen. Sie ist zwar vor 755 in seinen Diplomen nicht überliefert, wohl aber die von *proceres*[82], und mit den *proceres* werden 752 die *fideles* gleichgesetzt: *una cum proceribus nostris vel fidelibus*[83], wie es schon in merowingischen Urkunden der Fall war[84]. 762 erscheinen dann die *fideles* auch wirklich in der Publikation[85]. Völlig neu aber ist 755, soviel ich sehe, die Zusammenordnung mit den *fideles Dei.* Auch die Merowingerzeit hatte in Urkunden den Begriff der *fideles Dei* gekannt: *Creatur omnium Deus delectatur oblacione fedilium, licet ipsi cunctis domenatur* heißt es in einem Diplom Childeberts III. von 695[86]. Mit den *fideles regis* aber sind sie nicht zusammengestellt worden.

Diese Zusammenordnung besagte nichts anderes, als daß unter dem Einfluß germanischen Gefolgschaftsdenkens alle diejenigen, die die fränkischen Könige herkömmlicherweise als ihre *fideles* zu bezeichnen pflegten, als in einem besonderen Verhältnis der Fidelität auch zu Gott stehend gedacht wurden, und umgekehrt die *omnes fideles Dei*, die Gläubigen Gottes, als *fideles*, Getreue, des fränkischen Königs beansprucht wurden. Die Gefolgschaft des Königs ist also zugleich die Gefolgschaft Gottes und umgekehrt. Herbert Helbig hat die Doppelseitigkeit und Doppeldeutigkeit dieses Verhältnisses für die spätere Zeit dargestellt[87]. Es konnte zu einer Steigerung des, wohl auch im Anschluß an germanische Heilsvorstellungen, in die kirchliche Sphäre erhobenen Königtums bis zum

[82] DP 3.

[83] DP 1.

[84] v. Gladiß (wie Anm. 74), S. 445, Anm. 2.

[85] DP 15.

[86] D Merov. 67.

[87] Vgl. Anm. 20.

Anspruch der Entscheidungsgewalt auch in Glaubensfragen, aber auch zu seiner Minderung bis zu einem Aufsichtsrecht der Amtsträger der Kirche über den König führen, was allerdings 755 noch in keiner Weise zu übersehen war. Der Schluß liegt nahe, daß die Vorgänge von 754, die Übernahme des Schutzes der römischen Kirche durch den fränkischen König, der Anlaß waren, eine so anspruchsvolle, aber auch gefährliche Formel, die *regnum* und *ecclesia* in eins verschmolz, in eine Urkunde für St. Denis aufzunehmen. Die neue Stellung, die das fränkische Königtum durch seine Verbindung mit der römischen Kirche erlangt hatte, wurde in ihr auf germanisch-fränkische Weise ausgedrückt. Zugleich aber wurde umgekehrt das germanisch-fränkische Königtum Pippins in entscheidender Weise verkirchlicht, indem ihm der Platz an der Spitze der Christenheit zugesprochen wurde. |

Der Empfänger der Urkunde ist für unsere Erwägungen nicht unwichtig. Abt Fulrad von St. Denis ist in diesen Jahren wiederholt in wichtigsten Missionen in Rom gewesen, auch bei der berühmten Anfrage von 751; ihm waren die schwierigen Probleme des Verhältnisses Pippins zur römischen Kirche bestens vertraut. Der Rekognoszent und Notar Eius, der die Urkunde geschrieben hat, ist nur in Ausfertigungen für St. Denis nachzuweisen[88], und eine ältere Urkunde des Klosters aus Pippins Hausmeierzeit diente der unsrigen als Vorlage. Wir haben also nicht nur mit Empfängerdiktat zu rechnen, sondern es scheint mir erwiesen zu sein, daß die in Compiègne datierte Urkunde in St. Denis konzipiert wurde. In St. Denis hatte der Papst 754 monatelang sich aufgehalten, hier hatte er schließlich Pippin und seine Söhne gesalbt; hier aber teilte auch der König später sein Reich und hier wurde er begraben. St. Denis war in der Zeit Pippins das fränkische Königskloster schlechthin, und hier mußte man dem Wesen des fränkischen Königtums besondere Aufmerksamkeit schenken. Es ist somit mehr als wahrscheinlich, daß wir in St. Denis den Ursprung der Formel suchen müssen, die Karl der Große 799 und 806 wiederaufnahm. Das aber würde sozusagen zwangsläufig bedeuten, daß Fulrad ihr Urheber war.

[88] DP 6, 8, 12.

Des römischen Vorbilds bediente er sich dabei nicht. Hier wurde, wie wir sahen, die Zusammenfügung der *fideles* der Kirche Gottes mit denen des Papstes erst später vorgenommen, und es ist nicht von *fideles Dei,* sondern von *fideles sanctae Dei ecclesiae*, das ist in den Papstbriefen immer die römische Kirche St. Peters, die Rede. Eher könnte man umgekehrt eine Einwirkung der fränkischen auf die päpstliche Formel vermuten. Daß man sich ihrer Bedeutung bewußt war, geht daraus hervor, daß sie in den fränkischen Urkunden zunächst einmalig bleibt, soweit die Trümmerhaftigkeit der Überlieferung solche Schlüsse zuläßt. In Rom konnte die Gedankenwelt, aus der sie allein zu deuten ist, schwerlich verborgen bleiben. Ganz abgesehen davon, daß wir die nach Rom gerichteten Botschaften Pippins nicht besitzen, so daß die Möglichkeit nicht ausgeschlossen werden kann, daß die Formel in ihnen enthalten war, ist nicht anzunehmen, daß Fulrad über den mit ihr verknüpften Anspruch in Rom beharrlich schwieg, und man wird diesen dort nicht gern zur Kenntnis genommen haben. Ich bin kühn genug, mit allem Vorbehalt die Frage zu stellen, ob nicht gewisse Wendungen des Constitutum Constantini eine Reaktion auf diese Prätentionen waren. Auch wenn das Falsifikat sich in erster Linie gegen Byzanz gerichtet hätte, wird es doch zugleich für fränkische Ohren bestimmt gewesen sein. Wie hätte der Papst ohne Widerstand zusehen können, daß der Frankenkönig sich an die Spitze der *fideles Dei* stellte, einen Platz beanspruchte, der nach römisch-kirchlicher Auffassung nur ihm selbst zu- | kommen konnte? Also mag er auch aus diesem Grunde sich eine weltliche Gewalt vindiziert haben, die diejenige des Frankenkönigs noch übertraf, der sich anzuschicken schien, den der Kirche gewährten Schutz in Schutzherrschaft über alle Christgläubigen zu wandeln, indem er sie seinen *fideles* gleichstellte. Dies bleibt, ich betone es ausdrücklich, zunächst bloße Vermutung. Mit größerer Gewißheit lassen sich andere päpstliche Reaktionen erkennen. Gerade 755 wird, in schmeichelhafte Worte eingehüllt, der Kirchenschutz von Stephan II. als *servitium beati Petri* gedeutet[89]. 756 verfaßte man jenen einzigartigen „Himmelsbrief", in dem angeblich der Apostelfürst selbst sich an den Frankenkönig wandte,

[89] Cod. Car. nr. 6; Epp. 3, S. 489.

um ihm bei Ungehorsam Ausschluß vom Reich Gottes und vom ewigen Leben anzudrohen[90], und im Begleitschreiben des Papstes wird der König als *clientulus* St. Peters bezeichnet[91]. Fraglich bleibt, ob auch die großen Papstprivilegien für St. Denis JE 2330—32, in ihrer Echtheit nicht unbestritten, in diesen Zusammenhang gehören.

Pippin hat, soviel wir wissen, in der Folgezeit darauf verzichtet, die von Fulrad geprägte Publikationsformel weiter zu verwenden. Seine Gedanken über das fränkische Königtum aber hat er in einer Urkunde für das karlingische Hauskloster Prüm von 762 nochmals ausgesprochen: *Et quia divina nobis providentia in solium regni unxisse manifestum est ... et quia reges ex Deo regnant nobisque gentes et regna pro sua misericordia ad gubernandum commisit, providendum, ut et sublimes rectores simus ... Deus etenim Moysi legislatori tabernaculum propitiatorii adornare praecepit; Salamoni quoque regis templum in nomine ipsius aedificatum scimus auro lapidibusque exornasse. Nos enim, quamvis non tam magna hisdem quoequare valemus* ... Es folgt die Publikation *omnibus tam propinquis quam exteris nationibus*[91a]. Der Vergleich mit Moses und Salomo entstammt den Gebetstexten, die bei der Salbung von 754, oder vielleicht schon denen, die bei der Krönung von 751 verwendet wurden und ist seit 757 auch in den Papstbriefen zu belegen[92]. Die Anschauung, daß die fränkischen Könige *ex Deo* regieren, konnte ebenfalls an päpstliche Formulierungen anknüpfen[93]. Diese fränkische Königsherrschaft aber erscheint als eine Herrschaft über *gentes et regna*, über mehrere Völker und Reiche also, und die Publikation wendet sich überdies nicht nur an die *propinquae*, sondern auch an die *exterae nationes*, die das Wort des Frankenkönigs also hören und beachten sollen. In der Tat ein gewaltig gesteigertes Königtum, wenn man bedenkt, daß das aus dem Heerkönigtum der Wanderzeit erwachsene germanische König-

[90] nr. 10, S. 503.

[91] nr. 8, .S 497.

[91a] DP 16.

[92] E. Ewig (wie Anm. 23), S. 45 f.

[93] Ebenda, S. 50 f.

tum des frühen Mittelalters jeweils nur eine gens in sich | darzustellen, zu repräsentieren pflegte[94]! Der gentile Gedanke, im Frankenreiche des 6. Jahrhunderts offenbar als uns kaum erkennbare Unterströmung lebendig und dann in der sog. Fredegarchronik fast plötzlich durchbrechend, wie W. Fritze gezeigt hat, ist vom karlingischen Königtum von Anfang an, so wird man schließen dürfen, aufgenommen und durch die Verbindung mit dem Gedanken der Herrschaft über viele Völker sogleich ins Große geführt worden. Dieses karlingisch-fränkische Königtum hat zugleich, wie aus dem interpretierten Text und vielen anderen Zeugnissen klar hervorgeht, mannigfache Elemente in sich aufgenommen, die die Kirche ihm anbot. Es hat sich ihrer bedient, ohne doch seiner germanischen Grundsubstanz verlustig zu gehen, die nicht nur gefolgschaftlich, sondern auch gentil geprägt war, wovon eindrucksvoll der längere Prolog der Lex Salica aus der Zeit Pippins Zeugnis ablegt[95]. In diesem Text erreicht das gentile und zugleich christlich geprägte Selbstbewußtsein der Franken einen Höhepunkt: selbst den Römern halten sie sich für überlegen. Es wird aus dieser Gedankenwelt der pippinischen Zeit verständlich, wenn dem Frankenkönig eine Stellung an der Spitze der *fideles Dei* zugeschrieben werden konnte. Auf diese gefolgschaftlich gedachte Lenkung des Volkes Gottes, die das fränkische Königtum oder doch wenigstens seine Berater für einen Augenblick ins Auge gefaßt zu haben scheinen, hat man freilich alsbald wieder verzichtet, vielleicht verzichten müssen. Das Gottesgnadentum aber und die Geltung über die Grenzen des Reiches hinaus, das mehrere *gentes et regna* umfaßte, die Geltung bei den *propinquae et exterae nationes*, beanspruchte Pippin nach wie vor. Man könnte glauben, in der Publikation von 762 eine des allzu weitgespannten kirchlichen Anspruchs wieder entkleidete Fassung der Publikation von 755 vor sich zu haben.

[94] Hierzu die noch unveröffentlichte Marburger Dissertation von W. Fritze, Untersuchungen zur frühfränkischen und frühslavischen Geschichte (1951).

[95] Über Datierung und Diktator des Prologs vgl. K. A. Eckhardt, Lex Salica, 100-Titel-Text (1953), S. 42 ff.

10.

Wir kehren endlich zur Divisio regnorum von 806 zurück. Sie enthält in einer Fassung der Adresse, die zugleich den Platz der Publikation vertritt, die Wendung *omnibus fidelibus sanctae Dei ecclesiae et nostris.* Es ist die römische Fassung der Formel, aber der Sinn ist der von 755, wie die Stellung im Protokoll mit aller wünschenswerten Deutlichkeit erkennen läßt. Die Frage ist, ob die Möglichkeit einer Anknüpfung an 755 besteht und, wenn dies zu bejahen ist, welche Absichten damit verfolgt wurden.

Ganz abgesehen von der nächstliegenden Erwägung, daß Karl von seinem Vater über die erörterten Auffassungen und Absichten unterrichtet worden ist, besteht noch eine zweite Möglichkeit der Anknüp- | fung. Es ist unlängst gezeigt worden, daß Fulrad von St. Denis eine sehr wichtige Rolle in der in den süddeutschen Raum ausgreifenden Politik Karls des Großen gespielt hat[96]. Der langjährige Erzkaplan Karls und schon Pippins darf danach als einer der tatkräftigsten Helfer Karls in seiner Frühzeit als König angesehen werden und muß seiner ganzen Vergangenheit nach auch als dessen vertrauter Berater gelten. Wenn die Publikation von 755 tatsächlich die Bedeutung besessen hat, die wir ihr glaubten zuschreiben zu dürfen, so ist es wahrscheinlich genug, daß der junge König, der 754 mindestens sechs, eher sogar zwölf Jahre alt gewesen war und in jedem Falle eine Erinnerung an das außerordentliche Ereignis seiner Königssalbung durch den Papst bewahrt haben muß, auch von Fulrad von dem ganzen höchst schwierigen, aber zugleich höchst bedeutungsvollen Fragenkomplex erfuhr. Die Möglichkeit eines Rückgriffs war also ohne weiteres gegeben. Aus welchen Motiven könnte er erfolgt sein?

[96] J. Fleckenstein, Fulrad von St. Denis und der fränkische Ausgriff in den süddeutschen Raum, in: Studien und Vorarbeiten zur Geschichte des großfränkischen und frühdeutschen Adels, hrsg. G. Tellenbach (1957), S. 9—39.

11.

Der Versuch einer Antwort wird davon auszugehen haben, daß bereits 799 die zu erörternde Wendung als Publikation in zwei Urkunden entgegentritt. Das ist wenig, wenn man auf die absolute Zahl sieht, es ist viel, wenn man berücksichtigt, daß bis zur Kaiserkrönung des Jahres 800 nur noch drei weitere Urkunden mit anderer Adresse bzw. Publikation überliefert sind; in allen dreien werden nur die *fideles nostri* genannt [97]. Als die fraglichen Diplome 188 und 189 (beide 799 Juni) ausgestellt wurden, muß der König die Vorgänge in Rom (April 25), die zum Besuche des Papstes auf Aufforderung Karls [98] in Paderborn führten, bereits gekannt und diese Aufforderung ausgesprochen haben. Der Aufbruch nach Sachsen erfolgte von Aachen aus nach Juni 13 [99]. Hat Karl die Möglichkeit der Erlangung des Kaisertums damals bereits in Erwägung ziehen können?

Die Meinungen sind bekanntlich geteilt. H. Löwe hat aus der Notiz einer Kölner Handschrift auf ein Angebot des Imperiums durch die byzantinische Opposition gegen Irene im Jahre 798 geschlossen [100]. C. Erdmann versuchte, die Existenz einer „Aachener Kaiseridee" für das Jahr 799 vor allem auf Grund einer Analyse des „Paderborner Epos" [101] wahrscheinlich zu machen [102]. | F. L. Ganshof wies nachdrücklich auf die Spekulationen der Hoftheologen hin, die auf das Kaisertum hindrängten [103]. H. Fichtenau hat die Glaubwürdigkeit der Annales Laureshamenses, die von Verhandlungen über die Annahme des Kaisertitels *(nomen imperatoris)*

[97] DK d. Gr. 190—192. Vgl. aber Anm. 109.

[98] Ann. r. Fr. (Einh.), hrsg. Kurze, S. 107: *ad se praecepit adduci.*

[99] DK d. Gr. 190.

[100] Rhein. Vjbl. 14 (1949), S. 7—34. Dagegen W. Ohnsorge, zuletzt Saeculum 5 (1954), S. 202, Anm. 61, und F. Dölger, Byzanz und die europäische Staatenwelt (1953), S. 301, Anm. 22a.

[101] Karolus M. et Leo papa. MG Poetae 1, S. 366—379.

[102] Forschungen zur politischen Ideenwelt des Frühmittelalters (1951), S. 16 ff. Dagegen H. Löwe in: Wattenbach-Levison, Deutschlands Geschichtsquellen im Mittelalter, Vorzeit und Karolingerzeit (1953), S. 243 f.; Ohnsorge, a. a. O., S. 202, Anm. 55.

[103] The imperial coronation of Charlemagne (1949).

schon vor der Krönung des Weihnachtstages 800 berichten, in weitausgreifender Erörterung zu verteidigen unternommen[104]. H. Beumann stützte die Ausführungen Erdmanns und Fichtenaus mit neuen Gründen, wies Mißdeutungen der Kölner Nachricht zurück und behandelte vom Boden der „Nomentheorie" aus das Gesamtproblem unter neuen Gesichtspunkten[105]. P. E. Schramm schließlich zog aus seiner unerreichten Kenntnis der Staatssymbolik den Schluß, daß die Päpste lange vor 800 begonnen hatten, den Frankenkönig zum quasi imperator werden zu lassen, und daß Karl seinerseits bestrebt war, imperatori similis zu sein[106]. Er wies darauf hin, daß Karl bereits 799 in Paderborn einen Goldhelm nach Art des byzantinischen Kamelaukion trug[107].

Gewiß ist keine dieser Arbeiten unwidersprochen geblieben. Sie scheinen mir in ihrer Gesamtheit aber doch in sehr eindrucksvoller Weise Zeugnis davon abzulegen, daß wir nicht mehr daran festhalten dürfen, Karl sei durch den Akt in der Peterskirche völlig überrumpelt worden. Wenn er, nach dem bekannten Bericht Einhards, unangenehm überrascht war, so läßt sich dies leicht auf den Zeitpunkt beziehen, der ihm verfrüht erschienen sein mag, oder auf die Art der Durchführung, oder noch anders erklären. Wir kommen hierauf zurück. Alles spricht vielmehr dafür, daß er schon 799 Veranlassung hatte, sich mit der Frage einer etwaigen Annahme des Kaisertitels, die seit der Absetzung Konstantins VI. im Jahre 797 möglich geworden war, zu beschäftigen. Was nun die Auswirkung solcher Erwägungen speziell auf unsere beiden Urkunden betrifft, so kommt ein weiteres Indiz hinzu. Der bekannte Brief Alkuins, der die königliche Würde Karls nach Absetzung des Papstes und des Kaisers als den beiden anderen Gewalten an Macht, Weisheit und Würde überlegen und als das alleinige Heil der Kirche Christi

[104] Karl der Große und das Kaisertum. MIÖG 61 (1953), S. 257—334; zum Gegenstand S. 287 ff. Fichtenaus Darlegungen über das *nomen imperatoris* S. 259 ff. gehen fehl, wie H. Beumann in einem noch unveröffentlichten Vortrag der Frühjahrstagung 1957 auf der Reichenau gezeigt hat.

[105] Vgl. die vorige Anm.

[106] Vgl. Anm. 33.

[107] Mitgeteilt von W. Ohnsorge, Niedersächs. Jahrbuch f. Landesgeschichte 27 (1955), S. 7, vgl. Schramm, wie Anm. 123, S. 32.

pries, wird in den Juni 799 gesetzt[108]. Mindestens die Möglichkeit, daß Karl unter dem Eindruck dieses Briefes und zugleich im Hinblick auf ein etwaiges künftiges Kaisertum in Urkunden des gleichen Monats auf die hochgesteigerte Königsidee von 755 zurückgriff, wird man nicht leichterhand leugnen können. Wenn die folgenden Urkunden sich einer anderen Adresse oder Publikation bedienen, so mögen inzwischen in der Auf- | fassung dieser Fragen andere Gesichtspunkte in den Vordergrund getreten sein[109].

Zur vollen Zufriedenheit Karls freilich sind diese am Weihnachtstage des Jahres 800 anscheinend nicht zur Geltung gekommen. Wann die vielerörterte Äußerung, die Einhard in seinem 28. Kapitel wiedergibt, gefallen ist, wissen wir nicht[110]. An ihrer Faktizität zu zweifeln ist kein Anlaß. Einhard schrieb lange nach Karls Tod. Angesichts der Schwierigkeiten, denen dieser sich vor allem seit dem Sturz Irenes und der Ausrufung eines neuen Kaisers in Byzanz ausgesetzt sah, wäre es durchaus verständlich, wenn er sich noch verhältnismäßig lange nach 800 gelegentlich unmutig geäußert hätte, vielleicht sogar zu Einhard selbst, und das Wort *primo* steht dem keineswegs entgegen, es besagt nur, daß Karl seine Meinung schließlich änderte. Daß Einhard eine solche Gelegenheitsäußerung, die in sein stilistisch-kompositorisches, antiken Autoren nacheiferndes Schema paßte[111], aufgriff, ist ebenfalls verständlich. Welcher Art die Schwierigkeiten waren, mit denen Karl zu kämpfen hatte, wird 806 sichtbar.

[108] Epp. 4, S. 288.

[109] Vgl. Erdmann (wie Anm. 102), S. 24 f. — Es ist übrigens nicht erwiesen, daß D 190 nach 188 und 189 einzureihen ist. Der fehlende Ausstellungsort in 189 und der Wechsel des Rekognoszenten gegenüber 188 sprechen vielmehr dafür, daß es auf der Reise angefertigt wurde, nach dem Formular von 188, das dann wohl als die letzte 799 in Aachen ausgestellte Urkunde angesehen werden muß. Es bleiben dann nur noch zwei Diplome anderer Adresse oder Publikation bis zur Kaiserkrönung, deren erstes erst 800 März 20 ausgestellt ist. Für einen Wechsel der Anschauungen war also genügend Spielraum.

[110] Für die Meinung Fichtenaus, a. a. O., S. 270, daß sie „bald darauf zu seinem Gefolge oder auch nur zu einem einzigen seiner Vertrauten" getan worden sei, finde ich keinen Anhaltspunkt.

[111] Fichtenau, S. 264 ff.

Die Hauptsorge mußte das Verhältnis zu Byzanz sein. Es ist das Verdienst W. Ohnsorges, immer wieder nachdrücklich darauf aufmerksam gemacht zu haben[112], obwohl natürlich auch vorher schon dieses Problem bekannt war und erörtert worden ist[113]. Einen Machtzuwachs, ja selbst einen Zuwachs des Ansehens hatte die Anerkennung als Kaiser in Rom Karl nicht gebracht. Fehlte die Anerkennung der Byzantiner, so war das *nomen imperatoris* in der Tat, politisch gesehen, ein bloßes *inane vocabulum,* wie Einhard später vom Königstitel der Merowinger sagte, und es war ein nur schwacher Trost, wenn man theoretisch das Kaisertum Karls auch als eigenwüchsig ansehen konnte. Diese Anerkennung aber, die zu Irenes Zeit immerhin möglich schien, ließ, nachdem Nikephoros zum Kaiser erhoben worden war, auf sich warten; es kam vielmehr zum kalten und schließlich zum wirklichen Krieg. Dazu war nicht zu verkennen, daß die Form, in der Karl in der Peterskirche anerkannt worden war, Anlaß zu Mißdeutungen gab. Die Krönung durch den Papst | konnte als Investiturakt aufgefaßt werden, und die Akklamation der Römer war leicht nach byzantinischem Vorbild als rechtsbegründend zu verstehen, womit die Römer in die Rolle des Reichsvolkes versetzt waren. Beides widersprach dem königlichen und dem fränkischen Selbstgefühl Karls. Überhaupt mag die Art, in der der Papst hervorgetreten war, sein Mißvergnügen erregt haben. Die Grenzen, die er ihm in einem berühmten Briefe 796 gesteckt hatte[114], waren ohne Zweifel überschritten worden, und Karl mußte befürchten, daß aus der Krönung des Jahres 800 ähnliche Ansprüche abgeleitet wurden wie aus der Salbung von 754; im Codex Carolinus hatte er das einschlägige Material sammeln lassen und zur Hand.

So war die Lage, als Karl sich entschloß, die Nachfolge im Reiche zu ordnen. Was ihn, von seinem vorgeschrittenen Lebensalter abgesehen, dazu veranlaßte, wissen wir nicht. Deutlich ist indes, daß

[112] Zuerst in seinem Buche Das Zweikaiserproblem im frühen Mittelalter (1947).

[113] Genannt sei nur K. Heldmann, Das Kaisertum Karls des Großen (1928).

[114] Epp. 4, S. 137.

der Schwung, der die umfassende Gesetzgebung der Jahre 802 und 803[115] erfüllte und, wie die Vereidigung aller Reichsangehörigen auf das *nomen cesaris* 802 erkennen läßt, sicherlich durch die Annahme des Kaisertums beflügelt worden ist[116], einer zunehmenden Ernüchterung wich. Der Bruch mit Byzanz war 803 in Salz offenkundig geworden, und wenn 805 in Diedenhofen die Dogen von Venedig und dalmatische Gesandte sich bei Karl einfanden und sich seiner Herrschaft unterstellten, so konnte dies zwar als Erfolg gelten, doch es war vorauszusehen, daß der Krieg nun nicht mehr vermeidbar war. 804 suchte der Papst um eine Zusammenkunft nach. Wenn er den Wunsch äußerte, das Weihnachtsfest mit Karl zu feiern, so war die Anspielung auf den Vorgang des Jahres 800 schwer zu übersehen[117], und daß der Bericht der Reichsannalen den eigentlichen Gegenstand der Besprechungen mehr verhüllt als erkennen läßt, ist längst bemerkt worden[118]. Es ist mehr als naheliegend, daß die Frage des fränkisch-byzantinischen Verhältnisses, also das „Zweikaiserproblem", erörtert werden sollte und auch erörtert worden ist — neben anderen, weniger wichtigen Dingen. Es ist nach dem weiter oben Gesagten | auch naheliegend, ja fast zwingend, daß der Papst dabei auf die Konstantinische Schenkung als auf eine Möglichkeit hingewiesen hat, dem Kaisertum Karls der byzantinischen Ablehnung gegenüber eine auf Konstantin selbst

[115] Cap. I, nr. 33—42, 57, 59, 68, 69, 77; vgl. Ganshof (wie Anm. 13), Verzeichnis S. 105 ff. unter den angegebenen Nummern. Dazu die Aufzeichnung von Stammesrechten im Zusammenhang mit dem Aachener Reformreichstag, Ann. Lauresh. SS. 1, S. 39; H. Conrad, Deutsche Rechtsgeschichte I (1954), S. 185 f.

[116] So auch Einhard, cap. 29: *post susceptum imperiale nomen.*

[117] Hierzu Ohnsorge (wie Anm. 29), S. 307. Daß der Papst tatsächlich *colloquium desiderans* über die Alpen kam, scheint mir am besten durch die Hinzufügung der in den Metzer Annalen erhaltenen Quelle zum Text der Reichsannalen bezeugt zu sein, die sie sonst an dieser Stelle ausschreibt. Ann. Mett. pr., hrsg. v. Simson, S. 92. Die Niederschrift erfolgte um 805, also annähernd gleichzeitig; Löwe (wie Anm. 102), S. 261 f. Es ist kein Anlaß zu der Vermutung, daß gerade diese Nachricht erst bei der späteren Überarbeitung in den Text aufgenommen worden sei.

[118] Caspar (wie Anm. 18), S. 147.

zurückführende Begründung zu geben. Wenn Karl hierauf eingegangen wäre, so hätte er freilich dem Papste eine Mittlerrolle eingeräumt, die diesen de facto in die Stellung eines „Oberkaisers" versetzt hätte, und der Akt in der Peterskirche hätte eine Bedeutung erhalten, die dem Kaiser höchst unerwünscht sein mußte. Noch das freilich nur unsicher überlieferte Mosaikbild, das Leo III. im Triklinium des Lateranpalastes hatte anbringen lassen, zeigte Karl und Leo gleichgeordnet, aus den Händen des Apostelfürsten Banner und Pallium empfangend, wahrscheinlich neben Konstantin und Petrus, die Banner und Schlüssel aus der Hand Christi empfingen[119]. Karl aber hatte an Weihnachten 800 die Krone aus der Hand des Papstes empfangen. Die Proskynese, die Leo ihm erwiesen hatte, hatte damals zwar jede Mißdeutung ausgeschlossen; das Ganze glich damit der in Byzanz üblichen Zeremonie der Krönung durch den Patriarchen, die niemals ein konstitutiver Akt gewesen ist. Die jetzt in Erwägung zu ziehende Argumentation aber hätte ganz anderen Deutungen Vorschub leisten können. Es hätte sich im Grunde das wiederholt, was seit 751/754 das Verhältnis der Frankenkönige zur römischen Kirche so schwierig machte: der Papst hätte den Anspruch erheben können, wie einst Pippin das Königtum, so jetzt Karl das Kaisertum übertragen zu haben, damals bevollmächtigt durch die Apostel und Gott selbst, jetzt bevollmächtigt außerdem durch den Willen des ersten christlichen Kaisers. Wäre, was immerhin möglich ist, das Constitutum Constantini schon Pippin präsentiert worden, so würde die Parallele nur noch augenscheinlicher werden. Nimmt man hinzu, daß Karl vielleicht sogar mit innerer Opposition zu kämpfen hatte[120], so häuften sich wirklich die Schwierigkeiten in ungeahntem Maße. Es wird verständlich, daß der Kaiser es für angezeigt hielt, sein Reich zu bestellen.

[119] P. E. Schramm, Die deutschen Kaiser und Könige in Bildern ihrer Zeit I (1928), Abb. 4 a—m. W. Kempf legte auf der Reichenau-Tagung des Frühjahrs 1957 dar, daß die Figur neben Konstantin nicht Silvester, sondern Petrus darstelle, was einleuchtet.

[120] Ob Cap. I, nr. 44, c. 9, 10 (Diedenhofen 805) auf politische Konspirationen zu deuten ist, bleibt allerdings zweifelhaft.

Die Reichsteilung als solche kann uns hier nicht beschäftigen[121]. Nur daran sei nochmals erinnert, daß sie altfränkischem Rechtsdenken entsprach, daß sie anknüpfte an den Brauch der Merowinger und der karlingischen Hausmeier, wie er auch beim Tode des ersten Königs aus karlingischem Geschlecht, also beim Regierungsantritt Karls selbst, zur | Geltung gekommen war. Die damalige Teilung wurde in Kapitel 4 ausdrücklich erwähnt. Die Regelung des Kirchenschutzes nahm auf die Zeit Karl Martells und Pippins Bezug. In Kapitel 5 wurde ferner auf ein Königswahlrecht des *populus* zurückgegriffen, kraft dessen Pippin 751 zum König erhoben worden war, *secundum morem Francorum,* wie die Reichsannalen sagen[122]. Daß die Adresse in ihrer einen Fassung auf eine Urkunde Pippins zurückgriff, wurde soeben gezeigt. Wir beobachten also, wie Karl 806 sehr deutlich an den Zustand des Frankenreichs in der vorkaiserlichen Zeit, ja in der Zeit vor dem eigenen Regierungsantritt anknüpft[123].

Aber es wäre ein Irrtum, daraus zu folgern, die Divisio von 806 habe allein über die Nachfolge im fränkischen Königreich bestimmt. Wir führten vielmehr bereits aus[124], daß ihr *regnum* und *imperium* als identisch galten, ebenso die *potestas* des *imperator* und des *rex,* der *dominatus regalis atque imperialis.* Daß Karl das Kaisertum als eine nur seiner Person übertragene Würde angesehen hätte, ist von vornherein unwahrscheinlich, denn bei der Vereidigung des Jahres 802 wurde die Anweisung erteilt: *non, ut multi usque nunc extimaverunt, tantum fidelitate domno imperatori usque in vita ipsius*[125]. Der transpersonale Charakter der kaiserlichen Herrschaft,

[121] Vgl. Anm. 2 und den in Anm. 4 genannten Aufsatz in der Festschr. H. Herzfeld.

[122] Ann. r. Fr., hrsg. Kurze, S. 8.

[123] Hierzu ist zu stellen, daß Karl über dem Grab Pippins in St. Denis eine Vorhalle errichten und in dieser neben dem Bilde Pippins sein eigenes anbringen ließ; vgl. P. E. Schramm, Karl der Große im Lichte der Herrschaftszeichen, in: Karolingische und ottonische Kunst (1957), S. 18. Schramm datiert die Halle nach Dungals Inschrift 801/13.

[124] S. 135 f.

[125] Cap. I, nr. 33, c. 2. Der Text der einzigen Handschrift ist verderbt, der Sinn der Stelle aber immerhin deutlich.

das Element der Dauer, wurde damit vorausgesetzt[126]. Die Divisio von 806 selbst aber bestellt die Söhne Karls in der Einleitung nicht nur zu *consortes* des ihm von Gott anvertrauten *regnum*, worauf zurückzukommen sein wird, sondern zugleich zu *heredes* seines *imperium vel regnum*. Dem Wesen dieses Gebildes, das uns oben in so sonderbarer Weise widerspruchsvoll und befremdlich erschien, müssen wir nunmehr versuchen, einen Schritt näherzukommen.

12.

Heinz Löwe hat darauf hingewiesen[127], daß ein in den sog. Metzer Annalen in einer um 830 erfolgten Überarbeitung erhaltenes Geschichtswerk, das um 805 entstanden ist[128] und von uns schon wiederholt zitiert wurde, | das sog. „Verlorene Werk", in seinem ersten Teile den Aufstieg der Karlinger seit der Zeit des mittleren Pippin in Ausdrücken und Wendungen schildert, die die Weltstellung des karlingischen Reiches bereits in die Zeit seines Anfangs zurückverlegen. Es wird immer wieder schon für das ausgehende 7. Jahrhundert als *imperium* bezeichnet. Das ständige Beiwort der Hausmeier ist *invictus*, und schon die Herrschaft Pippins erstreckte sich, dies wird wiederholt betont, über mehrere, ja viele Völker, *vicinae nationes* oder *circumsitae gentes*[129]. Pippin selbst wird gleich anfangs mit David verglichen[130], und es wird ihm der *singularis principatus* zugeschrieben, der nach Isidor, dem „Konver-

[126] Dies soll nicht heißen, daß die Königsherrschaft nicht ebenfalls transpersonale Elemente schon im 8. Jh. enthalten habe.

[127] Wie Anm. 44, S. 390 ff.

[128] Vgl. Anm. 117. Nach H. Hoffmann, Studien zur karolingischen Annalistik (ungedr. Diss. Marburg 1954) ist das „Verlorene Werk" identisch mit dem erhaltenen Text der Metzer Annalen (bis auf die Zusätze ab 805), wenigstens ist das Gegenteil nicht erweisbar. Neuerdings tritt H. für Entstehung in Chelles ein, was viel für sich hat.

[129] Zuerst S. 4: *Hae enim gentes olim et aliae plurimae multis sudoribus adquisitae Francorum summo obtemperabant imperio.* Weitere Belege bei Löwe, Anm. 140.

[130] S. 1.

sationslexikon dieser Tage“, wie Löwe mit Recht bemerkt, die Art der Herrschaft Caesars war, *a quo et imperatores sequentes Caesares dicti*[131]. *Exierat enim*, so heißt es an anderer Stelle von Pippin, *fama victoriae et triumphorum eius in omnes gentes*[132]. Er ist also *victor et triumphator*, das ist der Kaisertitel des Formulars I des Liber Diurnus, mit dem von den Päpsten die Kaiser in Byzanz, dann aber auch Karl der Große geehrt wurden[133]. Seine *optimates* aber redet er an als *fideles Dei nostri*, wofür ohne Zweifel, wie schon v. Simson vermutet hat[134], *fideles Dei et nostri* zu lesen ist.

Die Verbindung des um 805 entstandenen Werkes zur Divisio von 806 dürfte damit hergestellt sein. Einfluß des Hofes auf die Abfassung des sog. „Verlorenen Werkes“ von 805 ist schon längst vermutet worden[135]. Er scheint mir nunmehr erwiesen, wenn man nicht umgekehrt Einfluß uns unbekannter Kreise, die dann hinter der Abfassung dieses Geschichtswerkes gestanden haben müßten, auf die Formulierungen von 806 und schon von 799 annehmen will. Die Formel *fideles Dei et nostri* oder *fideles sanctae Dei ecclesiae et nostri* ist in dieser Zeit zu selten und zugleich zu prägnant, als daß man an Zufall denken dürfte, und sie steht auch in den Metzer Annalen bezeichnenderweise in der Anrede, wie bei Pippin und Karl, nicht aber in den Papstbriefen. Der Schluß scheint mir der allein folgerichtige zu sein, daß der Hof die Abfassung des Werks in ganz bestimmter Richtung beeinflußte, wenn er sie nicht | überhaupt veranlaßte, und daß auf diesem Wege unsere Formel in den Text gelangte. Dann aber ist klar, daß man bei Hofe ganz besonderen Wert auf sie legte, und wenn sie nunmehr außerdem in die

[131] Löwe, S. 391 mit Anm. 144.

[132] S. 15.

[133] Vgl. Anm. 26, 27.

[134] S. 8 mit Anm. g.

[135] Löwe (wie Anm. 102), S. 263. Man vermutete früher Entstehung in St. Denis; vgl. F. Kurze, NA 21 (1896), S. 29—49. Als Verfasser galt Abt Fardulf. Das ist der gleiche Mann, dem wir die älteste Überlieferung des Constitutum Constantini verdanken; vgl. W. Levison, NA 41 (1917), S. 283—304; 43 (1920), S. 431. Doch ist seine Verfasserschaft nicht aufrechtzuerhalten; vgl. Anm. 128. Enge Beziehungen des Verfassers zu St. Denis müssen trotzdem bestanden haben.

Zeit des mittleren Pippin zurückprojiziert wurde, so scheint mir erwiesen, daß die Kanzlei Karls sie tatsächlich nach dem Vorbilde der Publikationsformel Pippins des Jüngeren von 755 wählte, daß man sich also noch immer ihrer Bedeutung voll bewußt war. Wohl absichtlich wurde die umgestaltete Formulierung der päpstlichen Kanzlei benutzt, was in der Sache keinen Unterschied bedeutete.

Man wird demnach sagen dürfen, daß die Schilderung karlingischen Aufstieges zu imperialer Herrschaft, denn als solche wird man nach der Vorstellung der Metzer Annalen die Herrschaft Pippins bezeichnen müssen, der zugleich als *defensor* der Kirchen [136] und „Verfechter kirchlicher Idealforderungen" [137] erscheint, ein Geschichtsbild enthält, das den Wünschen Karls in der Lage von 806 entsprochen haben muß. In diesen Zusammenhang gehört dann auch die Schilderung des Vorgangs von 754 in dieser Quelle [138], die die Rolle des Papstes, der sich „in Sack und Asche" niederwarf und sich nicht eher erhob, als bis Pippin, seine Söhne und die *optimates Francorum* ihm die Hand reichten und ihn aufrichteten, in völlig anderem Lichte erscheinen läßt als die Darstellung des Liber Pontificalis [139], die umgekehrt von einem Niederfall Pippins berichtet und seinen Stratordienst hervorhebt. Es soll nicht behauptet werden, daß die Metzer Annalen, die über den ersten Empfang des Papstes rasch hinweggleiten [140], dessen Fußfall frei erfunden hätten. Beide Quellen lassen sich durchaus vereinen [141]. Aber die Tendenz ist trotzdem klar: Zurückweisung aller päpstlicher Ansprüche, die aus dem Vorgang von 754 abgeleitet werden konnten.

[136] S. 14.

[137] Löwe (wie Anm. 44), S. 391 mit Anm. 146.

[138] S. 45.

[139] Hrsg. Duchesne I, S. 447.

[140] S. 44: *honorifice susceptus est.*

[141] Caspar (wie Anm. 52), S. 13. So schon J. Haller, Abhandlungen zur Geschichte des Mittelalters (1944), S. 7 (zuerst HZ 108, 1912, S. 45), während Ranke dem Annalenbericht den Vorzug gab. — Für die Tendenz des Werkes ist besonders aufschlußreich die von H. Beumann, HZ 180 (1955), S. 476 f. behandelte Stelle.

Dann ist auch klar, weshalb die imperiale Herrschaft der geschilderten Art nicht Pippin, dem Vater Karls, sondern bereits seinem gleichnamigen Urgroßvater zugeschrieben wurde. Sie war, ebenso wie der Schutz der römischen Kirche in der Divisio von 806, nicht nur als vor 800, sondern sie war als vor 754 entstanden zu denken, um jeden Anspruch des Papstes von vornherein auszuschließen. Dem Verfasser fiel dabei die schwierige Aufgabe zu, sie von der königlichen Gewalt der Merowinger getrennt zu halten. So erklärt es sich, daß ihm für die Er- | hebung des *princeps* Pippin zum Könige 751 ein einziger kurzer Satz genügte, dem er die Bemerkung anfügte: *Unde rumor potentiae eius et timor virtutis transiit in universas terras*, ein Bibelzitat, das keinerlei Schluß auf die Steigerung oder gar Neubegründung seiner Herrschergewalt zuläßt[142]. Sie war, dies sollte gezeigt werden, schon vorher in vollem Umfang vorhanden.

13.

Im Jahre 806 war die Frage einer etwaigen Trennung der imperialen von der königlichen Gewalt aktuell geworden, nachdem beide soeben erst formell vereinigt worden waren. Wenn Karl das Reich teilte, wie es sein Vater und sein Großvater und schon die merowingischen Könige geteilt hatten, wie die Päpste des 8. Jahrhunderts es als eine Selbstverständlichkeit ansahen[143] und wie er selbst im Vorspruch der Divisio es als dem Willen Gottes gemäß erklärte, der ihm drei regierungsfähige Söhne geschenkt hatte, so war ihr schwer auszuweichen. Das Kaisertum war nach der in Byzanz geltenden Anschauung[144] eines und unteilbar. Es war angesichts des bevorstehenden Krieges ganz unsicher, ob in Zukunft zwei Kaiser nebeneinander existieren würden. In jedem Falle aber war zu entscheiden, ob und wie ein fortbestehendes westliches

[142] S. 42. Mt. 9, 26. Marc. 1, 28. Ähnliches wird schon von Pippin d. M. gesagt; vgl. Beumann, S. 477, Anm. 4.

[143] Beide Söhne Pippins werden 754 von Stephan II. gesalbt. Als ihm 759 ein weiterer Sohn Pippin geboren wird, bezeichnet Paul I. diesen sogleich als *novus rex*. Cod. Carol. nr. 18; Epp. 3, S. 519.

[144] Dölger (wie Anm. 100), S. 291 f.

Kaisertum mit dem germanischen Prinzip der Reichsteilung zu vereinigen war. War eine solche Vereinigung nicht möglich, so mußte man entweder auf Teilung verzichten — dieser Weg wurde 817 beschritten [145] — oder die Nachfolge im Kaisertum mußte anderen Prinzipien folgen als die im Königtum, das die Karlinger seit nunmehr einem halben Jahrhundert innehatten. Bei der formellen Übertragung des Kaisertitels mußte also unausweichlich die Auffassung Karls vom Wesen dieses Kaisertums sichtbar werden. Das Hauptproblem war dabei die etwaige Beteiligung des Papstes und der Römer, gemäß dem Vorgange des Jahres 800. Wie wichtig für Karl gerade diese Frage war, zeigte sich noch 813, als nach dem Ausgleich mit Byzanz und dem vorzeitigen Tod zweier Söhne die Dinge sich ganz wesentlich vereinfacht hatten. Damals legte er nach dem Berichte Thegans auf einer Reichsversammlung in Aachen jedem Teilnehmer *a maximo usque ad minimum* die Frage vor, *si eis placuisset, ut nomen suum, id est imperatoris, filio suo Hludowico tradidisset* [146], was doch nur heißen kann, ob er selbst von sich aus diese Übertragung vornehmen solle, da an der Absicht der Fortsetzung des Kaisertums überhaupt nach dem Briefe des gleichen Jahres an Kaiser | Michael I. [147], in dem der Kaisertitel in geänderter Form, ohne Erwähnung des Römischen Reichs, erscheint und *orientale atque occidentale imperium* gleichberechtigt nebeneinanderstehen, nicht wohl gezweifelt werden kann.

14.

Es ist verständlich, daß Karl angesichts der Fülle und der Schwierigkeit der Probleme die Angelegenheit zunächst dilatorisch behandelte und sich verschiedene Möglichkeiten offenhielt.

War die Anerkennung des Kaisers in Byzanz nicht zu erlangen, so blieb der Rückzug auf ein Kaisertum, das er offensichtlich an die hohe Steigerung des fränkischen Königsgedankens anzuknüpfen

[145] Cap. I, nr. 136.
[146] SS 2, S. 591.
[147] Epp. 4, S. 556.

strebte, die in der Zeit Pippins von Fulrad versucht worden war. In den Metzer Annalen wurde dieses Kaisertum, das besser als „imperiales Königtum" zu bezeichnen ist[148], historisch begründet; diese historische Begründung wurde der ebenfalls historischen Begründung eines vom Papste zu übertragenden Kaisertums in der Konstantinischen Schenkung entgegengestellt. Das Königtum Pippins hatte die Herrschaft über mehrere *gentes et regna* wirklich innegehabt, dazu die Vorherrschaft über die *propinquae et exterae nationes*. Es hatte darüber hinaus für einen Augenblick sich an die Spitze der Christenheit, der *fideles Dei*, zu stellen versucht, indem es diese den *fideles regis* gleichsetzte. Nunmehr wurde es nachträglich mit dem Glanze imperialer Herrschaftsübung umkleidet, und zwar, um jeden Anschein einer Ableitung seiner Würde aus einem Auftrag des Papstes zu verhüten, unter Rückverlegung nicht nur der Anfänge, sondern des ersten Höhepunktes karlingischer Großherrschaft in die Zeit des gleichnamigen Großvaters Pippins. Unmittelbar im Willen Gottes, ohne Inanspruchnahme einer Vermittlung, war diese Herrschaft begründet, wie auch der jüngere Pippin dies aufgefaßt hatte: *reges ex Deo regnant*. Durch Gewährung des Sieges in der Schlacht wurde sie immer aufs neue bestätigt[149]. Elemente eines theokratischen Amtsgedankens sind offensichtlich verschmolzen mit der im germanischen Altertum wurzelnden Vorstellung vom Dauerherrschaft begründenden Heil des siegreichen Heerkönigs, aber auch mit Nachklängen der antiken Sitte, den siegreichen Feldherrn, den *victor et triumphator*, zum Imperator auszurufen.

Edmund E. Stengel hat gezeigt[150], daß schon Beda dem mittleren Pippin eine *imperialis auctoritas* zugeschrieben hat[151], und daß Alkuin dies übernahm. Gewiß hat Beda keine kaiserliche Gewalt im Auge gehabt[152]. Wenn | aber Alkuin mit Bezug auf Karls Vater daraus den Begriff eines räumlich sich erstreckenden pippinischen *imperium* formte, dem er auch antike Züge verlieh: *scit namque omnis populus, quibus nobilissimus*

[148] Vgl. Anm. 38.

[149] Löwe (wie Anm. 44), S. 391 mit Anm. 143.

[150] Kaisertitel und Souveränitätsidee. DA 3 (1939), S. 27.

[151] Hrsg. Plummer, S. 299.

[152] R. Drögereit, Kaiseridee und Kaisertitel bei den Angelsachsen. ZRG. Germ. Abt. 69 (1952), S. 24—73.

victor celebratur triumphis vel quantum terminos nostri dilataverit imperii[153], so hat Bedas abstrakter und allgemeiner Begriff imperialer Herrschaft eine neue, spezielle und gewiß beabsichtigte Färbung bekommen. Ich vermag es nicht als Zufall anzusehen, daß der Begriff des *victor et triumphator* sowohl an dieser Stelle wie in den Metzer Annalen erscheint. Ich finde hier vielmehr die ersten Spuren eines Geschichtsbildes, das in den Metzer Annalen dann näher ausgeführt worden ist. Alkuins Vita Willibrordi wurde spätestens 797 vollendet[154]. Die Idee eines *imperium* der Franken geht also vor das Jahr 800 zurück, und unsere Erwägung, Karl habe bereits 799 mit voller Absicht die Formulierung Fulrads von 755 aufgegriffen[155], erhält von hier aus eine neue Stütze.

Stengel hat weiterhin versucht, in seinem eindrucksvollen Aufsatz zu erweisen, daß diese „hegemoniale Heerkaiseridee"[156], diese „Idee der heergewaltigen Samtherrschaft, der überragenden und zusammenfassenden Hegemonie über andere Herrscher"[157] germanischen Ursprungs sei. Dies ist bestritten worden[158], wie ich glaube mit Recht. Aber wenn diese Kaiseridee nicht germanischen Ursprungs war, so war sie doch germanisiert, und an Stengels Formulierung, sie sei „ein Stück germanischer Staatsgestaltung"[159] gewesen, wird man festhalten dürfen. Sie hatte sich von Rom gelöst, und insofern war sie mit Stengels Ausdruck „romfrei"[160]. Carl Erdmann hat dann im Anschluß an Stengel und in Auseinandersetzung mit ihm zu zeigen unternommen, daß Karl 799 die nichtrömische Kaiseridee, an der auch er festhält, mit Aachen zu verknüpfen gesucht habe, und von einer „Aachener Kaiseridee" gesprochen[161]. Auch dies ist nicht unbestritten geblieben[162], dürfte aber im Rahmen der aufgezeigten Zusammenhänge erhöhte Wahrscheinlichkeit erhalten.

[153] SS. rer. Merov. 7, S. 134. Dazu Poetae I, S. 215: *Hic reget imperium felix feliciter istud, Dilatans fines magnis inde triumphis.*

[154] Löwe (wie Anm. 102), S. 172.

[155] Oben S. 151.

[156] S. 27.

[157] S. 23.

[158] Erdmann (wie Anm. 102), S. 3 ff. Drögereit, wie Anm. 152.

[159] S. 23.

[160] Ebenda.

[161] Wie Anm. 102, S. 16 ff. Schon M. Lintzel, Das abendländische Kaisertum im 9. und 10. Jh., WaG 4 (1938), sprach S. 429 ff. von einem Aachener Kaisertum, das er aber als erst im Gegensatz zum Kaisertum des Jahres 800 entstanden ansah.

[162] Vgl. Anm. 102.

Das Vorhandensein des Gedankens eines imperialen Königtums der Franken schon vor 800 wird jedenfalls nicht länger zu leugnen sein, ob man darin nun eine „fränkische Kaiseridee" sieht oder nicht. Die scharfe Zuspitzung gegen den mit der Konstantinischen Schenkung begründeten Anspruch des Papstes auf eine Mittlerrolle bei der Übertragung des Kaisertums erhielt er allerdings wohl erst nach 800 in den Metzer Annalen. In der Divisio des Jahres 806 ist er hinter der gesamten Formulierung des Textes zu spüren, die in bezug auf das römische Kaisertum so vorsichtig und zurückhaltend ist, daß die Forschung zu der Meinung gelangen konnte, das Kaisertum sei in diesem Stück überhaupt un- | erwähnt geblieben. Indem es aufs engste verknüpft erscheint mit dem Königtum, kann es auch in diesem Stück als imperiales Königtum angesprochen werden, ohne daß dies dem Leser ohne weiteres erkennbar gewesen wäre. Nur in der Londoner Fassung des Protokolls kam diese Idee eines imperialen Königtums mit der Adresse *omnibus fidelibus sanctae Dei ecclesiae ac nostris* zu zwar ebenfalls vorsichtigem, aber doch unzweideutigem Ausdruck.

Die zweite Fassung des Protokolls aber hielt mit ihrem konstantinischen Kaisertitel den zweiten Weg offen, den Weg der Anknüpfung des Kaisertums an das Römische Reich Konstantins, das zugleich ein *imperium christianum* war. Auch in diesem Falle erfolgte also ein „ideologischer" Rückgriff in die Vergangenheit, in eine Vergangenheit, die noch viel weiter zurücklag als die Zeit des mittleren Pippin. Die Konstantinische Schenkung wurde nicht erwähnt; sie ist, soviel ich sehe, von Karl überhaupt niemals erwähnt worden. Wenn sie, wie mit hoher Wahrscheinlichkeit zu vermuten ist, von Leo III. 804 vorgelegt wurde, so ist die Divisio von 806 in der Tat als Karls Antwort anzusehen, allerdings in einem etwas anderen Sinne, als bisher angenommen wurde[163]. Ob Karl und die Gelehrten seines Hofes das Constitutum Constantini als echt angesehen haben, können wir nicht wissen. Die Aufnahme in die Formelsammlung des Abtes Fardulf von St. Denis († 806)[164] ergibt

[163] Ohnsorge, ZRG 68 (1951), S. 92 f.

[164] Zu ihr W. Levison, NA 41 (1917), S. 283—304 und: Aus rheinischer und fränkischer Frühzeit (1948), S. 391 mit Anm. 1.

dafür nichts; des Textes mußte man sich in jedem Falle versichert halten. Wie immer aber es sich damit verhalte, die „Antwort“ Karls erfolgte nicht in dem Sinne, daß er das Kaisertum bei der Reichsteilung ignorierte, sondern in dem Sinne, daß er zwar die Schenkung ignorierte, aber einen Teil des Kaisertitels aus ihr übernahm. Er griff also gleichsam in die Zeit vor der Schenkung zurück, er setzte sich selbst an die Stelle des über das Reich verfügenden Konstantin. Daß damit alle Ambitionen des Papstes, bei der Übertragung des Kaisertums als Mittler oder gar als „Oberkaiser“ beteiligt zu sein, schroff zurückgewiesen waren, liegt auf der Hand[165]. Weitere Folgerungen wurden zunächst nicht gezogen, es blieb alles offen. Die wenigen weiteren Formulierungen, die aus dem Constitutum in die Adresse übernommen wurden, entsprachen dem Gedanken eines imperialen Königtums der Franken, das mit dem Kaisertum konstantinischer Prägung kunstvoll verknüpft wurde, indem in der Intitulatio noch vor den *Romani rector imperii* der *rex Francorum invictissimus* eingefügt wurde. Die an der Spitze stehenden Titel *Imperator Caesar* konnten auf beide Seiten der Herrschaft bezogen werden. |

15.

Die vorgetragenen Gedankengänge mögen leicht dem Vorwurf der „Überinterpretation“ weniger Textstellen ausgesetzt sein. Ich muß ihn hinnehmen, geleitet allerdings von der Überzeugung, daß die interpretierten Textstellen unter sich nicht zusammenhanglos sind[166], und daß diese Texte mit sehr viel größerer geistiger Anstrengung abgefaßt worden sind, als die Forschung teilweise gemeint hat. Ich versuche, auf dem eingeschlagenen Wege noch einen letzten, wie ich einräume, weniger sicheren Schritt voran zu tun. Wir wenden uns nochmals der Wendung *regni a Deo nobis concessi ... consortes* in der Einleitung der Divisio zu, die für beide Fassungen handschriftlich gesichert ist.

[165] Damit münden wir wieder in den Gedankengang Ohnsorges ein.

[166] Ganz abgesehen vom Sachzusammenhang ergibt sich dies schon daraus, daß die Texte immer wieder nach St. Denis weisen.

Es ist zunächst zu sagen, daß *consortium* in der Divisio nicht wirkliche Teilhabe am Reich über das hinaus, was Karls Söhne schon innehatten, sondern lediglich eine Anwartschaft bedeuten kann. Zwar wird in der Einleitung deutlich geschieden: *filios nostros ... regni ... donec in corpore sumus consortes habere et post nostrum ex hac mortalitate discessum ... imperii vel regni nostri heredes relinquere ... optamus.* Zweifellos wird den Söhnen hier also schon vor Eintritt des Erbfalls eine Stellung eingeräumt, die nach der Wortbedeutung von *consors* als Teilhaberschaft zu kennzeichnen ist. Aber die Schlußbestimmungen in Kapitel 20 heben dies praktisch wieder auf. Es heißt da: *potestas nostra sit super ... regnum atque imperium istud, sicut hactenus fuit in regimine atque ordinatione et omni dominatu regali atque imperiali.* Im Hinblick auf die Regierungsgewalt bleibt also alles beim alten, und dies wird noch unterstrichen: *ut obedientes habeamus praedictos dilectos filios nostros atque Deo amabilem populum nostrum cum omni subiectione quae patri a filiis et imperatori ac regi a suis populis exhibetur.* Karl ist der alleinige *imperator ac rex,* ihm allein gebührt Gehorsam und *omnis subiectio,* der Söhne sowohl, die zu seiner hausväterlichen Gewalt zudem noch in einem besonderen Verhältnis stehen, aus dem sie das eingeräumte *consortium* nicht entläßt, wie der übrigen Reichsangehörigen. Man wird sich fragen, weshalb dann in der Einleitung überhaupt von *consortes* gesprochen wird.

Nach dem Wortlaut sowohl, der *regni consortes* sagt, im Gegensatz zu *imperii vel regni heredes,* wie im Gesamtzusammenhange des Textes, wie auch mit Rücksicht darauf, daß der Ausdruck *consors regni* gelegentlich für das im Merowingerreiche seltene Unterkönigtum vorkommt[167], könnte man meinen, dieses consortium beziehe sich nur auf das Königtum, es solle die königliche Stellung der Söhne Karls, die sie längst innehatten, nochmals hervorheben und bekräftigen. Ich bin dieser | Ansicht nicht. Es kann vielmehr nach meiner Meinung kein Zweifel sein, daß an die Kaiserherrschaft gedacht war. Es hatte keinen Sinn, die Söhne, die alle bereits gesalbte Könige waren, zu *consortes* des Königtums zu machen, wenn damit nicht eine Änderung ihrer äußeren Stellung verbunden war,

[167] Fred. IV, 47; SS. rer. Merov. 2, S. 144.

und gerade dies war nicht beabsichtigt. Anders verhielt es sich, wenn sie zum Kaisertum in Beziehung gebracht wurden; denn dies war etwas Neues. Indem Karl seine Söhne zu *consortes regni* ernannte und damit ein Recht übte, das auch Konstantin ausgeübt hatte, dem bekanntlich gemäß seiner Anordnung drei schon bei seinen Lebzeiten zu *caesares* ernannte Söhne als gleichberechtigte *augusti* gefolgt sind, während der wohl nach Vorbild der diokletianischen Tetrarchie ebenfalls als Nachfolger vorgesehene Neffe Dalmatius beim Herrscherwechsel von den Soldaten ermordet wurde[168], gab er zu erkennen, daß er ein Erlöschen des Kaisertums seines Hauses nach seinem Tode nicht ins Auge faßte.

Den Ausdruck *consors*, auch *consors regni*, für den designierten Nachfolger in der Kaiserherrschaft konnte man aus antiken Schriftstellern wie Seneca[169] entnehmen, die der Karlingerzeit bekannt waren, vor allem aus Sueton *(consors successorque, consors imperii)*[170]. Die Benutzung Suetons durch Einhard ist bekannt genug, und Einhard war derjenige, der den Text der Divisio 806 dem Papst zur Unterschrift überbrachte[171]. Was hindert die Vermutung, daß er auch bei seiner Abfassung beratend mitwirkte? Es gab den Ausschlag, daß Einhard im 30. Kapitel der Karlsvita in seinem Bericht über die Kaiserkrönung Ludwigs des Frommen 813 die Bezeichnung *consors regni* mit eindeutigem Bezug auf die Übertragung des Kaisertums tatsächlich braucht[172]. Seine Wendung *consortem sibi totius regni et imperalis nominis heredem* muß, so scheint mir, nach ihrem stilistischen Schema und der zugrunde liegenden Begriffsverbindung mit der Wendung der Divisio *regni ... consortes ... et imperii vel regni nostri heredes* zusammen-

[168] E. Kornemann, Doppelprinzipat und Reichsteilung im Imperium Romanum (1930), S. 128 ff.

[169] Thes. l. lat. 4, Sp. 847. Vgl. auch Th. Vogelsang, Die Frau als Herrscherin im hohen Mittelalter (1954), S. 4.

[170] Suet. Titus 9, Otho 8; vgl. Kornemann, S. 31, Anm. 4 und Fichtenau (wie Anm. 104), S. 329. — Esther 16, 13 wird der Ausdruck *consors regni* für Esther, also für eine Frau, gebraucht. Es bleibt daher fraglich, ob auch Einfluß dieser Bibelstelle angenommen werden darf.

[171] Ann. r. Fr., hrsg. Kurze, S. 121.

[172] Auch die Ann. r. Fr. S. 138 haben zu 813 *consors*.

gebracht werden, wenn auch, dies ist wichtig und wurde bereits bemerkt, vom *imperiale nomen* 806 nicht die Rede ist.

Wenn Karl sich des konstantinischen Vorbilds bediente, zugleich aber das Teilungsrecht germanischen Ursprungs ins Auge faßte, mußten Verhältnisse von äußerster Kompliziertheit entstehen, die völlig zu ent- | wirren und auf einen eindeutigen juristischen Nenner zu bringen wir kaum hoffen dürfen. In Byzanz bedeutete Berufung zum Mitkaiser nicht Anteil an der kaiserlichen Vollgewalt, aber doch Anteil am kaiserlichen Rang, und man darf wohl annehmen, daß man im Frankenreich dies als auch in der Zeit Konstantins geltend erachtete. Ein Anteil am kaiserlichen Rang aber wurde 806 den Söhnen gerade nicht eingeräumt, anders als 813 Ludwig dem Frommen. Auch dieser erhielt damals keinen Anteil an der Regierungsgewalt, es blieb wie 806 alles beim alten. Aber übertragen wurde ihm das *nomen imperatoris* (oder *imperiale nomen*). Dies war eine Würde und nichts als eine Würde, eine höchst verpflichtende Würde zwar, dessen war sich Karl durchaus bewußt, mit der aber Funktionen in der Verfassung des Reiches nicht verbunden waren, nach Auffassung Karls nicht einmal der Schutz der römischen Kirche, wie wir glaubten zeigen zu können. So konnte nach dem Ausgleich mit Byzanz eine Übertragung ohne Beeinträchtigung der eigenen Herrschaftsgewalt ohne weiteres erfolgen, und 806 konnte das Schicksal des *nomen imperatoris* zunächst unentschieden bleiben, wie ja auch nach 813 selbst die Würde Ludwigs bei Lebzeiten Karls sozusagen geruht zu haben scheint. Selbstbewußtsein und Selbstherrlichkeit Karls sind Momente, von denen der Historiker niemals wird absehen dürfen. So erhielten die Söhne eine bloße Anwartschaft, die sie nach altüberkommener Rechtsüberzeugung in bezug auf das Königtum ohnehin schon hatten, jetzt auch in bezug auf das Kaisertum, weiter nichts. Von der Festlegung von Titeln oder Ehrenrechten für die *consortes regni* wurde abgesehen. Allenfalls mag in diesen Zusammenhang gehören, daß für Karls Sohn Pippin der Gebrauch einer Goldbulle zu erschließen ist. Sie scheint neben der des Vater an einer verlorenen Urkunde für Farfa (von 807?) angebracht gewesen zu sein[173]. Im übrigen aber

[173] H. Breßlau, AUF 1 (1908), S. 365 f.

handelt es sich, so möchte ich meinen, bei der Berufung in das consortium um eine reine Demonstration, die vielleicht nicht für jedermann durchschaubar war, da sie auch als Teilhabe an der Königsherrschaft oder Anwartschaft auf sie aufgefaßt werden konnte, von der aber vorausgesetzt werden mußte, daß sie in Rom und vor allem in Byzanz verstanden wurde. Für ein bloßes Reichsteilungsprojekt wäre die Unterschrift des Papstes schwerlich gefordert worden, was hatte er damit zu schaffen? Handelte es sich um das Kaisertum und seine Fortdauer, so lagen die Dinge anders. Außerdem konnte man erwarten, daß von Rom aus die Kunde von der getroffenen Regelung nach Byzanz dringen würde, wo das Mitkaisertum als ein Mittel zur Sicherung der Nachfolge stets in Geltung geblieben ist[174]. Ob dieses Vorbild 806 unmittelbar und zusätzlich eingewirkt hat, mag dahingestellt bleiben. Das Naheliegende scheint mir zu sein, | daß Karl nicht die Sitte der Kaiser schlechthin, sondern daß er Konstantin nachahmte. Daß er von dessen Nachfolgeordnung Kenntnis gehabt haben kann, wird nicht zu bestreiten sein. Die Möglichkeiten sind mannigfach, und ich bin leider nicht in der Lage, ihnen allen so nachzugehen, wie dies eigentlich geschehen müßte. In Fulda, Lorsch und Tours gab es eine Fülle antiker Handschriften, darunter z. B. in Lorsch Ammian in einem Codex in Capitalis, der dann in Fulda abgeschrieben wurde[175]. Wer sagt uns, daß er nicht auch die heute verlorenen Bücher und damit Nachrichten über die Reichsteilung Konstantins enthielt? Aber man braucht sich mit solchen Vermutungen nicht aufzuhalten. Die vielbenutzte Chronik des Hieronymus enthält wirklich eine Nachricht über Konstantins Reichsteilung[176], und die Bearbeitung durch Prosper Tiro, die der Zeit Karls d. Gr. gleichfalls bekannt gewesen sein muß (z. B. gab es eine Handschrift des 8. Jh.s in Freising[177]), wiederholte diese Nachricht[178]. In beiden Werken konnte man im gleichen Zusammenhang den Ausdruck *consors regni* finden. Schließ-

[174] G. Ostrogorsky bei Kornemann (wie Anm. 168), S. 166 ff.

[175] P. Lehmann, Erforschung des Mittelalters (1941), S. 228.

[176] Eusebius Werke, hrsg. R. Helm, VII 1 (1913), S. 234.

[177] AA 9, S. 358.

[178] AA 9, S. 452.

lich sei hingewiesen auf die sog. Origo Constantini, die in einer Metzer Handschrift des 9. Jh.s erhalten ist und sogar die Reichsteile nennt, die die Nachfolger erhielten[179]. Dies muß uns vorerst genügen.

Karl verfügte wie der erste christliche Kaiser, dessen Titel er führte, aus eigener Machtvollkommenheit über die Zukunft des Reiches, der Papst hatte zu unterschreiben, wie die fränkischen *optimates* zu schwören hatten. Es war auf diesem Wege schon 806 das vorbereitet, was 813 durchgeführt wurde, eine Übertragung des Kaisertums ohne Mitwirkung des Papstes und der Römer, und es war das vermieden, was dann 816 geschah, als der Papst Stephan IV. wenn auch nicht in Rom, so doch in Reims Ludwig den Frommen mit der angeblichen Krone Konstantins krönte und damit geschickt die Theorie der Konstantinischen Schenkung wieder in den Vordergrund zu spielen wußte.

Präjudiziert war 806 nichts. Verfügt war über das *imperium* als einen Raum und als *potestas* und *dominatus* in diesem Raume, verfügt im Sinne einer Anwartschaft, wie man am ehesten wird sagen können. Nicht verfügt war über das *nomen imperiale* als eine Würde, einen Rang. Diese Verfügung wurde erst 813 getroffen, und insofern behält die bisherige Auffassung recht. Kapitel 19 der Divisio sah die Möglichkeit von Hinzufügungen *ad profectum et utilitatem* der Brüder ausdrücklich vor, und Bestimmungen über das Kaisertum waren davon natürlich nicht ausgenommen. |

Es blieb also die Möglichkeit offen, einen der *consortes* zum alleinigen Träger des *nomen imperatoris* nach Karls Tod zu designieren; es blieb theoretisch auch die Möglichkeit offen, sie nach dem Vorbilde Konstantins alle drei zu Trägern des Kaisertitels zu machen. So absurd diese Möglichkeit nach allem, was wir von der zeitgenössischen Auffassung des Kaisertums wissen, auch erscheinen mag, so hätte sie dem altfränkischen Gedanken der Reichsteilung aequa lance doch am ehesten entsprochen, und sie ist nicht absurder als die Annahme, Karl habe 806 beabsichtigt, das karlingische Kaisertum mit seinem Tode überhaupt erlöschen zu lassen.

[179] AA 9, S. 11.

16.

Das Ergebnis unserer Untersuchungen ist dahin zusammenzufassen, daß Karl 806 in keinem Falle eine theoretische Ableitung des Kaisertums aus einer Übertragung durch den Papst auf Grund der Konstantinischen Schenkung zu akzeptieren geneigt war. Dies war ihm anscheinend noch wichtiger als die Ablehnung des Gedankens der Übertragung durch den populus Romanus. Er selbst begründete sein Kaisertum vielmehr auf doppelte Weise: in der Nachfolge Konstantins selbst, und dies kam einer *Renovatio Romani imperii* gleich, und in der hegemonialen, den Schutz und die Gefolgschaft der gesamten Christenheit umschließenden Stellung seines Geschlechts an der Spitze des siegreichen und gottgefälligen Volkes der Franken. War diese Stellung schon in ferner Vergangenheit begründet worden, wie die Metzer Annalen in Fortführung von Gedankengängen Alkuins zu zeigen unternahmen, so war auch die Devise der Bullen Ludwigs des Frommen und späterer Kaiser, die aber in die letzte Zeit Karls zurückgehen dürfte: *Renovatio regni Francorum* durchaus sinnvoll, wie bereits Löwe gesehen hat[180]. Der Gedanke der *Renovatio* schlechthin, der doch wohl mit dem Gedanken der notwendigen Wiederherstellung des alten guten Rechts innerlich zusammenhängt, tritt dann nur um so deutlicher hervor. Gewiß kam die neue Formulierung auch dem Bestreben Karls entgegen, nach dem Ausgleich mit Byzanz 812 alles Römische im Titel und in den Zeichen seines Kaisertums zurücktreten zu lassen, während der Kaiser in Byzanz bezeichnenderweise damals begann, sich βασιλεὺς Ῥωμαίων zu nennen. Aber eine bloße politische Verlegenheitslösung war sie nicht, sondern die Aufnahme eines Gedankens, der bereits 806 voll ausgebildet und 799 vorbereitet gewesen sein

[180] Wie Anm. 44, S. 392. W. Ohnsorge, Renovatio regni Francorum, in: Festschr. zur Feier des 200jährigen Bestandes des Haus-, Hof- und Staatsarchivs, hrsg. L. Santifaller, Bd. 2 (1951), S. 303—313, setzt die Entstehung dieser erst für Ludwig den Frommen nachweisbaren Bulleninschrift in die letzte Zeit Karls des Großen. Ich möchte mich dieser Vermutung anschließen, wenn auch mit etwas anderer Begründung. Anders Schramm, Herrschaftszeichen (wie Anm. 33), S. 300 ff.

muß, in einer jetzt allerdings völlig veränderten Situation, die sich, was das Verhältnis zum Papst betrifft, unter Ludwig dem Frommen alsbald abermals ändern sollte. |

17.

Wir haben zum Schlusse, zum Ausgangspunkt unserer Untersuchungen zurückkehrend, uns Rechenschaft davon abzulegen, für wen die beiden verschiedenen Fassungen der Divisio von 806, die wir kennengelernt haben, bestimmt waren. Eine davon sicherlich für den Papst, der sie unterschrieb [181], daran wird niemand zweifeln. Die andere wird, so möchte ich meinen, den kaiserlichen missi mitgegeben worden sein, die 806 eine allgemeine Vereidigung auf die Divisio vornehmen sollten [182]. Es ist m. E. so gut wie sicher, daß der Papst die Fassung mit dem Kaisertitel des Constitutum Constantini erhielt. Nur er konnte diese Anspielung überhaupt verstehen, von wenigen Karl besonders Vertrauten abgesehen, und für ihn war sie bestimmt. Diese Anspielung war viel zu gewichtig, als daß man die Herstellung einer zweiten Fassung, die sie enthielt, einfach auf das Motiv zurückführen könnte, man habe dem Papste die auf Pippin zurückgreifende Adresse nicht zumuten können oder wollen. Sie war nicht in der zweiten, sondern in der ersten Fassung des Protokolls enthalten, wird man also jetzt formulieren dürfen, ohne daß dies eine zeitliche Reihenfolge bedeuten müßte. Dann ergibt sich aber, daß für den Zweck der Beeidigung eine andere Fassung der Divisio wenn nicht für nötig, so doch für dienlich angesehen wurde.

Wir kennen ihren Inhalt, wie gezeigt wurde, nur in einem geringen Bruchstück und können nur aus der wörtlichen Übereinstimmung des glücklicherweise neben dem Protokoll ebenfalls erhaltenen Bruchstückes der Einleitung mit dem entsprechenden

[181] Vgl. S. 125.

[182] Cap. I, nr. 46 c. 2: *insuper omnes denuo repromittant, ut ea, quae inter filios nostros propter pacis concordiam statuimus pleniter omnes consentire debeant.*

Text der Handschriften 2—5 darauf schließen, daß auch der übrige Text dem der anderen Fassung entsprach. Wäre dies richtig, so wäre die kürzere Fassung des Protokolls die einzige Abweichung, und in ihr müßte also die Zweckmäßigkeit einer besonderen Ausfertigung für die Beeidigung begründet sein. Der Kaisertitel sollte der gewohnte sein, dies mag den Ausschlag gegeben haben. Ob darüber hinaus auch die Sonderfassung der Adresse Schlüsse zuläßt, mag dahingestellt bleiben. Immerhin wäre zu erwägen, ob die Anrede *fideles sanctae Dei ecclesiae et nostri* für manche der weltlichen Großen, auf deren Eid es in erster Linie ankam, doch nicht so gleichgültig war, wie es uns Heutigen vielleicht scheinen möchte. Verband sich etwa damit auch für sie die Anspielung auf ein hochgesteigertes fränkisches Königtum, wie es in der Zeit Pippins einmal angestrebt worden war, und war dieses imperiale Königtum ihnen etwa willkommener als ein Kaisertum römischer Prägung? Waren diese Leute etwa identisch mit | den *fideles* der Ordinatio imperii, die 817, im Jahre nach der Reimser Krönung durch den Papst, Ludwig den Frommen bedrängten, *de statu totius regni et de filiorum nostrorum causa* Anordnungen zu treffen, und zwar *more parentum*[183], was nach dem folgenden Satze, in dem eine *humana divisio* abgelehnt wird, nichts anderes heißen kann als Reichsteilung wie 806? Waren sie etwa gar die Nachkommen jener *primores Francorum* der Zeit Pippins, *cum quibus consultare solebat*, die dem Italienzug des Königs offen opponierten[184]? Wir würden damit schon zu Karls Zeit und vielleicht sogar bereits zur Zeit Pippins auf jene offenbar in erster Linie von weltlichen Interessen geleitete und jeder Stärkung der Zentralgewalt mißtrauisch gegenüberstehende Adelspartei stoßen, die schließlich 843 den Teilungsgedanken zum Siege führte, dem imperialen Gedanken der Karlingerzeit aber, der sich freilich in der Zeit Ludwigs und Lothars immer enger an Rom und das Papsttum angelehnt und damit von den Konzeptionen Karls weit entfernt hatte, die Zukunft abschnitt. Die Antwort auf solche Fragen überschreitet die Grenzen, die dem auf die erhaltenen Quellen angewiesenen Historiker gesetzt sind.

[183] Cap. I nr. 136, Einleitung.
[184] Einhard, c. 6.

Nachträglich bemerke ich, daß die Formel *Fideles Dei ac nostri* auch in einem Brief Karls an Fastrada von 791 enthalten ist, den die Formelsammlung Fardulfs von St. Denis (!) überliefert, die gleiche, die auch das Constitutum Constantini enthält; MG Form. S. 510. Der Brief ist in St. Denis überarbeitet und erst nach 800 niedergeschrieben worden, vgl. S. 509 *coram domino imperatore.* Es ist daher fraglich, ob das Original die Wendung bereits enthielt. War es der Fall, so widerspricht dies unseren Gedankengängen keineswegs. Die Interpretation hätte dann zu berücksichtigen, daß es sich um einen ausgesprochenen Privatbrief handelt, der unmittelbar nach Empfang der Nachricht von dem mit Gottes Hilfe errungenen Siege über die Avaren abgefaßt wurde. Wie gelangte er nach St. Denis, und warum wurde er abgeschrieben?

Historische Zeitschrift 185, 1958, S. 515—549.

NOMEN IMPERATORIS
STUDIEN ZUR KAISERIDEE KARLS D. GR.[1]

Von Helmut Beumann

Das Kaisertum Karls d. Gr. hat sich während der letzten Dezennien auf der Tagesordnung der wissenschaftlichen Diskussion hartnäckig behauptet[2]. Mancherlei neue und weiterführende Gesichtspunkte konnten gewonnen werden[3], der Bereich der Quellen wurde erweitert[4]. Doch fehlt es nach wie vor in einer entscheidenden Frage an der wünschenswerten Übereinstimmung: Unversöhnt stehen einander gegenüber das Bild eines Frankenkönigs, der zwar

[1] Die nachstehend ausgeführten Gedankengänge sind zum erstenmal bei der Tagung des Instituts für geschichtliche Landesforschung des Bodenseegebietes auf der Reichenau am 2. 4. 1957 vorgetragen worden.

[2] Zusammenstellung der Lit. bei H. Löwe in: B. Gebhardt, Hdb. d. dt. Gesch. 1, hg. H. Grundmann, 8. Aufl. 1954, S. 141 f. und F. Steinbach, Das Frankenreich (Hdb. d. dt. Gesch., neu hg. L. Just, I, 2, 1956), S. 88 f. Ferner: H. Fichtenau, Karl d. Gr. und das Kaisertum, MIÖG 61, 1953, 257—334; J. Deér, Die Vorrechte des Kaisers in Rom (772—800), Schweizer Beitrr. z. Allgem. Gesch. 15, 1957, 5—63 [hier abgedruckt S. 30 ff.]; W. Schlesinger, Kaisertum und Reichsteilung. Zur Divisio regnorum von 806, in: Forschungen zu Staat u. Verfassung, Festgabe F. Hartung, 1958, S. 9—51. [hier abgedruckt S. 116 ff.].

[3] Vor allem mit der stärkeren Berücksichtigung von Byzanz und des Zweikaiserproblems. Dazu zahlreiche Arbeiten von W. Ohnsorge, zuletzt zusammenfassend: Byzanz u. d. Abendland im 9. u. 10. Jahrhundert, Saeculum 5, 1954, 194—220.

[4] Namentlich um Herrschaftszeichen und Staatssymbolik: P. E. Schramm, Die Anerkennung Karls d. Gr. als Kaiser, ein Kapitel a. d. Gesch. d. ma.lichen „Staatssymbolik", HZ 172, 1951, 449—515; ders., Karl d. Gr. i. Lichte d. Staatssymbolik, in: Karolingische u. ottonische Kunst, Werden, Wesen, Wirkung, 1957, S. 16—42; ders., Herrschaftszeichen u. Staatssymbolik (Schrr. d. MGH. 13, 1—3), 1954—55, passim.

danach trachtete, sein königliches Ansehen bis zur Grenze des Möglichen zu steigern und sich gern zu den höchsten Personen in der Welt zählen ließ, der aber zugleich von einer solchen Abneigung gegen alles Römische und insbesondere gegen das *nomen imperatoris et augusti* erfüllt war, daß er keinesfalls Kaiser werden wollte[5]; und das Bild eines Karl, der im Jahre 800 den Romzug antrat in der Absicht, die Ernte eines an Kämpfen reichen und mit Erfolgen | gesegneten Herrscherlebens einzufahren[6]. Zwar kann auch in diesem Bilde das Moment der Enttäuschung nicht fehlen, das den Weihnachtstag des Jahres 800 überschattete. Doch der enttäuschte Karl, der seine eigenen Kaiserpläne in einem vielleicht wichtigen Punkte durchkreuzt sah, ist ein anderer als der vom Papst überrumpelte „Kaiser wider Willen"[7].

Die offene Frage, der wir uns hier gegenüber sehen, ist nicht gerade belanglos. Eines der folgenreichsten Ereignisse der mittelalterlichen Geschichte ist in seinen Ursachen ungeklärt. Aber auch die übrigen Bereiche der fränkischen Geschichte unter Karl d. Gr., von der Verfassung bis hin zum geistigen Leben, um von den Beziehungen zum Papsttum ganz zu schweigen, werden von der erörterten Frage in fundamentaler Weise berührt. Indessen scheint in letzter Zeit die Meinung in den Hintergrund zu treten, Karls Kaisertum sei das Ergebnis einer einseitig von den Päpsten betriebenen Politik gewesen, die ihn schrittweise und ohne sein Zutun in eine imperiale Stellung hineingezogen habe, bis er dann am Ende zu seinem größten Mißvergnügen von Leo III. überrumpelt wurde und die ihm höchst fatale Kaiserwürde hinnehmen mußte. Diesem von

[5] Schramm, Anerkennung S. 480. 492; F. Dölger, Byzanz u. d. europ. Staatenwelt, 1953, S. 283 ff.; R. Drögereit, Kaiseridee u. Kaisertitel bei den Angelsachsen, ZRG 69 GA 1952, 24—73; Ohnsorge S. 201 f.

[6] H. Löwe, Von Theoderich d. Gr. zu Karl d. Gr., das Werden des Abendlandes im Geschichtsbild des frühen Ma.s, DA 9, 1952, 353—401, bes. 379 ff. und in: Gebhardt, Hdb. d. dt. Gesch. 1, S. 139; Steinbach S. 65 f.; Fichtenau (oben S. 174, Anm. 2); Deér S. 44 ff.; G. Tellenbach in: Historia Mundi, hg. F. Valjavec, 5, Frühes MA., 1956, S. 425 ff.; Schlesinger, Kaisertum u. Reichsteilung.

[7] Karl als „Kaiser wider Willen": Schramm, Anerkennung S. 492.

P. E. Schramm[8] vor allem an Hand der Herrschaftszeichen und der Staatssymbolik herausgearbeiteten Bild hat J. Deér[9] mit beachtenswerten Argumenten widersprochen. Die Vorrechte des Kaisers in Rom, die Karl nach Schramm von den Päpsten schon vor 800 Zug um Zug übertragen worden seien, haben nach Deér, sofern man dabei überhaupt von kaiserlichen Rechten sprechen könne, die Päpste allenfalls in der fraglichen Zeit selbst übernommen. In die Diskussion um diese Frage soll und kann hier nicht eingegriffen werden. Wenn jedoch weder die Päpste noch Karl selbst auf das Kaisertum hingearbeitet haben, so wird der Akt vom Weihnachtstage 800 zu einem bloßen Verkehrsunfall der Weltgeschichte, zu einer Not- oder Patentlösung, die aus den Schwierigkeiten des Tages, aus dem Bedürfnis nach einem kompetenten Richter über die römischen Feinde Leos III. geboren war[10]. |

Doch vermag die Vorstellung von Karl d. Gr. als dem „Kaiser wider Willen" nicht recht zu befriedigen. Vergleicht man das politische Gewicht der beiden Partner des Jahres 800 — den Papst, der soeben noch als politischer Flüchtling am Hofe Karls zu Paderborn erschienen war und ohne den Frankenkönig nicht so bald nach Rom hätte zurückkehren können, und Karl auf der Höhe seiner politischen Macht an der Spitze eines seit den Tagen der Römer unerhörten Reiches —, so fragt man sich, was den Papst bewegen konnte, die soeben zu seinen Gunsten so glücklich wiederhergestellte Lage alsbald leichtfertig aufs Spiel zu setzen[11]. Aber auch im Bilde Karls verbleiben Widersprüche, wollte man die herrschende Meinung von seinem Verhältnis zum Kaisertum gelten lassen. Unter den Gründen, die für sie angeführt werden, erscheint Karls angebliche Abneigung gegen alles Römische. Wie reimen sich jedoch damit jene vielfältigen römischen Studien zusammen, die unter Karls persönlichem Protektorat in seinem Reiche und an seinem Hofe aufgeblüht waren? Geht man von ihnen aus, so erscheint die

[8] Schramm, Anerkennung.

[9] Siehe oben Anm. 2.

[10] So K. Heldmann, Das Kaisertum Karls d. Gr. (Quellen u. Studien z. Verfassungsgesch. d. Dt. Reiches VI, 2), 1928, S. 207 f. u. 438 f.

[11] Tellenbach S. 432.

Formel von der *renovatio Romani imperii*, die Karl seiner ersten Kaiserbulle[12] einprägen ließ, als die zwanglose politische Konsequenz jener Bildungs- und Kulturbewegung, die wir „Karolingische Renaissance" zu nennen pflegen. Die geistige Kontinuität und Einheit, die hier wahrzunehmen ist, wäre, wenn die geschilderte Auffassung zu Recht bestünde, nur das Trugbild eines innerfränkischen historischen Zusammenhanges und jedenfalls nicht das Kennzeichen einer umfassenden Konzeption. Und wie müßte Einhard, auf dessen Zeugnis[13] über Karls Verärgerung nach der Kaiserkrönung, über seine Abneigung gegen das *nomen imperatoris*, so viel Gewicht gelegt wird, seinen Kaiser mißverstanden haben, von dem er im gleichen Zusammenhang sagt: *Neque ille toto regni sui tempore quicquam duxit antiquius, quam ut urbs Roma sua opera suoque labore vetere polleret auctoritate*[14], und dessen Portrait er im ganzen nach dem Muster der Caesares des Sueton gezeichnet hat!

Diese und ähnliche Widersprüche bedürfen der Auflösung. Eine ihrer wesentlichen Ursachen liegt wohl darin, daß die fränkische Vorgeschichte des Kaisertums nicht deutlich genug herausgearbeitet werden konnte. Zwar fehlt es auch hier nicht an wertvollen Einzelbeobachtungen, wohl aber an dem folgerichtigen Zusammenhang der verstreuten Motive. Dies hat das Gewicht der | gegen die These vom „Kaiser wider Willen" vorgebrachten Argumente gemindert. Auf den folgenden Blättern soll versucht werden, solche Zusammenhänge aufzuspüren. Dabei ist von den Quellen auszugehen.

1. Das Paderborner Epos vom Jahre 799

Die Frage, um die es geht, lautet, auf eine einfache Formel gebracht: gab es vor dem Weihnachtstage des Jahres 800 im Frankenreich ein Kaiserprojekt oder doch wenigstens imperiale Tendenzen und Strömungen, die das karolingische Kaisertum vorbereitet haben?

[12] Zu ihr zuletzt Schramm, Anerkennung, S. 494 Anm. 2.

[13] Vita Karoli c. 28, hg. O. Holder-Egger, SS. rer. Germ. 1911, S. 32.

[14] Ebd. c. 27, S. 32. Einhard unterscheidet hiervon offenbar Karls Verehrung und sein Wirken für die *ecclesia sancti Petri*.

Der Hinweis Carl Erdmanns[15] auf eine dem fränkischen Hof nahestehende Quelle, aus der sich ein fränkischer, genauer: Aachener Kaiserplan von 799 ergibt, hat wenig Anklang gefunden[16]. Es handelt sich um das panegyrische Epos *Karolus Magnus et Leo papa*[17], das die Begegnung Karls mit Leo III. zu Paderborn 799 als die Vereinigung des *rex pater Europae* und des *summus Leo pastor in orbe* behandelt. Die Bedeutung dieses Textes für unsere Frage steht und fällt mit seiner Datierung. Schon Erdmann hat durchschlagende Gründe dafür angeführt, daß das Epos in Paderborn und noch vor der Abreise des Papstes verfaßt worden ist[18]: 1. Karls Gemahlin Liutgard, die am 4. Juni 800 aus dem Leben schied, tritt in der Schilderung der Hofgesellschaft auf, ohne daß ihres Todes gedacht wird. 2. Karl wird überwiegend als *rex* bezeichnet, daneben auch als *augustus*, doch noch nicht als *imperator*. Hätte der Dichter nach 800 geschrieben, so müßte die Verwendung des *rex*-Titels aus seinem Bestreben erklärt werden, die für 799 noch amtliche Titulatur zu gebrauchen. Aber gerade dann hätte er die imperialisierende Terminologie vermeiden müssen. 3. Endlich weiß der Dichter noch nichts vom Ergebnis der Reise Leos, für ihn ist dieser noch aus Rom vertrieben. Gegen die ersten beiden Argumente ist bisher nichts vorgebracht worden. Gegen das dritte wurde eingewandt, der Schluß des Werkes mit der Schilderung von Romzug und Kaiserkrönung Karls scheine verlorengegangen zu sein[19]. Damit wird allerdings das Beweisthema selbst | zur Prämisse: handelt es sich doch hier um eine Vermutung, die nur zulässig erscheinen könnte, wenn nicht nur keine Gründe gegen eine spätere Abfassung vorlägen, sondern obendrein die spätere Entstehungszeit sich auf greifbare Beobachtungen stützen ließe. Die imperialisierende

[15] C. Erdmann, Forschungen z. polit. Ideenwelt d. Frühma.s., a. d. Nachlaß d. Verf. hg. v. F. Baethgen, 1951, S. 21 ff.

[16] Ohnsorge S. 201 f. m. Anm. 55; H. Löwe in: Wattenbach-Levison, Deutschlands Geschichtsquellen i. MA., Vorzeit u. Karolinger 2, 1953, 243 ff. Positiver: Schramm, Anerkennung S. 477 f.

[17] MG. Poetae 1, S. 366—379.

[18] Erdmann S. 21 Anm. 4.

[19] H. Löwe (wie oben Anm. 16) S. 241 f. Gegen diese Annahme auch schon Erdmann S. 21 Anm. 3.

Terminologie bietet einen solchen Anhaltspunkt jedenfalls nicht, wie das zweite Argument Erdmanns zeigt.

Die Annahme, der Dichter habe in Kenntnis der nachfolgenden römischen Ereignisse geschrieben und diese am Ende gar in einem verlorengegangenen Schlußteil des Epos dargestellt, läßt sich aber auch — und dies kommt zu Erdmanns Argumenten hinzu — durch positive Gründe ausschließen. Diese ergeben sich aus der Gesamttendenz des Panegyrikos. Das Werk ist in zwei Hauptteile gegliedert, deren erster mit dem panegyrischen Preise Karls und seiner Familie, der Schilderung der Hofgesellschaft und einer Jagdszene sowie der Bautätigkeit Karls in Aachen, das als *Nova Roma* emporwächst, den Herrscher zunächst ohne erkennbaren Zweck günstig zu stimmen sucht. Der nähere Zweck dieses Unternehmens offenbart sich jedoch im zweiten Teil, der von Leo III. und den Mißhandlungen redet, die dieser in Rom erleiden mußte. Wir hören von Leos Blendung und dem Verlust der Zunge, und mehrfach wird hervorgehoben[20], daß Gott ihm beides auf wunderbare Weise wiedergegeben habe. Habe Gott somit die Gerechtigkeit der Sache Leos bereits bestätigt, so möge nun auch Karl ihm ein gerechter Richter werden. Die Worte *qui iusto nostros examinet actus iudicio*[21] legt der Dichter Leo selbst in den Mund. Das spezielle Anliegen des Dichters ist damit deutlich: ein Plädoyer für Leo III.! Dies hatte natürlich nur einen Sinn, bevor der Fall Leos in Rom entschieden war. Ergibt sich somit bereits aus der Tendenz des Ganzen und aus der offen zutage tretenden dichterischen Motivation eine exakte historische Lokalisierung des Werkes, so ist weiterhin zu beachten, daß Karl in Rom nicht, wie der Dichter es noch erwartet hatte, als Richter über Leo aufgetreten ist, sondern nach dem Grundsatz *papa a nemine iudicatur* dem Papst einen Reinigungseid zugeschoben hat[22]. Unser leidenschaftlicher Anwalt Leos hätte seinem Mandanten einen schlechten Dienst erwiesen, wenn er ihm nach dem

[20] v. 368 f.; 396 ff.; 412; 439; 508 ff.; 515 ff. Vgl. dazu auch Karls Traumgesicht, v. 326 ff.

[21] S. 376, v. 388 f.

[22] E. Caspar, Das Papsttum unter fränkischer Herrschaft, ZfKiG 54, 1935, 223 ff.

Präjudiz des Reinigungseides Worte in den Mund gelegt hätte, mit denen der Papst den Frankenherrscher als Richter über sich anerkannte. |

Die spezielle Stoßrichtung des Epos stellt nicht nur die bereits von Erdmann begründete Datierung auf eine breitere Grundlage, sondern gibt uns auch weitere Anhaltspunkte für die Deutung des Inhalts. Ein Dichter, der Karl günstig stimmen wollte, durfte in seinem Lobpreis keine falschen Töne anschlagen. Ohne über die politischen Einzelheiten des Tages informiert sein zu müssen, bedurfte er einer Kenntnis der allgemeinen Tendenzen, des politischen Klimas, wenn anders sein Vorhaben Erfolg haben sollte. Dies gilt es bei dem Bild zu beachten, das von Karl entworfen wird. Er erscheint als der Leuchtturm und als Spitze Europas, als der höchste der Könige. Die Worte *imperii ut quantum rex culmine reges excellit, tantum cunctis praeponitur arte*[23] klingen wörtlich an die Imperator-Definition des merowingischen Ämtertraktates an: *Imperator, cuius regnum procellit in toto orbe, et sub eo reges aliorum regnorum*[24]. Mehrfach wird Karl als *augustus* bezeichnet, so auch im Anschluß an die Worte: „und herrschend über die Stadt, die als zweites Rom zu neuer Blüte gewaltig emporwächst"[25]. Gemeint ist Aachen, und es folgt eine breite Schilderung der dort im Gang befindlichen Bauten. Die Stadt heißt *Roma, ventura Roma, nova Roma.* Alkuins Brief über die drei höchsten Gewalten in der Welt[26], in dem Byzanz als *nova Roma* bezeichnet wurde, mußte vor kurzem am Hofe eingetroffen sein. Byzanz wird also stillschweigend durch Aachen ersetzt, der Dichter hat die in Alkuins Brief eingeschlossene und noch zu erörternde Konsequenz bereits

[23] v. 86 f.

[24] Erdmann S. 22 Anm. 2. Zur Kaiserdefinition des Ämtertraktates ebd. S. 16 f.; Schramm, Anerkennung S. 479 f. u. 480 Anm. 1.; zur Datierung: R. Buchner, Die Rechtsquellen (Beiheft zu Wattenbach-Levison, GQ), 1953, S. 60.

[25] v. 92—96: *Rex Karolus, caput orbis, amor populique decusque, Europae venerandus apex, pater optimus, heros, Augustus, sed et urbe potens, ubi Roma secunda flore novo, ingenti, magna consurgit ad alta Mole, tholis muro praecelsis sidera tangens.*

[26] MG. Epp. 4, 288 Nr. 174.

gezogen. Hätte Karl der Kaiserwürde reserviert oder gar ablehnend gegenübergestanden, so wäre er durch diesen „Panegyrikos" verärgert worden. Kann man dem unbekannten Dichter, der zwar nicht zu den politischen Beratern Karls gehört haben dürfte, aber jedenfalls im engeren Umkreise des Hofes gesucht werden muß, einen so schweren Fehlgriff in der Wahl seiner Mittel zutrauen?

Es fehlt auch nicht an Hinweisen, daß Karl selbst nach solchen Gedankengängen gehandelt hat. Die Bezeichnung Aachens mit dem offiziellen Namen von Byzanz ist den kunstgeschichtlichen Be- | ziehungen zur Seite zu stellen, die von der Aachener Pfalzkapelle nach Konstantinopel weisen[27]. Karl machte Aachen 813 zur Stätte der Kaiserkrönung, und Ludwig d. Fr. folgte 817 diesem Beispiel. Endlich wurde in Aachen außer der Pfalz und der Pfalzkirche ein Gebäude errichtet, das den Namen „Lateran" erhielt[28]. In ihm haben Synoden getagt, was eine Vorstellung von seiner Größe gibt. Es heißt auch *secretarium,* und dies kann „bischöfliches Absteigequartier" bedeuten. Einhard spricht von einer *domus pontificis,* die neben der Kirche stand. Tatsächlich hat Karl Rom nicht wieder aufgesucht, wohl aber Leo III. Aachen. Dies sind von dem Paderborner Epos unabhängige Nachrichten und Tatbestände, die mit dem Plan einer Nova Roma in Verbindung gebracht werden können. Ob in den Paderborner Tagen angesichts der prekären Lage des Papstes geradezu an Aachen als eine Residenz oder doch wenigstens Nebenresidenz des Papstes gedacht worden ist, wie Erdmann vermutet hat, ist nicht mehr mit Sicherheit zu fassen. Jedenfalls fiel die Entscheidung für die Rückkehr des Papstes nach Rom, und die dortigen Ereignisse haben den Aachener Kaisergedanken, dessen Spuren uns erhalten geblieben sind, zunächst durchkreuzt. Karl selbst hat ihn jedoch nicht aus dem Auge verloren, und zwischen den wie weit auch immer ausgereiften Erwägungen von Paderborn und der Krönung Ludwigs d. Fr. zu Aachen im Jahre 813 besteht ein evidenter Zusammenhang.

[27] H. Fichtenau, Byzanz u. d. Pfalz zu Aachen, MIÖG 59, 1951, 1—54; ders., MIÖG 61, 1953, 333; Tellenbach S. 430; Schramm, Anerkennung S. 477.

[28] Erdmann S. 23 f.

2. *Einhard*

Die Annahme, Karl habe sein Kaisertum einer Überrumpelung durch den Papst verdankt, pflegt in erster Linie auf das Zeugnis Einhards gestützt zu werden. Daneben beruft man sich auf die Annales Maximiniani, deren Bericht zu 801 den Einhard-Annalen nahesteht, dem Satz über die Krönung jedoch die sonst nicht belegten Worte *nesciente domno Carolo* einfügt[29]. Einhard sagt bekanntlich, Karl habe das *nomen imperatoris* so sehr verabscheut, daß er die Peterskirche trotz des hohen Feiertages nicht betreten hätte, wenn ihm der Plan des Papstes bekannt gewesen wäre[30]. Die Vita Karoli ist nach der herrschenden Anschauung nach 830, jeden- | falls vor 836 niedergeschrieben worden[31]. Sie ist keine deskriptive, auf bloße Fixierung historischer Nachrichten abzielende Schrift, sondern ganz und gar auf Reflexion und Wertung eingestellt[32]. Dies gilt auch von dem Satz über Karls Reaktion. Er hat eine klar erkennbare Funktion im Zusammenhang des Ganzen. Denn Einhard fährt fort: *Invidiam tamen suscepti nominis, Romanis imperatoribus super hoc indignantibus, magna tulit patientia. Vicitque eorum contumaciam magnanimitate, qua eis procul dubio longe praestantior erat* ... Wie sonst geht es Einhard auch hier um Charakterisierung, nicht um Bericht. Der historische „Stoff" ist ihm nur Belegmaterial für die zentralen Tugenden Karls, seine *magnanimitas* und *patientia*[33]. Diese besteht hier darin, daß er den Haß der

[29] MG. SS. 13, 19 ff.

[30] Vita Karoli c. 28, S. 32: *Quo tempore imperatoris et augusti nomen accepit. Quod primo in tantum aversatus est, ut adfirmaret se eo die, quamvis praecipua festivitas esset, ecclesiam non intraturum, si pontificis consilium praescire potuisset.*

[31] Löwe in: Wattenbach-Levison 2, 274; vgl. jedoch F. L. Ganshof, Eginhard, Biographe de Charlemagne (Bibl. d'Humanisme et Renaissance 13, Genève 1951), S. 222, der den für den Terminus ad quem entscheidenden Brief des Lupus v. Ferrière im Anschl. an Levillain in die Jahre 829—830 setzt (statt 828—836). Vgl. auch HZ 180, 1955, 460, Anm. 2.

[32] S. Hellmann, Einhards literarische Stellung, HVS 27, 1932, 40—110.

[33] Hellmann, bes. S. 91 ff.; Verf., Die Historiographie des Ma.s als Quelle f. d. Ideengesch. d. Königtums, HZ 180, 1955, 478 ff.

byzantinischen Kaiser standhaft erträgt, obwohl ihn wegen der Kaiserwürde kein Vorwurf treffen kann: er hat sie nicht nur nicht erstrebt, sondern sogar verabscheut. Zu beachten ist auch, daß Einhard Karls Abneigung gegen das *nomen imperatoris* ausdrücklich nur als erste Reaktion charakterisiert: *Quod primo in tantum aversatus est* ... Diese erste ablehnende Reaktion gehört zu den klassischen Verhaltensnormen, die uns, wie H. Fichtenau überzeugend belegt hat[34], für zahlreiche römische Kaisererhebungen überliefert sind. Für Einhard durfte im Bilde Karls, das er bewußt nach römischen Vorlagen zeichnete, auch dieser Zug nicht fehlen, ein profan-antikes Gegenstück zur kanonischen Resistenz bei der mittelalterlichen Bischofswahl. Der ein Menschenalter nach den Ereignissen aufgezeichnete Satz ist also in erster Linie durch apologetische und charakterisierende Absichten bestimmt.

Wird dieser Satz, als Nachricht genommen, durch das *nesciente domno Carolo* der Annales Maximiniani in ausreichender Weise gestützt? Die Annales Maximiniani leiten sich von einer verlorenen fränkischen Annalenkompilation her, die bis 829 reichte und zu deren weiteren Ableitungen die Salzburger Jahrbücher und die Annales Xantenses gehören. Nach 796 und so auch zu 801 folgen die Maximiniani einer den Annales qui dicuntur Einhardi nahestehenden Redaktion der Reichsannalen, die um wenige Nachrich- | ten „unbekannter Herkunft" vermehrt wurden[35]. Zu diesen gehören die zitierten Worte über Karls Unkenntnis. Nichts steht der Annahme entgegen, daß die Quelle für diesen Zusatz Einhards Vita gewesen ist[36]. Aus dessen Worten ... *si pontificis consilium praescire potuisset* war die zusätzliche Nachricht jedenfalls leicht zu gewinnen. Diese Annahme gewinnt an Wahrscheinlichkeit, wenn man bedenkt, daß die von den Maximiniani benutzte Redaktion der Reichsannalen den Namen Einhards vor allem deshalb führt, weil sie häufig mit der Vita Karoli zusammen abgeschrieben und überliefert worden ist[37]. Am Ende brauchte also der Annalist nur im

[34] Fichtenau (stets wie oben Anm. 2) S. 264 ff.

[35] Löwe in: Wattenbach-Levison 2, 257.

[36] Fichtenau S. 275.

[37] Alle erhaltenen Exemplare der Annales q. d. Einhardi folgen in den Hss. der Vita Karoli. Löwe in: Wattenbach-Levison 2, 254.

gleichen Codex zu blättern, um die Grundlage für seine Nachricht zu finden. Von Nachrichten, die unabhängig voneinander entstanden wären und sich gegenseitig stützten, kann man bei dieser Sachlage schwerlich sprechen[38].

Einhard ist nun allerdings ein qualifizierter Gewährsmann, und man wird sich trotz aller gemachten Einschränkungen davor hüten müssen, den Nachrichtengehalt seiner apologetischen und charakterisierenden Reflexion über das *nomen imperatoris* gänzlich beiseite zu schieben. Dazu besteht jedoch im Hinblick auf unsere sonstige Kenntnis der Vorgänge auch keinerlei Anlaß. Es läßt sich vielmehr zeigen, daß Einhards Formulierung an keiner Stelle im Widerspruch steht zu dem, was uns anderweit bekannt ist, ohne daß daraus folgt, Karl habe nicht Kaiser werden wollen. Dabei ist zu berücksichtigen, daß Einhard mit keinem Wort den Anspruch erhebt, sich in der Form des Kaisertitels *(imperatoris et augusti nomen)* an den tatsächlichen Wortlaut der Akklamation zu halten, die am Weihnachtstage 800 in der Peterskirche erklungen war. Natürlich kannte er diesen Wortlaut aus den Reichsannalen so gut wie wir. Dort heißt es: *Carolo augusto, a Deo coronato magno et pacifico imperatori Romanorum, vita et victoria!*[39]. Dieser durch die Vita Leonis[40] gedeckte Wortlaut ist von Einhard gekürzt worden. | Von Gewicht ist aber allein die Streichung des Genitivs *Romanorum.* Man wird ihm daraus keinen Vorwurf machen

[38] Die Worte Notkers (I c. 26) ... *antistes apostolicus* ... *nihil minus suspicantem ipsum pronuntiavit imperatorem* kommen ebensowenig als eine von Einhard unabhängige Nachricht in Betracht. Fichtenau S. 275 f. im Anschl. an Heldmann S. 312 Anm. 3.

[39] Annales regni Francorum, hg. F. Kurze, SS. rer. Germ. 1895, S. 112 zu 801.

[40] Hg. Duchesne, 2, S. 7. Dort fehlt zwar im Text der Akklamation das Wort *Romanorum,* doch heißt es kurz danach: *et ab omnibus constitutus est imperator Romanorum.* Wie P. Classen, Romanum gubernans imperium, DA 9, 1951, 117 [hier S. 21], Anm. 67 erkennen läßt, waren meine einschlägigen Bemerkungen in WaG 10, 1950, 123 Anm. 33 mißverständlich. Entscheidend ist, daß die Reichsannalen den Ereignissen zeitlich näher stehen als die erst nach dem Tode Leos III. (816) aufgezeichnete Papstvita. Ein eigenmächtiger Zusatz des den Franken so

können, da von dem Titel *imperator Romanorum* nicht wahrheitsgemäß gesagt werden konnte, Karl habe ihn „angenommen" *(accepit)*. Bekanntlich hat Karl statt dessen die Umschreibung *Romanum gubernans imperium* gewählt und damit ein staatsrechtliches Problem gelöst, das sich mit dem Titel *imperator Romanorum* für ihn und die Franken ergab: das Reichsvolk des *imperator Romanorum* wären in fränkischen Augen die Römer gewesen[41]. Insofern hatte das *nomen imperatoris* vom Weihnachtstage 800 in in der Tat für Karl eine unerträgliche Zumutung bedeutet. Für die Verfassung des Frankenreiches stellte die Kaiserwürde ohnehin, wie wir noch sehen werden, ein schwer lösbares Problem dar. Es hieß jedoch diese Problematik auf die Spitze treiben, wenn durch eine solche Gestaltung des Titels der Führungsanspruch der *Franci* offen in Frage gestellt wurde[42]. Da Karl nach Ausweis der Urkunden diese Form des Titels auch nicht akzeptiert hat[43], wird man Einhards Bericht in diesem Punkte nicht unkorrekt finden können, zumal er auch sonst nicht ausschließlich auf das Stichjahr 800 bezogen ist. Die in unlösbarem gedanklichem Zusammenhang folgenden beiden Sätze über das Verhältnis zu Byzanz schließen nämlich

anstößigen Genitivs *Romanorum* ist den Reichsannalen kaum zuzutrauen, wohl aber seine Streichung dem Biographen Leos III., da nach 812 der fragliche Genitiv in Byzanz üblich geworden war, während die Franken zugleich jede römische Qualifizierung des Kaisertums fallengelassen hatten. Das nachfolgende *constitutus est imperator Romanorum* zeigt allerdings, daß solche Rücksichtnahme, falls sie waltete, nur unvollständig zur Geltung gelangt ist. So wird man für die Vita Leonis auch Ungenauigkeit der Überlieferung in Betracht zu ziehen haben. Auch Erdmann S. 27 Anm. 2 gibt der Fassung der Reichsannalen den Vorzug. Der *imperator Romanorum* war ebenso eine Neuerung wie sein offenbares Vorbild, der *patricius Romanorum*, ist also zugleich lectio difficilior.

[41] Verf., Romkaiser u. fränk. Reichsvolk, in: Festschr. E. E. Stengel, 1952, S. 175 ff.; ders. Das imperiale Königtum i. 10. Jahrhundert, WaG 10, 1950, 123 ff.; Schramm, Anerkennung, S. 499 ff.; Classen S. 120 [hier S. 24].

[42] Erdmann S. 26 f.; Löwe in: Gebhardt, Hdb. d. dt. Gesch. 1, 8. Aufl., S. 139; Steinbach S. 66.

[43] Zur Entwicklung des urkundlichen Titels: Caspar S. 260 f.

die ganze weitere Entwicklung bis zum Jahre 812 ein. Stilistisch gesprochen, hat sich Einhard mit einer Ellipse geholfen: das von ihm gestrichene *Romanorum* ist nämlich für das | Verständnis des folgenden Satzes gleichwohl erforderlich. Das *nomen*, das Karl anfangs *(primo)* verabscheute *(aversatus est)*, lautete *imperator Romanorum*. Aber dieses *nomen* hat Karl nicht angenommen *(accepit)*. Einhards Ellipse wäre etwa folgendermaßen aufzulösen: *imperatoris et augusti nomen, quod primo aversatus est, deinde accepit*[44], nämlich nach der Streichung des Wortes *Romanorum* und seiner Ersetzung durch *Romanum gubernans imperium*. Folgerichtig bestand dann auch das Karl zuvor unbekannte *consilium pontificis* darin, daß Leo III. Karl zum Kaiser der Römer machen wollte.

Der Leser mag geneigt sein, dieser Deutung entgegenzuhalten, man könne Einhard nicht zutrauen, ganz verschiedene Dinge in einem Atemzuge gemeint zu haben: Tatsachenbericht, Apologie, Charakterisierung und typologisierende Bezugnahme auf eine charakteristische Verhaltensnorm des antiken Kaisers. Eine Analyse seiner Praefatio[45] hat jedoch bereits gezeigt, wie naiv es wäre, Einhard Naivität zu unterstellen. Die Meisterschaft, mit der er es verstand, auf mehreren Ebenen zugleich zu denken — vielleicht gehört dies zur *brevitas*, deren er sich befleißigen wollte[46] —, sucht im Mittelalter ihresgleichen. Im übrigen spricht methodisch für diese Deutung des vielerörterten und vielgedeuteten Satzes, daß sie sich an eindeutige und urkundlich belegte Tatsachen hält: an die gesicherte Entwicklung des Kaisertitels. Um den Kaisertitel, und nur um diesen, handelt es sich aber auch bei Einhard.

Die vorgeschlagene Deutung setzt voraus, daß vor dem Weihnachtstage 800 über die Kaiserfrage mit Karl verhandelt worden war. Dies wird uns durch die Annales Laureshamenses ausdrücklich

[44] Dem naheliegenden Einwand, Einhard hätte sich unschwer auch so ausdrücken können, wenn er gerade dies meinte, ist entgegenzuhalten, daß dann seine apologetischen und charakterisierenden Absichten beeinträchtigt worden wären.

[45] Verf., Topos u. Gedankengefüge bei Einhard, Archiv f. Kulturgesch. 33, 1951, 337—350.

[46] So in der Praefatio, S. 1.

bezeugt, durch eine Quelle also, die, im unmittelbaren Anschluß an die Ereignisse aufgezeichnet, diesen erheblich näher steht als Einhards Vita und die Annales Maximiniani.

3. Die Annales Laureshamenses und die Nomen-Theorie

Der Quellenwert der Annales Laureshamenses ist zuletzt von H. Fichtenau eingehend untersucht worden[47]. Nicht alle seine Argumente, mit denen er ihren Wert als einer erstrangigen Quelle zu | begründen sucht, sind stichhaltig. So kann das Wiener Fragment dieser Annalen schon deshalb nicht Autograph sein, weil es schlechtere Lesarten bietet als andere Überlieferungszweige[48]. Beachtung verdienen jedoch die Indizien, die auf den Bischof Richbod von Trier, den vormaligen Abt von Lorsch, als Verfasser der Annalen hinweisen[49]. Eine Reihe, freilich nicht alle feststellbaren textgeschichtlichen Zäsuren der Annalen lassen sich mit der Biographie Richbods gut in Einklang bringen: der Gedanke, Karls Kaisertum nicht nur auf seine tatsächliche Herrschaft über Rom zu stützen, *ubi semper Caesares sedere soliti erant*, sondern auch auf die *reliquas sedes, quas ipse per Italiam seu Galliam nec non et Germaniam tenebat*, habe nirgends näher liegen können als in Trier, wo Richbod nachweislich archäologische Interessen pflegte und sich der kaiserlichen Tradition Triers bewußt werden mußte. Fraglich bleibt, an welche *sedes* der Annalist bei der *Germania* gedacht hat, die nach dem herrschenden karolingischen Sprachgebrauch durch den Rhein von der *Gallia* getrennt wurde[50]. Er kann nicht nur einstige römische, er muß auch karolingische *sedes* gemeint haben[51]. Endlich zeichnen sich die Annales Laureshamenses gegenüber den Reichs-

[47] Fichtenau S. 287 ff.

[48] Vgl. H. Hoffmann, Unterss. z. karol. Annalistik (Bonner Histor. Forschungen 11).

[49] Fichtenau S. 296 ff.

[50] Margret Lugge, Gallia u. Francia i. MA., Diss. Bonn (masch.) 1953.

[51] Vgl. etwa Regino, Chronicon a. 876, hg. F. Kurze, MG. SS. rer. Germ. 1890, S. 111: ... *Ludowicus ... apud Franconofurt principalem sedem orientalis regni residebat.*

annalen durch sehr viel präzisere Nachrichten über Sachsen aus, und Fichtenau möchte als Quelle für diese Informationen Echternach in Anspruch nehmen, den Ausgangspunkt Willehads, also jenes Kloster, dessen Bedeutung für die Sachsenmission von H. Büttner[52] unterstrichen worden ist. Tatsächlich erscheint im Briefwechsel Alkuins Richbod als Mittelsmann zwischen Alkuin und dem Abt Beornrad von Echternach, dem gleichzeitigen Erzbischof von Sens.

Unabhängig von Fichtenau konnte inzwischen nachgewiesen werden, daß die Vita Willehadi um die Mitte des 9. Jahrhunderts in Echternach entstanden ist[53]. Diese Vita hat das Raisonnement der Annales Laureshamenses über die Kaiserfrage oder deren Quelle ausgeschrieben und um einige charakteristische Gesichtspunkte be- | reichert[54]. Das Diktat des Willehad-Biographen hat dabei deutliche Spuren hinterlassen[55]. Stoff und Zusammenhang der Vita boten jedoch keinen unmittelbaren Anlaß zu diesem Exkurs, der daher auch einigermaßen willkürlich das Gefüge der Vita durchbricht. Dies alles würde sich gut erklären, wenn Richbod als Verfasser der Annalen den Text nach Echternach vermittelt hätte, so daß ihm dort eine besondere Beachtung sicher sein konnte. War Richbod der Verfasser der Annalen, so würde ins Gewicht fallen, daß er zum Kreise Alkuins gehörte[56].

Fichtenau hat weiterhin auf eindrucksvolle Diktatberührungen zwischen dem Annalentext zu 801 und zeitgenössischen Gerichtsurkunden Karls d. Gr. hingewiesen, unter denen vor allem die

[52] H. Büttner und I. Dietrich, Weserland u. Hessen i. Kräftespiel der karolingischen u. frühen otton. Politik, in: Westfalen 30, 1952, 137 Anm. 26; Fichtenau S. 302.

[53] Gerlinde Niemeyer, Die Herkunft der Vita Willehadi, DA 12, 1956, 17—35.

[54] Niemeyer S. 32 ff. mit Gegenüberstellung der Texte; H. Löwe, DA 9, 1952, 380 m. Anm. 105.

[55] Vgl. Vita Willehadi, MG. SS. 2, 381 f., c. 5: *quem ... catholica Europae consistens Christi venerata pariter et gratulabunda suscepit ecclesia;* c. 10: *... ibique consistens gravi coepit corporis febre vexari; ... ne videamur sicut oves non habentes pastorem, errabundi vagare.*

[56] Fichtenau S. 300 ff.

Wendung *quorum petitionem ipse rex Karolus denegare noluit, sed ...* hervorzuheben ist[57]. Es handelt sich dabei nicht um karolingisches Kanzleidiktat schlechthin, sondern um Diktat aus der Zeit des Romzuges. Man braucht daraus nicht mit Fichtenau auf die Benutzung eines amtlichen Protokolls über die römischen Vorgänge zu schließen. Wohl aber gilt es zu bedenken, daß der Annalist, der das Urkundenformular woher auch immer kennen mochte, diese Wendungen in ihrer Rechtsbedeutung verstanden haben muß und somit ein rechtsförmliches Verfahren im Auge hatte, als er die Vorverhandlungen über die Kaiserwürde Karls beschrieb. Es handelt sich also nicht um willkürliche Phrasen, sondern um präzise rechtsbedeutsame Formulierungen, die der Verfasser kaum leichtfertig und willkürlich gebraucht hat.

Doch auch unabhängig von der Frage des Verfassers gibt es keine den Quellenwert dieser Annalen einschränkenden Gesichtspunkte. Sie gelten mit Recht als annähernd gleichzeitig geführt[58], ihr Inhalt läßt sich ohne Schwierigkeiten mit den sonstigen Nachrichten vereinbaren. Dies gilt, wie sich nunmehr gezeigt hat, sogar für Einhard. Weiterführende Gesichtspunkte ergeben sich zudem aus einer Analyse des Jahresberichtes zu 801. Dort heißt es[59]: |

Et quia iam tunc cessabat a parte Graecorum nomen imperatoris et femineum imperium apud se abebant, tunc visum est et ipso apostolico Leoni et universis sanctis patribus qui in ipso concilio aderant, seu reliquo christiano populo, ut ipsum Carolum regem Franchorum imperatorem nominare debuissent, qui ipsam Romam tenebat, ubi semper Caesares sedere soliti erant, seu reliquas sedes, quas ipse per Italiam seu Galliam nec non et Germaniam tenebat, quia Deus omnipotens has omnes sedes in potestate eius concessit; ideo iustum eis esse videbatur, ut ipse cum Dei adiutorio et universo christiano populo petente ipsum nomen aberet. Quorum petitionem ipse rex Karolus denegare noluit, sed cum omni humilitate subiectus Deo et petitione sacerdotum et universi christiani populi ... ipsum nomen imperatoris cum consecratione domini Leonis papae suscepit.

[57] DK 171 für Farfa von 791: *quorum petitionem denegare noluimus, sed ...*; Fichentau S. 319.

[58] Wattenbach-Levison 2, 187 f.

[59] MG. SS. 1, 38 zu 801.

Die Kaiserwürde Karls erhält hier eine doppelte Begründung: das *nomen imperatoris* ist von den Griechen gewichen, es bedarf eines neuen Trägers. Als solcher bietet sich Karl dar, weil er über Rom herrscht, *ubi semper Caesares sedere soliti erant*, sowie über die übrigen *sedes* in Italien, Gallien und Germanien, und weil Gott alle diese *sedes* in seine *potestas* gegeben habe. Dies wird von den Teilnehmern der römischen Synode festgestellt, vor denen Leo III. sich durch Eid gereinigt hatte. Die Übertragung des *nomen imperatoris* erfolgt weiterhin auf Bitten des *universus christianus populus*. Dieser wird von den *sacerdotes* ausdrücklich unterschieden. Im Gegensatz zu den Reichsannalen, die den *cunctus Romanorum populus* als handelndes Subjekt bei der Akklamation einführen, werden hier die beteiligten römischen Laien als *christianus populus* gedeutet. Die Annales Mettenses priores, die, wie H. Hoffmann zeigen kann, um 805 im karolingischen Hauskloster Chelles, dem Karls Schwester Gisela vorstand, entstanden sind[60], schreiben die Reichsannalen an der entsprechenden Stelle aus, fügen jedoch nach den Worten *Post laudes* ein: *a plebe decantatas*[61]. Diese Ergänzung der Vorlage, die auf eine interpretierende Umdeutung der von den Reichsannalen korrekt festgehaltenen Vorgänge hinausläuft, verrät die gleiche Empfindlichkeit in der Reichsvolkfrage wie Karls urkundlicher Titel und Einhard. In der Methode bestehen freilich Unterschiede: Einhard zieht sich auf den undeterminierten Kaisertitel zurück, den wir als Ergebnis des Ausgleichs mit Byzanz von 812 aufzufassen haben[62]; die Kanzlei war 801 auf das unpersönliche *Romanum imperium* ausgewichen. Der *universus christianus populus* der Annales Laureshamenses und die ebenfalls als Kirchenvolk aufzufas- | sende *plebs* der Annales Mettenses priores verweisen uns auf Alkuins *imperium christianum*, über das Karl schon vor 800 herrschte[63]. Die Annales Mettenses priores zehren auch sonst vom Geiste Alkuins, der zu Chelles, ihrem Entstehungsort, und zu Karls

[60] Siehe oben Anm. 48.

[61] Hg. B. v. Simson, SS. rer. Germ. 1905, S. 87. Freundlicher Hinweis von Herrn Dr. H. Hoffmann.

[62] Schramm, Anerkennung S. 504 f. m. Anm. 3.

[63] Siehe unten S. 201 ff.

dort residierender Schwester Gisela lebhafte Beziehungen unterhielt[64]. Mit der Richbod-These wären solche auch für die Annales Laureshamenses faßbar.

Das Raisonnement der Annales Laureshamenses über die Gründe von Karls Kaiserwürde läuft, ohne daß der Terminus gebraucht wird, auf eine Translatio nominis hinaus. Byzanz hat sich selbst für die Kaiserwürde disqualifiziert, Karl dagegen verfügt bereits mit den *sedes* über die *potestas,* die ihn von der Sache her zum Träger des *nomen imperatoris* bestimmt[65]. Dieses zwischen *nomen* und *potestas,* zwischen bloßem Titel und effektiver Herrschaft unterscheidende Gedankenschema[66] gehört zu den Grundkategorien des fränkischen Staatsdenkens seit 751. Es begegnet zuerst in der päpstlichen Antwort auf die Königsfrage Pippins[67] und gelangt so in die fränkische Überlieferung, wird als theoretische Grundlage der karolingischen Herrschaft wesentlich für das politische Selbstverständnis der Dynastie. Die Reichsannalen sprechen von den Merowingerkönigen, *qui non habentes regalem p o t e s t a t e m.* Zacharias habe Pippin mitgeteilt, *ut melius esset illum regem vocari, qui p o t e s t a t e m haberet, quam illum, qui s i n e r e g a l i p o t e s t a t e manebat; ut non conturbaretur o r d o.* Childerich III. trägt den Königstitel zu Unrecht *(false rex vocabatur)*[68]. Nach dem Chronicon Laurissense breve erschien es Zacharias *melius atque utilius* . . ., *ut ille rex n o m i n a r e t u r e t e s s e t, qui p o t e s t a t e m in regno habebat, quam ille, qui f a l s o rex appellabatur*[69]. |

[64] Schlesinger, Kaisertum u. Reichsteilung S. 42 f. [hier S. 161]; demnächst auch H. Hoffmann (wie oben Anm. 48).

[65] Löwe, DA 9, 1952, 380 ff.; Schramm, Anerkennung S. 490.

[66] Löwe, DA 9, 1952, 382 Anm. 111.

[67] F. Kern, Gottesgnadentum u. Widerstandsrecht i. früheren MA., 2. Aufl., hg. R. Buchner, 1954 S. 252 f. Anm. 104 (= 1. Aufl. S. 298); H. Büttner, Aus den Anfängen des abendländischen Staatsdenkens. Die Königserhebung Pippins, HJB 71, 1952, 77—90 (wiederabgedr. in: Das Königtum, seine geistigen u. rechtl. Grundlagen, Mainauvorträge 1954 = Vorträge u. Forschungen 3, hg. Th. Mayer, 1956, 155—167).

[68] Annales regni Francorum zu 749, S. 8.

[69] Hg. H. Schnorr v. Carolsfeld, NA 36, 1911, 28. Aufschlußreich auch der nächste Satz: *Mandavit itaque praefatus pontifex regi* (Pippin!) *et*

Der Fortsetzer Fredegars, der unter unseren Gewährsmännern den Ereignissen zeitlich am nächsten stand, faßt in der gedrängten Kürze eines einzigen Satzes die Elemente der Königserhebung — päpstliche Ermächtigung, Wahl, Weihe und *subiectio principum* — zusammen und kennzeichnet den Gesamtvorgang mit den Worten *ut antiquitus ordo deposcit*[70]. In den Reichsannalen meint *ordo* die göttliche Weltordnung, die durch das Auseinanderfallen des *nomen regis* und der *potestas* bedroht erscheint. Dies ergibt sich aus den philosophisch-theologischen Quellgründen des Gedankenschemas, die bei Augustin, Isidor und Pseudo-Cyprian zu erkennen sind[71]. Der Ordo-Begriff des Fredegar-Fortsetzers deckt sich damit nicht. Die Reichsannalen haben an entsprechender Stelle *secundum morem Francorum.* Doch trifft dies sachlich nach allem, was wir wissen, allenfalls für die Wahl, nicht für die Salbung zu. Gerade darauf scheint aber der Fredegar-Fortsetzer Rücksicht zu nehmen, wenn er sich nicht auf das fränkische Herkommen, sondern gewissermaßen auf eine andere Antiquitas beruft: auf die biblischen Präzedenzfälle der Königssalbung und auf die päpstliche Grundsatzentscheidung, die absolutes und insofern „altes" Recht offenbart hatte[72]. Daß die Reichsannalen und nicht der Fredegar-Fortsetzer den Ordo-Begriff im ursprünglichen Gedankenzusammenhang der päpstlichen Dekretale bieten, ist evident. Keinesfalls können die Reichsannalen, wie es die typographische Anordnung der Ausgabe von Kurze suggeriert, diesen Zusammenhang aus dem Fredegar-Fortsetzer hergestellt haben. Eine gemeinsame Quelle ist daher vor-

Francorum populo, ut Pippinus, qui potestate regia utebatur, rex appellaretur et in sede regali constitueretur. Die Bedeutung dieses Berichtes unterstreicht Kern S. 253.

[70] c. 33, SS. rer. Merov. 2, S. 182: *Quo tempore, una cum consilio et consensu omnium Francorum missa relatione ad sede apostolica, auctoritate praecepta, praecelsus Pippinus electione totius Francorum in sedem regni cum consecratione episcoporum et subiectione principum una cum regina Bertradane, ut antiquitus ordo deposcit, sublimatur in regno.*

[71] Kern S. 252; Büttner, HJB 71, 1952, 82 ff.

[72] W. Schlesinger, Karlingische Königswahlen, in: Zur Gesch. u. Problematik der Demokratie, Festgabe H. Herzfeld, 1958, S. 208 f. m. Anm. 12.

auszusetzen. Es liegt nahe, das päpstliche Responsum selbst dafür in Anspruch zu nehmen[73].

Auch in späteren Quellen wird diese Nomen-Theorie tradiert. So formulieren die Annales Fuldenses zu 752: ... *ut Pippinus, qui potestate regia utebatur, nominis quoque dignitate frueretur*[74]. Vollends hat Einhard im 1. Kapitel seiner Vita Karoli zur Rechtfertigung des Dynastiewechsels von 751 diese Theorie in aller Breite | expliziert[75]: Das merowingische Geschlecht endet nur scheinbar mit Childerich III., da es in Wahrheit schon längst *nullius vigoris* war und nichts Nennenswertes weiter vorzuweisen hatte außer dem *inane*, ja *inutile regis vocabulum.* Die *opes et potentia regni* sind bei den Hausmeiern, während der König *regio tantum nomine contentus* auf dem Thron sitzt *ac speciem dominantis effingeret.* Es fällt ins Gewicht, daß gerade Einhard sich diese Theorie so nachdrücklich zu eigen gemacht hat; denn er stellt der Annahme des *nomen imperatoris* durch Karl den Hinweis zur Seite, Karl sei durch seine *magnanimitas* den *Romani imperatores* überlegen gewesen[76]. So tritt zur Fülle der Aspekte, die Einhards Formulierungen gerade hier erkennen ließen, auch noch die Nomen-Theorie, wenn auch, anders als in den Lorscher Annalen, nur als ein Motiv unter vielen.

Nicht nur Einhard, sondern auch andere unter den jüngeren karolingischen Autoren formulieren — eine Wirkung der Bildungs- und Sprachreform — mit größerer Präzision. Der Bearbeiter der Reichsannalen sagt von den Merowingern zu 749: *Qui nomen tantum regis, sed nullam potestatem regiam habuerunt*[77]. Von Karl d. Gr. heißt es bei Notker Balbulus nicht weniger eindeutig: ... *ut qui iam re ipsa rector et imperator plurimarum erat nationum nomen quoque imperatoris Caesaris et augusti apostolica auctoritate gloriosius assequeretur*[78]. Daß Karl das *nomen impera-*

[73] So auch Schlesinger, Karlingische Königswahlen, S. 209 Anm. 12.

[74] Hg. F. Kurze, SS. rer. Germ. 1891, S. 6 zu 802.

[75] Verf. in: Westfalen 30, 1952, 162 ff.

[76] Verf. in: HZ 180, 1955, 477 ff., bes. S. 479 Anm. 1.

[77] Hg. F. Kurze, S. 9; Löwe, DA 9, 1952, 381 Anm. 110.

[78] Gesta Karoli I, c. 26, MG. SS. 2, 74. Dazu Erdmann S. 2 Anm. 1; W. v. d. Steinen, Notker der Dichter u. seine geistige Welt, Darstellungsband, 1948, S. 71 ff.; Schramm, Anerkennung, S. 490.

toris erhielt, weil er der Sache nach bereits Kaiser war, konnte nicht deutlicher gesagt werden.

Die Nomen-Theorie darf nicht „nominalistisch" mißverstanden werden[79]. Dies lehrt bereits der enge Zusammenhang mit dem Ordo-Gedanken[80]. Der *ordo,* die göttliche Weltordnung, erscheint nach dieser Theorie gerade gestört, wenn das *nomen* nicht zugleich mehr ist als bloßer „Name" und „Titel". Wendungen wie *nomen Romanum, nomen christianum, nominis dignitas, nominis auctoritas*[81] lassen den durchaus noch „numinosen" Vollgehalt des Begriffes erkennen. Erst dies macht es überhaupt verständlich, daß die | Nomen-Frage ein solches staatstheoretisches Gewicht erhalten konnte. Ein „Nominalist" würde nicht gerade das *nomen* zum Ausgangspunkt aller Erwägungen genommen haben! Es kommt hinzu, daß die Nomen-Theorie des päpstlichen Responsum von 751, die bereits in der fränkischen Anfrage angelegt war, auch im Lichte des sogenannten Übersetzungsproblems gesehen werden muß. Wie hat man sich das Echo der päpstlichen Grundsatzentscheidung beim fränkischen Laienadel vorzustellen? In seine Gedankenwelt übertragen, stellt sich der Dynastiewechsel als die notwendige Folge einer Verlagerung des „Königsheils" von den Merowingern auf die neue *stirps regia* dar[82]. Der charismatische Aspekt der Nomen-Theorie dürfte also die letzte Erklärung für die zentrale Stellung sein, die sie seit 751 im politischen Bewußtsein der Franken einnehmen konnte. Die zündende Wirkung des kirchlichen, patristischen Gedankenschemas war dem Umstande zu verdanken, daß sich in ihm kirchliche und fränkische Staatsvorstellungen harmo-

[79] Davor warnt H. Grundmann, Bericht über die 21. Versammlung deutscher Historiker in Marburg, Lahn, Beih. z. Zs. „Gesch. i. Wiss. u. Unterr.", 1952, S. 12 f. Dazu Verf. in: Westfalen 30, 1952, 163 Anm. 95; Fichtenau S. 259 ff.

[80] Ihn setzt auch Steinbach S. 55 und 65 für 751 und 800 voraus.

[81] Fichtenau S. 259 ff.

[82] H. Mitteis, Der Staat des hohen MA.s, 4. Aufl. 1953, S. 55; Pauli Hist. Langobard. VI 16, hg. G. Waitz, MG. SS. rer. Germ. 1878, S. 218, von den Merowingern: ... *Francorum regibus a solita fortitudine et scientia degenerantibus ...;* von den Karolingern: *quippe cum caelitus esset dispositum, ad horum progeniem Francorum transvehi regnum.*

nisch durchdringen konnten. Wie anders hätte sonst auch bei der ungemeinen Konsistenz des *mos Francorum* eine kirchliche Staatstheorie im Frankenreich normative Geltung erringen können? Den charismatischen Vorstellungen der Germanen vom Königtum ist jedoch der Gedanke nicht fremd gewesen, daß ein Königsgeschlecht sein Heil verlieren könne, so daß ein Königsopfer geboten erschien[83]. Im Sinne der Nomen-Theorie bedeutete der unfähige König auf dem Thron, daß das *nomen regis* seinen numinosen Vollgehalt eingebüßt hatte und zu einem *inane regis vocabulum* (Einhard) entartet war. Im Auseinandertreten von *nomen* und *potestas* wurde die Entartung, die *conturbatio ordinis*, manifest.

Diese Grundkategorie frühmittelalterlichen Staatsdenkens läßt sich auch sonst mannigfach belegen. So sagt die anonyme Vita Hludovici von Ludwig d. Fr. nach dem Sündenbekenntnis von Compiègne 830: *solo nomine imperator aestatem transegit*[84]. Tatsächlich war Ludwig damals seiner Funktionen enthoben. Die Annales Bertiniani begründen die Verlassung Karls von der Provence, des Sohnes Lothars I., im Jahre 861 mit Untüchtigkeit: *inutilis | atque inconveniens regio honori et nomini*[85]. Und ebendort heißt es zu 871: *Hincmarus Laudunensis nomine tantum episcopus, homo insolentiae singularis* ...[86]. Zu einer eingehenden Erörterung der Nomen-Theorie kam es im Jahre 871 zwischen Kaiser Ludwig II. und Basileios I. Die beiden Herrscher hatten sich zu einer gemeinsamen Operation gegen die Sarazenen in Süditalien zusammengefunden und außerdem eine Eheverbindung zwischen dem Sohn des Basileios, seinem Erben und Mitkaiser Konstantinos, und der Tochter Ludwigs II., Ermengard, in Aussicht genommen. Beides kam nicht zustande. Von dem aus diesem Anlaß geführten Briefwechsel zwischen den beiden Herrschern ist uns der sogenannte Kaiserbrief Ludwigs II. von 871[87] erhalten, verfaßt von Anastasius

[83] Kern S. 145 ff. (1. Aufl. S. 169 ff.); Mitteis S. 7 f. mit Lit.

[84] Vita Hludovici c. 45, MG. SS. 2, 633; Quellen z. karol. Reichsgesch. 1, hg. R. Rau, S. 336.

[85] Hg. G. Waitz, SS. rer. Germ. 1883, S. 56.

[86] Ebd. S. 116.

[87] MG. Epp. 7, 383—394, rec. W. Henze; L. M. Hartmann, Gesch. Italiens i. MA. III, 1, 1908, S. 306 Anm. 26; W. Henze, NA 35, 1910,

Bibliothecarius. Aus ihm ergibt sich, daß Basileios die protokollarische Behandlung Ludwigs II. als *imperator* von der in Aussicht genommenen Ehe der beiderseitigen Kinder abhängig machen wollte[88]. Auch war ohnehin in dem Brief des Basileios, auf den sich Ludwig II. bezieht, viel *de imperatorio nomine* die Rede gewesen, da Ludwig obendrein den Titel *Imperator augustus Romanorum*[89] für sich in Anspruch genommen hatte. Ludwig gesteht nun, die byzantinische Erregung über das *vocabuli nomen* nicht recht verstehen zu können, da die *imperii dignitas* vor Gott nicht in *vocabuli nomine, set in culmine pietatis gloriosa consistat.* Es bestehe daher kein Anlaß zur Verwunderung, *quod appellamur,* vielmehr sei zu beachten, *quod sumus*[90]. Ludwig II. wendet sich also ausdrücklich gegen die Behandlung des *nomen imperatoris* als eines bloßen Titels, der zum politischen Handelsobjekt gemacht werden könne. Er führt dagegen die unbezweifelbare Substanz seiner kaiserlichen Würde ins Feld. *Invenimus praesertim, cum ipsi patrui nostri, gloriosi reges, absque invidia imperatorem nos vocitent et imperatorem esse procul dubio fatentur*[91]. Die von Byzanz aufgeworfene Titelfrage ist in Ludwigs Augen insofern bedeutungslos, als sie nur das *nomen,* das | *vocabulum,* die „Benennung" meint und nicht zugleich auch die Sache, die *dignitas,* das *esse.*

Auch in der Antapodosis des Liutprand von Cremona tritt uns die Nomen-Theorie, hier sogar in besonders zugespitzter Form, zur Begründung eines Thronwechsels entgegen, wenn es im Hinblick auf Berengar II. heißt: Obwohl die Italiener Hugo und Lothar wiederholt als Könige angenommen hätten, *Berengarium tamen nomine solum marchionem, potestate vero regem, illos voca-*

663; E. Perels, Papst Nikolaus I. und Anastasius Bibliothecarius, 1920, S. 238 Anm. 5; F. Dölger, Europas Gestaltung im Spiegel der fränkisch-byzantinischen Auseinandersetzung des 9. Jahrhunderts, in: Der Vertrag von Verdun, hg. Th. Mayer, 1943, S. 229 ff.; W. Ohnsorge S. 210.

[88] S. 390 Z. 25 ff.

[89] S. 389 Z. 2 ff.

[90] S. 386 Z. 25 ff.

[91] S. 387 Z. 16 ff.

bulo reges, actu autem neque pro comitibus habebant[92]. In seiner Legatio hält Liutprand dem Basileus entgegen: *Romanam civitatem dominus meus non vi aut tyrannice invasit, sed a tyranni, immo tyrannorum iugo liberavit. Nonne effeminati dominabantur eius? Et quod gravius sive turpius, nonne meretrices? dormiebat, ut puto, tunc potestas tua, immo decessorum tuorum, qui nomine solo, non autem re ipsa imperatores Romanorum vocantur*[93]. Vom Gedankenschema der Nomen-Theorie hat sich endlich auch im Anschluß an Einhards Vita Karoli Widukind von Korvei bei der Begründung des Dynastiewechsels von 919 leiten lassen[94].

Die immer wiederkehrende Antithese von *nomen* und *res*, *nomen* und *potestas* zeigt, daß das Mittelalter zwischen Herrschern zu unterscheiden suchte, die das *nomen regis* oder *imperatoris* zu Recht oder zu Unrecht führten. Karl d. Gr. war nun allerdings in Einhards Augen schwerlich ein solcher, der den Kaisertitel zu Unrecht führte. Wenn er das *nomen imperatoris* empfing, so muß vorausgesetzt werden, daß Karl in Einhards Augen über die sachlichen Voraussetzungen der Kaiserwürde bereits verfügte. Die Pointe besteht also darin, daß Römer und Papst dem Frankenkönig nichts gegeben haben, was diesem nicht auf Grund seiner eigenen Leistung der Sache nach bereits längst zukam. Rom verleiht das *nomen*, aber nicht die *potestas*.

Das Raisonnement der Lorscher Annalen, in dem Karl und Byzanz im Sinne der Nomen-Theorie antithetisch einander gegenübergestellt werden, entspricht also der Theorie, mit der im Frankenreich das Königtum Pippins gerechtfertigt worden war. Für unsere Frage nach imperialen Tendenzen im Frankenreich vor 800 ist es nun von Bedeutung, ob die Anwendung dieser Theorie auf die Kaiserfrage und damit auf das Verhältnis des Frankenherrschers zu Byzanz im Frankenreich vorbereitet worden ist. Daran fehlt es in der Tat nicht. Mit den Annales Laureshamenses berühren sich die | Libri Carolini[95] in doppelter Hinsicht: in der Abwertung des

[92] Antapodosis V 30; Die Werke Liutprands v. Cremona, 3. Aufl. hg. v. J. Becker, SS. rer. Germ. 1915, S. 148 Z. 24. Ähnlich II 39, S. 54 f.

[93] Legatio 5, S. 178.

[94] Verf. in: Westfalen 30, 1952, 162 ff.

[95] MG. Conc. 2 Suppl. 1924; dazu Caspar S. 183 ff.

byzantinischen Kaisertums, auf die die gesamte dogmatische Auseinandersetzung über die Bilderfrage und den Kaiserkult hinausläuft, und in dem Hinweis auf Karls Herrschaft über die Gallia, Germania und Italia [96]. Fichtenau hat dargetan, daß die Libri Carolini wohl das heidnische Kaisertum der Römer und den byzantinischen Herrscherkult ablehnen, aber kein Verdikt über das christliche Kaisertum seit Konstantin d. Gr. fällen [97]. Eine grundsätzliche Abneigung Karls gegen die Kaiserwürde als solche läßt sich also ohnehin aus den Libri Carolini nicht herauslesen. Bei der gegen Byzanz gerichteten polemischen Tendenz des Ganzen kann die Anführung der Provinzen in der Intitulatio doch wohl nur besagen, daß Karl seine Herrschaft über einstiges römisches Gebiet betonen, daß er den *rex Francorum* als Rechtsnachfolger der römischen Herrscher über Gallien, Germanien und Italien hinstellen wollte. Dies ist jedoch die unmittelbare Vorstufe zum Raisonnement der Annales Laureshamenses [98], und man kann dieses also nicht als eine bloße Substituierung aus dem post hoc ansehen.

Im Juni 799 richtete Alkuin an Karl seinen berühmten Brief über die drei höchsten Personen in der Welt [99]. Diese sind die *apostolica sublimitas*, über deren Lage er von Karl Nachricht und Urteil erbittet; ferner die *imperialis dignitas et secundae Romae saecularis potentia*, die mit der gottlosen Absetzung des *gubernator imperii* durch die eigenen Bürger disqualifiziert ist. Endlich Karls *regalis dignitas*, in der ihn Christus zum *rector populi christiani* bestellt hat. Diese ist *ceteris praefatis dignitatibus potentia excellentior, sapientia clarior, regni dignitate sublimior*. Karl, in dem allein *tota salus ecclesiarum Christi inclinata recumbit*, ist also für Alkuin an Macht, Weisheit und Würde die *persona altissima in mundo*. Im Sinne der Nomen-Theorie konnte aus diesen Feststellungen nur der Schluß gezogen werden, daß der Ordo — wie einst 751 — durch eine falsche Verteilung der Würden, der *nomina*, gestört sei, und daß Karl die *imperialis dignitas* gebühre. Genau diese Schlußfolge-

[96] Caspar S. 260 f.; Schramm, Anerkennung S. 478 f. m. Anm. 3.

[97] Fichtenau S. 276 ff.

[98] Caspar S. 262.

[99] MG. Epp. 4, 288 Nr. 174.

rung ziehen jedenfalls die Annales Laureshamenses aus den von Alkuin beschriebenen Sachverhalten.

Wir haben gesehen, daß dieser Brief Karl in Paderborn erreichte [100], wo nach Ausweis des dort entstandenen Panegyrikos auf | Karl und Leo die Kaiserfrage bereits zum Gespräch der Hofkreise geworden war. Wenn hier der Name *Nova Roma* für Aachen reklamiert wurde, so ist auch dies eine durch Alkuins Zeilen nahegelegte Konsequenz [101]. Umstände und Zeitpunkt seiner Entstehung geben dem Alkuin-Brief einen ebenso handgreiflichen Bezug auf die Kaiserfrage wie sein Inhalt. Die mit diesem Brief belegte Anwendung der Nomen-Theorie auf Karls Verhältnis zu Byzanz wurde Karl nahegebracht, als mit der Flucht Leos nach Paderborn sich jene Konstellation herausgebildet hatte, die zu den unmittelbaren kausalen Voraussetzungen der Kaiserkrönung Karls gehört. Das Gedankenschema, mit dem die Annales Laureshamenses Karls Kaisertum begründen, ist also Karl von Alkuin nahegelegt worden [102], als die Ereignisse sich zuzuspitzen begannen. Es war als bloßes Gedankenschema dem Hofe seit 751 wohlvertraut, seine Anwendung auf das Verhältnis zu Byzanz war durch die Libri Carolini wohlvorbereitet. Hätten wir die Annales Laureshamenses nicht, so könnte demjenigen, der die Nomen-Theorie auf Grund der übrigen behandelten Zeugnisse schlechthin als die fränkische Begründung für Karls Anspruch auf die Kaiserwürde ansähe, entgegengehalten werden, dies müsse so lange Hypothese bleiben, bis eine Quelle nachgewiesen sei, in der es ausdrücklich so gesagt wird. Diese Quelle haben wir in den Annales Laureshamenses [103].

Wenn dies alles richtig ist, müßte Karl nicht erst von der römischen Synode im Anschluß an die Eidesreinigung Leos III. vor die Kaiserfrage gestellt worden sein, sondern bereits mit der Absicht, Kaiser zu werden, den Romzug angetreten haben. Da wir nämlich in Alkuins Brief und dem Paderborner Epos zwei voneinander

[100] Siehe oben S. 180 u. unten S. 211 f.

[101] Erdmann S. 22 m. Anm. 9.

[102] Auch die Provinztheorie war Alkuin vertraut. Vgl. die Adresse Epp. 4, 157 Nr. 110: *Carolo regi Germaniae, Galliae atque Italiae.*

[103] Vgl. die von Caspar S. 262 zusammengestellten „Brücken aus der Königs- in die Kaiserzeit".

unabhängige Quellen haben, die die Paderborner Zusammenkunft unter den Gesichtspunkt der Kaiserfrage stellen, kann naheliegenden weiteren Erwägungen nicht ausgewichen werden: Die Verhandlungen Leos III. mit Karl zu Paderborn endeten jedenfalls mit dem Ergebnis, daß Karl sich bereit erklärte, in Rom als Richter aufzutreten. Daß hierfür die Kompetenzen des Patricius nicht ausreichten, es vielmehr eines Kaisers bedurfte, wird von niemandem bezweifelt[104]. Der hier bestehende Kausalzusammenhang wird obendrein durch den Zeitpunkt der Kaiserkrönung — zwischen der Eidesreinigung Leos III. und dem Prozeß gegen die römischen | Feinde des Papstes — sinnfällig gemacht[105]. Die Konsequenz der Kaiserkrönung lag also in dem Paderborner Verhandlungsergebnis bereits eingeschlossen.

Zu allem Überfluß fehlt es aber auch hier nicht an einem weiteren und von den bisherigen Quellen und Erwägungen ganz unabhängigen Zeugnis. J. Deér hat jüngst das Zeremoniell untersucht, mit dem Karl d. Gr. in Rom empfangen wurde[106]. Für die Frage, ob ihm dabei die Ehren eines Kaisers oder die eines Patricius erwiesen wurden, ist ausschlaggebend, beim wievielten Meilensteine vor der Stadt der Empfang stattfand. Im Falle des Exarchen und Patricius war dies der erste Meilenstein, beim Kaiser der sechste. Ein weiterer Unterschied bestand darin, daß nur beim Kaiser, nicht aber beim Patricius-Exarchen der Papst den Gast persönlich einholte. Bei seinem ersten Besuch in Rom 774 wurde Karl am ersten Meilenstein empfangen, während der Papst in Rom verblieb und den Gast vor St. Peter erwartete. Auch sagt die Vita Hadriani expressis verbis: *sicut mos est exarchum aut patricium suscipiendum*[107]. Für die beiden nächsten Besuche, 781 und 787, fehlen uns die entsprechenden Nachrichten. Ein völlig anderes Bild bietet jedoch Karls Empfang am 23. November 800: Schon beim zwölften Meilenstein empfing ihn der Papst persönlich und mit einem Festmahl. Und hatte Karl 774 den Weg vom ersten Meilenstein bis zu St. Peter mit seiner

[104] Caspar S. 229 f.

[105] Caspar S. 230.

[106] Deér S. 42 ff. [hier S. 78 ff.].

[107] Deér S. 43 [hier S. 79].

Begleitung zu Fuß zurückgelegt, so zog er nunmehr in glanzvoller Prozession hoch zu Pferde bis vor St. Peter[108]. Dies war der Empfang eines Kaisers, und keinem der Beteiligten konnte das verborgen bleiben.

Von Interesse ist im Vergleich dazu auch das Zeremoniell beim Empfang Leos III. in Paderborn, das unser Panegyriker ausführlich schildert. Karl schickte lediglich seinen Sohn Pippin mit großer Gefolgschaft dem Papst entgegen[109] und erwartete selbst den Gast vor dem Lager. Dabei ließ Karl sein Heer in Form eines Kreises *(in modum coronae; orbis ad instar)*[110] aufstellen und trat in dessen Mitte.

4. Alkuin

In dreifacher Hinsicht berührten sich die Annales Laureshamenses bei ihrem Bericht über Karls Kaiserkrönung mit der Gedankenwelt Alkuins: der *christianus populus*, in den Annalen das | Reichsvolk des Kaisers, ist die Konsequenz des *imperium christianum*, von dem bei Alkuin schon vor 800 in den Briefen oftmals die Rede ist[111]; die Nomen-Theorie verknüpft die Annalen mit Alkuins Brief von 799 über die drei höchsten Personen[112]; und endlich spricht auch Alkuin von Karls Herrschaft über die drei Provinzen[113]. Nun hat man aber Alkuins *imperium christianum*, weil es sich aus der Terminologie der *militia Christi* herleitet, als rein spirituellen und gänzlich unpolitischen Begriff aus der Vorgeschichte des Kaisertums eliminieren wollen[114]. Mustert man daraufhin nochmals die Belege, so bestätigen in der Tat viele von ihnen die rein

[108] Annales regni Francorum zu 800, S. 110; Deér S. 44 ff. [hier S. 81 ff.].

[109] v. 455 ff.

[110] v. 489 ff.

[111] Siehe oben S. 190.

[112] Siehe oben S. 198.

[113] Siehe oben Anm. 102.

[114] H. Löwe, Die karolingische Reichsgründung und der Südosten, 1937, S. 137 ff.; ders., DA 9, 1952, 383 ff.; ders., in: Wattenbach-Levison 2, 234; Erdmann S. 19.

spirituelle Bedeutung[115]. Es fehlt jedoch nicht an solchen, nach denen das *imperium christianum* mit Karls Herrschaft identisch war[116], und zwar nicht nur als die Gemeinschaft der Christen, sondern auch als ein im Raum sich erstreckender Herrschaftsbereich. Die religiös-politische Ambivalenz des Begriffes wird vollends deutlich, wenn Alkuin 799 an Arn von Salzburg zum Tode der Markgrafen Erich von Friaul und Gerold von Baiern von diesen schreibt: *qui terminos custodierunt etiam et dilataverunt christiani imperii*[117]. Auch hat Al- | kuin nach Karls Kaiserkrönung seine Terminologie nicht etwa revidiert, wie man es erwarten müßte, wenn ihm eine politische Deutung des *imperium christianum* gänzlich ferngelegen hätte. Im Glückwunsch zur Königskrönung von Karls d. Gr. gleichnamigem

[115] Zusammenstellung der Belege bei Löwe, Karol. Reichsgründung S. 139 ff.

[116] Epp. 4, 241 Nr. 148, Alkuin 798 vor Mitte Juli an Karl, setzt sich für eine Bekämpfung des Adoptianismus ein: *quatenus haec impia heresis omnimodis extinguatur, antequam latius spargatur per orbem christiani imperii, quod divina pietas tibi tuisque filiis commisit regendum atque gubernandum.* Gewiß gefährdet die Häresie die ganze Christenheit (Löwe S. 141), doch wird das *christianum imperium* durch den *quod*-Satz zugleich als Karls Herrschaftsbereich definiert; in ep. 177, S. 292, von 799 (nach Juli 10) will Alkuin beten, ... *quatenus per vestram prosperitatem christianum tueatur imperium, fides catholica defendatur, iustitiae regula omnibus innotescat.* Der Gegenüberstellung von *christianum imperium* und *fides catholica* entspricht in ep. 202, S. 336, von 800 Mitte Juni die des *imperium christianum* und der *apostolica fides: ac veluti armis imperium christianum fortiter dilatare laborat, ita et apostolicae fidei veritatem defendere, docere, et propagare studeat, ipso auxiliante, in cuius potestate sunt omnia regna terrarum.* Auch Löwe S. 142 räumt ein, daß diese Gegenüberstellungen den Schluß nahelegen, daß das *imperium christianum* „staatlich gemeint ist". Dagegen spricht auch nicht der Hinweis auf Christi *potestas* über alle *regna terrarum,* denn aus ihr gerade ergibt sich Christi „Zuständigkeit" als Helfer für die kriegerische Ausweitung des *imperium christianum.*

[117] Ep. 185, S. 310. Nach Löwe, S. 141, spricht aus dieser Stelle „nur das Bewußtsein, daß hier die fränkischen Reichsgrenzen mit denen des *imperium christianum* identisch waren". Mehr soll auch hier nicht behauptet werden.

Sohn hält Alkuin diesem das Beispiel seines Vaters vor: *rectoris et imperatoris populi christiani*[118]. Und Karl bleibt auch nach 800 in Alkuins Briefen das Haupt des von ihm schon vorher propagierten *imperium christianum*[119].

In seiner Vita Willibrordi, die vor 797 entstanden ist[120], hat Alkuin Karls Vorfahren, Karl Martell und Pippin, in eine imperialisierende Beleuchtung gerückt[121], die derjenigen gleicht, die man in den Annales Mettenses priores von 805 findet[122]. Die imperiale Stellung, die Alkuin den Vorfahren Karls zuschreibt, hat hegemonialen Charakter und leitet sich offenbar aus angelsächsischen Vorstellungen her[123]. Es ist aber bezeichnend, daß Alkuin, der sich auch sonst, vor allem in seiner nach England gerichteten Korrespondenz, in gentilen Vorstellungen gut zu Hause fühlt[124], diese Begriffswelt auf Karl nicht übertragen hat[125]. Für diesen denkt er nicht an ein auf die *gens Francorum*, sondern auf den *populus christianus* gestütztes Kaisertum. Karl hat diesen Lösungsvorschlag zum Reichsvolkproblem nicht angenommen. Dies mag dazu bei-

[118] Ep. 217, S. 360 f.

[119] Ep. 249, S. 402; A. Kleinclausz, Alcuin, 1948, S. 264.

[120] Löwe in: Wattenbach-Levison 2, 172.

[121] c. 13, SS. rer. Merov. 7, 127 von Karl Martell: *Qui multas gentes sceptris adiecit Francorum, inter quas etiam cum triumphi gloria Fresiam ... paterno addidit imperio*; c. 23, S. 133 f: *Pippinum, qui modo cum triumphis maximis et omni dignitate gloriosissime Francorum regit imperium ... Scit namque omnis populus, quibus nobilissimus victor celebratur triumphis vel quantum terminos nostri dilataverit imperii.* Vgl. auch ep. 93 an Leo III.

[122] Löwe, DA 9, 1952, 390 f.; Schlesinger, Kaisertum und Reichsteilung, S. 38 ff. 42 ff. [hier S. 156 ff. u. 161 ff.].

[123] E. E. Stengel, Kaisertitel und Suveränitätsidee, DA 3, 1939, 26 f. mit Nachweis der Entlehnung aus Beda; Schlesinger, Kaisertum u. Reichsteilung S. 42 f. [hier S. 161 f.].

[124] Ep. 129, S. 191; Stengel a. a. O.

[125] Eine Brücke bildet allerdings der Begriff *imperiale regnum*, den Alkuin aus Beda entlehnt hat (Stengel S. 27 Anm. 3), in ep. 129 (S. 191) von 797 auf das Reich von Kent anwendet, in ep. 121 (S. 177) von 796/97 aber auch auf Karl d. Gr.

getragen haben, Alkuins Rolle als Schrittmacher eines Kaisergedankens vor 800 zu verschleiern. |

5. *Die Divisio regnorum von 806*

Karls angebliche Abneigung gegen die Kaiserwürde als solche hat man auch aus seinem Verhalten nach 800 erkennen wollen. Das tastende Suchen der Kanzlei nach der angemessenen Form des Titels und der endgültige Titel selbst sind als Zeichen für die peinliche Überraschung gewertet worden, die Karl am Weihnachtstage 800 widerfahren sei. Der endgültige urkundliche Kaisertitel spiegele noch in der umständlichen Umschreibung der Kaiserwürde das Bestreben, die Brüskierung des oströmischen Kaisertums nicht auf die Spitze zu treiben. Diesen Deutungen ist jedoch inzwischen der Boden entzogen worden. Die Formel *Romanum gubernans imperium,* an die man dabei angeknüpft hatte, konnte als gut justinianisch nachgewiesen werden[126], und die Rücksichten, die in ihr zum Ausdruck kommen, galten nicht Byzanz, sondern der Stellung der Franken als Reichsvolk. Karl vermeidet die Fassung *imperator Romanorum,* als der er akklamiert worden war, und betont im zweiten Teil des Titels seine Stellung als *rex Francorum et Langobardorum.* Die Transpersonalität der Kaiserwürde, die zum personal gefaßten Königstitel in auffälligem Gegensatz steht[127], deckt sich mit den Annales Laureshamenses, die die Kaiserwürde auf Karls Herrschaft über die *Italia, Gallia* und *Germania* sowie über Rom stützen, *ubi semper Caesares sedere soliti erant.* Die imperiale Vergangenheit des eigenen Herrschaftsbereiches ist der Gegenstand jener *Renovatio,* von der die Devise der ersten Kaiserbulle spricht. Schramm hat gezeigt, daß der auf ihrer Rückseite angebrachte

[126] Durch P. Classen (wie oben Anm. 40).

[127] Verf. in: Festschr. Stengel S. 176 f.; ders. in: WaG 10, 1950, 122 ff.; ders., Zur Entwicklung transpersonaler Staatsvorstellungen in: Das Königtum, hg. Th. Mayer (Vortrr. u. Forschungen 3), 1956, S. 204; Th. Mayer, Staatsauffassung i. d. Karolingerzeit, ebd. S. 171 (= HZ 173, 1952, 469 f.); Schramm, Anerkennung S. 500 f.

Kaisertitel *Dominus Noster Karolus Imperator Pius Felix Perpetuus Augustus* „der alten, jedoch seit dem 7. Jahrhundert nur noch verkürzt fortgeführten Kaisertitulation" entnommen wurde[128]. Karl hat im Jahre 802 seine gesamten Untertanen auf das *nomen Caesaris* in Eid genommen, also auch ihnen gegenüber mit dem Kaisertum Ernst gemacht[129]. Eine Abneigung gegen dieses ist aus all dem nicht zu entnehmen.

Dies gilt auch für die Divisio regnorum von 806, in der Karl zu Diedenhofen sein Reich für den Fall seines Ablebens unter seine | drei Söhne teilte[130]. In dieser Divisio wird allerdings, im Gegensatz zur Ordinatio imperii von 817, die Kaiserfrage nicht geregelt. Wenn irgendwo, so hätte es sich aber hier zeigen müssen, ob Karl gewillt war, die Kaiserwürde zu einem dauernden und integrierenden Bestandteil des Frankenreiches zu machen. Die Divisio von 806 war daher stets einer der stärksten Trümpfe in der Hand derer, die in Karl nur den „Kaiser wider Willen" zu sehen vermochten.

Die vorliegende Untersuchung war bis zu diesem Punkte gediehen, als, im Frühjahr 1957, W. Schlesinger mich zu einem gemeinsamen Studium der Divisio von 806 aufforderte. Unsere Aufmerksamkeit wurde alsbald durch eine Fassung des Eingangsprotokolls in Anspruch genommen, die der Herausgeber Boretius in den Apparat gewiesen hatte. Während das in den Text gesetzte Protokoll den kanzleigemäßen Kaisertitel und die Promulgatio *omnibus fidelibus sanctae Dei aecclaesiae ac nostris, praesentibis scilicet et futuris* bietet, lautet die dazu im Apparat gegebene Variante: *Imperator Caesar Karolus rex Francorum invictissimus et Romani rector imperii pius felix victor ac triumphator semper augustus omnibus fidelibus sanctae Dei aecclesiae et cuncto populo catholico praesenti et futuro gentium ac nationum, que sub imperio et regimine eius constitute sunt.*

[128] Schramm, Anerkennung S. 494.

[129] MG Cap. 1, Nr. 33, S. 91 ff.; Schramm, Anerkennung S. 495 f.; Th. Mayer S. 178 ff.

[130] MG Cap. 1, S. 126 Nr. 45.

W. Schlesinger[131] hat daraufhin die Divisio von 806 eingehend untersucht. Seine Ergebnisse[132] runden das hier entworfene Bild ab: Bei der Beurteilung dieses zweiten, ausführlicheren Protokolls war von der Überlieferung auszugehen. Boretius hatte sich auf drei Handschriften und auf den Druck bei Pithou von 1594 gestützt, der auf eine verlorene Handschrift zurückgeht. Nach Boretius verteilen sich die beiden Fassungen des Protokolls auf je zwei dieser Überlieferungen. Eine Prüfung der Handschriften ergab jedoch, daß die von Boretius in den Text gesetzte Fassung mit dem kanzleigemäßen Titel allein von der Hs. 1 aus dem 9. oder 10. Jahrhundert, heute in London, geboten wird, die überhaupt nur ein Bruchstück des Textes enthält, nämlich außer dem Protokoll den Anfang der Einleitung. Die andere Fassung des Protokolls wird aber nunmehr außer durch die drei übrigen Überlieferungen auch durch die erst in jüngster Zeit bekanntgewordene Darmstädter Hs. Nr. 231 aus dem Anfang des 15. Jahrhunderts gedeckt. Die Divisio von 806 war | ferner die Vorlage für einen Reichsteilungsplan Ludwigs d. Fr., der zu 831 gesetzt wird. In dieser Regni divisio hat Ludwigs Absicht ihren Niederschlag gefunden, die Ordinatio Imperii von 817 zugunsten seines nachgeborenen Sohnes Karl umzustoßen. Die Divisio von 831 schließt sich im Wortlaut so eng an die von 806 an, daß sie zur Herstellung des Textes von 806 ebenfalls heranzuziehen ist. Dabei ergibt sich, daß auch die Vorlage der Divisio von 831 das von Boretius in den Apparat gesetzte Protokoll enthalten hat. Dieses ist damit auf fünf Überlieferungen gegen eine gestützt und gehört zweifellos in den Text.

Aus den Reichsannalen wissen wir, daß der Text der Divisio durch Einhard dem Papst zur Unterschrift vorgelegt worden ist. Ludwig d. Fr., der sich bei seinen Versuchen, die Ordinatio von 817 umzustoßen, der vor allem von der Kirche getragenen Reichseinheitspartei gegenübersah, wird schwerlich darauf verzichtet haben,

[131] Kaisertum u. Reichsteilung, zur Divisio regnorum von 806, in: Festschrift F. Hartung, 1958, S. 9—51 [hier abgedruckt S. 116 ff.].

[132] Für die Quellen- und Literaturhinweise sowie für die Begründungen im einzelnen kann hier auf die Abhandlung von Schlesinger (s. vorige Anm.) verwiesen werden, der ich mich im folgenden anschließe.

beim Rückgriff auf die Divisio von 806 deren päpstliche Sanktion mit ins Feld zu führen. Schon diese Erwägung spricht dafür, daß der dem Papst vorgelegte Text das längere Protokoll aufwies.

Das nur durch das Londoner Fragment repräsentierte kleinere Protokoll kann nun aber nicht seinerseits in den Apparat verwiesen werden. Denn nur der kanzleigemäße Titel, nicht aber die bei Karl äußerst seltene Promulgatio *omnibus fidelibus sanctae Dei aecclaesiae ac nostris* kommt als eigenmächtige Schreiberemendation in Betracht. Wir haben es also mit zwei gleichberechtigten Fassungen mindestens des Protokolls zu tun.

Der nichtkanzleigemäße Titel des volleren Protokolls stellt ebenso wie Karls Titel auf seiner ersten Kaiserbulle einen Rückgriff auf die ältere römische Kaisertitulatur seit Konstantin d. Gr. dar. Für die nähere Bestimmung der Vorlage ist die Formel *pius felix victor ac triumphator semper augustus* ausschlaggebend. Ihre griechische Entsprechung verschwindet in der ersten Hälfte des 7. Jahrhunderts in Byzanz mit der Einführung eines kürzeren Kaisertitels. Der Formel fehlt in der Divisio das Prädikat *inclitus* (vor *victor*), das zum regelmäßigen Bestandteil der konstantinischen Titulatur gehört. Dieser Umstand gibt uns die Möglichkeit, die Vorlage zu erkennen, aus der die Kanzlei den für Karl sonst ungewöhnlichen Titel der Divisio entnommen hat: es ist das Constitutum Constantini, in dem Konstantin ein Titel zugeschrieben wird, der im Anschluß an die Triumphaltitel die Formel *pius felix victor ac triumphator semper augustus*, also ebenfalls ohne das Prädikat *inclitus*, enthält. Auch der Anfang mit *Imperator Caesar* hat dort seine wörtliche Entsprechung. Das gleiche gilt für die ebenfalls ungewöhnliche Promulgatio: den Worten *cuncto populo catholico prae-* | *senti et futuro gentium ac nationum, que sub imperio et regimine eius constitute sunt* entsprechen im CC *cuncto populo Romano gloriae imperii nostri subiacenti* und *nosse volumus omnem populum universarum gentium ac nationum*.

Der die Divisio von 806 betreffende Bericht der Reichsannalen unterscheidet *partitio* und *testamentum* auf der einen, *constitutiones pacis conservandae causa factae* auf der anderen Seite. In Verbindung mit dem Inhalt der Divisio und formalen Beobachtungen an den Handschriften ergibt sich, daß die Divisio offenbar schon in

Diedenhofen selbst aus zwei Texten redaktionell zusammengesetzt worden ist: dem die Teilung betreffenden „Testament" (c. 1—5) nebst einem Vorspruch und den *constitutiones pacis* (c. 6—20) in Form eines Kapitulars, aus dessen sonst nicht erhaltener Eingangsformel wenigstens die Datierung in einem St.-Galler Codex des 9. Jahrhunderts auf uns gekommen sein dürfte. Die beiden verschiedenen Protokolle sind also erst bei der Gesamtredaktion vorangestellt worden. Die Herstellung zweier durch das Protokoll unterschiedener Fassungen setzt unterschiedliche Zweckbestimmungen voraus und deutet auf sorgfältige politische Überlegungen hin.

Diese Tatbestände machen die Divisio regnorum von 806 mit einem Schlage zu einer der wichtigsten Quellen für die Kaiseridee Karls d. Gr. Weit davon entfernt, bei dieser Reichsteilung innerlich vom Kaisertum Abschied zu nehmen, hat sich Karl mit der Entlehnung des Titels aus dem Constitutum Constantini in typologisierender Bezugnahme zum „Novus Constantinus" gemacht. Bei der Berührung des Konstantins-Titels der Divisio mit der Titellegende der ersten Kaiserbulle erhält auch diese ihren prägnanten Sinn: das *Romanum imperium,* dem hier die *Renovatio* gilt, ist das Reich Konstantins d. Gr., der selbst ein Erneuerer des Reiches gewesen war. Es kommt hinzu, daß der Titel *Romani rector imperii* dem Gelasianischen Sakramentar entstammt. Ihm hätten fränkische oder christliche Bezeichnungen des Reiches entlehnt werden können. Wenn man sich für die römische entschied, so spricht auch daraus die Absicht, an das alte christliche Römerreich anzuknüpfen. Dem *imperium christianum* Alkuins widersprach die Konzeption nicht. Das Reichsvolk des Kaisers ist nicht wie bei Konstantin der *cunctus populus Romanus,* sondern in bewußter Abwandlung der Vorlage der *cunctus populus catholicus.* Dies ist das Reichsvolk des Kaisers in den Annales Laureshamenses, nun aber eingeschränkt auf die *gentes* und *nationes, que sub imperio et regimine eius constitute sunt.* Und deutlicher als im kanzleigemäßen Titel werden die Franken als die führende *gens* betont, wenn nunmehr der Titel *rex Francorum invictissimus* von imperialen Nomina eingerahmt erscheint und vor | dem Titel *Romani rector imperii* steht. Hatte der kanzleigemäße Titel transpersonales *Romanum imperium* und gentile Königsherrschaft über Personenverbände schroff einander gegenübergestellt, so begegnen wir jetzt dem Versuch, beide Prinzipien miteinander zu verschmelzen. Die Franken sind das Reichsvolk des *Imperator Caesar Karolus rex invictissimus*, nach Kapitel 20 der Divisio — eine Erinnerung an den Prolog der Lex Salica[133] — der *Deo amabilis populus noster*.

Karls Herrschaftsanspruch als Kaiser umfaßt also über Rom und Reichsitalien hinaus die Franken und andere *gentes ac nationes*, aber nur insoweit sie *sub imperio et regimine eius constitute sunt*. Anders als das Constitutum Constantini, das mit Wendungen wie *populum universarum gentium ac nationum* oder *omnis populus et gentium nationes in universo orbe terrarum* einen universalen Herrschaftsanspruch voraussetzte, beschränkt sich Karl auch als Kaiser auf seinen effektiven Machtbereich. Einen universalen Herrschaftsanspruch dürfte Karl ohnehin niemals erhoben haben. Auch zu dieser Frage gibt die Nomen-Theorie den Schlüssel: Das *nomen imperatoris* gebührt demjenigen, der die imperiale *potestas* der Sache nach bereits besitzt. Die Kaiserwürde soll nicht die Herrschaft mehren, sondern die bereits errungene Herrschaft durch die angemessene Würde krönen. Vom universalen Herrschafts- und Geltungsanspruch ist nur der Geltungsanspruch geblieben. Es geht im Sinne des Alkuin-Briefes vom Juni 799 um die Rangordnung der höchsten Personen in der Welt. Nach dem Merowingischen Ämtertraktat, dessen Auffassung der Paderborner Panegyriker teilte, war derjenige *imperator, cuius regnum procellit in toto orbe, et sub eo reges aliorum regnorum*[134]. Auch als Herrschaft über *gentes ac nationes* steht Karls Kaisertum mit dieser Definition in Einklang.

Aber auch das im Londoner Fragment erhaltene Protokoll verdient Beachtung. Die Publicatio *omnibus fidelibus sanctae Dei aecclaesiae ac nostris, praesentibus scilicet et futuris* begegnet bei Karl d. Gr. sonst nur in zwei formulargleichen Urkunden aus dem Jahre 799. Erst unter Ludwig d. Fr. wird sie allmählich und dann endgültig zum festen Bestandteil des Formulars. Vorher findet sie sich in Briefen der Päpste an Pippin und Karl d. Gr., allerdings

[133] Lex Salica, 100 Titel-Text, hg. K. A. Eckhardt, 1953, S. 88: *Vivat qui Francus diligit, Christus eorum regnum costodiat.*

[134] Siehe oben S. 180.

nicht in der Publicatio oder Adresse. Die charakteristische Verschmelzung der von Haus aus verschiedenen Wortbedeutungen von *fides* — „Zuverlässigkeit“ und „Vertragstreue“ im römischen, „Glaube“ und „Glaubensfestigkeit“ im kirchlichen, aber auch | „Treue“ im germanischen Sinne — läßt sich in den Papstbriefen des Codex Carolinus beobachten. Wenn schließlich der Papst den Frankenkönig als *fidelis beati Petri* bezeichnet (758) und 764 von den *fideles sanctae Dei ecclesiae et nostri* spricht, so wird in der Ambivalenz des Sprachgebrauches, im Zusammenfallen von „Treue“ und „Glauben“ im Begriff der *fides* fränkischer Einfluß erkennbar.

Ein im Original erhaltenes und unzweifelhaft echtes Diplom Pippins von 755 für St. Denis enthält in der Tat in seiner Publicatio die Wendung *cognuscat omnium fidelium Dei et nostrorum ... sagacetas.* Die Urkunde fällt in das Jahr nach den entscheidenden Vorgängen von 754. Ihre Publicatio ist der Ausdruck einer religiös-politischen Konzeption, in der für die Stellung des Königs zu seiner Gefolgschaft die Konsequenzen aus der Königssalbung und aus dem Gottesgnadentum gezogen werden. Der Gedanke, die Gefolgschaften Gottes und des Königs in Eins zu setzen, die des Königs also zugleich auch religiös, das Verhältnis der Gläubigen zu Gott zugleich gefolgschaftlich zu interpretieren, ist so originell, kühn und konsequenzenreich, daß die Formel nicht als belanglose Kanzleifloskel abgetan werden kann. Sie steht auf dem Hintergrund einer langen geschichtlichen Entwicklung, der seit den Tagen Chlodwigs fortschreitenden Integration der staatlichen und kirchlichen Sphäre im Frankenreich. So ist der Empfänger der Urkunde kaum zufällig St. Denis: Abt Fulrad, der schon die berühmte Königsfrage an Papst Zacharias überbracht hatte, kommt als Urheber dieses Gedankens ernsthaft in Betracht. Wenn die Formel weiterhin von der fränkischen Kanzlei nicht mehr gebraucht wird, dafür aber von der päpstlichen, so kann sich dahinter durchaus eine Auseinandersetzung um die Führung der *fideles Dei* verbergen.

Die Londoner Fassung der Divisio von 806 greift die Formel in ihrer päpstlichen Fassung, die im Codex Carolinus zugänglich war, wieder auf. Doch läßt sich zeigen, daß gerade damals die Pippinsche Konzeption von 755 bekannt gewesen ist. Sie hat ihren Niederschlag gefunden in den Annales Mettenses priores, der im Kloster

Chelles unter der Obhut von Karls Schwester Gisela entstandenen[135] karolingischen Hauschronik. Hier wird in deutlich erkennbarem Anschluß an Alkuinsche Gedankengänge die Stellung der Hausmeier seit Pippin d. M. als imperiales Königtum gedeutet, und auch hier begegnet die Formel *fideles Dei (et) regis*. Das Auftreten des gleichen Gedankens in der Publicatio der Diplome 188 und 189 vom Juni 799 wird daher kaum Zufall sein. Die römischen Vorgänge vom 25. April dürften zu diesem Zeitpunkt schon bekannt, ja selbst die Einladung an Leo III. ergangen sein. Aus dem gleichen Monat | stammt der mehrfach erörterte Brief Alkuins[136]. Nach dem 13. Juni brach Karl von Aachen aus nach Paderborn auf. Die Publicatio des Londoner Fragmentes der Divisio von 806 greift also auf eine Konzeption zurück, die bei Karl für den Sommer 799 belegt ist und mit der Aachener Kaiseridee zusammengestellt werden muß, die im Paderborner Epos ihren Niederschlag fand.

Diese Konzeption unterscheidet sich wesentlich von der des Konstantin-Protokolls der Divisio. Dem Rückgriff auf das christliche Kaisertum Konstantins wird in der parallelen Fassung der Rückgriff auf Pippin zur Seite gestellt. Für den Kirchenschutz, der in der Divisio von 806 den drei Söhnen gemeinsam anvertraut wird, beruft sich Karl sogar auf seinen gleichnamigen Großvater. Die darin liegende Bagatellisierung der zwischen Pippin und Stephan getroffenen Abmachungen deckt sich wiederum mit dem Geschichtsbild der Annales Mettenses priores von 805. Schreiben diese doch sogar Pippin dem Mittleren ein unmittelbares Gottesgnadentum zu[137]. Wie bei der Nomen-Theorie geht es auch hier um den Nachweis einer längst vor allen römischen oder päpstlichen Anerkennungs- und Weiheakten von den Karolingern aus eigener Kraft erworbenen Stellung.

Beide Protokolle der Divisio lassen also eine tiefdringende Beschäftigung mit dem Kaisergedanken erkennen. Daß die Divisio ihn ignoriert habe, wird man schon danach nicht sagen können. Aber auch der übrige Kontext enthält mehr als die bloße Regelung der

[135] Siehe oben Anm. 48.

[136] Epp. 4, S. 288 Nr. 174, siehe oben S. 198.

[137] Verf. in: HZ 180, 1955, 474 f.

Nachfolge im fränkischen Königreich. Es ist stets vom *regnum* und *imperium* die Rede, die Verfügungen betreffen also auch das *imperium.* Und daß der Begriff *imperium* hier den Sinn von „Kaiserherrschaft" hat, ergibt sich aus einer Wendung wie *dominatus regalis atque imperialis.* Bei der Vereidigung der Untertanen auf das *nomen Caesaris* 802 hatte Karl angeordnet: *non, ut multi usque nunc existimaverunt, tantum fidelitate domno imperatori usque in vita ipsius.* Schon hier wird das Kaisertum als dauernder Bestandteil der fränkischen Verfassung aufgefaßt, und das hat sich auch 806 nicht geändert. Zwar wird das Reich geteilt, aber Karls Söhne werden *consortes* nicht nur des *regnum,* sondern auch des *imperium.* Dabei ist zu beachten, daß der Begriff *consors* selbst sich aus der Terminologie des spätantiken Kaisertums seit Diokletian herleitet. *Consors successorque, consors imperii* begegnet bei Sueton für das antike Mitkaisertum, und der Sueton-Leser Einhard, Überbringer der Divisio von 806 an den Papst, läßt Karl d. Gr. 813 seinen Sohn Ludwig zum *consortem sibi totius regni et imperialis nominis heredem* | machen. Zwar blieb die entscheidende Frage, in welcher Weise das Kaisertum, das seinem Wesen nach Einherrschaft war, mit dem altfränkischen Teilungsprinzip zusammengefügt werden sollte, offen. Doch unbeachtet blieb die Kaiserfrage als solche nicht.

Bereits W. Ohnsorge hatte die Vermutung ausgesprochen, Leo III. habe bei seinem Besuch in Aachen 804 das Constitutum Constantini Karl als Verhandlungsgrundlage präsentiert, und Karl habe dies nicht zurückgewiesen, sondern mit der Divisio von 806 dem Papst eine Antwort erteilt. Diese Vermutung hat nun in dem Konstantins-Protokoll der Divisio ihre Bestätigung gefunden. Die Antwort bestand jedoch nicht in einer Absage an den Kaisergedanken. Indem Karl den Kaisertitel aus dem Constitutum Constantini übernahm, identifizierte er sich mit dem über das Reich verfügenden Konstantin selbst. Der politische Anspruch des Papsttums, der mit der Vorlage der Schenkung erhoben wurde, ist mit dem Hinweis auf Karls Herrschaft über den *cunctus populus catholicus,* über *gentes ac nationes* zurückgewiesen worden, an deren Spitze er eine Stellung einnahm, die hinter der Konstantins d. Gr. nicht zurückstand. Karl antwortete also im Geiste auch der Lorscher Annalen. Denn dort wie hier gibt der Gedanke den Ausschlag, daß das *nomen imperatoris* keines übergeordneten Spenders bedarf, sondern aus eigener Kraft erworben wurde.

In einem entscheidenden Punkte war allerdings 806 das Raisonnement der Lorscher Annalen bereits überholt: Nach dem Sturz der Kaiserin Irene konnte von einem *femineum imperium* nicht mehr die Rede sein, und 803 war es zum Bruch mit Byzanz gekommen. Erst 813 waren die Voraussetzungen zur Lösung der noch offenen Fragen gegeben. Ein Jahr zuvor war ein Ausgleich mit Byzanz zustande gekommen, bei dem Karl die offizielle Anerkennung seines *nomen imperatoris* durch den Ostkaiser mit territorialen Abtretungen erkauft hatte. Weiterhin trat er gewissermaßen die römische Qualifizierung des Kaisertums an Byzanz ab. Im Hinblick auf die in der Divisio von 806 angelegten Alternativen fiel damit die Entscheidung gegen die Konstantin-Nachfolge und für die auf das imperiale Königtum Pippins zurückgehende Idee eines „romfreien" Kaisertums, das in den Paderborner Tagen von 799 bereits erwogen worden war.

Die Lösung der Kaiserfrage war weiterhin dadurch entscheidend erleichtert worden, daß Ludwig als einziger Sohn überlebte und so der Konflikt des Kaisergedankens mit dem fränkischen Erbrecht wenigstens fürs erste vermieden werden konnte. Thegan, unser ausführlichster Berichterstatter über die Vorgänge von 813, läßt ein Empfinden für die Tragweite erkennen, die einer Vererbung der | Kaiserwürde gleichwohl zukam. Nach ihm rief Karl seinen Sohn Ludwig zu sich *cum omni exercitu, episcopis, abbatibus, ducibus, comitibus, locopositis,* und fragte auf diesem Reichstag zu Aachen *omnes a maximo usque ad minimum, si eis placuisset, ut nomen suum, id est imperatoris, filio suo Hludowico tradidisset*[138]. Die Zustimmung aller wird auf Gottes Eingebung zurückgeführt. W. Schlesinger[139] macht darauf aufmerksam, daß Karls Frage, die er so betont an alle *a maximo usque ad minimum* richtete, auf eine Grundsatzentscheidung über das Kaisertum abgestellt war. Der sonst stets selbstherrlich entscheidende Karl fragte die fränkischen Großen, ob er das *nomen imperatoris* auf Ludwig übertragen solle.

[138] c. 6, MG. SS. 2, 591.

[139] Karlingische Königswahlen S. 215 f.

Nicht die Person des Nachfolgers konnte zweifelhaft sein, wohl aber war seit 806 die Frage in der Schwebe, ob und wie die Kaiserwürde mit dem fränkischen Volks- und Staatsrecht in Einklang gebracht werden konnte. Karl hat in einem doppelten Sinne das Kaisertum nunmehr auf die *gens Francorum* gestellt: indem er den fränkischen Großen die Entscheidung über die Fortführung des Kaisertums überließ, führte er statt der römischen eine fränkische Akklamation herbei und gewann zugleich die Zustimmung der Franken zu diesem Verfahren. Bei dem anschließenden Krönungsakt vermied Karl alles, was der Nomen-Theorie und seiner Auffassung von der Rolle der Franken als Reichsvolk des Kaisers widersprochen hätte: die Akklamation der Römer und den Papst als Coronator. Im übrigen entspricht der Hergang byzantinischem Vorbild[140], denn hinter Byzanz wollte Karl und sollte Ludwig nicht zurückstehen. Den *Romanis imperatoribus*, wie man sie nunmehr unbefangen nennen konnte, blieb Karl auch nach 812 nach Einhards Worten *magnanimitate ... procul dubio longe praestantior*[141].

Die „fränkische" Konzeption des Kaisertums ist mit der Devise der zweiten Kaiserbulle wohl auf die kürzeste Formel gebracht worden: an die Stelle der *Renovatio Romani imperii*, die dem Konstantins-Titel von 806 entsprochen hatte, trat jetzt die *Renovatio regni Francorum*. Die neue Formel entspricht ganz der Lage von 813. Ort und Personenkreis der Handelnden hatten zu Aachen das *regnum Francorum* repräsentiert, Franken, nicht Römer, hatten über die Kaiserfrage entschieden. Indem der *populus Francorum* über die höchste Würde hatte verfügen können und damit sichtlich zum Reichsvolk des Kaisers geworden war, vollendete sich die „Er- | neuerung des Frankenreiches", mit der Karls Vorfahren begonnen hatten. Auch diese vielerörterte Formel[142] erhält schließlich ihren

[140] Dölger (wie oben Anm. 87) S. 222 m. Anm. 44.

[141] Vita Karoli c. 28, S. 32; dazu HZ 180, 1955, 479.

[142] P. E. Schramm, Die deutschen Kaiser u. Könige in Bildern ihrer Zeit 1, 1928, S. 42, 169 f., Abb. 13 a, b; die Deutung von H. Löwe, DA 9, 1952, 391 f., der die Formel zum Geschichtsbild der Annales Mettenses priores von 805 stellt, überzeugt und wird durch die Ergebnisse Schlesingers (Kaisertum u. Reichsteilung S. 49 [hier S. 170]) bekräftigt.

Sinn aus der seit 751 nicht preisgegebenen fränkischen Grundüberzeugung, daß Würde und Rang des Herrschers nur durch die eigene Leistung gerechtfertigt werden.

Festschrift Percy Ernst Schramm zu seinem 70. Geburtstag von Schülern und Freunden zugeeignet. Bd. I. Franz Steiner, Wiesbaden 1964, S. 36—51.

KAISERTUM UND NAMENTHEORIE IM JAHRE 800

Von ARNO BORST

Was am 25. Dezember 800 in der Peterskirche in Rom geschah, das muß, wie alle fortwirkende Vergangenheit, von den Späteren immer wieder neu begriffen werden; gerade weil sich alle Zeiten über die Bedeutsamkeit des Ereignisses einig sind, streiten sie sich darum, was es eigentlich bedeutete. Die Gebildeten folgen noch heute weithin der deutschen Geschichtsforschung des 19. Jahrhunderts, für die mit der Kaiserkrönung Karls des Großen im Jahre 800 die 1871 erneuerte deutsche Kaiserzeit begann. Die Gelehrten des 20. Jahrhunderts aber reden nicht mehr gern von Karls Kaiserkrönung, sondern lieber von seiner Anerkennung oder Ausrufung als Kaiser [1]. Sie trauen dem Glanz der Kronen nicht mehr. Sie sehen hinter der prunkvollen Zeremonie vom Weihnachtstag 800 die politische und geistige Wirklichkeit des Karolingerreiches zwischen 768 und 814, die Macht Karls, die Pläne der Päpste, den Widerstand der byzantinischen Kaiser; dabei wird der 25. Dezember 800 zu einem Datum neben und nach vielen anderen.

Geblieben ist aber bis heute der Streit um die Deutung von Karls Kaisertum. Manche Gelehrte glauben, daß Karls fränkische Königsmacht nicht des Kaisertums bedurfte, daß der „Kaiserflitter" für ihn ein unerwünschtes Geschenk, ein leerer Titel, ein bloßer Name

[1] Percy Ernst Schramm, Die Anerkennung Karls des Großen als Kaiser, Ein Kapitel aus der Geschichte der mittelalterlichen „Staatssymbolik", in: HZ 172 (1951) 449—515, hier S. 488 (Anerkennung). Heinrich Dannenbauer, Die Entstehung Europas, Von der Spätantike zum Mittelalter, Bd. 2, Stuttgart 1962, S. 272 (Ausrufung). Von Kaiserkrönung spricht wieder Josef Fleckenstein, Karl der Große (Persönlichkeit und Geschichte, Bd. 28), Göttingen 1962, S. 62 f.

war, daß Karl nicht Kaiser werden wollte[2]. Andere Forscher halten das abendländische Kaisertum Karls für die Krönung seines Werkes, für ein von Karl erstrebtes hohes Ziel, für eine Machtwirklichkeit[3]. Wie verhält sich dann aber diese Wirklichkeit zum Kaisernamen? Man kann der Meinung sein, daß zur karolingischen Machtwirklichkeit auch der Kaisername unmittelbar gehörte[4]; nach anderer Auffassung wurde der „bloße Titel" grundsätzlich von der | „effektiven Herrschaft" getrennt[5]. Hinter dem gelehrten Streit stehen die alten Fragen nach Recht und Grenzen der universalen deutschen Kaiserpolitik, nach dem Verhältnis zwischen Anspruch und Macht, zwischen Programm und Erfolg und schließlich die Frage nach dem Wert eines Titels und Namens. Entweder war der Kaisername nur eine Quisquilie, ein leerer Titel, oder er war eine Realität, die Quintessenz von Karls Macht. Eine dritte Lösung scheint es nicht zu

[2] Johannes Haller, Das Papsttum, Idee und Wirklichkeit, 2. Aufl., Bd. 2, Stuttgart 1951, S. 20 ff. und 520 ff.; Dannenbauer (o. Anm. 1) S. 272 f. Abgewogener Schramm (o. Anm. 1) S. 480 ff. und 491 f.; Heinz Löwe, Von Theoderich dem Großen zu Karl dem Großen, Das Werden des Abendlandes im Geschichtsbild des frühen Mittelalters, in: DA 9 (1952) 353—401, hier S. 379 ff.

[3] Heinrich Fichtenau, Karl der Große und das Kaisertum, in: MIÖG 61 (1953) 257—334, hier S. 327 ff.; Helmut Beumann, Nomen imperatoris, Studien zur Kaiseridee Karls d. Gr., in: HZ 185 (1958) 515—549, hier S. 540 ff.

[4] Heinrich Mitteis, Die deutsche Königswahl, Ihre Rechtsgrundlagen bis zur Goldenen Bulle, 2. Aufl., Brünn-München-Wien 1944, S. 160 ff.; Herbert Grundmann, Diskussionsbeitrag zu Löwe (o. Anm. 2), in: Bericht über die 21. Versammlung deutscher Historiker in Marburg/Lahn 13.—16. September 1951 (Beiheft zur Zeitschrift „Geschichte in Wissenschaft und Unterricht"), Offenburg-Stuttgart (1952), S. 12 f.; Fichtenau (o. Anm. 3) S. 259 ff.

[5] Carl Erdmann, Forschungen zur politischen Ideenwelt des Frühmittelalters, Berlin 1951, S. 1 f.; Schramm (o. Anm. 1) S. 509; Löwe (o. Anm. 2) S. 381 f.; Beumann (o. Anm. 3) S. 529—34; Helmut Beumann, Die Kaiserfrage bei den Paderborner Verhandlungen von 799, in: Das erste Jahrtausend, Kultur und Kunst im werdenden Abendland an Rhein und Ruhr, hg. Kurt Böhner u. a., Textband 1, Düsseldorf (1962), S. 296—317, hier S. 306.

geben, und die Wahl zwischen den beiden möglichen wird von den wortkargen Quellen scheinbar völlig offen gelassen.

Dabei sind die zeitgenössischen fränkischen Quellen bei der Schilderung des Ereignisses von 800 überraschend genau und, obwohl sie voneinander unabhängig entstanden, erstaunlich gleichlautend. Die Lorscher Annalen, die wohl dem Karlshof und Alkuin nahestanden, schrieben, vielleicht unmittelbar nach dem Ereignis, es habe dem Papst Leo III. und dem christlichen Volk richtig geschienen, den Frankenkönig Karl Kaiser zu nennen *(imperatorem nominare)*; er sollte den Kaisernamen haben *(ipsum nomen abere)*. Karl habe dieser Bitte entsprochen und am Weihnachtstag 800 den Kaisernamen aufgenommen *(ipsum nomen imperatoris ... suscepit)*[6]. Die fränkischen Reichsannalen, die am Karlshof selbst entstanden, schilderten ebenfalls kurz nach 800, spätestens 807, daß bei der Weihnachtsmesse dem König Karl von Papst Leo III. eine Krone aufgesetzt wurde und daß dazu das ganze römische Volk rief: „Dem erhabenen Karl, dem von Gott gekrönten großen und friedbringenden Kaiser der Römer, langes Leben und Sieg!" Dann sei Karl vom Papst nach altem Brauch verehrt und Kaiser genannt worden *(imperator et augustus est appellatus)*[7]. Als schließlich Karls vertrauter Helfer Einhard fast ein Menschenalter später, um 830, das Leben seines Herrn beschrieb, sagte er knapp, | Karl habe 800 in Rom den Namen des Kaisers angenommen *(imperatoris et augusti*

[6] Annales Laureshamenses a. 801, MGH SS Bd. 1, S. 38. Der These von Fichtenau (o. Anm. 3) S. 287 ff., die Annalen seien in der vorliegenden Form zeitgenössisch, widerspricht Hartmut Hoffmann, Untersuchungen zur karolingischen Annalistik (Bonner historische Forschungen, Bd. 10), Bonn 1958, S. 87 ff.; der hier zur Debatte stehende Wortgebrauch dürfte aber zeitgenössisch sein.

[7] Annales regni Francorum a. 801, MGH SSrG S. 112; a. 814 S. 140. Die älteren Fassungen gebrauchen hier erstmals das Verbum *appellari*, vorher für Personen- und Ortsnamen stets nur die Verben *dici* und *vocari*, die umgekehrt nie im Zusammenhang mit dem König- und Kaisertum vorkommen. Die späteren Fassungen nach 808 verwischen diese Nuancen und verwenden auch *appellari* in anderen Bezügen, a. 780 S. 57; a. 794 S. 95. Vgl. u. Anm. 32.

nomen accepit). Er habe anfangs nichts davon wissen wollen, dann aber den Ärger der byzantinischen Kaiser über diese Aufnahme des Kaisernamens *(susceptum ... imperatoris nomen)* großmütig ertragen[8].

Einhellig sagen diese drei fränkischen Hauptquellen, daß Karl Kaiser genannt wurde, daß er den Kaisernamen aufnahm oder annahm. Man hat mit Recht vermutet, daß diese „überraschende Übereinstimmung" der Quellen auf eine „höfische Sprachregelung" zurückgeht[9]. Wie wichtig sie dem fränkischen Hof war, ist daraus zu erkennen, daß Autoren, die dem Karlshof nahestanden, noch eine Generation lang von der Übertragung, Übergabe oder Annahme des Kaisernamens redeten: 812 bei der Anerkennung von Karls Kaisertum durch die Byzantiner, 813 bei der Kaisererhebung Ludwigs des Frommen, 817 bei der Einsetzung Lothars I. als Mitkaiser, 823 bei Lothars Bestätigung durch den Papst in Rom. Auch hier heißt es noch immer: *Imperatoris atque augusti nomen accepit*[10]. Das Ereignis von 800 und seine frühkarolingischen Wiederholungen wurden also vom fränkischen Hof bewußt nicht als Kaiserkrönung, auch nicht als Kaiserausrufung oder Kaiseranerkennung deklariert, sondern als Nennung mit dem Kaisernamen bezeichnet.

[8] Einhard, Vita Karoli Magni c. 28, MGH SSrG S. 32; c. 16 S. 20. Zu Einhards Gebrauch von *suscipere* vgl. u. Anm. 79.

[9] Schramm (o. Anm. 1) S. 509 (überraschend). Löwe (o. Anm. 2) S. 381 (Sprachregelung).

[10] Annales regni Francorum a. 823, MGH SSrG S. 161; ähnlich a. 812 S. 136 (*imperatorem ... appellantes*); a. 813 S. 138; a. 817 S. 146. Zu 813 schreibt Thegan, Vita Hludowici imperatoris c. 6, MGH SS Bd. 2, S. 591: *ut nomen suum, id est imperatoris, filio suo ... tradidisset,* und die Kleine Lorscher Frankenchronik, hg. H. Schnorr von Carolsfeld, Das Chronicon Laurissense breve, in: NA 36 (1911) 13—39, hier S. 36: *nomen imperatoris inposuit filio suo.* Einhard schreibt 830 an Lothar I., Ludwig der Fromme habe ihn 817 *in societatem nominis et regni* aufgenommen, ep. 11, MGH Epp. Bd. 5, S. 114. Vgl. u. Anm. 80 f. mit weiteren Belegen. Warum die *Divisio regnorum* von 806 nicht vom Kaisernamen spricht, erläutert Walter Schlesinger, Kaisertum und Reichsteilung, Zur Divisio regnorum von 806, in: Forschungen zu Staat und Verfassung, Festgabe für Fritz Hartung, Berlin 1958, S. 9—51, hier S. 46 ff.

Angesichts dieser unbestrittenen Tatsache muß die Forschung fragen: Was bedeutete für den fränkischen Hof das *nomen imperatoris*? War es ein leerer Titel oder eine mächtige Wirklichkeit? Jedermann weiß, daß *nomen* „eines der schwierigsten mittellateinischen Wörter" ist und ein vielschichtiges Bedeutungsfeld hat[11]; aber welche Nuancen des Wortes standen in der Karolingerzeit im Vordergrund? Die erwähnten drei Hauptquellen lassen das nicht erkennen, wenigstens dort nicht, wo sie die Kaisernennung von 800 beschreiben, und so beantworten viele Historiker diese Frage aus ihrer Sicht der Gesamtsituation und aus ihrer Interpretation des ganzen Bedeutungsfeldes von *nomen*. Die dabei unvermeidliche Vermengung karolingischer Absichten und Pläne mit der tatsächlichen, vorgefundenen und eingetretenen Lage und ferner die Erklärung frühkarolingischer Wortwahl durch allgemein mittelalterliches Sprachempfinden ist bedenklich, vor allem, weil die Absichten der karolingischen Wortwahl für uns noch durchaus greifbar sind. Wenn der Karlshof | so genau auf seine Sprache achtete, wenn er das Kaisertum Karls so nachdrücklich mit Namen und Benennung verknüpfte, muß man sich bei Hofe über Wert und Bedeutung von Namen eingehende Gedanken gemacht haben, und sie müssen das Urteil des Historikers in erster Linie bestimmen, wenn er nach der Bedeutung des *nomen imperatoris* für Karl und seinen Hof fragt. Zeugnisse für einen solchen Gedankenaustausch am Karlshof liegen uns in Fülle vor; viele davon blieben bisher unbeachtet, weil für moderne Gelehrte das Kaisertum gewöhnlich eine politisch-historische Idee, die Sprachtheorie aber eine rein geistesgeschichtliche Abstraktion ist. Am Karlshof kannte man solche Ressortgrenzen allerdings nicht, und schon deshalb darf auch der Historiker bei ihnen nicht haltmachen. Wir fragen also Karl den Großen und seine engsten Berater, was sie über den Wirklichkeitsgehalt von Namen wußten oder aus der Tradition erfuhren. Wir stellen ihnen die gleiche Frage, die Karl selbst in einem Dialog seinem Berater Alkuin stellte: *Nomen quid est?*[12].

[11] Mitteis (o. Anm. 4) S. 160.

[12] Alkuin, De dialectica c. 16, MPL Bd. 101, Sp. 973.

I

Die erste, zeitlich früheste und methodisch grundlegende Einsicht am Karlshof entsprach etwa dem, was Schramm und Löwe heute meinen: Namen sind nicht viel wert. Als Karl der Große um 790 gegen die byzantinisch-orthodoxe Kirche die *Libri Carolini* schreiben ließ, möglicherweise durch den spanischen Geistlichen Theodulf von Orléans zusammengetragen, möglicherweise auch von Alkuin herausgegeben, da wurde verkündet, Platon habe zwar behauptet, daß die Namen der adäquate Ausdruck der Dinge seien, aber man müsse mehr dem Aristoteles folgen, daß Namen *non secundum naturam . . ., sed secundum placitum* gesetzt würden, also von Menschen nach deren Meinungen und Überzeugungen. Die *Libri Carolini* fügten auch die Erläuterungen des Philosophen Boethius aus dem frühen 6. Jahrhundert hinzu: Ein Hirsch ist ein Hirsch und kein Pferd, bei Römern und Barbaren hat er überall dieselbe Natur; aber er hat nicht überall denselben Namen. Das hängt — nach den *Libri Carolini* — mit der Weltschöpfung zusammen. Denn die Namen wurden wegen der Dinge geschaffen, nicht umgekehrt. Als Gott die Dinge erschuf, gab er ihnen keine Namen; das überließ er dem ersten Menschen Adam, und dieser benannte die Lebewesen nach seinem Gutdünken [13].

Dasselbe meinte Karls Hauptratgeber, der Angelsachse Alkuin, in zahlreichen Schriften und Briefen, die meist vor 799 abgefaßt wurden. Auch er wiederholte in seiner Grammatik und in einem Gespräch mit Karl dem Großen die Ansicht des Boethius: Ein Name ist ein bezeichnendes Wort nach Gutdünken, *vox significativa secundum placitum.* Und Alkuin erläuterte: Das heißt, nach der Anordnung der einzelnen Völker, *secundum compositionem singular(i)um gentium* [14]. Er stimmte hier nicht der Meinung des spätlateinischen Grammatikers Priscian zu, daß das *nomen* ein *notamen* sei und in der *uniuscuiusque substantiae qualitas*, also im

[13] Libri Carolini IV, 23, MGH Conc. II Suppl., S. 217 ff.

[14] Alkuin, Grammatica, MPL Bd. 101, Sp. 859; De dialectica c. 16 Sp. 973.

Wesen | des Dinges begründet sei[15]. Priscians Sätze werden in der Grammatik Alkuins vom Schüler vorgetragen; der Meister aber belehrt ihn eines Besseren. Es ist also nicht die Natur oder Gott, es sind allemal Menschen, einzelne oder Gruppen, die die Namen setzen, und darum können solche Wörter nicht die ganze Wirklichkeit, sondern nur menschliche Gedanken und Wünsche spiegeln. Das Wort verrät — nach Alkuin — den Sinn des Menschen; es wurde geschaffen, damit wir unsere Herzensgeheimnisse dem Nächsten mitteilen[16]. Und auf eine ausdrückliche Frage Karls erwiderte um 799 ein Brief Alkuins, Wörter bezeichneten nur diejenigen Dinge, die wir im Geist konzipiert hätten und anderen zur Kenntnis bringen wollten. Sie seien nur dann richtig *(recte)* vorgebracht, wenn sie die Wahrheit bezeichneten[17]. Aber eben die Wahrheit liegt nicht in den Wörtern der Sprache selbst, sondern im Geist und Willen des Menschen[18].

Der Mensch kann anderen Menschen und Dingen Namen auferlegen nach seinem Gutdünken, so wie König Pippin 759 seinen Sohn benannte — *nomen suum inposuit*, sagen die Reichsannalen[19]. Einhard erzählt, wie Karl als Kaiser den Monaten und Winden deutsche Namen gab — *vocabula inposuit, nomina inposuit*[20]. Karl selbst schreibt 798 an Alkuin: Wer den Dingen Namen auferlege,

[15] Priscian, Institutiones grammaticae II, 22, hg. Martin Hertz (Grammatici latini, Bd. 2), Leipzig 1855, S. 56 f.

[16] Disputatio regalis et nobilissimi juvenis Pippini cum Albino scholastico, hg. Lloyd William Daly — Walther Suchier, Altercatio Hadriani Augusti et Epicteti philosophi (Illinois Studies in Language and Literature, Bd. 24, 1—2), Urbana 1939, S. 137, auch in MPL Bd. 101, Sp. 975 (Wort und Sinn); Ep. 113, MGH Epp. Bd. 4, S. 166 (Herzensgeheimnisse).

[17] Ep. 163, MGH Epp. Bd. 4, S. 263 ff.

[18] Alkuin, Ep. 74, MGH Epp. Bd. 4, S. 117 stellt *linguae notitia* und *veritatis intelligentia* einander diametral gegenüber.

[19] Annales regni Francorum a. 759, MGH SSrG S. 16 f.; die spätere Bearbeitung schwächt dann die väterliche Namengebungsgewalt ab. Um so deutlicher tritt sie hervor in den Annales Laureshamenses a. 759, MGH SS Bd. 1, S. 28: *mutavit ... nomen suum in filio suo*. Überhaupt ist die Gewalt der Namengebung in den Ann. Lauresham. betont, a. 781 S. 31; a. 794 S. 36; a. 797 S. 37; a. 798 S. 37.

[20] Vita Karoli Magni c. 29, MGH SSrG S. 33 f.

müsse es vernünftig, *iuxta ... rationem*, tun, um den Inhalt des Namens *(tenorem nominis)* zu wahren; so hätten es die Alten auch getan[21]. Und sogar Alkuin, sonst so kritisch, bescheinigt 796 einem Freund, seine Eltern hätten ihm einen treffenden Namen auferlegt[22]. Aber Alkuin schränkt ein: Auch Eigennamen können wechseln; selbst wenn Christus den Simon nachher Petrus nennt, so gibt Alkuin als Grund dafür nicht prophetische Weisheit, sondern menschliche *familiaritas* an[23]. Er erinnert freilich vor der Jahrhundertwende an den vorbildlichen ersten Menschen Adam. Als | er die Tiere benannte, wurde ihm dadurch seine Einzigartigkeit deutlich, denn der Mensch ist das einzige vernünftige Wesen[24]. Darum darf er Namen geben; darum muß er vernünftige Namen geben.

Aber nicht jeder Name ist eine Wirklichkeit. Alkuin verweist in einem Dialog mit Karls Sohn Pippin auf das Wort „Nichts": *Nomine est et re non est*[25]. Und was schlimmer als Mangel an Wirklichkeit ist, der Name kann lügen, er kann eine falsche Realität vortäuschen. Karl wettert 789 gegen Priester, die vorgeben, dem Namen nach Mönche zu sein, und es gar nicht sind[26]. Gegen dieses Fingieren von Namen wendet sich auch Alkuin. Wenn die spanischen Adoptianisten Christus für einen Adoptivsohn Gottes erklären, so wollen diese Frevler Christus einen neuen Namen auferlegen, *novum nomen fingere, nomen inponere*[27]. Wenn die

[21] Ep. 144, MGH Epp. Bd. 4, S. 229. Karl wendet sich damit gegen Alkuins Scheu vor eigener Namengebung, vgl. u. Anm. 27.

[22] Ep. 113, MGH Epp. Bd. 4, S. 163 an Arn von Salzburg, wo auf die deutsche Etymologie Ar — Adler angespielt wird; ähnliche Namendeutungen in ep. 37 S. 79 und ep. 65 S. 107; allgemein zur Namensetymologie ep. 308 S. 472. Vgl. u. Anm. 39 zur biblischen Etymologie.

[23] Ep. 241, MGH Epp. Bd. 4, S. 386.

[24] Interrogationes et responsiones in Genesin Nr. 55, MPL Bd. 100, Sp. 522.

[25] Disputatio (o. Anm. 16) S. 142, auch in MPL Bd. 101, Sp. 980.

[26] Admonitio generalis Nr. 22 c. 77, MGH Capit. Bd. 1, S. 60.

[27] Ep. 23, MGH Epp. Bd. 4, S. 61 f., wo Alkuin überhaupt seine Abneigung gegen neue Namen äußert; ähnlich übrigens Hadrian I. an Karl den Großen, MGH Epp. Bd. 5, S. 51.

Byzantiner ihr Konzil von 787 ökumenisch nennen, so benennen sie es falsch[28]. Wenn der byzantinische Kaiser sich nach spätrömischem Brauch als *divus*, als göttlich anreden läßt, so überschreitet er die Grenze menschlicher Namengebung und legt sich ein *mendax nomen*, ein *falsum nomen* zu[29].

Damit ist auch das fränkische Urteil über den Kaisernamen zunächst gesprochen. Er ist Menschenwerk und bedeutet nicht viel, jedenfalls nicht bei allen Völkern dasselbe. Hinzu kommt, daß solche Namen von einem Menschen auferlegt werden müßten, und er hätte dann Macht über den Genannten. Die Macht aber war Karl dem Großen und seinen Ratgebern zunächst wichtiger als der Name. Es ist gewiß kein Zufall, sondern es war geschickte Diplomatie, daß die Päpste in ihren Briefen an die Frankenkönige immer nur die von Gott eingesetzte oder begründete *regalis potentia* oder *potestas* der Karolinger, niemals ihren königlichen Namen wie einen Titel beschworen[30]. Der Papst hatte schon 751 dem Hausmeier Pippin geraten, König solle heißen *(vocari)*, wer die königliche Macht *(regalis potestas)* habe, und jedenfalls in der fränkischen Auslegung vor dem Jahre 800 lag darin eine Gering- | schätzung des bloßen Namens und Titels[31]. Deshalb wohl gebrauchten die älteren

[28] Annales regni Francorum a. 794, MGH SSrG S. 94 f.

[29] Libri Carolini I, 3, MGH Conc. II Suppl., S. 15 f.

[30] Codex Carolinus ep. 44, MGH Epp. Bd. 3, S. 559; ep. 56 f. S. 581 f.; ep. 58 f. S. 584; ep. 61 f. S. 588 ff.; ep. 65 f. S. 593 f.; ep. 67 S. 596; ep. 68 f. S. 598 f.; ep. 70—76 S. 601—08; ep. 78 S. 609 f.; ep. 81 S. 614; ep. 83 S. 617 f.; ep. 86 ff. S. 623 f.; ep. 91 ff. S. 628—31; ep. 94 S. 632 f. und 635; ep. 99 S. 651. Hier steht überall *regalis potentia,* doch wird *regalis potestas* in gleichem Sinn verwendet in ep. 79 S. 611. Die Formulierung geht auf den Brief Gelasius' I. von 494 zurück, wo *regalis potestas* steht; ihn zitiert Hadrian I. an Karl, MGH Epp. Bd. 5, S. 51. Der Brauch wird auch nach 800, nun mit *imperialis potentia* oder *potestas,* beibehalten, vgl. MGH Epp. Bd. 5, S. 66 f., 88—92, 94—97, 100 f., 103. Auf die Unterscheidung von Amtsgewalt (*potestas*) und faktischer Macht (*potentia*) legte vor 814 anscheinend weder die römische noch die fränkische Seite großen Wert; das ändert sich unter Ludwig dem Frommen. Zur päpstlichen Verwendung von *nomen* vgl. u. Anm. 70.

[31] Annales regni Francorum a. 749, MGH SSrG S. 8 f. Die ältere Fassung vermeidet das (gewiß auch vom Papst nicht gebrauchte) Wort *nomen*

Fassungen der fränkischen Reichsannalen vor 801 das Wort *nomen* immer nur für Eigennamen, niemals für Titel und benutzten das zugehörige Verbum *nominare* für den fränkischen Bereich überhaupt nicht[32]. Es gehört wohl in den gleichen Zusammenhang, wenn Alkuin 793 und noch 802 die geistliche und priesterliche von der weltlichen und königlichen Gewalt darin unterschieden sah, daß die erstere die Sprache *(lingua)*, die letztere das Schwert handhabe[33]. Karls Kraft war wirkliche Macht und nicht bloßer Name. Das alles bestätigt die Ansicht der Forschung, daß Karl vor 800 nicht nach dem Kaisernamen strebte; die Sprachtheorie bestärkte ihn darin.

II

Aber das war nicht die einzige Namentheorie am Karlshof. Es gab daneben eine zweite Lehre, die Grundmann und Fichtenau recht zu geben scheint: Der Name ist eine mächtige Wirklichkeit. Im lateinischen Schrifttum wurde diese Lehre vor dem Jahre 800 allerdings weithin dem theologischen Bereich vorbehalten und vor allem bezogen auf Christus, den *Logos*, das *Verbum*. Die *Libri Carolini* betonen um 790, die Übereinstimmung von *res* und *nomen*, von *natura* und *nomen* gelte nur für Gott, nicht für den Menschen[34]. Vor diesem Gottesnamen geht freilich die für Alkuin naheliegende menschliche Frage in die Irre: *Et si nomen tantum est, quanta potestas?* In seiner Macht kann der Gottesname Blinde

und betont die *regalis potestas*; erst die spätere Fassung setzt die Antithese zwischen *nomen tantum* und *potestas regia*. Vgl. u. Anm. 73.

[32] Annales regni Francorum a. 777, MGH SSrG S. 48 wählen *nominari* nur für das lateinische Äquivalent eines arabischen Personennamens. Die späteren Fassungen verwenden hingegen, allerdings selten, *nominari* als sinngleich mit *dici* und *vocari*, a. 797 S. 103. Vgl. o. Anm. 7.

[33] Ep. 17, MGH Epp. Bd. 4, S. 48; ep. 255 S. 413. Demgemäß redet Alkuin Karl mit *vestra potentia* oder *regalis potentia* an, wie die Päpste es tun, ep. 136 S. 205 und 210. Zu Alkuins später gewandeltem Sprachgebrauch vgl. u. Anm. 43.

[34] Libri Carolini IV, 1, MGH Conc. II Suppl., S. 173.

sehend, Taube hörend, Lahme gehend machen[35]. Weil Christus Gott gehorchte, wurde auch ihm ein Name gegeben über alle Namen, so daß im Namen Jesu jedes Knie sich beugt; so schreibt Alkuin nach 793[36]. Aber selbst bei den Namen Christi unterscheidet Alkuin 799, ähnlich wie früher Isidor von Sevilla, zwischen *propria*, Eigennamen, Eigenschaften der göttlichen Substanz, und *significativa*, bezeichnenden Namen für göttliche Aktionen, die nur menschliche Setzung sind[37]. Wir Menschen nennen uns zum Beispiel | das Volk Gottes, aber das heißt nicht, daß wir an der Substanz Gottes teilhaben[38]. Trotzdem geben vor allem biblische Eigennamen das Wesen und die Eigenschaften ihrer Träger richtig wieder[39]. So ist im religiösen Feld auch auf Erden der Name eine Macht. Wenn Alkuin in einem Brief an Karl den Großen 796 die Ausbreitung des *nomen Christi* über die Erde begrüßt, so redet er gleichzeitig von der Ausdehnung des *christianitatis regnum*, bald danach von der Ausbreitung des *imperium christianum*. Hier ist der heilige Name politische Macht[40]. Für die *Libri Carolini* ist Christus selber *noster rex* und *noster imperator*[41].

Weil aber Karl im Dienste Christi den christlichen Namen verherrlicht und ausbreitet, die Feinde des heiligen Namens besiegt

[35] Contra Felicem Urgellitanum IV, 4, MPL Bd. 101, Sp. 177.

[36] Ep. 281, MGH Epp. Bd. 4, S. 440 nach Philipp. 2, 6—11.

[37] Adversus Elipandum, ep. praevia, MPL Bd. 101, Sp. 242; ep. 166, MGH Epp. Bd. 4, S. 273 f. Vgl. Isidor, Etymologiae VII, 2, 1 und 47, hg. Wallace Martin Lindsay, 2 Bde., Oxford 1911 (unpaginiert). Die Unterscheidung geht zurück auf Donat, Ars grammatica, hg. Heinrich Keil (Grammatici latini, Bd. 4), Leipzig 1864, S. 373.

[38] Ep. 204, MGH Epp. Bd. 4, S. 338.

[39] Dialogus de rhetorica et virtutibus, MPL Bd. 101, Sp. 932; ep. 198, MGH Epp. Bd. 4, S. 327. Auch die Libri Carolini II, 30, MGH Conc. II Suppl., S. 96 rühmen biblische Etymologien. S. o. Anm. 22.

[40] Ep. 110, MGH Epp. Bd. 4, S. 157 (*nomen Christi*); ep. 202 S. 336 (*imperium*). Daß es um Herrschaft geht, zeigt der Begriff der *dilatatio* des christlichen Namens, der nur Karl zugebilligt wird; an Ausländer schreibt Alkuin, der Name Gottes solle durch sie den Völkern verkündet werden *(nuntietur)*, ep. 138 S. 219.

[41] Libri Carolini II, 28, MGH Conc. II Suppl., S. 89.

und „mit dem Namen Christi gezeichnet“ ist, darum ist auch sein Name geweiht[42]. Alkuin redet Karl den Großen im März 798 als *sanctissimum vestrum nomen* an, und er meint damit nicht den Eigennamen oder Titel, sondern Karls Person selbst[43]. So meint es Karl auch, wenn er 801 oder 802 an Alkuin *sub nostri nominis auctoritate* schreibt[44], oder wenn er 802 alle seine Untertanen einen neuen Eid schwören läßt, nicht mehr wie früher auf den König, sondern auf das *nomen Caesaris*, auf den Namen des *piissimus imperator*[45]. Ein solcher Name, auf den man schwört, ist etwas Numinoses. Aber die Verehrung des Numinosen ließ sich auch nach 800 nicht leicht auf das Kaisertum übertragen. Zwar hatte die Neubearbeitung der fränkischen Reichsannalen seit 808 keine Skrupel mehr, alle Vokabeln aus dem Bereich des Nennens nebeneinander zu ver- | wenden, und zwar auch in positivem Sinn[46]. Aber tief eingewurzelt waren die Bedenken Alkuins und anderer, vielleicht auch Karls selber.

[42] Ep. 100, MGH Epp. Bd. 4, S. 146; ep. 160 S. 259; ep. 177 S. 293; ep. 245 S. 397 (Verherrlichung des Namens Christi; vgl. u. Anm. 71). Ep. 104 S. 150; ep. 121 S. 176 (Ausbreitung des Gottesnamens; vgl. o. Anm. 40). Ep. 93 S. 138; ep. 118 S. 173; ep. 149 S. 245 (Feinde des christlichen Namens). Ep. 32 S. 546 (mit dem Namen Christi gezeichnet). *In dei nomine* oder *propter nomen domini* motiviert Karl zahlreiche Schenkungen, Nr. 153, MGH DD Karol. Bd. 1, S. 207; Nr. 176 S. 237; Nr. 177 S. 238 usw.

[43] Ep. 145, MGH Epp. Bd. 4, S. 231; weniger eindeutig ep. 172 S. 285; *vestrum nomen* für *vos* auch in ep. 207 S. 343. Vgl. den anderslautenden früheren Sprachgebrauch Alkuins o. Anm. 33.

[44] Ep. 247, MGH Epp. Bd. 4, S. 400; ähnlich Admonitio generalis Nr. 22, MGH Capit. Bd. 1, S. 53. *Sub ... sancti nominis auctoritate* ist noch 799 von Alkuin, ep. 179, MGH Epp. Bd. 4, S. 297 auf den Papst bezogen.

[45] Capitulare missorum generale Nr. 33 c. 2, MGH Capit. Bd. 1, S. 92. Der Eid wurde nach allen anderen Verlautbarungen nicht dem Namen des Herrschers, sondern dem Herrscher geschworen, Capitulare missorum Nr. 25 c. 2—4 S. 66 f.; Capitularia missorum specialia Nr. 34 S. 101; Nr. 35 c. 47 S. 104; Capitulare de iustitiis faciendis Nr. 80 c. 13 S. 177. So ist auch 802 nicht Eigenname oder Titel, sondern die Person des Herrschers gemeint.

[46] S. o. Anm. 7 und 32.

Der alte Name der byzantinischen Kaiser zum Beispiel war gewiß verehrungswürdig, aber war er noch wirksam? Hat wirklich jeder Name auch Realität?

Nur aus neuen Zweifeln darüber ist es zu erklären, daß nach Alkuins Tod, in den Jahren zwischen 804 und 814, am Karlshof noch einmal die von Alkuin zuvor negativ entschiedene Frage, ob das Nichts eine Wirklichkeit sei, diskutiert wurde. Von dem Iren Dungal hat Karl damals ein Gutachten darüber angefordert und ihn ersucht, sich nicht in Allegorien und bildliche Wendungen zu flüchten, sondern eine nackte Sprache zu reden, die die bloße Sache bezeichnet: *nudum sermonem nudamque litteram rem nudam significantem*[47]. Karls Wendungen in diesem Brief machen das Dilemma deutlich: Das Wort bezeichnet die Sache, es ist also nicht mit ihr identisch; aber je einfacher die Sprache redet, desto näher kommt sie der nackten Wirklichkeit. Und auf diese Wirklichkeitsnähe der Sprache kam es Karl an. Mit der Skepsis der früheren Jahre war er jetzt offenbar nicht mehr zufrieden. Alkuins Nachfolger als Leiter der Hofschule, der Angelsachse Fridugis, gab dem Kaiser zwischen 804 und 814 die gewünschte Antwort in einem an den Karlshof gerichteten Schreiben, wiederum vom theologischen Bereich ausgehend. Gott hat die Welt geschaffen, und zugleich mit den Dingen schuf nicht Adam — wie die *Libri Carolini* und Alkuin gemeint hatten —, sondern Gott selbst auch die Namen der Dinge, *appellationem inposuit, nomina inpressit,* damit jede Sache an ihrem Namen kenntlich sei. Denn durch ihre Nennung erkennen wir die Sache, und zwar ihrem Wesen nach. Dinge und Namen sind füreinander notwendig. Fridugis schloß daraus, auch das Nichts sei eine von Gott geschaffene Wirklichkeit, ebenso die Finsternis[48]. Vielleicht verbündete sich mit dieser Auffassung auch der altgermanische Glaube, der Name sei mit dem Wesen des Dinges identisch. Aber dieser Glaube war hier sichtlich ins Gelehrte, Theologische transponiert, denn ein Name kann nun bloß dann eine machtvolle Wirklichkeit sein, wenn er von Gott gegeben ist. Vielleicht dachte man dabei an die päpstlichen Huldigungen für die „von Gott ein-

[47] Ep. 35, MGH Epp. Bd. 4, S. 552.
[48] Ep. 36, MGH Epp. Bd. 4, S. 552 ff.

gesetzte" Macht Karls, auch an die Formel vom Weihnachtstag 800, die nach byzantinischem Vorbild „dem von Gott gekrönten Kaiser" Karl huldigte. Auch Alkuin schrieb nach 800 an Karl, seine kaiserliche Würde *(dignitas)* und Gewalt *(potentia)* sei von Gott eingesetzt, *ordinata*[49]. Vom Kaisernamen wurde zwar, soviel ich sehe, nirgends das gleiche gesagt; Gott war nicht der Namengeber des Kaisers. Immerhin muß nach dem Jahre 800, anders als vorher, der Kaisername am Karlshof in hohem Ansehen gestanden haben, und auch das bestätigt, was die Forschung bisher schon lehrte.

III

Zwischen den beiden Auffassungen vor und nach 800 — Name als leerer Titel, Name als mächtige Wirklichkeit — klafft eine Lücke, und es ist dieselbe wie zwi- | schen den Auffassungen der modernen Historiker. Sie läßt sich schließen, wenn man den Punkt sucht, in dem die streitenden Parteien am Karlshof ihre Namentheorien zusammenschlossen. Dieser Punkt ist die Überzeugung Karls und seiner Ratgeber, daß der Mensch aus der willkürlich gesetzten Welt seiner Namen den Weg zur ewigen Schöpfungsordnung von Gottes Wort finden könne durch seine Tat. Diese Überzeugung ist schon ausgesprochen in der Benediktsregel aus dem 6. Jahrhundert, also in jenem Schriftstück, das Karl der Große im Original abschreiben ließ und dadurch für uns rettete. Nach der Benediktsregel wird der Abt von der Mönchsgemeinde gewählt. Er muß dieser Wahl zustimmen und nimmt damit den Namen des Abtes auf, *suscipit nomen abbatis*. Wenn er diesen Namen aufgenommen hat, dann soll er den einsichtigen Mönchen durch das Wort, den unverständigen durch die Tat die Gebote des Herrn zeigen; was er lehrt, das muß er erst recht tun, um seinen Namen durch Taten zu bestätigen, *nomen maioris factis implere*[50]. Der

[49] Ep. 257, MGH Epp. Bd. 4, S. 414; ähnlich ep. 308 S. 471. Für die päpstlichen Parallelstellen vgl. o. Anm. 30.

[50] Sancti Benedicti regula monachorum c. 2, hg. Philibert Schmitz OSB, 2. Aufl., Maredsous 1955, S. 49 f.

Name „Abt" ist also kein bloßer Titel, aber auch keine einfache Wirklichkeit; er wird vielmehr in der Vereinbarung zwischen Menschen angeboten, aufgenommen und dann durch die Tat bewährt.

Über den angelsächsischen Benediktiner Beda, der die Übereinstimmung von Worten und Taten immer wieder predigte[51], kam dieser Gedanke zu Alkuin. Oft und oft ermahnte Alkuin sich und andere, *meritis* und *opere* dem Namen gerecht zu werden[52]. *Et quod diceris ab omnibus, hoc opere impleas*[53]. Sei, was du heißt![54] Sprache und Namen sind dem Menschen nicht gegeben, weil in ihnen die Wahrheit vorliegt, sondern weil der Mensch das Amt und die Aufgabe hat, die Wahrheit erst zu erfüllen: *Pro veritatis officio sermo est homini datus*, schreibt Alkuin im Jahre 800[55]. Er belehrt 802 seine Freunde, nicht weil sie die Belehrung nötig haben, sondern damit er das *nominis officium*, das *nomen magistri*, sein Amt als Lehrer erfülle[56]. Die *Libri Carolini* bestätigen, daß der Name das wahre Verdienst nicht mindern kann und daß umgekehrt erst das wahre Verdienst die Würde des rechten | Namens ausmacht[57].

[51] Charles Plummer, Venerabilis Baedae opera historica, Bd. 1, Oxford 1896, S. XXXVI stellt die Texte zusammen.

[52] Ep. 90, MGH Epp. Bd. 4, S. 134; ep. 282 S. 440. Beda als Alkuins Vorbild: *quicquid verbo docuit exemplo roboravit*, Vita Alcuini c. 4, MGH SS Bd. 15, S. 187.

[53] Ep. 285, MGH Epp. Bd. 4, S. 444.

[54] Ep. 34, MGH Epp. Bd. 4, S. 76. Dem Patriarchen Paulinus von Aquileia schreibt Alkuin, ep. 28 S. 70: *Contende meritis esse quod nomine vocaris.* Das ist möglicherweise eine Replik auf die Selbstbezeichnung des Paulinus *nomine non merito presul*, Libellus sacrosyllabus contra Elipandum, MPL Bd. 99, Sp. 153. Diese Demutsformel ist selbstverständlich herkömmlich, vgl. Ep. 14 einer englischen Äbtissin an Bonifatius, MGH Epp. sel. Bd. 1, S. 21: *nomine abbatissae sine merito functa.*

[55] Ep. 209, MGH Epp. Bd. 4, S. 348. Vgl. o. Anm. 17.

[56] Ep. 257, MGH Epp. Bd. 4, S. 415. Hier wendet Alkuin selbst die sonst (o. Anm. 54) abgelehnte Demutsformel an: *magister licet non merito vocabar.* Die gewöhnliche Kluft zwischen *nomen* und *officium* wird beklagt in ep. 283 S. 442. Ep. 13 S. 39 verurteilt die Verachtung hoher Prälaten für das *nomen magistri.*

[57] Libri Carolini IV, 13, MGH Conc. II Suppl., S. 195.

Das gleiche meint jener Papstbrief von 755 an Karls Vater Pippin, den Karl der Große in den *Codex Carolinus* mit aufnehmen ließ: „Ein guter Name ist es, die Treue, die einer versprochen hat, mit unbeflecktem Herzen und reinem Gewissen zu bewahren und durch Taten zu erfüllen, *operibus implere.*“ [58] Die Offenbarung Johannis 2,17 sagt, den Namen Gottes kenne nur derjenige, der ihn annehme. Beda [59] und Alkuin [60] interpretieren den Satz ähnlich, wie ihn dann Karl der Große selbst nach 1. Joh. 2,4 und 4,20 auslegt: Den Namen Gottes nimmt nur an, wer nach den Geboten Gottes lebt; wer das nicht tut und Gott zu lieben behauptet, der lügt [61]. *Recte vivere* und *recte loqui,* das gehört nach Karls Mahnung an die Geistlichen von etwa 787 zusammen, aber nicht nur für die Geistlichen [62].

Schon Isidor von Sevilla hatte unter den verschiedenen Arten von Namen eine besondere Gruppe aufgeführt, die *nomina actualia,* die von einem Tun ausgehen. Als Beispiel dafür nannte Isidor das Wort *rex* und erläuterte es: *reges a ... recte agendo.* König heißt also derjenige, der recht handelt; König ist, wer das Rechte tut. Auch für den Namen *imperator* gilt dieser Einklang zwischen Benennung und Tat [63]. Nur bei einer solchen „richtigen“ Haltung

[58] Codex Carolinus ep. 7, MGH Epp. Bd. 3, S. 491.

[59] Beda, Explanatio Apocalypsis 2, 17, MPL Bd. 93, Sp. 139.

[60] Alkuin, Commentaria in Apocalypsim 2, 17, MPL Bd. 100, Sp. 1106.

[61] Missi cuiusdam admonitio Nr. 121, MGH Capit. Bd. 1, S. 239.

[62] Epistula de litteris colendis, MGH Capit. Bd. 1, S. 79.

[63] Isidor, Etymologiae I, 7, 23 (*nomina actualia*); I, 29, 3 (*reges*); IX, 3, 14—17 (*imperator*). Das ist eine selbständige Weiterbildung der Lehre Priscians, Institutiones (o. Anm. 15) VIII, 78 S. 432 f., daß die Wörter *imperator* und *rex* von Verben abgeleitet seien; von *nomina actualia* sprechen weder Donat noch Priscian. Auch Alkuin tut es nicht. Er kennt zwar Isidors Sprachvorstellungen (vgl. ep. 86, MGH Epp. Bd. 4, S. 129), verfällt aber in die namengläubigen Ansichten Priscians, die er sonst (s. o. Anm. 14 f.) nicht teilt, wenn er wie Priscian II, 28 S. 60 am Gegensatzpaar *magnus imperator — magnus latro* nur die Ambivalenz des Adjektivs *magnus* demonstriert, als wäre ein Kaiser schon dem Namen, nicht erst der Tat nach das Gegenbild eines Räubers, Grammatica, MPL Bd. 101, Sp. 860. Alkuin war hier in seiner Kompilation nicht so konsequent wie

stimmen Wahrheit und Sprache, Macht und Name überein, wie es Alkuin 799 von Karl dem Großen rühmt: Die *potentia* und die Predigt des *nomen Christi,* das politische *imperium* und die geistliche *sapientia,* die Kraft des Tuns und die Wahrheit des Redens seien in Karl untrennbar eins [64]. Deshalb, wegen der richtigen Vereinigung von *potestas* und *nomen,* von *potestas* und *sapientia,* überragt, wie Alkuin 801 und 802 schreibt, Karl alle seine Vorgänger im Kaisertum, obgleich sie *eiusdem nominis et numinis* waren [65]. Noch immer ist hier Alkuins Abneigung gegen den bloßen Namen spürbar, und das | Numinose am Kaisertum bleibt ihm verdächtig. Aber Karl hat alle Bedenken überwunden durch die rechte Übereinstimmung von Macht und Wort in der Tat.

Hier klingt nun auch voll die germanische Auffassung mit, die den Namen als Nachruhm des handelnden Helden versteht. Dieser Name ist Ansehen und Ehre, aber zugleich auch Kraft und Stärke; der Hibernicus exul stellt in fast tautologischer Häufung die „Ruhmestitel" Karls zusammen: *fama, vigor, virtus, gloria, nomen, honor* [66]. Das „Paderborner Epos" von 799 preist Karls Namen, der sich über den Erdkreis und bis zu den Sternen verbreite, und meint damit die *gloria ... nominis* [67]. Auch Alkuin war um den Ruhm von Karls Namen ebenso besorgt wie um den guten Klang seines eigenen Namens im Jenseits und in der Erinnerung der Umwelt und Nachwelt [68]. Ein englischer Abt schrieb schon 773 an Karl, wenn er den Namen Christi auf Erden verbreite, so werde auch

sonst. Wo Priscian und Isidor einiggehen, nämlich in dem Satz *A regendo vero rex dicitur* (Priscian VIII, 78; Isidor IX, 3, 1), stimmt Alkuin zu, ep. 18, MGH Epp. Bd. 4, S. 51.

[64] Ep. 178, MGH Epp. Bd. 4, S. 294.

[65] Ep. 217, MGH Epp. Bd. 4, S. 360 f. (*potestas* und *nomen*); ep. 257 S. 414 (*potestas* und *sapientia*).

[66] Hibernicus exul, Carmen V, 18, MGH Poet. lat. Bd. 1, S. 401.

[67] Karolus Magnus et Leo papa v. 13 und 55 und 58 f., MGH Poet. lat. Bd. 1, S. 366 f.

[68] Ep. 177, MGH Epp. Bd. 4, S. 292 (Karls Name); ep. 10 S. 36 (Alkuins Name im Jenseits); ep. 8 S. 33; ep. 13 S. 39; ep. 31 f. S. 73 f.; ep. 51 S. 96; ep. 195 S. 323 (in der Erinnerung).

sein eigener Name bei den Nachkommen ruhmvoll verbreitet werden[69]. Und die Päpste verhießen Karl seit 755 immer wieder den ewigen Ruhm seines Namens im Himmel und auf Erden[70]. Dieser germanische Name ist zugleich christliche Tat. Karl schreibt 796 dem Papst anläßlich des Feldzuges gegen die avarischen Heiden, das christliche Volk besiege die Feinde des heiligen Namens Christi und verherrliche auf der ganzen Erde diesen Namen[71]. Der heilige Krieg verwirklicht den Namen, nicht nur den Namen Christi, auch den Namen Karls. Wenn Einhard dann für die Nachwelt den Ruhm von Karls Namen, *nominis famam,* beschreiben will, so verweist die Biographie auf Karls *vita* und *actus,* auf seine Taten[72].

Diese neue Vereinigung des Namens mit der Tat spiegelt sich noch in dem Spott, mit dem die Reichsannalen und Einhard nach Karls Tode die merowingischen Könige bedachten. Sie hießen zwar Könige, aber das war eine Fiktion, *nomen tantum, falsum nomen, inane vocabulum, inutile nomen*[73]. Der Name allein besagt nichts ohne die Macht, aber auch die Macht wird erst rechtmäßig und greifbar, wenn | sie namentlich angenommen, aufgenommen wird. Die Formulierung *nomen accipere* oder *suscipere* stammt aus der Antike, von

[69] Ep. 120, MGH Epp. sel. Bd. 1, S. 256.

[70] Codex Carolinus ep. 6, MGH Epp. Bd. 3, S. 488; ep. 7 S. 491; ep. 11 S. 506; ep. 14 S. 511; ep. 27 S. 531; ep. 30 S. 536; ep. 32 S. 538; ep. 33 S. 540; ep.35 S. 543; ep. 39 S. 551 f.; ep. 42 S. 556; ep. 47 S. 565; ep. 55 S. 578; ep. 84 S. 620. An Stelle von *gloria nominis, memoria nominis* oder *laus nominis* steht seltener *memoria* oder *laus vestra,* ep. 65 S. 592; ep. 68 S. 598; ep. 72 S. 603; ep. 79 S. 611. Auch das Simplex *nomen vestrum* kommt nur gelegentlich vor: *Vestrum regalem* (!) *nomen in libro aeternae vitae adscriptum est,* ep. 84 S. 620; ähnlich ep. 32 S. 538; doch nirgends als Titel wie *potentia,* vgl. o. Anm. 30.

[71] Ep. 93, MGH Epp. Bd. 4, S. 137 f.

[72] Einhard, Vita Karoli Magni, praefatio, MGH SSrG S. 1. Prof. Ernst Schwarz-Erlangen verweist mich darauf, daß die Verwendung des Karlsnamens als slavischer Königstitel vermutlich die unmittelbare Folge von Karls Avarensieg war.

[73] Annales regni Francorum a. 752, MGH SSrG S. 11, wo wieder erst in der späteren Fassung der Begriff *nomen* eingeführt wird (vgl. o. Anm. 31); Einhard, Vita Karoli Magni c. 1, MGH SSrG S. 3.

Varro[74], Sallust[75], Tacitus[76] und Sueton[77]. Aber dort bekommt einer gewöhnlich einen Namen durch den Senat, den Kaiser oder das Volk zugeteilt, er empfängt ihn und nimmt ihn auf sich, wie eine Last. Die christliche Überhöhung durch die Apokalypse und die Benediktsregel[78] macht im fränkischen Verständnis aus dem *nomen accipere* oder *suscipere* etwas anderes, die freie Zustimmung des mächtigen Mannes zu dem Namen, den ihm die Mitmenschen antragen. Die Aufnahme des Namens ist zugleich — besonders deutlich in Einhards Gebrauch von *suscipere* — auch die Aufnahme einer älteren Tradition[79]; aber auch sie vollzieht sich in der Freiheit

[74] M. Terenti Varronis De lingua latina X, 15, hg. Georg Goetz—Friedrich Schoell, Leipzig 1910, S. 177 unterscheidet beim *acceptum nomen* eine Übernahme *a natura* von der *a voluntate,* nämlich *ab eo qui imposuit. Nomen accipere* geschieht hier also noch in freier Entscheidung des Übernehmenden.

[75] Epistola Pompei ad senatum 4, in: C. Sallusti Crispi orationes et epistolae de historiarum libris excerptae, hg. Virgilio Paladini, Bari 1955, S. 48, wo Pompeius dem Senat schreibt: *nomine modo imperi a vobis accepto.* Das bedeutet einen Auftrag des Senates.

[76] Annales I, 58, in: P. Cornelii Taciti libri qui supersunt, hg. Erich Koestermann, Bd. 1, Leipzig 1952, S. 32, wo von Germanicus gesagt wird: *Exercitum reduxit nomenque imperatoris auctore Tiberio accepit.* Hier ist der Kaiser Namengeber.

[77] Vita Galbae c. 11, in: Suétone, Vies des douze césars, hg. Henri Ailloud, Bd. 3, Paris 1957, S. 11, wo es von Galba heißt: *deposita legati suscepit caesaris appellationem.* Namengebend sind hier wohl *cuncti.* Verwandte Stellen sammelt Fichtenau (o. Anm. 3) S. 264 ff.

[78] Vgl. o. Anm. 50 und 59 ff. Noch Augustin folgt dem antiken Sprachgebrauch. Er kann von Jupiter sagen, daß er *nomen accepit* und daß ihm menschliche Habgier *nomen inposuit*; beides besagt dasselbe, De civitate dei VII, 12, CSEL Bd. 40, 1, S. 320.

[79] Einhard, Vita Karoli Magni c. 5, MGH SSrG S. 7; c. 6 S. 8; c. 7 S. 9; c. 14 S. 17; c. 20 S. 25 sind es Kriege des Vaters, die Karl wiederaufnimmt; c. 3 S. 6; c. 15 S. 17 ist es das *regnum* des Vaters, und c. 16 S. 20; c. 28 f. S. 32 f. ist es der Kaisername. Auch dies ist kein bloßes „Empfangen", wie Karl Hampe, Herrschergestalten des deutschen Mittelalters, 6. Aufl., Heidelberg 1955, S. 50 und Beumann (o. Anm. 3) S. 534 übersetzen.

des Mächtigen gegenüber der Vergangenheit. Der Mensch nimmt den Namen an wie eine Herausforderung durch Vorzeit und Umwelt.

Man hat oft gemeint, die Verleihung des Kaisernamens im Jahre 800 sei von den Päpsten ausgegangen. Man darf aber nicht vergessen, daß das nach fränkischer Auffassung nur die eine Hälfte des Aktes war, denn sonst wäre er eine *impositio nominis* durch den Papst gewesen, so wie Karl 801 seinem gleichnamigen Sohn den Königsnamen auferlegen ließ[80] oder wie er 813 Ludwig den Frommen zum Kaiser machte[81]; da heißt es in den Quellen: *nomen imperatoris imponere, dare* oder ähnlich. Die päpstlichen Quellen möchten auch die Kaisernennung von 800 ähnlich aus- | legen, wenn sie später meinen, Karl sei durch Akte des Papstes und der Römer als Kaiser bestimmt worden, *ab omnibus constitutus est imperator*[82]. Die fränkische Version und, wir dürfen sagen, die Meinung Karls des Großen bekundet sich hingegen in der Vermeidung von Verben des autoritativen Bewirkens wie *imponere* und *constituere*, die einen Spender und einen Empfänger voraussetzen; wenn die fränkischen Quellen Verben des gleichberechtigten Annehmens bevorzugen, so bedeutet das, daß Karl freiwillig einen Namen aufgenommen hat, um ihn hinfort durch seine Taten zu erfüllen. Das

[80] Alkuin an König Karl d. J.: *regium nomen ... vobis inpositum*, ep. 217, MGH Epp. Bd. 4, S. 360.

[81] Annales regni Francorum a. 813, MGH SSrG S. 138: *imperialis nominis sibi consortem fecit.* Einhard, Vita Karoli Magni c. 30, MGH SSrG S. 34: *imperialis nominis heredem constituit, ... imperatorem et augustum iussit appellari.* Ermoldus Nigellus, In honorem Hludowici II, 36, MGH Poet. lat. Bd. 2, S. 25 an Karl d. Gr.: *Caesareum qui das nomen habere tuis*; vgl. II, 67 S. 26. Weitere Belege o. Anm. 10.

[82] Le Liber pontificalis, hg. Louis Duchesne, Bd. 2, Paris 1892, S. 7. Auch der Brief Papst Leos III. an Karl, MGH Epp. Bd. 5, S. 99, betont 813 bei der byzantinischen Kaisereinsetzung nicht die Annahme des Kaisernamens, sondern die liturgischen Akte, so wie vor 800 die Papstbriefe nicht die Zustimmung des Herrschers, sondern seine Salbung als konstitutiv für das karolingische Königtum hervorheben, Codex Carolinus ep. 6, MGH Epp. Bd. 3, S. 489; ep. 45 S. 561. Folgerichtig findet sich m. W. nirgends in päpstlichen Schriftstücken der Zeit die Prägung *nomen imperatoris*, erst recht nicht in der Verbindung mit *accipere*.

Kaisertum war für ihn nicht nur der Abschluß einer langen Entwicklung; er hat den Namen vielleicht noch an Weihnachten 800 nicht gewollt, wie es Einhard bezeugt, sei es im Bewußtsein seiner fränkischen Königsmacht, sei es aus Scheu vor dem numinosen oder leeren Klang des byzantinischen Kaisernamens[83]. Aber als ihm der Kaisername angetragen war, nahm er ihn auf, und zwar nicht nur, um daraus politische Vorteile zu ziehen, sondern grundsätzlich, um die Willkür der lügnerischen und ohnmächtigen menschlichen Namen zu überwinden und um durch seine Taten die Ordnung der vom allmächtigen Gotteswort getragenen Schöpfung herzustellen, jenen *ordo* oder *rerum ordo*, von dem die fränkischen Reichsannalen[84] und die *Libri Carolini*[85] sagen, daß er durch die falschen Namen der merowingischen Könige und der byzantinischen Kaiser verletzt worden sei. Diese dritte Namentheorie, in der antike, germanische und christliche Bestandteile aufs engste miteinander verknüpft sind, faßt die scheinbar miteinander unversöhnlichen beiden anderen Theorien zusammen. Es gibt Namen, die von Menschen gesetzt werden; sie sind nicht viel wert. Es gibt gültige Namen im numinosen Bereich, jenseits des Menschlichen. Aber es gibt zwischen beiden auch eine Brücke, und das ist das geschichtliche Handeln, das Wirken in die Zukunft. Diese karolingische Anschauung entschied nicht nur über den Wert von Namen, sondern über die Bewältigung der politischen und der geistigen Wirklichkeit überhaupt.

Diese wahrhaft kaiserliche Namentheorie galt noch nicht vor dem Jahre 800, und deshalb wird man Karls Kaiserjahre nicht geringer schätzen dürfen als seine frühen | Königsjahre. Denn erst die vierzehn Jahre danach haben dem Ereignis von 800 seine weltgeschichtliche Bedeutung gegeben, und zwar, weil Karl seitdem den Kaiser-

[83] Einhard, Vita Karoli Magni c. 28, MGH SSrG S. 32. Genau besehen, sagt die Stelle nicht, daß Karl die Kaisernennung oder die Annahme des Kaisernamens ablehnte, sondern den Kaisernamen selbst. Dann kann der Grund der anfänglichen Abneigung Karls aber nicht allein in den politischen Verhältnissen liegen, sondern muß — mindestens unter anderem — in Karls Vorstellungen vom *nomen* gesucht werden.

[84] Annales regni Francorum a. 749, MGH SSrG S. 8, nur in der älteren Fassung.

[85] Libri Carolini IV, 23, MGH Conc. II Suppl., S. 219. Vgl. o. Anm. 29.

namen ernstgenommen hat. Diese kaiserliche Namentheorie galt aber auch nach 814 nicht mehr, höchstens noch bei Karls überlebenden Getreuen[86], nicht mehr für seine Erben. Ludwig dem Frommen sagte man schon in seiner Jugend und noch in seinem Alter nach, er sei *nomine tenus, solo nomine* Herrscher[87]; um so eifriger suchte er sein Kaisertum in höheren religiösen Sphären, nicht mehr in der freien Annahme eines Namens zu begründen. In der Reichsordnung von 817 sprach er nur von der gottgewollten *imperialis potestas* und gebrauchte auch für das Mitkaisertum seines ältesten Sohnes Lothar nicht jene Ausdrücke des Nennens, die andere Quellen auch für Lothars Erhebung noch verwendeten. Vom Herrschernamen ist indes zweimal die Rede, jedoch für die Würde der übrigen, Lothar nachgeordneten Söhne, *qui regis nomine censentur.* Schon hier verliert der Name wieder das Gleichgewicht mit der Macht[88]. Nachdem der Bürgerkrieg um Ludwig den Frommen und seine Söhne die Machtlosigkeit des Kaisertums erwiesen hatte, konnte umgekehrt das Kaisertum als bloßer Name erscheinen. Nithard, Karls des Großen Enkel und Lothars I. Gegner, meinte, der Großvater sei noch *merito* von allen Völkern der große Kaiser genannt worden; Ludwig der Fromme aber habe 817 Lothar den Kaisernamen schon schwächlich zugestanden *(imperatoris nomen habere concessit).* Lothar selber behaupte zwar, dieser Name sei ihm *magna auctoritate impositum* und er könne das *officium* dieses Namens erfüllen; aber das sind leere Worte, Lothars Taten zeugen gegen ihn, er hat das ihm auferlegte Erbe vertan, anstatt es anzunehmen[89]. Man braucht nur auf die Verben *censere* und *concedere* zu achten, die jetzt den Begriff *nomen* begleiten, um die veränderte Atmosphäre zu spüren.

Daß *nomen* und *officium,* Wort, Titel und Tat sowohl im Bereich der geistlichen Autorität wie in dem der *regalis potestas* zusammen-

[86] Vgl. o. Anm. 10 und 81.

[87] Astronomus, Vita Hludowici c. 6, MGH SS Bd. 2, S. 610 (Jugend); c. 45 S. 633 (Alter).

[88] Ordinatio imperii, MGH Capit. Bd. 1, S. 271.

[89] Nithard, Historiarum libri I, 1, MGH SSrG S. 1 (Karl d. Gr.); I, 2 S. 3 (Ludwigs Zugeständnis von 817; ähnlich IV, 3 S. 43); II, 10 S. 26 (Lothar).

stimmen müßten, wurde von Hinkmar von Reims noch 882 gefordert, aber sein Werk diente „der Unterrichtung unseres jungen neuen Königs" im Westfrankenreich, nicht der des Kaisers[90]. Für das Kaisertum hatte schon 871 Ludwig II. die karolingische Namentheorie offiziell außer Kraft gesetzt, als er dem byzantinischen Kaiser schrieb, vor Gott bestehe die Kaiserwürde nicht in *vocabuli nomine*, sondern in *culmine pietatis;* es komme nicht darauf an, wie wir heißen *(appellamur)*, sondern was wir sind[91]. Nicht mehr der Einklang von Tat und Namen, sondern das innerliche Sein allein verleiht kaiserliche *dignitas*. Aber ist sie noch Macht? Wer auf die Macht sieht, der achtet nun freilich den Namen ebenso gering. Als Notker der Dichter in St. Gallen dem kaiserlichen Urenkel Karls des Großen in den 880er Jahren das Beispiel des großen Kaisers vor Augen stellte, da schien es ihm, als sei Karl der Große dank seiner Ruhmestaten schon *re ipsa* Kaiser und Lenker mehrerer Völker gewesen, bevor er vom | Papst das *nomen imperatoris* erlangte *(assequeretur)*. Dieser Name, den der Papst verleiht, wiegt nicht mehr viel gegenüber der Macht, die der Kaiser aus eigener Kraft besitzt[92]. Und so kümmert sich dann Regino von Prüm kaum mehr um machtlose italienische Potentaten, von denen einer *imperatoris tenebat nomen*, ein anderer, vom Papst in Rom gekrönt, *imperator appellatur*[93]. Für das Kaisertum der späten Karolinger gilt nun, was anderthalb Jahrhunderte zuvor vom Königtum der letzten Merowinger gegolten hatte; es ist zum unnützen Namen geworden, ohne politische und ohne geistige Kraft. Zwischen Aufstieg und Verfall karolingischer Herrschaft, die sich in der Verachtung des bloßen Namens begegnen, steht in der wahren Mitte nur jene kurze Spanne Zeit, in der Karl der Große den Kaisernamen annahm und ernstnahm.

[90] Hinkmar von Reims, De ordine palatii c. 5, hg. Maurice Prou, Paris 1884, S. 14 ff. *(nomen)*; c. 1 S. 4 (Unterrichtung des Königs).

[91] MGH Epp. Bd. 7, S. 386.

[92] Gesta Karoli Magni imperatoris I, 26, MGH SSrG NS Bd. 12, S. 35.

[93] Chronicon a. 894, MGH SSrG S. 142; a. 898 S. 146. Dazu Heinz Löwe, Regino von Prüm und das historische Weltbild der Karolingerzeit, in: Geschichtsdenken und Geschichtsbild im Mittelalter (Wege der Forschung, Bd. 21), Darmstadt 1961, S. 91—134, hier S. 118.

Wie ernst er ihn nahm, das dürfte jene Diskussion gezeigt haben, die am Karlshof über den Wirklichkeitsgehalt von Namen geführt wurde. Von dieser Diskussion haben wir zwar nur noch Fragmente in der Hand, aber immerhin genug, um sie ernstzunehmen. Wir mögen lächeln über den Eifer, mit dem Karl und sein Hof über die Namen nachdachten. Wir mögen uns wundern über das Schwanken der Meinungen und der Begriffe, die ohne innere Konsequenz und ohne logische Schärfe vorgetragen wurden. Wir können uns kaum vorstellen, daß solche naiven Gespräche über Sprachtheorie einen praktischen Nutzen und Wert hatten, daß sie den mächtigsten Herrscher des Abendlandes wirklich in ihren Bann schlugen, den Patriarchen unseres Kontinents, wie Ranke Karl den Großen nannte. Wir Europäer wissen heute sehr viel mehr über die Sprache und über die Geschichte als unsere karolingischen Väter. Aber eines gilt für unsere Welt heute noch ebenso, wie es vor 1150 Jahren galt: Nicht von der subtilen Gelehrsamkeit einerseits und von der brutalen Macht anderseits hängt es ab, was die Sprache ist und was aus der Geschichte wird; es hängt davon ab, wie der denkende und handelnde Mensch zu seinen Worten steht.

Archivum Historiae Pontificiae 3, 1965, S. 31—86.

ZUM PATRICIUS-ROMANORUM-TITEL KARLS DES GROSSEN

Von JOSEF DEÉR

I.

Die ebenso lang geführte wie zäh ausgetragene Diskussion um den Ursprung und Charakter des römischen Patriziats Pippins und Karls des Großen schien im Jahrzehnt zwischen 1950 und 1960 mit den Beiträgen von F. L. Ganshof[1], F. Dölger[2] und H. Dannenbauer[3] nicht nur ihren Höhepunkt erreicht, sondern |

[1] Note sur les origines byzantines du titre „patricius Romanorum": Annuaire de l'Institut de Philologie et d'Histoire Orientales et Slaves 10 (1950) 261—282 = Mélanges Henri Grégoire II.

[2] Besprechung der Arbeit von F. L. Ganshof (oben Anm. 1): Byz. Zeitschr. 45 (1952) 187—190; Besprechung der Arbeit von H. Dannenbauer (unten Anm. 3): ebenda 52 (1959) 110—112, sowie: Europas Gestaltung im Spiegel der fränkisch-byzantinischen Auseinandersetzung des 9. Jahrhunderts (im Sammelband: Byzanz und die europäische Staatenwelt, Ettal 1953, 282—369) 293 f. Anm. 14.

[3] Das römische Reich und der Westen vom Tode Justinians bis zum Tode Karls des Großen: Grundlagen der mittelalterlichen Welt, Stuttgart 1958, 44—93. Dankenswerterweise ist Dannenbauer auch der Geschichte der Frage in der älteren Forschung nachgegangen und hat dabei besonders auf folgende Arbeiten, die bereits seinen Standpunkt vertraten, hingewiesen: Ch. Bayet, Remarques sur le caractère et les conséquences du voyage d'Etienne II en France: Revue Hist. 20 (1882) 88 ff.; Ch. Diehl, Etudes sur l'administration byzantine dans l'exarchat de Ravenne (568 à 751) (Bibl. des Ecoles Françaises d'Athènes et de Rome, fasc. 53) 1888. Zu ergänzen: A. Gasquet, L'empire Byzantin et la monarchie Franque, Paris 1888; L. M. Hartmann, Geschichte Italiens im Mittelalter II (Gotha 1897 f.) 187 ff.; E. Stein, La période byzantine de la papauté: The Catholic Historical Review 21 (1935) 161 ff.

auch zu einer nicht zu unterschätzenden Klärung und teilweisen Annäherung der Ansichten geführt zu haben. Man rang dabei vor allem um die Urheberschaft jenes — letzten Endes auf Konstantin den Großen zurückgehenden — kaiserlichen Rangtitels[4], welcher in der Form *patricius Romanorum* in der Adresse der päpstlichen Schreiben an Pippin, Karl und Karlmann seit 755 — also unmittelbar nach der denkwürdigen Reise Papst Stephans II. ins Frankenreich während des Winters von 753 auf 754 — mit fast lückenloser Folgerichtigkeit[5] bis zu Weihnachten von 800, als Karl *ablato patricii nomine imperator et augustus est appellatus*[6], beigelegt wurde.

War es Kaiser Konstantin V. (741—775), der den Papst als Reichsbischof und solchen als Reichsuntertan sowohl mit dem Vollzug des im Zeremonienbuch Konstantins VII. für die Erhebung eines Patricius vorgesehenen kirchlichen Weiheaktes[7] wie auch mit der Überreichung des Ernennungskodizills und der Investitur mit den Abzeichen des Patriziats[8] durch seinen Gesand-|ten beauftragte[9],

[4] Die Literatur über den spätrömisch-byzantinischen Patriziat siehe unten Anm. 108.

[5] Über die einzige scheinbare Ausnahme siehe unten Anm. 64.

[6] Annales regni Francorum a. 801 (ed. F. Kurze): MG. SS. rer. Germ. in 8°, 1895, 112.

[7] De Caerim. I 56 (47) (ed. A. Vogt) II, Paris 1939, 44—50, bes. 47: der Patriarch verrichtet ein Gebet für die neuen Patrikioi, holt die Codicilli aus dem Sanctuarium, legt sie auf einen Tragaltar, nach erneutem Gebet überreicht er die Codicilli den Patriziern, die daraufhin ihre Geldgeschenke auf den Altar niederlegen und die Kommunion empfangen.

[8] W. Ensslin, Nochmals zu der Ehrung Chlodowechs durch Kaiser Anastasius: Hist. Jb. d. Görres-Gesell. 56 (1936) 499—507, bes. 501 ff. betont, daß die Übertragung des Patriziats „nur durch Codicilli und nicht durch Darreichung eines uniformähnlichen Abzeichens" vor sich ging. „Auch im Zeremonienbuch des Konstantinos Porphyrogenetos ist ebenfalls nur von der Überreichung der Codicilli oder Elfenbeintäfelchen die Rede". Dies mag an und für sich richtig sein für Patricius-Promotionen am Hofe und von Kandidaten, die den Vorschriften entsprechend nur aus der Rangklasse der *illustres* genommen werden konnten und die als solche das Recht zum Tragen eines Dienstkleides und eines besonderen Schuhwerkes von schwarzer Farbe, bei Militärs wohl auch rangbezeichnender

oder ließ sich der Papst in seiner Notlage gegenüber der Langobardengefahr durch die eigenmächtige Verleihung des Patricius-Titels, die nach geltendem Reichsrecht einzig und allein dem Kaiser vorbehalten war, zu einem usurpatorischen, revolutionären, ja geradezu hochverräterischen Schritt verleiten, der bereits die Los-

Waffen, schon von vornherein hatten. Wenn ausländische Honorarpatrizier zur Erlangung dieser Würde nach Konstantinopel kamen, hat man sie wohl mit den Gewändern und sonstigen Zeichen der *illustres* noch vor der Zeremonie der Promotion zum Patricius ausgestattet. Wenn aber die Promotion nicht am Kaiserhof, sondern im Machtbereich des ausländischen Honorarpatricius durchgeführt wurde, so mußte man den kaiserlichen Beauftragten nicht nur den Kodizill, sondern auch die Uniform mit den dazugehörigen Abzeichen mitgeben, damit der Honorarpatricius auch „römisch“ aussehe und auf diese Weise das dem Patriciusrang eigene Abhängigkeitsverhältnis vom Kaiser schon durch seine äußere Erscheinung zum Ausdruck bringe. Alle die Requisiten, mit denen man die Verwandlung des ausländischen Machthabers zu einem „Römer“ herbeizuführen suchte, hat man freilich in der fremden Umgebung als Uniform und Abzeichen des Patricius empfunden, obwohl diese am Kaiserhof nicht eigentlich als solche galten, sondern nur der Ausdruck der Zugehörigkeit zu jener Rangklasse waren, die die Voraussetzung für die zusätzliche Auszeichnung mit dem Patriziat bildete. Nur von diesem Hintergrund aus kann man den — von Ensslin nicht berücksichtigten — Bericht Papst Hadrians I. an Karl den Großen über die Verleihung des Patriziats aus dem Jahre 788 richtig verstehen. Arichis ersucht den Kaiser um *honorem patriciatus una cum ducatu Neapolitano . . . promittens ei, tam in tonsura quam in vestibus usu Grecorum perfrui. Haec audiens autem imperator, emisit illi suos legatos . . . ferentes secum vestes auro textas, simul et spatam vel pectinae et forpices patricium eum constituendi, sicut illi praedictus Arichisus indui et tondi pollicitus fuerat* (Codex Carolinus ep. 83: MG. Ep. III, 617). Unter diesen sind die goldgewebten Gewänder und das Schwert nicht spezifische Insignien des Patriziats, sondern Uniform und Waffe des militärischen *illustris,* Kamm und Schere — wohl aus wertvollem Material, Elfenbein bzw. Gold oder Silber — Gnadengeschenke des Basileus zur Durchführung der Verwandlung des neuen Patricius *usu Graecorum.* Die Antwort Karls war darauf die Forderung an den Sohn des Arichis, Grimoald, vor seiner Heimkehr nach Benevent sich eidlich zu verpflichten: *ut Langobardorum mentum tonderi faceret, cartas vero nummosque sui nominis caracteribus superscribi semper*

lösung des Papsttums und der römischen Kirche von Konstantinopel bedeutete?[10] |

Konnte in der Beurteilung dieser für die Stellung des Papsttums zwischen Byzanz und Frankenreich vor 800 grundlegenden Frage bis jetzt auch keine Übereinstimmung der Lehrmeinungen erzielt werden, so ist doch kaum zu verkennen, daß die Argumente *für*

iuberet ... (Erchamberti Historia c. 4: MG. SS. rer. Langob. et Italic. 236). Die erste Forderung bezieht sich auf das Rasieren des Kinns, um sich dadurch als Gefolgsmann des Frankenkönigs kenntlich zu machen, siehe Schramm, Die Anerkennung Karls d. Gr. als Kaiser: Hist. Zeitschr. 172 (1951) 472 mit Anm. 2. Freilich dauerte diese Anpassung an die „römische", d. h. byzantinische Tracht nicht lange. Das bekannteste Beispiel dafür ist die durch Einhard c. 23 (ed. Halphen S. 70) belegte Abneigung Karls d. Gr. gegen die *peregrina indumenta,* die so stark war, daß er die Gewänder des *patricius Romanorum* nur in Rom und insgesamt nur zweimal und auch dann nur auf direktes Ersuchen der Päpste hin trug, vgl. J. Deér, Vorrechte des Kaisers in Rom: Schweizer Beiträge zur allg. Gesch. 15 (1957) 5—63 [hier S. 30—115], bes. 54—60. Liutprand von Cremona erlebte bei seiner zweiten Reise nach Konstantinopel (968) als Haupt einer Gesandtschaft einen bulgarischen Patricius: *ungarico more tonsum, aenea catena cinctum.* Sehr bezeichnend für die hohe Einschätzung des selbst an Ausländer verliehenen Honorarpatriziats seitens der Byzantiner ist die Antwort, die sich Liutprand gefallen lassen mußte, als er wegen dem vornehmeren Platz, der diesem Bulgaren in der Tafelordnung des kaiserlichen Bankettes zugewiesen wurde, den Saal aus Protest gegen die Beleidigung, die dadurch in seiner Person Otto I. zugefügt wurde, verließ: *Bulgarorum ille apostolus* [d. h. Gesandte], *quamquam, ut dicis et verum est, tonsus, illotus et catena aenea cinctus sit, patricius tamen est, cui episcopum praeponere, Francorum praesertim, nefas decernimus, iudicamus*: Legatio Constantinopolitana c. 19 (ed. J. Becker): MG. SS. rer. Germ. in 8°, 1915³, 185 f.

[9] Für die Verwendung hochgestellter Kirchenmänner für solche Aufträge siehe unten Anm. 36.

[10] Eine fein abgewogene Formulierung dieses Standpunktes bietet Th. Schieffer: er hält es für möglich, daß die griechischen Gesandten, die Stephan II. nach Pavia begleiteten, die Reise ins Frankenreich jedoch nicht mehr mitmachten, „aus taktischen Augenblickserwägungen den Schritt Stephans billigten, tatsächlich bedeutet aber die Trennung in Pavia

die letzten Endes kaiserliche Herkunft des Patricius-Titels der Karolinger eben während der letzten Phase der Auseinandersetzung an Gewicht und Überzeugungskraft sichtlich zugenommen haben[11]. Andererseits wurde aber selbst im „kaiserlichen Lager" von F. Dölger[12] anerkannt, daß bei der Verleihung des Patriziats im Jahre 754 an eine „nur formale Beteiligung des byzantinischen Kaisers" gedacht werden kann. Er stimmt Ganshof zu: „Le pape a pu jouer sur les mots". Auch nach Dölgers Ansicht hat Stephan II. gleich nach Ausführung des kaiserlichen Auftrags „*patricius Romanorum* = πατρίκιος τῶν Ῥωμαίων nicht, wie es in Konstantinopel gemeint war, als ⟨Patrikios des (= im) römischen Reiche(s)⟩ gedeutet, sondern als ⟨Patrikios der Römer⟩, d. h. des römischen Territoriums, und er und seine Nachfolger sind von da an nicht müde geworden, den Frankenkönigen gegenüber die sich aus dieser Forderung ergebende Schutzpflicht zu betonen"[13].

— wenn auch noch nicht der staatsrechtlichen Theorie nach — die Lösung des Papsttums vom Imperium, sie symbolisiert den Übergang aus dem byzantinischen in den fränkischen Abschnitt seiner Geschichte". Und von der Verleihung des Patricius-Romanorum-Titels meint er: „Nicht der Kaiser, sondern die in der Person Stephans II. selbständig handelnden Römer des Westens übertrugen einen gleichlautenden Titel jetzt dem König der Franken: der Papst unterstellte seine Kirche, ja die gesamten Reichsgebiete Mittelitaliens einer fränkischen Schutzherrschaft! Das kam, politisch und historisch gesehen, einer Trennung von Byzanz gleich, mochte auch das staatsrechtliche Halbdunkel, das den Ostkaiser in der Theorie nach wie vor als obersten Landesherrn gelten ließ, noch bis zum Jahre 800 anhalten" (Winfrid-Bonifatius und die christliche Grundlegung Europas, Freiburg 1954, 261—263). Neuestens meint auch R. Folz, daß Stephan II. den Titel eines Patricius „par sa propre autorité" Pippin und seinen Söhnen verliehen hat: Le couronnement impérial de Charlemagne, Paris 1964, 42.

[11] Das Argument Dölgers und Dannenbauers (oben Anm. 2) für die Verleihung des Patriziats in kaiserlichem Auftrag ist bis heute nicht widerlegt worden: s. H. Schmidinger, Patriziat: Lex. f. Theol. u. Kirche ²VIII, 181 f.

[12] Byz. Zeitschr. 45 (1952) 188.

[13] Ebd. 189.

Zu den bereits erreichten Übereinstimmungen gehört weiter die Anerkennung der Wesensgleichheit einerseits jenes *patricius Romanorum*-Titels, den die Päpste den Karolingern seit 755 in ihrer Uminterpretierung beilegten, andererseits jenes damit gleichlautenden Titels, den unter diesen Herrschern erst Karl der Große, und sogar er erst von 774 an, zu führen begann. In der bisherigen Forschung hat m. W. noch niemand daran ge- | dacht, daß die dem Wortlaut nach identischen beiden Titel von anderer Herkunft und Inhalt sein könnten und daß der von Karl 774 angenommene Patricius-Titel mit dem πατρίκιος τῶν 'Ρωμαίων der Byzantiner in einem direkten, von der Voraussetzung der Verleihung im Jahre 754 unabhängigen Zusammenhang gestanden hätte. Eben in der Auswertung dieser grundsätzlich offenstehenden Möglichkeit für die Aufstellung einer neuen, alles bisherige umstoßenden Theorie besteht das Wesentliche der 1960 erfolgten Stellungnahme W. Ohnsorge's über Herkunft und Wandlung des Patricius-Titels im karolingischen Bereich [14].

Ohnsorge will einerseits davon ausgehen, „daß Stephan II. 754 weder im Auftrag Kaiser Konstantins V. gestanden hat noch der Übermittler der kaiserlichen Würde eines πατρίκιος τῶν 'Ρωμαίων gewesen ist, als er in Franzien mit Pippin verhandelte" (S. 300 f.). Andererseits hält er aber auch die weitverbreitete Meinung, „Pippin hätte 754 vom Papst diesen Titel erhalten", für „abwegig", so daß „die Adressen der Papstbriefe im Codex Carolinus ab 755 anders beurteilt werden müssen" (S. 300 f.). Dieser Ausgangspunkt führt ihn nun zum folgenden Endresultat:

„Einen Patricius-Titel Pippins hat es nie gegeben. Die von den Päpsten verwandte Bezeichnung *patricius Romanorum* ist rein vokabelmäßig dem πατρίκιος τῶν 'Ρωμαίων nachgebildet und beinhaltet für den Papst das gleiche wie Pippins Titel *defensor ecclesiae.* Der Patricius-Titel Karls des Großen ist vom König als Inhaber des Langobardenreiches 775 in der Form *patricius Romanorum* usurpiert und bedeutet eine Kampfansage gegen Byzanz, als dieses den langobardischen Thronprätendenten mit dem Titel πατρίκιος τῶν 'Ρωμαίων ausgezeichnet hatte. Karls Titel wurde

[14] Der Patricius-Titel Karls des Großen: Byz. Zeitschr. 53 (1960) 300 bis 321.

byzantinischerseits 781 durch Kodizill legitimiert, wurde aber von ihm auch nach dem Bruch mit Ostrom 787, nunmehr wieder aus Opposition gegen Byzanz beibehalten und wächst sich bis 800 immer mehr zum Inbegriff seines Herrschertums aus, bis er 800 durch den Kaisertitel ersetzt wird." (S. 321.)

Was nun die Einzelheiten dieses dem bisherigen gegenüber höchst vielschichtigen Bildes betrifft, so sieht O. die Argumente jener „westlichen Historiker", welche eine kaiserliche Ermächtigung für das Vorgehen Stephans II. leugneten,

„entschieden gestützt durch die Tatsache, daß der πατρίκιος τῶν Ῥωμαίων ausschließlich ad personam für Lebenszeit verliehen wurde und nicht erblich war. In den päpstlichen Schreiben des Codex Carolinus werden aber ab 755 sowohl Pippin wie seine beiden unmündigen Söhne als Patricius angeredet. Der Akt von 754 bedeutete eine Bindung der ganzen Königsfamilie an Rom und die römische Kirche, nicht die Bewirkung eines staatsrechtlichen Verhältnisses zwischen dem Kaiser und dem | regierenden Frankenkönig, wie sie eine kaiserliche Verleihung des Patrikios-Titels beinhaltet haben müßte" (S. 301).

Ohne Zweifel wurde der Rangtitel eines Patricius „ad personam für Lebenszeit verliehen" [15] und konnte sich daher vom Vater auf den Sohn ohne weiteres auch nicht vererben. Bedeutet aber die bloße Tatsache der Auszeichnung mit diesem Titel nicht nur des Vaters, sondern auch dessen unmündiger Söhne schon von vornherein die Anerkennung des dem kaiserlichen Beamtenrecht widersprechenden Prinzips der Erblichkeit, wie O. darauf im Falle Pippins, Karls und Karlmanns aus der Gleichzeitigkeit der Verleihung schließt? Ist es nicht viel näherliegend, die Sache sich so vorzustellen, daß die Erhebung Pippins und seiner Söhne zum Patricius durch individuelle, auf ihren Namen ausgestellte Codicilli sowie durch Investitur mit den Insignien des Patriziats aller drei Fürsten vor sich ging? Eine solche Interpretation des Vorgangs unterstützen auch die Quellen, die direkt vom Akt berichten. Mögen sie in staats-

[15] W. Ensslin, Aus Theoderichs Kanzlei: Würzburger Jahrbücher 1947, 75. Weitere Arbeiten Ensslins über Patriziat sind unten Anm. 108 aufgezählt.

rechtlicher Hinsicht noch so ungenau und konfus sein[16], so lassen sie keinen Zweifel mindestens darüber übrig, daß ebenso wie die Krönung auch die Weihe zum Patricius nicht nur an Pippin, sondern gleichzeitig auch an seinen beiden Söhnen in aller Form vollzogen wurde[17].

Es käme der Verkennung des Wirklichkeitssinnes der byzantinischen Politik gleich, zu behaupten, daß man mit der Verleihung des Patriziats nur „ein staatsrechtliches Verhältnis" als Selbstzweck herbeiführen, nicht aber eine ganze Königsfamilie an Kaiser und

[16] Siehe darüber Dannenbauer op. cit. (oben Anm. 3) 71—74.

[17] Diese sind: 1) Nota (clausula) de unctione Pippini von 767 aus St. Denis (MG. SS. rer. Merov. I [1885] 465 = MG SS [in 2°] XV, 1; J. Haller, Die Quellen zur Entstehung des Kirchenstaates [Quellensammlung zur deutschen Geschichte] Leipzig 1907, 67 f.): *anno ab incarnatione Domini septingentesimo sexagesimo septimo, temporibus felicissimi atque tranquillissimi et catholici Pippini regis Francorum et patricii Romanorum, filii beatae memoriae quondam Caroli principis, anno felicissimi regni eius in Dei nomine sexto decimo, indictione quinta et filiorum eius eorumdemque regum Francorum Caroli et Carlomanni, qui per manus sanctae recordationis viri beatissimi domni Stephani papae una cum predicto patre domno viro gloriosissimo Pippino rege sacro chrismate in reges, Dei providentia et sanctorum apostolorum Petri et Pauli intercessionibus, consecrati sunt, anno tertio decimo. Nam ipse praedictus domnus florentissimus Pippinus rex pius per auctoritatem et imperium sanctae recordationis domni Zacchariae papae et unctionem sancti chrismatis per manus beatorum sacerdotum Galliarum et electionem omnium Franchorum tribus annis antea in regni solio sublimatus est. Postea per manus eiusdemque Stephani pontificis denuo in beatorum praedictorum martirum Dionisii, Rustici et Eleutherii aeclesia ubi et venerabilis Foldradus archipresbiter et abbas esse cognoscitur, in regem et patricium una cum predictis filiis Carolo et Carlomanno in nomine sanctae Trinitatis unctus et benedictus est* ... 2) Annales Mettenses Priores a. 754 (ed. B. de Simson) MG. SS. rer. Germ. in 8°, 1905, 45 f.: *Ordinavitque secundum morem maiorum unctione sacra Pippinum principem Francis in regem et patricium Romanorum et filios eius duos felici successione Carolum et Carolomannum eodem ordinavit honore.* 3) Chronicon Moissiacense (MGSS I in 2°, 293): *Stephanus autem papa ipsum piissimum principem Pippinum regem Francorum ac patricium Romanorum oleo unctionis perunxit secundum morem maiorum unctione sacra filiosque eius duos felici successione*

Reich binden wollte. Das Hauptziel bestand vielmehr in der Herstellung einer dauerhaften Bindung, während die Verleihung des Patriziats eher nur als Mittel zum Zweck diente, wobei selbst das „staatsrechtliche Verhältnis" sich von Land zu Land höchst verschiedenartig gestalten konnte. Damit aber die Bindung dauerhaft, d. h. für die Reichspolitik überhaupt brauchbar war, mußte sie nicht nur den regierenden Fürsten, sondern auch dessen voraussehbare Erben und Nachfolger umfassen. Die Byzantiner waren ja gezwungen, dem von der Struktur des eigenen Staatswesens[18] grundverschiedenen dynastisch-geblütsrechtlichen Aufbau aller ihrer Nachbarstaaten in der Wahl diplomatischer Gepflogenheiten und Umgangsformen Rechnung zu tragen. Ein sog. „staatsrechtliches Verhältnis" zu diesen Machtgebilden sollte nie allzu abstrakt ver-

Carolum et Carlomannum eodem coronavit honore. Das Verhältnis dieser Texte zueinander sehen wir jetzt einigermaßen klarer als früher. Die Quelle für den Bericht der Ann. Mett. pr. war — wegen der engen Beziehungen dieses Annalenwerkes zu St. Denis — wohl die Nota de unctione von 767. Auch dem Chron. Moissiac. kommt kein selbständiger Quellenwert zu, da der Abschnitt zwischen 717—774 verlorenging und mit dem Chronicon Anianense ergänzt wurde, welches u. a. auch die Mettenses verarbeitete: W. Levison—H. Löwe, Deutschlands Geschichtsquellen. Vorzeit und Karolinger, Heft II (1953) 265 und H. Hoffmann, Untersuchungen zur karolingischen Annalistik (Bonner Hist. Forschungen 10) Bonn 1958, 27 f. Vgl. Dannenbauer op. cit. (oben Anm. 3) 71 ff.

[18] W. Sickel, Das byzantinische Krönungsrecht bis zum 10. Jahrhundert: Byz. Zeitschr. 7 (1898) 511—557. Trotz mancher Übertreibungen hat Sickel das Wesen dieses Systems treffend charakterisiert: „Diese wunderbarste aller Thronfolgeordnungen, nach welcher ein jeder Imperator sein Herrschaftsrecht auf eine besondere Willensäußerung von Reichsangehörigen gründete, hat sich die byzantinische Zeit hindurch behauptet. Die Kaiser haben keine fest geregelte Succession gewünscht und keine Einschränkung ihrer freien Entscheidung geduldet. Die anderen Organe des Reiches haben nicht ertragen, daß die respublica wie ein Familienfideikommiß einem einzelnen Geschlechte gehöre oder die Staatsgewalt ein Gegenstand des Erbrechtes werde, bei dem die Erben in einem stetigen Mißverhältnis zwischen Können und Sollen verbleiben. Was die Regierung an Festigkeit und Beständigkeit durch Gegenkaiser und wechselnde Familien verlor, ist ihr durch die Beschaffenheit des Staatsoberhauptes

standen wer- | den[19]: in der Tat war es nichts anderes als eine Verpflichtung der Herrscherhäuser, welche diese regierten, für die Reichspolitik. Nicht nur der Papst, sondern ebenso auch der Basileus mußte darüber im klaren sein, daß der Staatsstreich von 751 mit der Einsetzung einer neuen Dynastie im Frankenreich gleichbedeutend war[20]. Die Söhne Pippins waren zwar 754 noch unmündig, Karl, der ältere, allerdings schon eher zwölf als sechs Jahre alt[21] und bei Haupt- und Staatsaktionen, wie eben bei der Einholung Papst Stephans II. (753)[22], bereits in repräsentativer Weise vor die Öffentlichkeit getreten.

Auf Grund des Einwandes von O. könnte man denken, die Verleihung des Patriziats an die Söhne eines Patricius-Vaters im Falle Pippins, Karls und Karlmanns sei in der Geschichte der auswärtigen Beziehungen des byzantinischen Reiches alleinstehend und geradezu

ersetzt worden. Wohl hat die Kreierung von Fall zu Fall nicht immer den besten getroffen, jedoch bessere als die, die in Dynastien geboren werden. So haben von Zeit zu Zeit Männer den Thron bestiegen, die nicht das Blut, sondern den Geist eines Herrschers besaßen, Emporkömmlinge von ursprünglicher Kraft und von politischem Verstande, die sich zu den Kindern eines Regenten ungefähr so verhalten wie Napoleon I. zu den europäischen Erbfürsten des 19. Jahrhunderts“ (512 f.).

[19] Siehe G. Ostrogorsky: Byz. Zeitschr. 41 (1941) 211—223: gegen den Rechtsformalismus der Sickel-Schule und gegen die einseitige Berücksichtigung der „juristischen Basis des Kaisertums“. Über „Principles and Methods of Byzantine Diplomacy“ siehe das Referat von D. Obolensky in Actes du XIIe Congrès International d’Études Byzantines (Ochride 10.—16. Sept. 1961), Tome I, Beograd 1963, 45—61 und dazu die Korreferate von Gy. Moravcsik und D. A. Zakythinos, ebd. 301—319.

[20] F. Kern, Gottesgnadentum und Widerstandsrecht, Leipzig 1914, 88 ff., 90 f. Anm. 160 (Quellenstellen); W. Schlesinger, Karolingische Königswahlen: Zur Geschichte und Problematik der Demokratie, Festgabe für Hans Herzfeld, Berlin 1958, 207—267, bes. 208 f.; R. Folz op. cit. (oben Anm. 10) 42 f.

[21] W. Schlesinger, Kaisertum und Reichsteilung: Forschungen zu Staat und Verfassung. Festgabe für Fritz Hartung, Berlin 1958, 9—51 [hier S. 116 ff.], bes. 33.

[22] Vita Stephani II: Liber Pontificalis (ed. L. Duchesne) I 447; Fortsetzung des Fredegar c. 36: MG. SS. rer. Merov. II.

„unbyzantinisch". Eben eine solche Annahme ließe sich aber ohne Schwierigkeit widerlegen.

Die beiden aufeinanderfolgenden Burgunderkönige Gundobad († 516) und Sigismund († 523) — Vater und Sohn — befolgten gleicherweise eine unbedingt reichstreue Politik[23]. Gundobad begann seine Laufbahn in Italien, wo er an der Seite seines Onkels, des allmächtigen Rikimer, zunächst das Amt des zweiten Heermeisters bekleidete. Als Rikimer 472 starb, rückte Gundobad — von Kaiser Olybrius bestätigt — als *magister utriusque militiae* und *patricius*, d. h. als mächtigster Mann in der westlichen Reichshälfte dem Onkel nach. Nach dem Sturze des von ihm kreierten Kaisers Glycerius (474) mußte er in die Heimat fliehen und wurde als erster Heermeister in Italien durch Ecdicius ersetzt[24]. Dadurch wurde er aber nur des Amtes des ersten Heer- | meisters, nicht aber zugleich auch des Hofranges eines Patricius verlustig, da der Patriziat eben eine lebenslängliche und unverlierbare persönliche Auszeichnung bedeutete[25], die dem Gundobad auch als *rex Burgundionum* grundsätzlich erhalten blieb. Unter dem Vorwand der Belohnung der Verdienste seines Sohnes Sigismund anläßlich der Auslieferung eines Gefangenen wurde dieser noch zu Lebzeiten des Patricius-Vaters[26] von Kaiser Anastasius (491—518) durch Kodizill zum Patricius erhoben[27], wobei freilich das wahre Ziel

[23] L. Schmidt, Geschichte der deutschen Stämme bis zum Ausgang der Völkerwanderung: Die Ostgermanen, München ²1941, 151 ff., 161.

[24] W. Ensslin, Zum Heermeisteramt des spätrömischen Reiches: Klio 24 (1931) 495; Schmidt op. cit. 146 f.

[25] W. Ensslin, Aus Theoderichs Kanzlei: Würzburger Jahrbücher 1947, 78; „Im übrigen umschreibt Cassiodorus den Patriziat als einen Ehrenrang, in welchem ein immerwährendes Glück seinen Anfang nimmt, insofern eines Nachfolgers Ehrsucht nicht zu fürchten ist; denn sobald er verliehen ist, bleibt er für die übrige Lebenszeit von gleicher Lebensdauer wie der Inhaber . . .".

[26] Avitus ep. IX. MG. Auct. Antiquissimi VI/2, 43; Vita Abbatum Acaunensium absque epithaphiis c. 3 (MG. SS. rer. Merov. VII, 331): Cum Sigismundus, Gundebaldi regis filius, iam honorem patriciatus accinctus . . .

[27] L. Schmidt op. cit. (oben Anm. 23) 158 f., 161 mit Anm. 4.

des kaiserlichen Gnadenerweises wohl nur in der Sicherung der Fortführung des reichsfreundlichen Kurses der bisherigen burgundischen Politik erblickt werden kann. Wie sich diese den dynastischen Interessen des Partners Rechnung tragende Art der Verleihung des Patriziats als wirksames *arcanum imperii* bewährte, zeigt das spätere Verhalten des König-Patricius Sigismund im Spiegel seiner an den Kaiserhof gerichteten, in höchst untertänigem Ton gehaltenen Briefe[28]. So ist es kaum wunderzunehmen, daß man an der Praxis der Verleihung der Patricius-Würde zuerst an den Vater, dann aber an den Sohn — freilich immer ohne Anerkennung irgendwelchen Erbanspruchs — auch später, und zwar im Westen ebenso wie im Osten des Reiches zäh festhielt. Der späte, doch wohlunterrichtete Archidiakon Thomas von Spalato († 1266) erzählt von den kroatischen Herrschern, die auf Stephan Držislav (969—997) folgten, daß diese sich als *reges Dalmatiae et Croatiae* betitelten: *Recipiebant enim regiae dignitatis insignia ab imperatoribus Constantinopolitanis et dicebantur eorum patricii* oder *eparchi sive patricii*[29]. Durch die Übereinstimmung mit dem bei Konstantin VII., De Caerim. I, 87[30], überlieferten πατρίκιος καὶ ἔπαρχος — die Stelle geht auf Petrus Patricius, den Magister Officiorum Justinians I., zurück[31] — gewinnt die Nachricht des Thomas Spalatensis sehr wesentlich an Glaubwürdigkeit. Dazu kommt noch, daß zwei voneinander un- | abhängige Quellen die Gattin eines späteren kroatisch-dalmatinischen Herrschers Krešimir III. (1000 bis 1030) als *patricissa* bezeichnen[32], was den Patricius-Titel ihres Gemahls voraussetzt; denn, wie aus De Caerim. I, 56 (47)[33] ersichtlich ist, bedeutet πατρικία nicht einfach die Gattin des Patricius,

[28] Avitus ep. XXXXVI A (ed. cit. 76); LXXVIII (93); LXXXXIII (100); LXXXXIIII (101).

[29] Für die folgenden A. Dabinović, Der Patriziertitel der kroatischen Könige: Serta Hoffilleriana, Zagrabiae 1940, 389—399.

[30] ed. Bonn 369.

[31] W. Ensslin, Der Patricius Praesentalis im Ostgotenreich: Klio 29 (1936) 249.

[32] Lupus Protospatharius: MGSS (in 2°) VII, 57; Anonymus Barensis: Muratori, Rer. Ital. SS. V 42, 148.

[33] ed. Vogt II 48.

sondern ebenfalls einen Hofrang, der durch einen besonderen Kodizill verliehen wurde. Aufeinanderfolgende Machthaber, die den Titel eines Patricius führen, finden wir aber auch in Amalfi: Manso II. (907) trägt noch „den byzantinischen Titel eines *spatharocandidatus*, sein Sohn Mastalus I. zuerst 922 den in der Folge so gut wie regelmäßig den Regenten von Amalfi verliehenen höheren Titel eines *imperialis patricius*" [34].

Aber auch die Geschichte der östlichen Reichshälfte bietet ein vorzügliches Beispiel für die Auszeichnung von Vater und Sohn mit dem gleichen Titel eines Patricius. So sicherten die Kaiser den beiden Araberhäuptlingen aus dem Stamme Ghassan zur Zeit Justinians I. und Justins II., namens Harith (griechisch Arethas) und Mundar eine hegemoniale Stellung über die übrigen Phylarchen (Häuptlinge) zu, deren Ausdruck eben ihr Patricius-Titel war. Harith erhielt diese Auszeichnung bei seinem Besuch in Konstantinopel 542 oder 543 und bei dem späteren Besuch im Jahre 563 wurde ihm die Nachfolge seines Sohnes Mundar zugesichert. Ob dieser Mundar bereits damals oder aber erst nach dem 569 oder 570 erfolgten Tode seines Vaters zum Patricius erhoben wurde, läßt sich mit Sicherheit nicht entscheiden [35]. Auf jeden Fall war auch er Patricius, und so lassen sich auch in diesem östlichen Grenzgebiet aufeinanderfolgend Vater und Sohn als „Könige" und Patricii nachweisen. Durch die angeführten Beispiele für die Praxis der Verleihung des Patriziats in dynastischer Reihenfolge — deren Zahl noch sicher zu vermehren und aus der innerbyzantinischen Praxis zu ergänzen wäre — ist das neue Argument O.'s gegen die Übermittlung der Patricius-Würde im kaiserlichen Auftrag durch den Papst wohl entkräftet. Dölger konnte eine vorzügliche Analogie für die Ver- | wendung von hochgestellten Geistlichen bei der

[34] A. Hofmeister, Zur Geschichte Amalfis: Byzantinisch-Neugriechische Jahrbücher I (1920) 94—127, bes. 109 f.

[35] E. Stein, Studien zur Geschichte des byzantinischen Reiches, Stuttgart 1919, 40; I. Kawar, Prokopius and Arethas: Byz. Zeitschr. 50 (1957) 39—67, bes. 64 f. und ders., The Patriciate of Arethas: ebd. 52 (1959) 321—343; R. Paret, Note sur un passage de Malalas concernant les phylarques arabes: Arabica 5 (1958) 251—262. Die letztgenannte Arbeit kenne ich nur aus der Besprechung in der Byz. Zeitschr. 52 (1959) 181.

Auszeichnung ausländischer Machthaber durch die Reichsregierung anführen[36], außerdem aber auch darauf hinweisen, daß der Kaiser in der Kenntnis der Vorgänge von 751 wissen mußte, „daß niemand günstiger mit Pippin verhandeln werde als der Papst". Der Beweisführung Dölgers und Dannenbauers folgend, müssen wir uns den umstrittenen Akt von 754 so vorstellen, daß der Papst nach der ebenfalls einzeln vorgenommenen Königssalbung, welch letztere freilich nur die Wiederholung der Weihe von 751 bedeutete, im Rahmen der protokollarisch vorgeschriebenen kirchlichen Zeremonie der Patriziererhebung den drei Königen drei besondere Codicilli, die auf die Namen Pippins, Karls und Karlmanns lauteten, aushändigte und alle drei mit den Gewändern und Abzeichen eines Patricius investierte. Freilich entstand dadurch „eine Bindung der ganzen Königsfamilie" aber — der ursprünglichen Absicht nach — nicht an den Papst und an Rom, sondern an Kaiser und Reich, und zwar unter stillschweigender Anerkennung der vor kurzem erfolgten Einsetzung einer neuen Dynastie, ohne jedoch die Preisgabe des bei den Patricius-Erhebungen bisher immer streng beachteten Prinzips der Verleihung dieses Rangtitels nur „ad personam für Lebenszeit" zugunsten des germanisch-fränkischen Grundsatzes der Erblichkeit. Die Einbeziehung der Söhne in den dem Vater gleichzeitig mit ihnen verliehenen Patriziat widerspricht also dem byzantinischen Beamtenrecht keineswegs und kann daher auch nicht eine Rückkehr zur Usurpationstheorie rechtfertigen. Denn die These von O. ist in diesem ihren Teil eigentlich nur eine Variante der bisherigen von „westlichen Historikern" vertretenen Lehrmeinung. O. weicht davon mit der Annahme ab, daß die Byzantiner die Auszeichnung Pippins mit dem Patriziat seit 753 zwar beabsichtigten, diesen Schritt jedoch wegen des eigenmächtigen Vorgehens

[36] Byz. Zeitschr. 45 (1952) S. 189: Im Jahre 642 überreichte der Katholikos Nerses im Auftrag Kaiser Konstans dem Armenierfürsten Smbat die Ernennung zum Kuropalates und eine Ehrenkrone (Dölger, Kaiser-Reg. 223). Noch Leon VI. nahm die Vermittlung Papst Johanns X. zur Gewinnung des Kroatenkönigs Tomislav (910—928) gegen Simeon von Bulgarien (893—927) in Anspruch: Dabinović a. a. O. (oben Anm. 29) 390. Vgl. T. Venni, Giovanni X: Archivio della R. Deputazione Romana di Storia Patria 59 (1937) 103, 109.

des Papstes nicht mehr auszuführen vermochten. Stephan II. habe den von den Byzantinern stipulierten Titel eines *patricius Romanorum* zwar beibehalten, zugleich aber den byzantinischen Begriff des Patriziats in seinem Sinne „überrundet", um den Frankenkönig statt des Kaisers mit dem gleichen Titel „für St. Peter und Rom zu verpflichten" (S. 305). O. gibt | aber selbst zu, daß die von ihm Stephan II. zugemuteten Machenschaften den Byzantinern als „päpstlicher Verrat an der kaiserlichen Sache" vorkommen müßten (S. 306). Aus dieser Deutung der Ereignisse des Jahres 753/4 folgt aber unausweichlich auch der Schluß, daß der Papst, der von der Absicht der Byzantiner zur Ernennung Pippins zum Patricius wissen und gleichfalls darüber im klaren sein mußte, daß er mit der eigenmächtigen Verleihung eines „anerkannten Titels der byzantinischen Rangordnung" [37] ein streng gehütetes kaiserliches Reservatrecht verletzte, eigentlich schon damals (753/4) den Bruch mit dem Kaiserhof vollzogen hätte. Eben eine solche Absicht und ein solcher Schritt ist gerade jenem Papst Stephan II. nicht zuzumuten, der 752 Konstantin V. zum persönlichen Eingreifen in Italien zu bewegen suchte und noch vor dem 14. Oktober 753 aus der Hand des Silentiarios Johannes eine *imperialis iussio* Konstantins V. entgegennimmt und ihrem Sinn und Buchstaben gemäß (wohl zusammen mit den byzantinischen Gesandten) zu König Aistulf nach Pavia reist — und zwar ganz gegen den Willen seiner Römer —, um die Rückgabe von Ravenna und der zugehörigen Städte auf dem Verhandlungsweg zu erreichen [38]. Ein derart loyaler Reichsbischof hätte sich selbst unter dem Eindruck des Scheiterns seiner Mission in Pavia unmittelbar darnach kaum zur usurpativen Verleihung des Patricius-Titels entscheiden können; vielmehr ist mit Dölger anzunehmen, daß er bei der Reise ins Frankenreich und beim Vollzug der Weihe zum Patricius nur im Sinn des Eventualauftrags seines Kaisers handelte, „beim Scheitern der Verhandlungen mit Aistulf den Frankenkönig als Helfer zu gewinnen" [39]. Ein solcher Eventualauftrag setzt aber die Übergabe des Kodizills für Pippin

[37] W. Ensslin, Gottkaiser und Kaiser aus Gottes Gnaden: Sitzungsberichte der bayer. Akad. d. Wiss. 1943 Nr. 7, München 1943, 126.

[38] Vita Stephani: Liber Pontificalis (ed. Duchesne) I 442 und 445.

[39] Byz. Zeitschr. 45 (1952) 189.

und seine Söhne durch den Silentiarios Johannes zur Verfügung des Papstes voraus. Mit der Annahme eines „päpstlichen Verrats an der kaiserlichen Sache" geriet Ohnsorge allerdings in einen Widerspruch zu seinem auch in der vorliegenden Arbeit mit großem Nachdruck vertretenen Standpunkt, daß die permanente Loyalität der Päpste gegenüber dem Hof Konstantinopel und die Respektierung der Kaiserrechte durch sie bis zu Weihnachten des Jahres 800, d. h. bis zur Kaiserkrönung Karls des Großen angedauert hätte (S. 318 f.).

Die usurpative Verleihung des Titels *patricius Romanorum* = πατρίκιος τῶν Ῥωμαίων ist jedoch — nach O. — für den Papst nur | ein „Notbehelf" gewesen, der wahre Inhalt der neuen Bezeichnung habe mit dem Sinngehalt des oströmischen Patriziats nichts zu tun; denn der Titel, der seit 755 Pippin und seinen Söhnen beigelegt wurde, besage nur dasselbe wie *defensor ecclesiae.* Auf die Frage, die Dölger[40] bereits Ganshof gegenüber gestellt hat, „weshalb sich der Papst zu solcher Auflehnung gegen den Kaiser gerade der Verleihung eines die Unterordnung unter diesen selben Kaiser ausdrückenden Titels bediente, statt einen anderen Titel wie etwa *Defensor sanctae Dei Ecclesiae* oder ähnlich zu wählen", hält O. die Antwort für „verblüffend einfach" (S. 303). „*Defensor ecclesiae* als Bezeichnung für den neuen Schutzherrn der Kirche war für den Papst" deshalb nicht tragbar, weil der Träger dieses Titels „ein untergeordneter kurialer Beamter im Range eines Notars" war (S. 303 f.).

Bekanntlich hat Pippin den ihm in den päpstlichen Briefen seit 755 beigelegten Titel bis zu seinem Tode (768) nicht geführt, und zwar — nach O. — aus zwei Gründen: erstens, weil er sich dadurch zum Beauftragten des byzantinischen Kaisers erklärt hätte, und zweitens, weil der Titel *patricius* in der fränkischen Amtssprache entweder einen vom König ernannten und von ihm auch absetzbaren Beamten oder aber — und zwar ziemlich selten — den Hausmeier bedeutete[41] und ebendeshalb nach der Rangerhöhung

[40] Ebd. 188.

[41] Der wichtigste Beleg ist dafür der Brief Papst Gregors II. an Bonifatius vom 4. Dez. 724 mit Erwähnung eines päpstlichen Schreibens:

des karolingischen Hausmeiers zum König nicht mehr brauchbar war. „Statt dessen bezeichnete er sich als *defensor ecclesiae,* um seine seit 754 eingenommene Stellung gegenüber Rom und dem Papst zu charakterisieren. P. E. Schramm hat nachgewiesen, daß Pippin 754 für sich und seine Söhne einen Freundschaftseid gegenüber dem Papst und der Kirche geleistet hat“ (S. 303):

„Es ergibt sich die überraschende Feststellung, daß 754 für das durch den Treueid Pippins für sich und seine Söhne dem Papst gegenüber geschaffene neue staatsrechtliche Verhältnis zwischen Frankenkönig und Papst zunächst keine adäquate, beide Teile befriedigende Bezeichnung gefunden werden konnte“ (S. 304).

Der Papst hätte Pippin am liebsten als *defensor ecclesiae* bezeichnet, also so, wie dieser sich — nach O. — selber beti- | telte, und nur weil er daran wegen des Sinnes des Wortes in der Amtssprache der römischen Kirche gehindert war, griff er zum Notbehelf des *patricius Romanorum,* den wiederum Pippin wegen seiner Bedeutung in der fränkischen Terminologie nicht führen konnte.

Dieser geistvollen Interpretation ist aber erstens entgegenzuhalten, daß Pippin sich in der Tat niemals als *defensor ecclesiae* bezeichnete, und zwar weder in seiner offiziellen Herrschertitulatur noch in sonstigen Äußerungen; zweitens, daß die Päpste nichts daran auszusetzen hatten, Pippin und seine Söhne, wenn auch nicht in der Adresse ihrer Briefe, so doch in deren Kontext, als *defensor ecclesiae* zu apostrophieren.

Zur Stütze seiner ersten Aufstellung beruft sich O. auf Quellennachweise in einer Arbeit von P. E. Schramm[42]. Dort ist aber nur

Carolo excellentissimo filio nostro patricio ... (MG. Ep. sel. I: S. Bonifatii et Lulli epistolae Nr. 24, 42.), was weder im kaiserlichen (so E. Stein a. a. O. oben Anm. 3) noch im lokalrömischen (so J. Haller, Geschichte des Papsttums ²I 1950, 360) sondern nur im fränkischen Sinne zu verstehen ist. Für patricius = maiordomus siehe auch Vita virtutesque Fursei abbatis c. 9—10: MG. SS. rer. Merov. IV 438 f.

[42] Das Versprechen Pippins und Karls d. Gr. für die römische Kirche: Zeitschrift für Rechtsgeschichte 58, Kanon. Abt. 27 (1938) 180—217, bes. 213 Anm. 31.

davon die Rede, „daß Pippin [dem Papste] zusagte *defensorem et adiutorem* sein zu wollen". Und wenn der Papst 761 einem Schreiben Pippins — das nicht auf uns gekommen ist — entnimmt: *vos paratos adesse in adiutorium et defensionem sanctae Dei ecclesiae*[43], so ist diese Hilfsbereitschaft noch kein Beweis dafür, daß Pippin sich in seinem Brief an den Papst tatsächlich als *defensor ecclesiae,* und zwar sogar in der Intitulatio bezeichnet hätte. Die Berufung Schramms und Ohnsorges auf vereinzelte Intitulationen Karls des Großen, in denen er sich *gratia Dei rex regnique Francorum rector et devotus sanctae ecclesiae defensor atque adiutor*[44] oder ähnlich bezeichnet, oder auf seinen Titel im Brief an Elipandus von Toledo (794), wo der Titel der Urkunden und Mandate — *gratia Dei rex Francorum et Langobardorum ac patricius Romanorum* — mit *filius et defensor sanctae Dei ecclesiae*[45] ergänzt erscheint, liefert m. E. keinen Beweis für die sonst nirgends belegte Führung eines gleichlautenden Titels bereits durch Pippin. Die Deutung O.s leidet außerdem auch daran, daß sie weder dem differenzierten Sinn der königlichen *defensio* bei Karl noch den besonderen Anlässen | Rechnung trägt, bei denen dieser sich überhaupt als *defensor ecclesiae* betitelte.

Was Karl selbst unter *defensio ecclesiae* verstanden hat, sagt er uns am deutlichsten in der sog. Divisio Regnorum vom 6. Februar 806[46]. Seine Erben und Nachfolger sollen der Kirche gegenüber in zwei Hinsichten *defensio* ausüben: 1) er befiehlt, *ut ipsi tres*

[43] Cod. Carol, ep. 21: MG. Ep. III 523.

[44] a) Capitulare primum (769 vel paullo post): MG. Capit. I 44, Nr. 19.

b) Admonitio generalis vom 23. März 789 (mit geringer Abweichung vom vorigen) ebenda 52, Nr. 22.

c) Vorwort des Königs zur Kapitulariensammlung des Ansegisius (ebenda 53) identisch mit dem vorigen.

d) Concilium Moguntiense a. 813 (MG. Conc. II 259, Nr. 36): *Gloriosissimo et christianissimo imperatori Karolo Augusto, verae religionis rectori ac defensori sanctae Dei ecclesiae, una cum prole sua eiusque fidelibus vita et salus!* Also keine Intitulatio, sondern Akklamation der Konzilsteilnehmer.

[45] MG. Conc. II 158.

[46] c. 15: MG. Capit. I, Nr. 45, 126—130, bes. 129.

fratres curam et defensionem ecclesiae sancti Petri suscipiant, indem sie *eam ... ab hostibus defendere nitantur et iustitiam suam ... habere faciant*. 2) *Similiter et de caeteris ecclesiis, quae sub illorum fuerint potestate praecipimus ut justitiam suam et honorem habeant*. Hier bedeutet also *defensio ecclesiae* einerseits Schutz der römischen Kirche, andererseits die Beschützung der Kirchen im unmittelbaren fränkischen Machtbereich. Damit ist aber die königliche Schutzpflicht noch keineswegs erschöpft. Dazu gehört auch die *defensio* der Glaubensreinheit der Reichskirche gegenüber den Verirrungen der Ostkirche[47] oder internen Häresien, ebenso aber auch der Waffenschutz gegen Heiden, wie Sachsen und Awaren, dies wohl am deutlichsten im berühmten, von Alkuin selbst abgefaßten Antwortschreiben Karls auf die Wahlanzeige Leos III. im Jahre 796: *Nostrum est secundum auxilium divinae pietatis sanctam undique Christi ecclesiam ab incursu paganorum et ab infidelium devastatione armis defendere foris et intus catholicae fidei agnitione munire*[48].

Welcher Aspekt des Kirchenschutzes stand nun bei Karl im Vordergrund, wenn er sich in Ergänzung seiner herkömmlichen Titulatur als *devotus sanctae ecclesiae defensor atque adiutor*, als *filius* und *defensor sanctae Dei ecclesiae* bezeichnete? Dies geschieht ausnahmslos bei Anlässen, wenn es darum geht: *Christi ecclesiam ... intus catholicae fidei agnitione munire*, so gegenüber der Ketzerei des Elipandus von Toledo oder in der Intitulatio von Kapitularien und Konzilsbeschlüssen[49], die ausschließlich Bestimmungen über Zucht und Ordnung im inneren Leben der fränkischen Reichskirche enthalten. So dürfen wir die angeführten Intitulationen auch nicht als Fortsetzungen eines — wir betonen: nirgends belegten — *defensor ecclesiae sancti Petri*-Titels schon unter Pippin ansehen, da dieser sich allein auf den Schutz des

[47] Libri Carolini: Praefatio (MG. Capit. II suppl. 2): *Cuius quoniam in sinu regni gubernacula Domino tribuente suscepimus, necesse est, ut in eius defensione et ob eius exaltationem Christo auxiliante ... certemus ...*

[48] Alcuini ep. 93: MG. Ep. IV 136 ff.

[49] Siehe oben Anm. 44. Über die Intitulatio der Kapitularien: F. L. Ganshof, Was waren die Kapitularien? Darmstadt 1961, 66—68.

Papsttums gegenüber den Langobarden bezog | und den Kirchenschutz im allgemeinen Sinne, wie dieser erst unter Karl dem Großen nachweisbar ist, noch nicht beinhaltete. Denn bei der *defensio* handelt es sich keineswegs um eine angestammte, etwa aus der germanischen Königsidee abgeleitete Pflicht[50], sondern diese Aufgabe wurde den Karolingern von außen, und zwar von der römischen Kirche, vor allem von den durch die Langobarden bedrängten Päpsten seit Gregor III. (739) aufgebürdet: bereits mit dem ersten Brief des Codex Carolinus[51] beginnt die ununterbrochene Reihe von Mahnungen zur Übernahme und Verwirklichung der Pflicht der *defensio,* welche hier der politischen Situation entsprechend noch ausschließlich Waffenhilfe und Unterstützung der Rekuperationsansprüche bedeutet. Die Worte *defensor* und *defensio* kommen z. B. in einem einzigen Brief aus dem Jahre 757 nicht weniger als fünfmal vor[52], und eben diese systematische Einprägung brachte dann ihre Früchte in dem Defensor-Bekenntnis Karls, das erst bei ihm einen umfassenden Sinn erhielt und eine tiefe Verankerung in seinem religiösen Empfinden erfuhr. Bei seinem Vater läßt sich nicht einmal der Titel eines *defensor ecclesiae* im primären Sinne des Papstschutzes — wie dies von O. angenommen wurde — nachweisen.

Andererseits empfanden sich die Päpste durch die Beilegung des *Patricius-Romanorum*-Titels in der Adresse keineswegs daran gehindert, Pippin und seine Söhne im Kontext der Briefe ausdrücklich als *defensor* zu bezeichnen. Und bei dieser Anrede ließen

[50] Zur defensio ecclesiae: H. von Schubert, Geschichte der christlichen Kirche im Frühmittelalter, Tübingen 1921, 358 ff.; A. Brackmann, Die Anfänge der Slawenmission und die Renovatio Imperii des Jahres 800: Gesammelte Aufsätze, Weimar 1941, 56—75 (aus dem Jahr 1931); H. Löwe, Die karolingische Reichsgründung und der Südosten, Stuttgart 1937.

[51] Cod. Carol. ep. 1 (739) (MG. Ep. III, 476 f.): ... *ad defendendam ecclesiam Dei et peculiarem populum ...; ... pro eius ecclesiae et nostra defensione ...; ... peculiarem populum zelando et defendendo* ... Ep. 2 (740), 477 f. Die Zusammenstellung der Defensio-Stellen in MG. Ep. III, 509 Anm. 3 ist unvollständig.

[52] Ep. 13 (757) ebd. 508 ff.

sie sich gar nicht durch die Überlegung beeinflussen, daß die römische Kirche selbst *defensores* besaß und daß sie *defensores sanctae nostrae ecclesiae* nicht nur in ihrer unmittelbaren Umgebung hatten, sondern diese *defensores* auch als ihre Abgesandten oft an den fränkischen Hof schickten[53]. So setzte z. B. Papst Paul I. König Pippin über eine vom *primus defensor* Petrus geleitete Gesandtschaft in Kenntnis, um unmittelbar darauf ihn zu bitten: *Supplici deprecatione te, bone, orthodoxe rex, quaesumus postulantes, ut sis nobis post Deum firmus protector | ac defensor*[54]. Dabei kann weder der Papst noch der König an irgendeinen *defensor regionarius* gedacht haben! Der Hinweis O.s auf päpstliche *defensores* erweist sich also als eine unhaltbare Verlegenheitserklärung für die Beibehaltung des Titels *patricius Romanorum* in der Adresse der Papstbriefe. In der Tat war diese Beibehaltung nicht dadurch bedingt, daß die Päpste wegen des gleichlautenden Beamtentitels die Frankenkönige nicht als *defensores* bezeichnen konnten, sondern dadurch, daß dieser Titel formal vom Kaiser verliehen worden war und schon deshalb nicht übergangen werden konnte; außerdem bot er die denkbar günstigste Möglichkeit zur Uminterpretierung in römisch-territorialem Sinne, d. h. zum Zwecke der Gewinnung der Karolinger für die Übernahme der Aufgabe der *defensio ecclesiae sancti Petri et eius peculiaris populi.* Nur dem *patricius Romanorum* konnte der Apostelfürst Petrus himmlischen Lohn in Aussicht stellen: *dummodo meam Romanam civitatem et populum meum peculiarem, fratres vestros Romanos, de manibus iniquorum Langobardorum nimis velociter defenderitis*[55]. Darum richtet, zusammen mit Papst Stephan II., der *universus populus et exercitus Romanorum* 756 seinen letzten verzweifelten Hilferuf an Pippin und seine Söhne: *tribus regibus et nostris Roma-*

[53] Ep. 36 (764—766) ebd. 543 f.; Ep. 45 (770, 771) ebd. 563.

[54] Ep. 32 (761—766) abd. 538 f.; auch in anderen Briefen wird der König nicht nur zur *defensio* aufgefordert, sondern direkt als *defensor* angeredet, so z. B. Ep. 12 (757), 508: ... *excellentissime et a Deo protecte noster post Deum auxiliator et defensor rex;* Ep. 13 (757) 510: *Tu enim post Deum noster es defensor et auxiliator* ...

[55] Ep. 10 (756), 501 ff.

norum patriciis[56], und ebendeshalb bedanken sich 757 für ihre Befreiung beim *patricius Romanorum ... omnis senatus atque universa populi generalitas a Deo servatae Romanae urbis*[57]. Daß die Päpste dieser Zeit die Defensorpflicht der Karolinger gegenüber der römischen Kirche gerade aus ihrer Eigenschaft als *patricii Romanorum* ableiteten, zeigt die bisher wenig beachtete Motivierung des Hilfegesuchs Hadrians I. im Jahre 773 an Karl in den *Annales Mettenses priores*. Während der dem Hofe nahestehende Annalist der allgemeinen Tendenz seines Werkes[58] entsprechend zum Jahre 754 vom Ultimatum Pippins an Aistulf mit den Worten berichtet, *ut sanctam Romanam ecclesiam, cuius ille defensor per ordinationem divinam fuerat, non affligeret*[59], gibt er im Bericht zum Jahre 774 über die Herkunft der Defensor- | pflicht des Frankenkönigs diesmal den päpstlichen Standpunkt aus gutunterrichteter Quelle und wohl aus St. Denis[60] wieder: Hadrian ersucht Karl *ut Romanum populum et ipsam ecclesiam sanctam de manibus superbi regis Desiderii liberaret, adiungens, quod ipse legitimus tutor et defensor esset ipsius plebis, quoniam illum predecessor suus, beatae memoriae Stephanus papa, unctione sacra liniens in regem et patricium ordinavit*[61]. Die Würde des *patricius Romanorum* wird hier also mit dem spätrömischen städtischen Amt des *defensor plebis*, oder kurzerhand nur *defensor* genannt[62] — freilich ganz willkürlich —, in Zusammenhang gebracht: ein weiteres Fingerzeichen dafür, wo wir die Wurzeln der Idee der *defensio* überhaupt zu suchen haben. Diese Motivierung der Hilfepflicht mit dem Patriziat bildet wohl den Schlußstein in der päpst-

[56] Ep. 9 (756), 498.

[57] Ep. 13 (757), 508.

[58] W. Schlesinger a. a. O. (oben Anm. 21) 39 [hier S. 156 f.]; H. Hoffmann op. cit. (oben Anm. 17) 61 f.

[59] Ed. cit. (oben Anm. 17) 46.

[60] W. Schlesinger a. a. O. (oben Anm. 21) Anm. 137.

[61] Ed. cit. (oben Anm. 18) 59.

[62] L. M. Hartmann, Untersuchungen zur Geschichte der byzantinischen Verwaltung in Italien, Leipzig 1889, 45 f.; W. Ensslin, Theoderich der Große, München ²1959, 178; W. Ullmann, Die Machtstellung des Papsttums im Mittelalter, Graz-Wien-Köln 1960, 105—107.

lichen Uminterpretierung dieses auch im Falle Pippins ursprünglich kaiserlich-byzantinischen Rangtitels. Unter dem Gewicht der soeben vorgebrachten Beweise kann jedenfalls die Ansicht von O. kaum weiter aufrechterhalten werden, als ob selbst die „Kurie“ im „Patricius-Verhältnis zwischen Pippin und dem Papst“ keine Sache von „kirchen- oder staatsrechtlicher Relevanz gesehen“ hätte (S. 301). Dem Umstand, daß der *Liber Pontificalis* von einer Patricius-Ernennung im Jahre 754 nichts berichtet und die Bezeichnung des Frankenkönigs als *patricius Romanorum* ebendort zum ersten Male in der Vita Stephans III. (768—772) vorkommt[63], kann angesichts der auch von O. anerkannten „eisernen Konsequenz“, mit der dieser Titel den Frankenherrschern in den Adressen der Papstbriefe beigelegt wurde, nicht die geringste Bedeutung beigemessen werden. Eben dieses zähe Festhalten an der Patricius-Adresse[64] schließt die Möglichkeit aus, daß sie für die Päpste nur ein | „Notbehelf“ gewesen sein könnte oder daß diese zwischen dem Patricius-Titel und der Bezeichnung Pippins als *defensor* einen Widerspruch oder gar nur eine Spannung empfunden hätten.

[63] Liber Pontificalis I, 473. Im Gegenteil: dieses Schweigen wäre eher als Beweis dafür anzusehen, daß man damals noch in Rom nur die Salbung zum König, nicht aber die Ernennung zum Patricius Stephan II. zuschrieb. Dem entspricht auch, daß die Päpste vor 773 in ihren Briefen ebenfalls nur von der Wohltat der Salbung und von der der Erteilung des Patriziats sprechen: Dannenbauer op. cit. (oben Anm. 2) 74.

[64] Die Bezeichnung *patricius* kommt außer der Adresse oft auch im Kontext neben dem Königstitel vor: z. B. Ep. 8 (756), 496; Ep. 11 (757), 505. Ohnsorge a. a. O. 301 Anm. 8 hebt hervor, daß eben der im Namen des Apostelfürsten abgefaßte Brief (Ep. 10, 501 aus dem Jahre 756) nur *tribus regibus*, aber nicht zugleich *patriciis Romanorum* adressiert ist, was jedoch nur auf die Rechnung des Kopisten zu schreiben ist. Der unmittelbar vorangehende Brief des Papstes und der Römer (Ep. 9, 498) hat nämlich die Adresse: ... *tribus regibus et nostris Romanorum patriciis* ... In Ep. 10 (756) bezeichnet der Apostelfürst die Römer an drei Stellen (502_{28}, 502_{33}, 503_{1}) als *fratres* der Karolinger. Der offensichtliche Kopistenfehler kann also kaum als Beweis dafür dienen als ob die „Kurie“ im *patricius Romanorum*-Titel keine „Sache von kirchen- oder staatsrechtlicher Relevanz“ gesehen hätte (O. 301).

So etwas zeigt sich dagegen auf der fränkischen Seite in der Weigerung Pippins, Karlmanns († 771) und bis 774 sogar Karls, den ihnen von den Päpsten beigelegten *patricius Romanorum*-Titel in ihren Urkunden, Mandaten und Kapitularien auch selbst zu führen. Den Grund dafür sehe ich in erster Linie nicht in der byzantinischen Herkunft oder in der nichtmonarchischen Vergangenheit des Titels bei den Franken — so O. (S. 303) —, sondern vor allem in einem einfachen realpolitischen Bedenken. Gegen eine grundsätzliche Ablehnung spricht die Tatsache, daß Pippin sich zwar nie so betiteln ließ, andererseits aber das, was 754 geschehen war, auch nicht zu verschweigen oder gar zu unterdrücken suchte. In der Datumzeile der *Nota de Unctione*[65] von 767 aus dem Kloster St. Denis wird er *rex Francorum et patricius Romanorum* genannt, und diese Quelle ebenso wie auch die späteren *Annales Mettenses priores*[66] um 805 wollen keineswegs verhehlen, daß Pippin und seine Söhne vom Papst zum König gesalbt und auch zum *patricius Romanorum* „geweiht" oder „bestellt" wurden. All das macht eine grundsätzliche Abneigung gegen den Titel unwahrscheinlich. Hinter der Weigerung, sich offiziell als *patricius Romanorum* zu betiteln, ist dagegen mit großer Wahrscheinlichkeit die Rücksichtnahme auf jene langobardenfreundliche fränkische Opposition in der nächsten Umgebung Pippins zu vermuten, an welcher der Feldzug von 754 beinahe gescheitert war[67]. Dieser Opposition mußte mit gutem Recht der *patricius Romanorum*-Titel als Inbegriff der *defensio ecclesiae Romanae* und damit als programmatische Verpflichtung für eine grundsätzlich antilangobardische Interventionspo- | litik in Italien erscheinen. Aus dem gleichen Grund wollte Pippin auch den Titel eines *defensor ecclesiae* nicht führen.

[65] Siehe oben Anm. 17.

[66] Ed. cit. (oben Anm. 17) 45 f.

[67] Darüber berichtet als einziger Einhard in Vita Karoli Magni c. 6 (ed. L. Halphen, Paris 1938, 18 f.): *Quod* [d. h. bellum contra Langobardos] *prius quidem et a patre ejus, Stephano papa supplicante, cum magna difficultate susceptum est, quia quidem e primoribus Francorum, cum quibus consultare solebat, adeo voluntati ejus renisi sunt ut se regem deserturos domumque redituros libera voce proclamarent.*

Eine ständige, in seinen Herrschertiteln verankerte Bindung an die päpstliche Sache konnte Pippin nicht auf sich nehmen, vielmehr begnügte er sich mit der faktischen Hilfeleistung von Fall zu Fall, und — nach der zweiten Intervention von 756 — mit der Anerkennung der fränkischen Oberhoheit durch Desiderius. Nach dem Tode Pippins (768) befolgte sogar Karl in seinem von Italien abgeschlossenen Reichsteil zunächst noch eine direkt langobardenfreundliche Politik, die sich freilich gegen seinen Bruder Karlmann richtete und deren Ausdruck sein damaliges politisches und dynastisches Bündnis mit Desiderius sowie mit dessen anderem Schwiegersohn, Tassilo von Bayern, war. Erst 771 verstieß Karl seine nach Einhard (c. 19) nur auf Zureden seiner Mutter geheiratete langobardische Frau und vollzog jene Wendung, die dann zur letzten Intervention von 773/774 führte[68]. Zwischen 768 und 771 konnte also Karl das Programm der *defensio sancti Petri* kaum übernehmen und mußte demgemäß auch in der Führung des *patricius Romanorum*-Titels in Rücksicht auf seinen Schwiegervater die Zurückhaltung Pippins fortsetzen. Beachtung verdient auch der Vorbehalt, den er sogar noch in der *Divisio* von 806 gegenüber einer uneingeschränkten Erfüllung der Defensorpflicht seitens seiner Erben gemacht hat: sie sollen dieser Pflicht nur in dem Maße nachgehen, *quantum ad ipsos pertinet et ratio postulaverit*[69]. Hier scheint er dem Beispiel Pippins zu folgen, der sich weder als *patricius Romanorum* noch als *defensor sanctae Dei ecclesiae* betiteln ließ.

II.

Eine neue Situation entstand erst mit der Intervention des Jahres 773/774, mit der Belagerung Pavias, mit dem ersten Besuch Karls in Rom bei Hadrian I. und durch die darauffolgende Kapitulation des Desiderius. Erst diese Ereignisse waren geeignet, dem päpstlicherseits seit 755 beigelegten *patricius Romanorum*-

[68] R. Holtzmann, Die Italienpolitik der Merowinger, Darmstadt 1962², bes. 40 ff. (aus der Festschrift für J. Haller, 1940).

[69] Siehe oben Anm. 46.

Titel einen für Karl erwägenswerten Sinn und politischen Inhalt zu verleihen. So ließ er sich während seines Besuchs in Rom im Frühling von 774 schließlich zur Annahme des *patricius Romanorum*-Titels durch Hadrian I. überreden, den er jedoch | erst nach der Kapitulation des Desiderius, nunmehr auch als *rex Langobardorum,* in seinen Urkunden verwendete.

Eben diesen in der bisherigen Forschung noch nie angezweifelten Zusammenhang zwischen Langobardenfeldzug, Rombesuch und Erscheinen des Patricius-Titels in der neuen Intitulatio Karls sucht nun O. zugunsten einer neuen Theorie in Abrede zu stellen.

Nicht „dem Papst zuliebe" soll sich Karl auf einmal Patricius der Römer genannt haben. „Nicht durch den Papst und nicht durch Byzanz, sondern gegen Byzanz hat er den Titel aus eigener Machtvollkommenheit, gleichsam laut Kriegsrecht aufgenommen." Den Anlaß sollte dazu die Flucht des Adalgis, des Sohnes und seit 759 Mitherrscher des Desiderius[70], seine Aufnahme und Ernennung zum Patricius in Konstantinopel durch Kaiser Konstantin V. im Jahre 774 gegeben haben (S. 313). „Als Byzanz den langobardischen Thronerben und Prätendenten mit dem Titel auszeichnete, hat er [d. h. Karl] als faktischer Inhaber des Langobardenreiches sich den Titel zugelegt" (S. 311), und zwar „erst als im Frühjahr 775 die Nachricht nach Franzien gelangt ist" (S. 310) und „die Dinge am fränkischen Hof ventiliert worden sind" (S. 310 Anm. 76).

Wie für jeden Kenner der Titulatur Karls des Großen sofort ersichtlich ist, widersprechen der Aufstellung O.s zwei Urkunden des Königs, die bereits im Juli und Dezember 774 ausgestellt worden sind. O. setzt sich aber über dieses Hindernis mit einem ebenso einfachen wie fragwürdigen quellenkritischen Eingriff hinweg, indem er diese Diplome nicht als Zeugen für die Führung des Patricius-Titels unmittelbar nach Karls Rückkehr aus Rom und der Kapitulation Pavias, d. h. seit dem Sommer 774, anerkennen will, weil sie „nur in später abschriftlicher Überlieferung aus dem 12. Jahrhundert vorliegen" (S. 310). Eine Begründung

[70] Andreae Bergomatis Historia c. 3 (MG. SS. rer. Langob. et Ital. 223) sagt von Desiderius: ... *qui cum regnasset annos tres, suus filius Adelchis nomine, ex consensu Langobardorum, sub se regem constituit.*

dafür, warum die abschriftliche Überlieferung eben bei diesen zwei Urkunden Anlaß zu Zweifeln an einer treuen Wiedergabe der ursprünglichen Intitulatio geben soll, bleibt O. allerdings schuldig (S. 310), erachtet es aber später als bereits bewiesene Tatsache, „daß 774 hinsichtlich der Geschichte des Patricius-Titels kein Epochenjahr ist" (S. 319). So muß man zunächst die allgemeine Frage stellen, wohin eine Kritik dieser Art angesichts der Überlieferungssituation der Urkunden Karls des Großen führen würde. Von den unter seinem Namen aus- | gestellten insgesamt 262 Urkunden sind nur 41 Originale, 1 ist Originalkonzept, dagegen sind aber 122 Kopien und 98 Fälschungen[71]. 42 Originalüberlieferungen stehen also 122 Abschriften gegenüber, d. h. praktisch eine Dreiviertelmehrheit zugunsten der Kopien. Und wenn auch in der letztgenannten Gruppe der Diplome „mehrere selbst bereits mehr oder minder stark verunechtet" sind (Tangl), so gehören die von O. beanstandeten DK. 81 und DK. 87 sicher nicht zu diesen, auch in bezug auf ihre Intitulatio nicht.

DK. 81, ausgestellt am 16. Juli 774 in Pavia[72], enthält eine Schenkung des Königs für St. Martin in Tours aus ehemaligem langobardischen Pfalzgut in Norditalien. Das jahrhundertelang in Tours aufbewahrte Original wurde zusammen mit anderen Archivalien während der Französischen Revolution, und zwar im Jahre 1793, vernichtet. Von diesem verlorenen Original besitzen

[71] Tangl in der Vorrede zu MG. DK. IX.

[72] MG. DK. Nr. 81, 115—117; B—M 167; Sickel Reg. 235 zu K 27 und Nachtrag 445 zu K 27; A. Mabille, La Pancarte Noire de St. Martin de Tours, Paris 1886, Reg. Nr. 29, 77 Anm. 2, u. 44. Daß die erste Intitulatio mit *patricius Romanorum* in einer Urkunde vorkommt, die uns in Kopien überliefert ist, ist freilich schon früher bemerkt worden, so z. B. von A. Giry, Manuel de Diplomatique, Paris 1894, 718 und F. L. Ganshof a. a. O. (oben Anm. 1) 263 Anm. 2, ohne daß es jemanden eingefallen wäre, den Zusammenhang zwischen der Führung dieses Titelteils und dem Besuch Karls in Rom deswegen zu leugnen und die Kopialüberlieferung zur Grundlage einer neuen Theorie zu machen. Über die Münzen Karls mit *patricius Romanorum* siehe P. E. Schramm, Die Anerkennung Karls d. Gr. als Kaiser: Hist. Zeitschr. 172 (1951) 449 bis 515, bes. 459 f.

wir aber eine Kopie vom Beginn des 18. Jahrhunderts aus der zuverlässigen Feder von Baluze, deren Text mit der im Kapitelarchiv von Verona aufbewahrten Abschrift aus dem 12. Jahrhundert übereinstimmt. In den beiden direkt auf das Original zurückgehenden Kopien lautet der Titel gleich: *Carolus gratia Dei rex Francorum et Langobardorum atque patricius Romanorum.* Die Veroneser Kopie ist zwar sonst stark beschädigt, ihre Intitulation ist jedoch deutlich lesbar. Es ist vollends für ausgeschlossen zu halten, daß die beiden Kopisten die ursprüngliche Intitulatio in übereinstimmender Weise ergänzt, d. h. verunechtet hätten.

Die Glaubwürdigkeit der durch die beiden behandelten Kopien gesicherten Überlieferung wird auch durch den Umstand nicht im geringsten beeinträchtigt, daß andere Kopien, die nicht direkt auf das Original, sondern auf die sog. *Pancarta nigra* (angelegt 1137) und die *Pancarta alia* (13. Jh.) von Tours zurückgehen — beide wurden ebenfalls 1793 vernichtet — in der Dispositio eine Interpolation bei der Aufzählung der Schenkungen *(et | Piscariam et Lianam)* aufweisen, die aber nicht nur in der Veroneser und in der Baluzeschen Kopie fehlt, sondern schon im Jahre 1692 von den „chanoines prebendiez et gardez chefs du trésor des papiers de St. Martin" als spätere Zutat erkannt wurde. Der Beglaubigung der Abschrift der Urkunde wurde damals die Bemerkung hinzugefügt: „est conforme à l'original à la reserve de ces mots de la ligne 8 et 9 *et curtem Piscariam et Lianam*, qui se trouvent en autre endroit de la ditte pancarte et qui ont ajouttez pour plus de lumière". Aber selbst diese auf die bereits aus Klosterinteresse interpolierte Vorlage in der *Pancarta nigra* bzw. *alia* zurückgehenden Abschriften enthalten die gleiche Intitulatio mit *patricius Romanorum* wie die vom Original kopierten Abschriften in Verona und bei Baluze. Aus der oben angeführten Bemerkung aus dem Jahre 1692 geht indirekt hervor, daß die Intitulatio der Abschrift aus der *Pancarta nigra* mit der des damals noch vorhandenen Originals gleichlautend war, sonst hätten es die Domherren sicher nicht unterlassen, in ihrer Beglaubigung auf eine eventuelle Abweichung auch in diesem Urkundenteil hinzuweisen. Die Ursprünglichkeit von *atque patricius Romanorum* in der Intitulatio von DK. 81 — wie diese in der Edition der MG. zu lesen ist — ist also sogar von drei Seiten her gesichert: 1. durch die Abschrift in Verona, 2. durch die Kopie von Baluze, 3. durch die Beglaubigung des Jahres 1692.

Kaum anders steht es im Falle der Intitulatio bei DK. 87, einer im Dezember 774 in Samoussy für St. Denis ausgestellten Schenkungsurkunde, welche trotz des Verlustes des Originals in einwandfreier Weise überliefert ist: 1. durch die Eintragung in ein Chartular vom Ende des 12. oder vom Anfang des 13. Jahrhunderts, 2. durch ein Chartular vom Ende des 13. Jahrhunderts, 3. durch den Druck bei Mabillon, De re diplomatica 645 n° 7 „ex autographo penes ill. ducem Caprosiae". Unabhängig davon „ob Mabillons Druck wirklich aus dem Original stammt oder nicht"[73], ist die Glaubwürdigkeit der Intitulatio durch die Übereinstimmung dieser Formel in allen uns überlieferten Abschriften einwandfrei gesichert. Unter allen Urkundenteilen waren die Intitulationen wohl am wenigsten der Gefahr der Verunechtung ausgesetzt, und so ist Hyperkritik gerade hier am wenigsten am Platze.

Zu DK. 81 und 87 kommt noch die Zeugenschaft der — von O. nicht berücksichtigten — auf DK. 87 unmittelbar folgenden | Urkunde DK. 88, eines Mandats zur Sicherung des Jahrmarktzolles von St. Denis; die Intitulatio enthält ebenfalls: *adque patricius Romanorum* und ist zeitlich zwischen Juni 774 und 775 einzuordnen[74]. Nach Mühlbacher Reg. 174 wurde es „wohl unmittelbar vor oder gleich n° 89 nach dem Dionisiusmarkt erlassen, und damit gewinnt das Jahr 774 größere Wahrscheinlichkeit" als eine Einreihung in die erste Hälfte von 775, die wegen der Nähe von Quierzy und Verberie in Betracht gezogen werden kann. O. hatte es leider unterlassen, diese ebenfalls gegen seine These sprechende „größere Wahrscheinlichkeit" für das Ausstellungsjahr 774 in Erwägung zu ziehen. DK. 88 erwähnt er überhaupt nicht. Dies ist um so mehr zu bedauern, als das Mandat nicht in einer späten Abschrift, sondern in einer Gestalt überliefert ist, die Mühlbacher als Original und Tangl als Originalkonzept bezeichnete[75], bei der

[73] DK. Nr. 87, 125; B—M—175; Sickel Reg. 238 zu K 33.

[74] DK. Nr. 88, 127 f.; B—M 174.

[75] Siehe oben Anm. 71.

also auch die Echtheit der Intitulatio über jeden Zweifel erhaben ist.

Daß zwischen DK. 81, 87 und 88 auch Urkunden ausgestellt wurden, die in der Intitulatio Karl schon *rex Francorum et Langobardorum*, doch noch nicht *patricius Romanorum* nennen, ist nur auf die Rechnung der vom Altgewohnten nicht gerne abgehenden Kanzlei zu schreiben. Nach Perioden des Schwankens setzten sich die Neuerungen nur äußerst langsam durch. DK. 94 vom 14. März 775 wurde in zwei Originalen ausgestellt, von denen nur A' — also die zweite Ausfertigung — den Zusatz *patricius Romanorum* aufweist[76]. Selbst nach DK. 96 vom 3. Mai 775[77] — von welchem Diplom an man die regelmäßige Anführung des Patricius-Titels zu zählen pflegt[78] — gibt es noch fünf Ausnahmen, die zwar schon *rex Langobardorum*, jedoch noch nicht *patricius Romanorum* haben[79], bis mit DK. 111 vom 9. Juni 776[80] der neue, erst Weihnachten 800 abgeänderte Volltitel zur festen Regel wird. Andererseits werden alte Relikte, wie etwa das noch auf die Merowinger zurückgehende Ehrenprädikat *vir inluster*, bis Nr. 102 (vom 28. Juli 775) und nach Vorlage sogar bis DK. 128 (vom 17. November 779) fortgeschleppt[81]. Die langsamere Einbürgerung des *patricius Romanorum* im Vergleich zu dem | *rex Langobardorum* findet in der geringeren Wichtigkeit und Konkretheit des erstgenannten Titelteils ihre Erklärung. Nach wie vor besitzen wir also zwei einwandfrei überlieferte Urkunden mit dieser Intitulatio noch aus dem Jahr 774 und dazu noch eine dritte, die mit „größerer Wahrscheinlichkeit" ebenfalls noch in das gleiche Jahr einzuordnen ist. Die Anfechtung der Glaubwürdigkeit der Intitulatio der Urkunden DK. 81 und 87 aus dem Jahre 774 stellt somit den methodisch höchst bedenklichen Versuch dar, unbequeme Quellenstücke durch eine Theorie auszuscheiden, die just an diesen Dokumenten schon von vornherein scheitern müßte.

[76] MG. DK. 135 Anm. a); B—M 181.

[77] Ebenda 138; B—M 185.

[78] Tangl, Einleitung zu DK. Nr. 77; Ohnsorge a. a. O. Anm. 74.

[79] MG. DK. Nr. 100, 102, 104, 105, 110.

[80] Ebenda 156 f.

[81] Siehe oben Anm. 78.

Aber selbst im Fall, wenn es O. gelungen wäre, die Urkunden DK. 81 und 87 in bezug auf ihre Intitulatio als unzuverlässige Kopien auszuschalten und die Reihe der Urkunden mit dem Patricius-Titel erst mit dem im Original erhaltenen DK. 94 vom März 775 beginnen zu lassen, sogar dann ließe sich der von ihm behauptete Zusammenhang zwischen dem Patricius-Titel Karls (in der Annahme O.s März 775) und der im Jahre 774 in Konstantinopel erfolgten Erhebung des Adalgis zum Patricius aus anderen Gründen als nicht stichhaltig erweisen.

Unsere Überlieferung ist bezüglich der Zeit und auch der Umstände, unter denen Adalgis Verona — wohin er sich am Beginn der fränkischen Invasion zurückzog — und dann Italien überhaupt verließ, höchst verworren. Wahrscheinlicher scheint mir die Flucht erst nach der Kapitulation des Vaters in Pavia, d. h. Anfang Juni 774[82]. Dazu weiß eine unserer Quellen auch von Zwischenaufenthalten in Salerno und in Epirus[83] zu berichten, so daß die genaue Zeit der Ankunft des Adalgis in Konstantinopel auf Grund westlicher Nachrichten sich kaum ermitteln läßt. Die Reichsannalen in ihren beiden Fassungen setzen die Flucht des Adalgis nach Konstantinopel in das Jahr 774[84]. Eine genauere Datierung ermöglicht uns Theophanes, der zum Weltjahr 6267 u. a. berichtet: „Im selben Jahr suchte auch der Langobardenkönig Theodotos in der Hauptstadt beim Kaiser Zuflucht“[85]. | Unter dem Kaiser ist noch der am 14. September in der 14. Indiktion gestorbene Konstantin V. zu verstehen, der bereits im Monat August des Weltjahres 6267 in der

[82] In dieser Reihenfolge erzählen nämlich die Ereignisse die Ann. regni Francorum a. 774, 38 f. und Paulus Diaconus, Gesta episcoporum Mettensium: MGSS. in 2°, 265. Über die anderen Quellen und die zeitliche Unsicherheit dieser Ereignisse S. Abel, Jahrbücher des fränkischen Reiches unter Karl dem Großen I, 151 f. Anm. 5.

[83] Agnellus, Liber pontificalis ecclesiae Ravennatis c. 160: MG. SS. rer. Langob. et Italic. 381.

[84] Ed. cit. (oben Anm. 6) 38—41.

[85] Weltjahr 6267 = 775 (ed. C. de Boor, 1883, I 449): τῷ δ' αὐτῷ ἔτει καὶ ὁ τῶν Λογγιβάρδων ῥῆξ Θεόδοτος ἐν τῇ βασιλίδι ἐληλυθὼς πόλει τῷ βασιλεῖ προσέφυγεν.

13. Indiktio[86] aus der Hauptstadt gegen die Bulgaren auszog. Danach traf Adalgis nicht vor dem Beginn des Weltjahres 6267, d. h. nicht vor dem 1. September 774 und nicht nach dem August 775 in der 13. Indiktio in Konstantinopel ein. Auch die vorbereitenden Beratungen müssen manche Zeit beansprucht haben, bis es — frühestens im Herbst von 774 — zur Ernennung zum Patricius kommen konnte. Herbst und Winter sind aber die gefährlichen Sturmperioden im Mittelmeer, so daß der byzantinische Schiffsverkehr, selbst der Galeeren, bis tief in den Monat März hinein praktisch ruhte[87]. Wie langsam eben während dieser Jahreszeit Nachrichten aus dem Osten nach dem Westen gelangten, dafür haben wir gerade aus diesen Jahren einen sehr beachtenswerten Anhaltspunkt. Konstantin V. starb auf dem bulgarischen Kriegsschauplatz am 14. September 775, die erste zuverlässige Nachricht darüber erhält aber Papst Hadrian I. erst aus einem vom 7. Februar 776 datierten Briefe des Bischofs von Neapel. Erst daraufhin — wohl um die Mitte Februar — berichtet er darüber in einem Brief an Karl, den die Nachricht erst nach einigen weiteren Wochen, wohl schon inmitten der Expedition gegen Herzog Hrodgaud von Friaul, erreichen konnte[88]. Nicht weniger als 5—6 Monate dauerte also der Weg einer so wichtigen Nachricht zwischen Konstantinopel und Rom bzw. dem Frankenreich. Noch wichtiger für die Beurteilung der Möglichkeit, ob die Nachricht vom Patriziat des Adalgis bereits Anfang des Jahres am fränkischen Hof ventiliert werden konnte, ist der Nachweis dessen, was der Papst aus seiner ungleich verkehrsgünstiger liegenden Residenz in den

[86] G. Ostrogorsky, Die Chronologie des Theophanes im 7. und 8. Jahrhundert: Byzantinisch-Neugriechische Jahrbücher 7 (1928/29) 1—56, bes. 50.

[87] E. Eickhoff, Seekrieg und Seepolitik zwischen Islam und Abendland bis zum Aufstiege Pisas und Genuas (650—1040). Diss. der Universität des Saarlandes (vervielfältigt) 199—202 (maritime Meteorologie). Leider konnte ich die im Druck (W. de Gruyter) befindliche überarbeitete zweite Auflage dieser wertvollen Arbeit nicht mehr benützen.

[88] Cod. Carol. ep. 58. MG. Ep. III 583 f. Vgl. Abel op. cit. (oben Anm. 82) 248 ff. Die Reise von Rom nach Pavia (450 km) dauerte 14 Tage: Dannenbauer op. cit. (oben Anm. 2) 55 Anm. 21.

Jahren 775 und 776 über Adalgis wußte und an Karl berichten konnte. In einem undatierten, wohl aber gegen Ende 775 abgefaßten Briefe (JE. 2419) setzt der Papst den Frankenkönig nicht nur von der Verschwörung der Herzöge von Benevent, Spoleto und Friaul gegen seine norditalische Herrschaft, sondern auch von der auf den März 776 geplanten Landung des | Adalgis an der Spitze eines byzantinischen Invasionsheeres in Italien in Kenntnis[89]. Weder in diesem Brief noch in demjenigen ca. von der Mitte Februar 776 mit der Nachricht über den Tod Konstantins V. (JE. 2422) erwähnt er die Erhebung des Adalgis zum Patricius. Aus dem Schweigen auf die Nichtkenntnis dieses Ereignisses zu schließen, ist aber in diesem Falle kein ungerechtfertigtes *testimonium ex silentio*, denn nichts haben den Papst mehr interessiert als eben derartige Machenschaften der gemeinsamen Feinde. So suchte er Anfang 788 Karl gerade mit der Nachricht zu alarmieren, Arichis von Benevent habe Konstantinopel um Hilfe und dazu noch um den *honor patriciatus* ersucht, die Emissäre des Kaisers mit den Insignien des Patriziats seien schon unterwegs[90]. Er hätte eine ähnliche Berichterstattung über den Patriziat des Adalgis auch im Winter von 775 auf 776 sicher nicht unterlassen, wenn er darüber überhaupt etwas gewußt hätte. Wenn aber der Papst zum genannten Zeitpunkt — allem Anschein nach — noch nichts über die kaiserliche Auszeichnung des Adalgis wußte, um so unwahrscheinlicher muß uns die Ventilierung einer solchen Nachricht am fränkischen Hofe bereits Anfang 775 erscheinen.

Zu den bisherigen chronologischen Bedenken gesellt sich noch eine quellenkritische Überlegung, m. E. durchaus geeignet, die Hypothese über den Zusammenhang zwischen dem Patricius-Titel Karls des Großen und dem byzantinischen Reichspatriziat des Arichis in ihren Grundlagen zu erschüttern. O. nimmt an, daß die Nachrichten über den Patriziat des Adalgis bereits Anfang 775 am fränkischen Hof ventiliert worden seien. Die erste Fassung der Reichsannalen, d. h. die zwischen 788 und 795 zu datierende Redaktion, weiß aber nur davon zu berichten, daß Adalgis im Jahre 774

[89] Ebenda Ep. 57 (775 ex.) 582 f.

[90] Ebenda Ep. 83 (788 post Ian.) 617, siehe oben Anm. 8.

nach Konstantinopel geflüchtet sei[91]; in dieser früheren Fassung verlautet also von der Verleihung des Patricius-Titels noch nichts. Dies geschieht erst in der zweiten, zwischen 814 und 817 redigierten Fassung mit dem folgenden Zusatz: *ad Constantinum imperatorem se contulit ibique in patriciatus ordine atque honore consenuit*[92]. O. hat darin sicher recht, daß die sog. *Annales Einhardi* über die byzantinisch-fränkischen Beziehungen besser informiert sind als die *Annales regni Francorum* (S. 310 Anm. 76), aber zumindest im vorliegenden | Fall ist es eindeutig, daß die bessere Informiertheit eben die Folge jenes zeitlichen Abstandes ist, der die beiden Redaktionen voneinander trennt. Daß die Nachricht über den Patriziat des Adalgis erst in der späteren, nach dem Tode Karls des Großen redigierten Fassung vorkommt, beeinträchtigt freilich ihre Glaubwürdigkeit nicht im geringsten, um so mehr legt dagegen dieser Umstand eine gewisse Vorsicht in der Einschätzung der Auswirkung der Patriziererhebung des Adalgis auf die fränkische Politik der Jahre nach 775 nahe. Eben weil die Nachricht erst in der zweiten Schicht der Überlieferung auftaucht, muß es höchst zweifelhaft bleiben, ob davon der fränkische Hof wirklich schon 775 Kunde erhalten hat. Entschieden dagegen spricht jedenfalls eben der von O. für seine Deutung ins Feld geführte Wortlaut: *ibique in patriciatus ordine atque honore consenuit.* Das hätte man weder 775 noch bei der Abfassung der ersten Redaktion sagen können, da Adalgis damals noch im besten Mannesalter stand. Er wurde 759 Mitregent des Desiderius[93], man hat für ihn die Hand der Gisela, der 757 geborenen Schwester Karls des Großen in Aussicht genommen[94]. Beim Zusammenbruch von 774 mag er höchstens dreißig Jahre alt gewesen sein. Um darüber zu berichten, daß er in der Würde eines Patricius alt geworden sei *(consenuit)*, brauchte man einen erheblichen zeitlichen Abstand von seiner politischen Tätigkeit in Italien im Sold der Byzantiner, die mit der Katastrophe des byzan-

[91] Adalgisus filius Desiderii regis fuga lapsus mare introiit et Constantinopolim perrexit: ed. cit. (oben Anm. 6) 38, 40.

[92] Ebenda 41.

[93] Siehe oben Anm. 70.

[94] Codex Carolinus Ep. 45: MG. Ep. III 560 f.

tinischen Expeditionsheeres des Sacellarius Johannes im Jahre 788 zu Ende ging[95], als Adalgis wohl noch nicht einmal 50 Jahre alt war. Eben die Hervorhebung des Altwerdens, ja des Greisenalters[96] im Stand und Rang eines kaiserlichen Patricius spricht dafür, daß der Historiograph des fränkischen Hofes erst nach dem endgültigen Verschwinden des Adalgis von der politischen Bühne Italiens von seinen weiteren Lebensumständen Kenntnis nahm, und zwar wohl erst durch den insbesondere seit 810 reger gewordenen Gesandtschaftsverkehr zwischen Aachen und Konstantinopel, der dann 812 in der Anerkennung Karls zum Imperator und Basileus seitens des östlichen Kaiserhofes | seinen einstweiligen Abschluß erreichte[97]. Von den byzantinischen Unterhändlern hatte man erfahren können, daß Adalgis, der nach 788 weder politisch noch militärisch mehr hervortrat, inzwischen als *patricius consenuit*, als gescheiterter Mann und Pensionär der Byzantiner dem Ende seiner Tage entgegensah. Das hätte man vor 788 von dem Manne nicht sagen können, *in quem spes omnium inclinatum videbantur*[98] und der auch nach dem Sturz des Vaters *Bardis spes maxima mansit*[99].

Aber auch unabhängig von den angeführten diplomatischen, chronologischen und quellenkritischen Hindernissen leidet Ohnsorges Hypothese auch an einem hohen Grad allgemeingeschichtlicher Unwahrscheinlichkeit. Vorausgesetzt, daß Karl bis zum

[95] O. Harnack, Die Beziehungen des fränkisch-italischen zu dem byzantinischen Reich, Diss. Göttingen 1880, 30. O. Bertolini, Longobardi e bizantini nell'Italia meridionale: Atti del 3° Congresso Internaz. di Studi sull'Alto Medioevo (1956), Spoleto 1959, 103—124.

[96] So heißt es bei Einhard, Vita Karoli Magni c. 18 (ed. Halphen 56): *Mater quoque eius Berthrada in magno apud eum honore consenuit.*

[97] F. Dölger, Europas Gestaltung usw. (oben Anm. 2) 304 f.; F. L. Ganshof, Les relations extérieures de la monarchie franque sous les premiers souverains Carolingiens: Annali di Storia del Diritto 5—6 (1961 bis 2) 1—53, bes. 47—53. R. Folz op. cit. (oben Anm. 10) 202 ff.

[98] Einhard, Vita Karoli Magni c. 6, ed. Halphen 20; wohl nach Annales qui dicuntur Einhardi a. 774: in quo Langobardi multum spei habere videbantur (ed. cit. oben Anm. 6, 39).

[99] Grabgedicht des Paulus Diaconus für die Mutter des Adalgis, Ansa: MG. Poet. lat. I 46.

14. März 775 Kunde von der Ernennung des Adalgis zum Patricius hätte erhalten können, selbst in diesem Falle konnte er sich dadurch „als faktischer Inhaber des eroberten Langobardenreiches" (S. 311) in keinerlei Weise herausgefordert oder in seinem Prestige gefährdet ansehen. Denn die Auszeichnung mit diesem Hofrang schuf für Adalgis, der seit 759 *rex Langobardorum* war und — aus Theophanes ersichtlich — als Flüchtling von den Byzantinern auch als solcher anerkannt wurde, keinen zusätzlichen oder gar gesteigerten Besitztitel auf den Thron seines Vaters. Denn keiner seiner Vorgänger führte — weder aus kaiserlicher Verleihung noch aus eigener Machtvollkommenheit, etwa den Byzantinern zum Trotz — den Titel eines πατρίκιος τῶν Ῥωμαίων, und zwar aus dem einfachen Grunde nicht, weil dieser der Hofrang gerade ihres Hauptfeindes, des Exarchen von Ravenna war, den Paulus Diaconus eben als *patricius Romanorum* betitelt[100]. | Von diesem die Abhängigkeit von Byzanz offen verkündenden Titel konnte für eine Restauration des Adalgis keine besondere Anziehungkraft auf seine gewesenen Untertanen ausstrahlen. Man darf die politische Bedeutung dieser Titelverleihung auch sonst nicht überschätzen: sie drückte zwar im Falle des Adalgis die grundsätzliche Bereitschaft des Kaiserhofes zur Unterstützung des Prätendenten mit den eigenen Machtmitteln aus, diente aber vor allem zur Sicherung des standesmäßigen Lebens-

[100] Historia Langobardorum IV, 38; MG. SS. rer. Langob. 132; ebenso auch Chron. Fredegarii IV c. 69: MG. SS. rer. Merov. II, 155 ff. Die Bezeichnung des Patricius als „römisch" kommt in Byzanz nur in der Akklamation vor: *De Caerim.* I 57, ed. Vogt. II 58. Nichts mit dem Patriziat der Karolinger, etwa als Vorbild oder Voraussetzung, zu tun hat jener *Stephanus quondam patricius et dux*, der im Papstbuch unter dem Pontifikat Gregors III. (731—741) und des Zacharias (741—752) erwähnt wird (ed. Duchesne I 426, 429). Wir besitzen von ihm zwei Siegel mit Fürbitte an die Gottesmutter: auf dem einen Στεφάνῳ πατρικίῳ καὶ δουκί (V. Laurent, Les sceaux byzantins du médaillier Vatican, Città del Vaticano 1962, Appendices No. 7, 261 f.); auf dem anderen Στεφάνῳ πατρικίῳ καὶ δουκὶ Ῥώμης (Duchesne I 436 Anm. 3). Siehe: L. M. Hartmann, Untersuchungen zur Geschichte der Byz. Verwaltung in Italien, Leipzig 1889, 134 f.; E. Stein, Studien zur Geschichte des byz. Reiches, Stuttgart 1919, 50, Anm. 4.

unterhalts eines fürstlichen Flüchtlings im Asylland. Nach der Überarbeitung der Reichsannalen wurde Adalgis *in patriciatus ordine et honore* aufgenommen. Von einem *patriciorum ordo* spricht aber auch Liutprand[101], und zwar in Zusammenhang mit der Schilderung der kaiserlichen *erogatio*: diejenigen, die dem *patriciorum ordo* angehören, erhalten eine bestimmte Summe von Solidi (im Gewicht von 12 röm. Pfund) und ein Prachtkleid (Skaramangion). Ein solcher Patricius mit regelmäßigen Bezügen aus der Reichskasse ist wohl mit dem πατρίκιος ἔμπραττος des Zeremonienbuches identisch, im Gegensatz zu dem ebendort als πατρίκιος ἄπραττος genannten Honorarpatricius[102], meistens ausländische Machthaber, welche wahrscheinlich nur gelegentliche Geschenke anläßlich ihrer Erhebung oder später bei Gesandtschaften erhielten. Ein Honorarpatriziat war 787 seitens des Kaiserhofes Arichis von Benevent zugedacht, und — von Byzanz aus gesehen — galt als solcher auch der Patriziat Karls seit 754. Schon aus diesem Grunde müssen die Patriziate Karls und des Adalgis auseinandergehalten werden: der letztere war ein regelrechter Beamtenpatriziat, der auch anderen fürstlichen Flüchtlingen als Rechtstitel für eine Apanage erteilt zu werden pflegte. Einige Jahre nach der Ankunft und Patricius-Ernennung des Adalgis „floh der Bulgarenkhan Telerig zum Kaiser, der ihn zum Patricius machte, nachdem er ihn mit Eirene, der Nichte seiner Frau, verheiratet hatte: Er hob ihn selbst bei der Taufe aus dem heiligen Becken und ehrte und schätzte ihn sehr"[103]. Der Patricius-Titel war also der Ausdruck der existentiellen und politischen Abhängigkeit des Langobardenkönigs von Byzanz. | Und ein solcher Ehrenerweis an den Prätendenten konnte sich für die neue Stellung Karls in Italien nur günstig auswirken, keineswegs aber den glückhaften Eroberer zur Nachahmung anregen.

[101] Liutprand, Antapodosis VI, 10: ed. J. Becker, MG. SS. rer. Germ. in 8°, 1915³, 158.

[102] De Caerim. I, 56 (47), ed. J. Vogt II 46_{7-8}, 47_{24-26}.

[103] Theophanes Weltjahr 6269 = 777 (ed. C. de Boor I 451): καὶ προσέφυγε Τελέριγος, ὁ τῶν Βουλγάρων κύριος, εἰς τὸν βασιλέα· καὶ ἐποίησεν αὐτὸν πατρίκιον ζεύξας αὐτῳ καὶ τὴν τῆς γυναικὸς αὐτοῦ Εἰρήνης ἐξαδέλφην. δεξάμενος δὲ αὐτὸν βαπτισθέντα ἐκ τῆς ἁγίας κολυμβήθρας μεγάλως αὐτὸν ἐτίμησε καὶ ἠγάπησεν.

Sicher hat sich der Frankenkönig damals einen neuen Titel „laut Kriegsrecht" beigelegt, dieser lautete aber nicht *patricius Romanorum*, sondern *rex Langobardorum*, der in bezug auf das einstige Reich des Desiderius keiner sonstigen Ergänzung bedurfte. Auch der Patricius-Titel Karls hängt freilich mit den damaligen Ereignissen, nicht aber mit der Eroberung des Langobardenreiches, sondern mit der inmitten der Belagerung Pavias im Frühling von 774 unternommenen ersten Romreise zusammen.

Auf diesen Zusammenhang zwischen Annahme des von den Päpsten seit 755 beigelegten, seinerseits jedoch bisher ignorierten Titels eines *Patricius Romanorum* und dem Rombesuch Karls weist mit aller Deutlichkeit die Charakterisierung des vom Papst dem Frankenkönig bereiteten Empfangszeremoniells in der Vita Hadriani des Papstbuches hin: *sicut mos est exarchum aut patricium suscipiendum, eum ingenti honore suscipi fecit*[104]. Daß darunter kein kaiserlicher Empfang zu verstehen ist, glaube ich Schramm[105] gegenüber in anderem Zusammenhang[106] bewiesen zu haben, zugleich konnte ich aber auch darauf hinweisen, daß dieser Empfang in manchen Nuancen sogar hinter jenen Ehrungen zurückbleibt, welche die Päpste während der byzantinischen Periode dem Exarchen von Ravenna als Patricius und Stellvertreter des Kaisers zu erweisen pflegten. Der Unterschied beschränkt sich vornehmlich darauf, daß Karl im Gegensatz zum Exarchen beim ersten Meilenstein nicht vom Papst persönlich eingeholt wurde, weiter, daß er die Stadt mit päpstlicher Erlaubnis betrat und nicht wie der Exarch im einstigen Kaiserpalast auf dem Palatin[107], sondern bei St. Peter — also außerhalb der Stadt — übernachtete. Diese Abweichungen habe ich auf den Unterschied zurückgeführt, der zwischen dem ausländischen Honorarpatricius — was Karl nach dem Vorgang

[104] Vita Hadriani: Liber Pontificalis I, ed. Duchesne 497.

[105] Anerkennung usw. (oben Anm. 72) 466 f.

[106] Die Vorrechte des Kaisers in Rom (772—800): Schweizer Beiträge zur allg. Geschichte 15 (1957) 5—63, bes. 42 ff. [hier S. 77 ff.]. Zustimmend R. Folz op. cit. (oben Anm. 10) 160 f.

[107] Carlrichard Brühl, Die Kaiserpfalz bei St. Peter und die Pfalz Ottos III. auf dem Aventin: Quellen u. Forsch. aus ital. Arch. u. Bibl. 34 (1954) 1—30.

von 754 für den Papst noch immer war — und dem Patricius-Exarchen als dem Inhaber der höchsten Kommando- und Regierungsge- | walt in der *servilis Italia,* also dem Statthalter des Kaisers bestand.

Wenn nun O. gerade mich als Zeugen dafür nennt, „daß selbst noch für Hadrian 774 Karl nicht ‚der Patricius' ist, wie es der Exarch früher war, sondern der fränkische Pilger, der mit den Ehren eines Patricius ausgezeichnet wird, aber durchaus nicht alle Vorrechte des Exarchen genießt" (S. 304), so beruht diese dem Sinn meiner Ausführungen kaum gerechte Deutung auf einer Verkennung des in der bisherigen Forschung bereits klargestellten und deshalb auch von mir als bekannt vorausgesetzten besonderen Charakters des Patriziats des Exarchen von Ravenna innerhalb der Geschichte des *ordo et honor patriciatus*[108].

Von Konstantin dem Großen an blieb der Patriziat bis zuletzt ein Ehrenrang, eine besondere Auszeichnung, an und für sich also kein Amt. Dies gilt sogar für die *patricii* am Hofe, die als *vacantes* galten, d. h. Titel und Rang eines Oberbeamten mit der dazugehörigen Dienstuniform *(cingulum)* besaßen, ohne jedoch eine Amtsstelle mit Jurisdiktion wie alle die wirklichen Oberbeamten innezuhaben. Sie standen dem Kaiser auf Lebenszeit zur Disposition für Sonderaufträge, welche ihrem hohen Rangtitel entsprachen. Von ihnen zu unterscheiden sind die Honorarpatrizier, die praktisch Ausländer sind, wenn auch ihre Ernennung anläßlich eines Besuchs in der Hauptstadt in der Regel vom Kaiser selbst vorgenommen wird. Von diesem Patriziat im allgemeinen Sinne, der die Patrizier am Hofe und im Ausland trotz der oben behandelten Unterschiede

[108] Die nachfolgende Übersicht beruht auf den folgenden, für die Geschichte des karolingischen Patriziats bisher wenig berücksichtigten grundlegenden Arbeiten W. Ensslins: Der konstantinische Patriziat und seine Bedeutung im 4. Jahrhundert: Annuaire de l'Institut de Philologie et d'Histoire Orientales 2 (1933—34) 361—376; Zum Heermeisteramt im spätrömischen Reich: Klio 23 (1929) 306—325 und 24 (1930) 102—147, 467—502; Der Patricius Praesentalis im Ostgotenreich: Klio 29 (1936) 243—249; Zu den Grundlagen von Odoakers Herrschaft: Serta Hoffilleriana, Zagrabiae 1940, 381—388; Aus Theoderichs Kanzlei: Würzburger Jahrbücher 1947, 78—85.

gleicherweise als Inhaber eines Ehrenranges umfaßt, ist der Patricius im „besonderen Sinne“ abzusondern. Diese Sonderart entfaltete sich einzig und allein eben in Italien, wo seit dem Beginn des 5. Jahrhunderts das erstemal mit Constantius das Amt des *magister utriusque militiae* in der Stellung des *magister peditum* mit dem Patriciusrang verbunden erscheint.

> „Dieser militärische Patricius“ — sagt W. Ensslin — „ist etwas anderes und ist etwas mehr als nur einer der besonders ausgezeichneten Männer der höchsten Rangstufe“ ... „Im Verlauf des 5. Jahrhunderts ist im West-|reich Patricius schlechthin identisch mit dem obersten Reichsfeldherren, mit dem ersten *magister utriusque praesentalis* geworden. Dieser Mann ist der nächste am Thron, und zwar als der Mann, der die oberste Kommandogewalt übte. Unter Aetius, noch mehr unter Rikimer kam dieser Patriziat ‚im besonderen Sinne‘ einem Vizekaisertum gleich und fand seine Fortsetzung in der gleichen Richtung im Patriziat Odovakars und noch Theoderichs während der Eroberungszeit. Nach Theoderichs Tod taucht nun dieser Patriziat unter der bezeichnenden Bezeichnung *patricius praesentalis* wieder auf. Die Erinnerung an diesen Sonderpatriziat war also in Italien nicht erloschen. Und als nach Zerstörung des Ostgotenreiches der Kaiser wieder Herr über diesen Teil des Imperiums wurde, sah er sich bald genötigt, die Zivil- und Militärgewalt in einer Hand zu vereinigen. So ist der Exarch der Erbe dieses Patriziats geworden.“

Wir können den Feststellungen Ensslins noch hinzufügen, daß eben diese italische Sonderentwicklung es ist, welche die geringfügigen Unterschiede beim Empfang des Patricius-Exarchen der byzantinischen Zeit und des Königs und Honorarpatricius Karl bei seinem ersten Rombesuch erklärt. Diese Unterschiede tun jedoch dem patrizialen Charakter seiner Stellung in Rom keinen Abbruch: alle wesentlichen Ehrenrechte eines Patricius wurden ihm seitens Hadrians I. bereits 774 gewährt.

So kann auch kein Zweifel darüber bestehen, daß zwischen dem Besuch Karls in Rom im April von 774 und dem Erscheinen des *Patricius Romanorum*-Titels in seinen Urkunden, und zwar bereits seit dem 16. Juli 774 und nicht — wie Ohnsorge es zur Rettung seiner neuen Theorie haben möchte — erst vom 14. März 775 an, ein kausaler Zusammenhang besteht, wie dies in der bisherigen Forschung immer angenommen wurde. Die Führung dieses Titels in der Intitulation der Urkunden und Mandate seit dem genannten Zeitpunkt bringt die Bereitschaft Karls zur Übernahme der *defensio* über die römische Kirche und auch über die Stadt Rom zum Ausdruck, wobei *defensio* in der neuen Situation der unmittelbaren Nachbarschaft, da es keine Langobardengefahr mehr gab, weniger Schutz als Aufsicht und Kontrolle bedeuten mußte. Auch Hadrian I. hätte mit dem bei Einhard überlieferten Sprichwort sagen können: „Den Franken habe zum Freunde, aber nicht zum Nachbar“ [109]. Dieser Patriziat hatte jedenfalls alles Byzantinische, das ihm als Folge der | kaiserlichen Verleihung von 754 noch anhaftete, für beide Parteien, sowohl für den Papst wie auch für den Frankenkönig — abgesehen freilich vom Zeremoniell — abgestreift.

III.

Eben damit kann sich O. schwer abfinden. In der Überzeugung, „daß Byzanz seit 754 für die fränkische Politik eine dauernde und vielfach beherrschende Rolle gespielt hat“ (S. 321), will er nun beweisen, daß der karolingische Rompatriziat im Jahre 781 in eine neue Phase seiner Geschichte getreten sei, indem der zwischen 754 und 774 von den Karolingern überhaupt nicht geführte und zwischen 775 und 781 von Karl nur usurpierte Titel im letztgenannten Jahre eine Legitimierung seitens des byzantinischen Hofes durch regelrechte Verleihung mit Kodizill und durch Zusendung römischer Kleidung an Karl erfahren hätte. Gleichzeitig soll die Kaiserin Eirene „die von Konstantin V. und Leon IV. unentwegt aufrechterhaltenen byzantinischen Ansprüche auf Ravenna und den Exarchat gegenüber Karl dem Großen 781 aufgegeben“ haben (S. 311). Weder für die erste noch für die zweite Hypothese findet

[109] Vita Karoli Magni c. 16 (ed. Halphen 50): τὸν Φράνκον φίλον ἔχις, γίτονα οὐκ ἔχις.

Dazu E. Caspar, Das Papsttum unter fränkischer Herrschaft (1935), Darmstadt 1956, 40 und Anm. 5, der darin mit Recht einen „Großstädterwitz“, und zwar aus Rom erblickt, vor allem wegen den dem griechischen Zitat vorausgeschickten Worten Einhards: *Erat enim semper Romanis et Graecis Francorum suspecta potentia.*

sich in den Quellen der geringste Anhaltspunkt. Während des Aufenthaltes Karls in Rom Mitte April 781[110] ist zwar dort eine zweiköpfige Gesandtschaft aus Konstantinopel eingetroffen, um mit Karl und vermutlich auch mit Papst Hadrian I. Verhandlungen zu führen. Von diesen Verhandlungen schweigen die Reichsannalen vollständig, und die anderen Annalenwerke erwähnen nur deren Endergebnis: die Verlobung von Karls Tochter Rothrud mit dem damals elfjährigen Kaiser Konstantin VI.[111], für den die Regentschaft seine Mutter, die Kaiserin Eirene, führte. Aber auch der etwas ausführlichere Bericht des Theophanes[112] erlaubt uns keinerlei Schlüsse auf Traktanden, welche über jene, die bei der Herstellung einer dynastischen Verbindung üblich waren, hinausgegangen wären. Diese Beschränkung auf den Heiratsplan findet in der damaligen bedrängten Lage der Eirene, die mit großen inneren und äußeren Schwierigkeiten, unter anderen mit einem Gegenkaiser in Sizilien zu tun hatte, ihre überzeugende Erklärung.

„In diesem Jahre — sagt Theophanes — schickte Eirene den Sakellarios Konstaes mit dem Primikerios Mamalos zu dem Frankenkönig | Karl, um seine Tochter, die Erythro hieß, mit ihrem Sohne, dem Kaiser Konstantin, zu verheiraten. Nachdem sie sich geeinigt hatten und es zum Verlöbnis gekommen war, blieb der Eunuch und Notarios Elissaios zurück, um sie griechische Sprache und Literatur zu lehren und in den Sitten der römischen Kaiserherrschaft zu erziehen“[113].

O. will freilich das Wort συμφωνία im Sinne übersetzen, den es in späteren Verträgen zwischen Byzanz und italienischen See-

[110] B—M 237 b; Dölger, Kaiser-Reg. 339.

[111] S. Abel, Jahrbücher usw. (oben Anm. 82) I 384 ff., 385 Anm. 4.

[112] Zum Weltjahr 6274 = 782, sicher irrtümlich statt 781.

[113] Ed. C. de Boor I, 455_{19-25}: Τούτῳ τῷ ἔτει ἀπέστειλεν Εἰρήνη Κωνστάην τὸν σακελλάριον καὶ Μάμαλον τὸν πριμικήριον πρὸς Κάρουλον τὸν ῥῆγα τῶν Φράγγων, ὅπως τὴν αὐτοῦ θυγατέρα Ἐρυθρὼ λεγομένην, νυμφεύσηται τῷ βασιλεῖ Κωνσταντίνῳ, τῷ υἱῷ αὐτῆς. καὶ γενομένης συμφωνίας καὶ ὅρκων ἀναμεταξὺ ἀλλήλων, κατέλιπεν Ἐλισσαῖον τὸν εὐνοῦχον καὶ νοτάριον πρὸς τὸ διδάξαι αὐτὴν τά τε τῶν Γραικῶν γράμματα καὶ τὴν γλῶσσαν, καὶ παιδεῦσαι αὐτὴν τὰ ἤθη τῆς Ῥωμαίων βασιλείας.

städten besaß, also *conventio*, *pactum* in der Bedeutung eines Staatsvertrags (S. 312 Anm. 8). Aus dem angeführten Wortlaut ist aber nur zu entnehmen, daß die Partner eben über die Verlobung einig geworden sind und eben darüber eine συμφωνία miteinander abschlossen, diesen Ehevertrag eidlich bestätigten und darüber wohl auch eine Urkunde ausstellten, wie dies der byzantinischen Praxis bei solchen Geschäften entsprach. Für den Sinn der συμφωνία bei Theophanes sind nicht die späteren bis zum 12. Jahrhundert hinaufreichenden Staatsverträge, sondern vielmehr die Stelle bei Liutprand von Cremona über die Ehe des Bulgarenherrschers Petrus mit einer byzantinischen Prinzessin maßgebend, wobei *symphonia, id est consonantia, scripta iuramento firmata sunt, ut omnium gentium apostolis, id est nuntiis, penes nos Bulgarorum apostoli, praeponantur, honorentur, diligantur*[114]. Auch in unserem Falle bedeutet also συμφωνία Ehevertrag und nicht mehr, und auch den Hauptinhalt der darüber ausgestellten Urkunde muß eben das Ehegeschäft mit den dazugehörigen materiellen und zeremoniellen Fragen — wie bei Liutprand — gebildet haben, sonst wäre die im gleichen Satz des Theophanes erwähnte Zurücklassung des Elissaios sinnlos. Daß Theophanes es keineswegs unterlassen hätte, die Auszeichnung Karls mit dem Patriziat bei der Verlobung von 781 zu erwähnen, zeigt sein obenerwähnter Bericht über die Ehe des 777 nach Konstantinopel geflüchteten Bulgarenkhans und dessen gleichzeitige Erhebung zum Patricius[115]. Es ist also keineswegs in den Quellen begründet oder sonst irgendwie gerechtfertigt, wenn O. die von ihm angenommene Verleihung des Patricius-Titels geradezu als eine „politische Notwendigkeit, ja die Voraussetzung | jeder vertraglichen Abmachung“ (S. 312) hinstellen möchte. Heiratsverbindungen mußten keineswegs mit Titelverleihungen gekoppelt werden, und auch umgekehrt führte eine Titelverleihung nicht zwangsläufig auch zu einer Eheverbindung. Daß Rothrud nach ihrer Verlobung im Griechischen und im Hofzeremoniell Unterricht erhielt und daß Karl seinerseits für jene Kleriker, die seine

[114] Legatio Constantinopolitana c. 19, ed. J. Becker (siehe oben Anm. 101) 185 f.

[115] Siehe oben Anm. 103.

Tochter nach Konstantinopel begleiten sollten, einen griechischen Sprachkurs durch Paulus Diaconus veranstaltete[116], ist noch kein Beweis für sein Patriziat aus Kaisers Gnaden. Ebensowenig leuchtet ein, warum „umgekehrt Karl in dieser Situation die Annahme des πατρίκιος τῶν Ῥωμαίων nicht mehr gut hätte verweigern können" (S. 312).

Die von O. angeführte beneventanische „Analogie", d. h. Heiratsverhandlungen und Verleihung des Patricius-Titels für Arichis im J. 787 (S. 317), ist gänzlich fehl am Platze, da sie den Größenverhältnissen der miteinander verglichenen historischen Potenzen keine Rechnung trägt. Karl der Große ist nicht wie Arichis der Fürst eines von zwei Seiten her bedrohten kleinen Pufferstaates zwischen zwei Großmächten, für den die Hilfe der einen Großmacht Rettung vor der anderen verspricht und die Auszeichnung mit dem kaiserlichen Patriziat Autoritätszuwachs vor den eigenen Untertanen einbringen kann. Der Franken- und Langobardenkönig ist 781 bereits im Besitze einer Vormachtstellung im Abendland; eben im selben Jahr nimmt er seine Herrscherrechte im einstigen Langobardenreiche mit großem Nachdruck wahr und bereitet noch vor dem Eintreffen der Gesandtschaft aus Konstantinopel zusammen mit dem ihm ergebenen Papst die Unterwerfung des Baiernherzogs in vasallistischen Formen vor[117]. Karl stand damals schon weit über jener Stufe fürstlicher Macht, auf der der Patriziat, dieser Ehrenrang für hohe Beamten des Kaisers, als geeignetes Mittel zur Regelung zwischenstaatlicher Beziehungen mit Aussicht auf Erfolg angewendet werden konnte. Mit der Annahme dieses Titels hätte sich Karl auf den gleichen Grad herabgesetzt, auf dem 774 Adalgis,

[116] MG. Poet. lat. I 48.

[117] S. Abel, Jahrbücher (oben Anm. 82) 372—409. In Würdigung der Leistungen Karls d. Gr. hebt G. Ostrogorsky (Geschichte des Byzantinischen Staates, München 1963³, 153) mit gutem Recht hervor: „Es war die Tragik des alten Kaiserreiches, daß in der Zeit, da an der Spitze des Frankenreiches einer der größten Herrscher des Mittelalters stand, sein Schicksal in Frauen- und Eunuchenhänden lag . . . Mit der Niederwerfung der Langobarden hatte er [Karl] die Aufgabe erfüllt, die zu erfüllen Byzanz nicht in der Lage war und deren Nichterfüllung die Autorität des byzantinischen Reiches in Rom begraben hatte".

777 der Bulgarenkhan Telerig — beide in ihrer Hei- | mat gescheiterte Flüchtlinge — und 787 Arichis von Benevent unmittelbar nach seiner Unterwerfung unter Karl standen, als sie zum Patrizier des Kaisers wurden oder um diesen Hofrang zugleich mit der Bitte um Hilfe nachsuchten. Hätten die Byzantiner ein derart plumpes Angebot gewagt, so wäre ihnen eine resolute Ablehnung auch dann nicht erspart geblieben, wenn der Papst — wie O. vermutet — versucht hätte, Karl zur Annahme dieser „Auszeichnung" zu überreden. Ein solches Angebot scheint mir jedoch eher unwahrscheinlich. In Staaten, die eine gewisse Machtfülle und Selbständigkeit aufweisen, pflegten die Byzantiner nicht den Herrscher selbst, sondern dessen Teilfürsten oder höchsten Würdenträger mit dem Patriziat auszuzeichnen. So ist das Haupt der bulgarischen Gesandtschaft, dem Liutprand am Kaiserhof begegnet, ein Honorarpatricius, was freilich die Verleihung des gleichen Titels an dessen Herrn ausschließt[118]. In den vierziger Jahren des 10. Jahrhunderts wurde anläßlich des Besuchs ungarischer Fürsten in Konstantinopel der ranghöchste, der Großenkel Árpáds, Termacsu, mit dem Ehrentitel „Freund" und nur der rangdritte, der Karcha Bulcsu, mit dem Titel eines Patricius ausgezeichnet[119]. Mag der Patriziat für das 10. Jahrhundert schon eine gewisse Abwertung erfahren haben[120], so scheint es mir doch ausgeschlossen zu sein, daß der Kaiserhof Karl den Großen mit dem gleichen Titel wie Arichis von Benevent bedacht hätte, von dem man wissen mußte, daß dieser vor kurzem Tributärfürst des Frankenkönigs geworden war![121]

[118] Siehe oben Anm. 112.

[119] Gy. Moravcsik, Die byzantinische Kultur und das mittelalterliche Ungarn: Sitzungsberichte der Deutschen Akademie der Wissenschaften zu Berlin, Klasse für Philosophie, Geschichte usw. 1955, Nr. 4, Berlin 1956, 14.

[120] P. E. Schramm, Kaiser, Rom und Renovatio, Darmstadt 1957², 59 f.

[121] I. Scheiding-Wulkopf, Lehnsrechtliche Beziehungen der fränkisch-deutschen Könige zu anderen Staaten (Marburger Studien zur älteren deutschen Geschichte, hrsg. von E. E. Stengel, II, 9) Marburg 1948, 15 f.; H. Belting, Studien zum beneventanischen Hof im 8. Jh.: Dumbarton Oaks Papers 16 (1962) 141—193.

Auch der Versuch O.s, in den Äußerungen Karls über seinen Patriziat just seit 781 einen neuen Inhalt zu erkennen, kann nicht überzeugen. Wenn Karl in seinem oben angeführten Brief (794) an Elipandus von Toledo zu seinen beiden Königstiteln sowohl *patricius Romanorum* wie auch *filius et defensor sanctae Dei ecclesiae* beifügt, so ist das sicher ein Zeichen dafür, „daß damals der Patricius und der defensor nicht mehr wesensgleich waren" (S. 313), kaum jedoch zugleich ein Beweis dafür, daß dieser Patriziat 781 eine „Legitimierung" seitens des östlichen | Kaiserhofes erhalten hätte. Welcher der beiden Titel hat seinen Inhalt geändert? Sicher nicht — wie O. meint — der Patricius, sondern eben derjenige des *defensor ecclesiae.* Die Würde eines *patricius Romanorum* schloß zwar in päpstlicher Auslegung auch die Pflichten eines *defensor ecclesiae* in sich, dieser Begriff blieb damals noch — wie oben gezeigt — auf den Schutz der römischen Kirche und der Stadt Rom gegen die Langobarden beschränkt und bedeutete keineswegs auch den Schutz der Rechtgläubigkeit gegenüber einem Ketzer wie Elipandus. *Defensor* bedeutet also im Brief Karls Kirchenbeschützer in erweitertem, auf die Gesamtkirche, auf die Kirche als Glaubensgemeinschaft bezogenen Sinne, und dafür wäre der *patricius Romanorum* als Beschützer des Papsttums und Roms nicht ohne weiteres zuständig gewesen[122]. Nicht der *patricius Romanorum* wurde also in der Intitulatio des Briefes an Elipandus dem *defensor ecclesiae* gegenübergestellt, sondern — dem besonderen Zweck und Inhalt dieses Schreibens entsprechend — der in den Urkunden und Mandaten zwischen 774 und 800 gebrauchte Volltitel — *Carolus gratia*

[122] Der Brief an Elipandus oben Anm. 45. Die Annahme von Caspar op. cit. (oben Anm. 109) 91, das Papsttum hätte bereits im Schutzvertrag von Ponthion die *„defensio et exaltatio ecclesiae"* im Hinblick auf Byzanz als *defensio orthodoxae fidei* gedeutet, „sehe ich nicht als bewiesen". Jedenfalls meint auch Caspar, daß erst „der Patricius Karl mit diesem Auftrag und mit dieser Pflicht ernst" machte. Mit Recht warnt F. Kempf S. I. (Die päpstliche Gewalt in der mittelalterlichen Welt. Eine Auseinandersetzung mit W. Ullmann: Misc. Hist. Pont. XXI, Roma 1959, 160) davor, „die vorwiegend territorialpolitisch bestimmte Defensor-Idee Stephans II. ungebührlich ins Universale" auszuweiten „und . . . das religiöse Element zu überhöhen".

Dei rex Francorum et Langobardorum ac patricius Romanorum — wurde durch den seine Stellung in der Kirche und seine Rechtgläubigkeit betonenden Zusatz *filius et defensor sanctae Dei ecclesiae* ergänzt, wobei *filius* kaum weniger wichtig als *defensor* war. In seiner Admonitio von 801—812 richtete er den Appell an alle seine Untertanen: *Ecclesiam Dei defendite*[123]. O. trägt also der Mehrschichtigkeit des Defensor-Begriffes ebensowenig Rechnung wie vorher den mannigfachen Abstufungen innerhalb des *ordo et honor patriciatus.*

Aber auch die stärkere Betonung seines Patriziats gegenüber dem Papst (*patriciatus noster, honor patriciatus nostri* usw.) und „die Verwendung des Wortes *patriciatus* im territorialen Sinn" (S. 314) kann kaum dahin interpretiert werden, als ob Karl dem Papst seit 781 in der Eigenschaft als ein vom Basileus „legitimierter" Patricius entgegengetreten wäre; vielmehr ist dieses Verhalten die Folge der durch die Eroberung des | Langobardenreiches bedingten allmählichen Umbildung[124] seines ursprünglichen Honorarpatriziats zur Zeit des ersten Rombesuches zu einem Patriziat von exarchengleichem Charakter, und zwar zu dem eines Exarchen, hinter dem kein Kaiser mehr steht, der vielmehr zugleich souveräner *rex Francorum et Langobardorum* ist, dem Byzanz nichts mehr zu bieten oder strittig zu machen vermochte. Die Stichhaltigkeit der weiteren Argumente O.s, die er für eine „reichsverbundene Periode" (S. 317)

[123] MG. Capit. I 239.

[124] Eine solche Wandlung wurde in der bisherigen Forschung immer wieder angenommen: L. Halphen (Etudes sur l'administration de Rome au Moyen-Age, Paris 1907, 6) spricht vom „valeur effective du patriciat", K. Heldmann (Das Kaisertum Karls d. Gr., Weimar 1928, 180 f.) stellt „eine starke symbolische Akzentuierung des Patriziats" besonders unter dem Pontifikat Leos III. fest; E. Caspar (op. cit. oben Anm. 109, 63) betont, daß der Patriziat bald nach dem ersten Rombesuch „zu einem tatsächlichen Herrschaftsanspruch über das Schutzgebiet St. Peter geworden ist, auch ohne daß an der bestehenden Rechtsordnung der *res publica Romanorum* etwas geändert wurde". H. Zimmermann (Papstabsetzungen des Mittelalters: Mitteilungen des Instituts f. österr. Geschichtsforschung 69, 1961, 1—84, bes. 26) hält es für bezeichnend, daß Hadrian gegenüber dem Gerücht, daß Karl seine Absetzung plane, sich ernsthaft zur Wehr setzen mußte.

in dem Patriziat Karls des Großen zwischen 781 und 787 ins Feld führt, sind von der Richtigkeit seiner Annahme einer usurpativen Verleihung durch den Papst im Jahre 754 sowie von der Voraussetzung einer eigenmächtigen Führung des gleichen Titels zwischen 775 und 781 abhängig, brauchen also nach dem Gesagten nicht mehr widerlegt zu werden. So will O. u. a. auch das Tragen der *peregrina indumenta*, d. h. der *longa tunica*, der *chlamys* und der *calcei Romano more formati* mit der vorausgesetzten Übergabe des Patricius-Kodizills durch die byzantinischen Gesandten im Jahre 781 in Zusammenhang bringen, obwohl dies nach Einhard[125] damals einzig und allein *Hadriano pontifice petente* erfolgte. Daß Hadrian I. Karl in seinem an Konstantin VI. und Eirene gerichteten Briefe vom 26. Oktober 785[126] nicht nur *rex Francorum et Langobardorum*, sondern auch *patricius Romanorum* zu betiteln wagte, wird freilich ebenfalls als Folge einer vermeintlichen Legitimierung im Jahre 781 aufgefaßt: auf Grund der vorgebrachten Einwände gegen die Einschaltung einer „reichsverbundenen Periode" in der Regierung Karls wird es nach wie vor einer der stärksten Beweise für eine ursprünglich kaiserliche, vom Papst nur übermittelte Verleihung des *patricius Romanorum*-Titels schon im Jahre 754 bleiben.

Nur der Vollständigkeit halber sei noch auf das letzte Glied in der Hypothesenkette O.s hingewiesen: 787 soll Karl aufge- | hört haben, Patricius im byzantinischen Sinn zu sein, und zwar wegen der Lösung der Verlobung der Rothrud mit Konstantin VI., die O. — wie schon in einer früheren Arbeit[127] — auf die bilderfreundliche Wendung in Konstantinopel zurückführen möchte. Wie in manchen anderen neueren Arbeiten[128] wird auch hier die Bedeutung des Bilderkultes für das transalpine Abendland merklich überschätzt.

[125] Vita Karoli Magni c. 23, ed. L. Halphen 70, dazu Deér, Vorrechte (oben Anm. 106) bes. 54—60.

[126] JE. 2448. Mansi XII, 1056.

[127] Orthodoxus imperator (1950), jetzt: Abendland und Byzanz. Gesamm. Aufsätze. Weimar 1958, 68. Vgl. dazu H. G. Beck: Byz. Zeitschr. 52 (1959) bes. 389 f.

[128] H. Schade, Die Libri Carolini in ihrer Stellung zum Bild: Zeitschrift für Katholische Theologie 79 (1957) 69—78; G. Haendler, Epochen

IV.

Im letzten Abschnitt beschäftigt sich O. mit der Frage der kaiserlichen Vorrechte in Rom bis Weihnachten 800. In der Ablehnung der Anerkennungstheorie Schramms ist O. mit mir darin einig, daß kein einziges der herkömmlichen kaiserlichen Ehrenrechte durch die Päpste vor 800 auf Karl übertragen wurde, bestreitet dagegen die von mir angenommene Aneignung eines Teiles dieser Ehrenrechte durch die Päpste seit Hadrian I. und greift somit auf die u. a. sowohl von Schramm wie auch von mir abgelehnte These K. Heldmanns[129] vom staatsrechtlichen Fortbestehen der Herrschaft des byzantinischen Kaisers bis Weihnachten 800 zurück.

Diese Aneignung eines Teiles der kaiserlichen Ehrenrechte durch den Papst als „quasi imperator" habe ich sodann in Parallele gestellt mit der Beanspruchung von Ehrenrechten und Insignien, die Konstantin der Große Papst Silvester I. und dessen Nachfolgern laut *Constitutum Constantini* verliehen haben soll.

„Die Prägung von Münzen mit Namen und Bild des Papstes, die Datierung nach Pontifikatsjahren, das Erscheinen des Papstes an der ranghöheren Seite auf dem Lateranmosaik, die Ausrufung seines Namens | an erster Stelle in der Akklamation usw. ergänzen in durchaus harmonischer Weise die angebliche Verleihung der kaiserlichen Gewänder und Insignien, das Recht der Kaiserprozession, die Erklärung des Laterans als Kaiserpalast, des Stuhles Petri als Kaiserthron im *Constitutum Constantini*"[130].

---

karolingischer Theologie, Berlin 1958, bes. 59. H. Schnitzler, Das Kuppelmosaik der Aachener Pfalzkapelle: Sonderdruck aus Aachener Kunstblätter 29 (1964) 28. S. Der in Wirklichkeit eindeutig bildfreundliche Karolinger wird oft als ein gemäßigter Ikonoklast geschildert. Gegen die Überschätzung der Bilderfrage für den Westen: Dannenbauer op. cit. (oben Anm. 3) 69 mit Anm. 65. Gegen Ohnsorges These auch G. Ostrogorsky: Byz. Zeitschr. 46 (1953) und Geschichte des Byzantinischen Staates 1963³, 155 Anm. 2. Ebendort 154: „Der Zweck der Libri Carolini, die gegen Byzanz die religiöse Selbständigkeit des Frankenreiches betonen sollten, war vor allem ein politischer ..."

[129] Op. cit. (oben Anm. 124) 114 ff.

[130] Vorrechte (oben Anm. 106) 62.

Besonders wichtig für den angenommenen Zusammenhang fand ich die Übereinstimmung zwischen der Papstprozession im *Ordo Romanus I*[131] und jener Kaiserprozession, deren *gloria* im CC (c. 14) nunmehr auf den Papst übertragen wird. Wenn aber ein solcher Zusammenhang zwischen der faktischen Aneignung einiger Kaiserrechte und dem CC besteht, so bedeutet dies einen zusätzlichen Beweis für die Datierung der Fälschung zumindest in die Zeit vor 800. In eigenartiger Verkennung des gegenwärtigen Forschungsstandes bezeichnet aber O. eben diese von der überwiegenden Mehrheit der Forscher vertretene Datierung als einen freilich durch seine Datierung auf 804/806 überholten „alten Glauben" und meint, daß meine Interpretation der Ehrenrechte „letzten Endes ursächlich mit dem alten Glauben zusammenhänge", „daß das *Constitutum Constantini* vor 800 entstanden sei, so daß also vor 800 Zustände nachgewiesen werden müssen, die dem Constitutum Constantini entsprechen" (S. 319). Ein solches Apriori liegt jedoch in der Tat der Polemik von O. gegen die angeführte Deutung der Kaiserrechte zugrunde, und zwar im Interesse der Aufrechterhaltung seiner Spätdatierung in die Zeit nach 800, die übrigens, von ganz vereinzelten Ausnahmen abgesehen, auf beinahe allgemeine Ablehnung in der Forschung stieß[132]. Während meine Analyse über die Beanspruchung der Kaiserrechte vor 800 ohne Rücksicht auf die Divergenzen der Lehrmeinungen in der Datierung des CC durchgeführt wurde und an und für sich keiner Unterstützung seitens des CC bedurfte, befand sich O. wegen des Resultats dieser Analyse in der Zwangslage, eine teilweise Übertragung der Kaiserrechte auf den Papst, vor allem in der Datierung der Urkunden und in der Münzprägung in Abrede stellen zu müssen, da ansonst seine Spätdatierung der Fälschung noch mehr an Wahrscheinlichkeit verloren hätte. Er mußte daher unverändert

[131] Mabillon, Museum Italicum I (Paris 1724) 4, c. 2. = Ordo I nach M. Andrieu. Les Ordines Romani du haut moyen-âge, Louvain 1949, II bes. 69 ff.

[132] Diese Ausnahmen werden bei Ohnsorge, Das Kaisertum der Eirene und die Kaiserkrönung Karls des Großen, Saeculum 14 (1963) 240 Anm. 93 registriert.

daran festhalten, daß der byzantinische Kaiser in Rom bis Weihnachten 800 in unvermindertem Besitz aller seiner historischen Vorrechte geblieben ist, und so mußte er auch die Erhebung Karls | des Großen mit Heldmann[133] und Dannenbauer[134] aus einer „Notlage staatsrechtlicher Art", d. h. aus einem „Verkehrsunfall der Weltgeschichte" (H. Beumann)[135] erklären.

Was nun die Datierung der Papsturkunden betrifft, so halte ich meine bisherige Auffassung nicht nur voll aufrecht, sondern kann diese im folgenden noch weiter erhärten. Auszugehen ist von der Datumzeile der Papsturkunden des 7. und 8. Jahrhunderts[136], die zum letzten Male in einem Mandat Hadrians I. vom 22. April 772 (JE. 2395) vorkommt: *Imperante domno nostro piissimo Augusto Constantino a Deo coronato magno imperatore anno LIII et post consulatum eius anno XXXIII, sed et Leone magno imperatore eius filio anno XX indictione X*[137]. Neben dem Kaiserjahr oder den Kaiserjahren werden Pontifikatsjahre in den Urkunden überhaupt nicht angegeben, nur unter dem Grabgedicht eines in Rom im Jahr 689 gestorbenen angelsächsischen Königs finde ich die folgende Datierung: *imperante domino Iustiniano augusto anno eius consulatus IIII, pontificante apostolico viro Sergio papa anno II*[138] — also selbst in diesem Falle an

[133] Op. cit. (oben Anm. 124) 234 ff.

[134] Zum Kaisertum Karls des Großen und seiner Nachfolger: Zeitschr. f. Kirchengesch. 49 (1930) 301—306, und op. cit. (oben Anm. 3), bes. 59. 79—93.

[135] Nomen Imperatoris: Historische Zeitschr. 185 (1958) 515—549, bes. 516 [hier S. 176].

[136] A. Menzer, Die Jahresmerkmale in den Datierungen der Papsturkunden bis zum Ausgang des 11. Jahrhunderts: Römische Quartalschrift 40 (1932) 27—103; C. Silva-Tarouca, Nuovi studi sulle antiche lettere dei papi: Gregorianum 12 (1931) 3—56, bes. 33 ff. (freundlicher Hinweis von Prof. Dr. P. Rabikauskas S. I.); F. Dölger, Das byzantinische Mitkaisertum in den Urkunden (1936): Byzantinische Diplomatik, Ettal 1956, 114 Anm. 21.

[137] Silva-Tarouca a. a. O. (oben Anm. 136) 33 f.

[138] E. Diehl, Inscriptiones latinae christianae veteres. Vol. I, 15 (Berlin 1961) Nr. 55.

zweiter Stelle hinter dem Kaiser. In zwei Urkunden Hadrians I. aus dem Jahre 781 bzw. 782 finden wir dagegen eine neue Datumzeile:

JE. 2435 (1. Dezember 781)	*JE. 2437* (1. November 782)
Regnante domino et salvatore nostro Jesu Christo, qui vivit et regnat cum Deo patre omnipotente et spiritu sancto per immortalia secula, anno pontificatus nostri in sacratissima (sede) beati apostoli Petri sub die Deo propitio decimo, indictione quinta ...[139].	Regnante domino Deo et salvatore Jesu Christo cum Deo patre omnipotente et spiritu sancto per infinita secula anno Deo propitio pontificatus domini nostri Hadriani in apostolica sede undecimo, indictione sexta ...[140]. |

Die erste Änderung im Vergleich zu den Datumzeilen der Papsturkunden bis JE. 2395 (772) besteht im gänzlichen Weglassen der Kaiserjahre und deren Ersetzung mit einem Hinweis auf die ewige Herrschaft Christi. Dies ist mit A. Menzer nach wie vor so auszulegen, daß der Papst „außer Gott keine Obrigkeit mehr anzuerkennen gewillt sei"[141]. Diese Feststellung ist von mir dann noch dahin ergänzt worden, daß in der praktischen Datierung, d. h. bei der konkreten Angabe der Amtsjahre, die bisherige Stelle des Kaisers nicht Christus, sondern — von Hinweisen auf das Gottesgnadentum begleitet — nunmehr der Papst als *dominus noster* eingenommen hat[142]. O. konnte zwar die Ignorierung des Kaisers in der neuen Datumzeile nicht in Abrede stellen, nahm dagegen zur folgenden Feststellung Menzers Zuflucht: „Die Nachfolger Leos III. datieren ihre Urkunden allein nach Kaiserjahren, an deren Stelle nur dann Pontifikatsjahre treten, wenn es im Reich noch keinen gekrönten Kaiser gibt"[143]. In Rückprojizierung dieser Praxis aus karolingischer in byzantinische Zeit wird nun behauptet,

[139] Baluzii Miscellanea, ed. Mansi, Luccae 1761, Vol. VII, 120.

[140] Mittarelli e Costadoni, Annales Camaldulenses, Venetiis 1755, Appendix c. 10, No. 3; Kehr, Italia Pontificia V 103, no. 5; Silva-Tarouca a. a. O. (oben Anm. 136) 34.

[141] Menzer (oben Anm. 136) 62.

[142] Vorrechte des Kaisers usw. (oben Anm. 106) 10.

[143] Menzer (oben Anm. 136) 31.

daß die Diplome Hadrians von 781 und 782 „gerade aus solchen ‚kaiserlosen' Zeiten stammen" (S. 318). Dieser Einwand ist allerdings nicht neu, sondern diente bereits Heldmann[144] als Gegenargument, als er das Weglassen der Kaiserjahre darauf zurückführen wollte, daß „seit dem 8. September 780 Kaiser Leos Witwe Irene für ihren minderjährigen Sohn regierte".

Hat es aber in den Jahren 781 und 782 im Reich wirklich „noch keinen gekrönten Kaiser gegeben"? Führte die Kaiserin Eirene die Regierung etwa im Namen eines nicht nur minderjährigen, sondern dazu noch auch noch ungekrönten Kaisers, so daß Hadrian I. den Kaiserthron für vakant halten und deshalb den Platz des Kaisers vorübergehend mit Christus besetzen mußte?

Vor allem auf Grund des Berichtes des Theophanes[145] schildert G. Ostrogorsky[146] die Regelung der Nachfolge Leons IV. folgendermaßen:

„Obwohl die Brüder des Kaisers ... schon 769 die Cäsarenwürde erhalten hatten ...", wurde zum Mitkaiser und Nachfolger Leons IV. nicht etwa einer der Cäsaren erhoben, sondern sein kleiner Sohn Konstantin. | Dies geschah bezeichnenderweise auf Verlangen des Heeres, das den Kaiser zur Krönung des Sohnes ausdrücklich aufforderte. Am 24. April 776 vollzog Leon IV., dem Anschein nach nur dem Wunsche seiner Untertanen nachgebend, an seinem Sohn die Kaiserkrönung, nachdem er die Senatoren, die Vertreter des hauptstädtischen wie des provinzialen Heeres und der städtischen Stände durch eine schriftliche Eidesleistung verpflichtet hatte, dem Neugekrönten als dem alleinigen Thronerben die Treue zu wahren. Das für diese Zeit auch sonst charakteristische Bestreben, sich auf den Volkswillen zu stützen, ist wohl als Reaktion gegen das despotische Regiment Leons III. und Konstantins V. anzusehen. Während die Beteiligung der Untertanen an der Kreierung des neuen Kaisers oder Mitkaisers in Byzanz gewöhnlich sich in der nachträglichen Akklamation des Neugekrönten durch Volk und Heer äußerte, suchte Leon IV. schon die Designierung seines Thronfolgers als einen Akt des Volkswillens hinzustellen. Bezeichnend ist auch, daß hierbei neben den üblichen konstitutiven Faktoren — dem Senat, Volk und Heer — auch Vertreter der Handel- und Gewerbetreibenden von Konstantinopel zu Worte kamen.

[144] Op. cit. (oben Anm. 124) 165 Anm. 2.

[145] Weltjahr 6268 = 776, ed. C. de Boor I 449.

[146] Geschichte des byzantinischen Staates, München 1963³, 147 f.

Gewiß war das Heer einem Winke des Kaisers selbst gefolgt, als es ihn zur Krönung seines Sohnes aufforderte. Dennoch läßt sich nicht leugnen, daß die Auffassungen des byzantinischen Militärs von der Herrschaftsordnung seit der Zeit Konstantins IV. eine starke Wandlung erfahren hatte ... Das Prinzip der Alleinherrschaft unter Beschränkung des Thronfolgerechtes auf den ältesten Herrschersohn hatte große Fortschritte gemacht. Eine Selbstverständlichkeit war indes dieses System den Byzantinern noch immer nicht, anderenfalls wäre weder ein demonstratives Auftreten des Heeres zugunsten des Thronerben noch die Abgabe von schriftlichen Eideserklärungen notwendig gewesen. Es blieb auch eine Gegenaktion zugunsten des Cäsars Nikephoros nicht aus, doch wurde die Verschwörung rechtzeitig aufgedeckt und durch Verbannung der Schuldigen nach Cherson bestraft. Auch in diesem Fall suchte sich Leon IV. auf die Willensäußerung seiner Untertanen zu stützen, indem er im Magnaurapalast ein Silention einberief, der Versammlung das Anliegen vortrug und sie das Urteil über die Verschwörer fällen ließ."

Bereits beim Tode Leons IV. (8. September 780) gab es also einen „gekrönten Kaiser"[147], dessen Nachfolge unter maximaler Berücksichtigung aller nur denkbaren Voraussetzungen der Legitimität gesichert wurde. Eirene teilte zwar den Thron mit ihrem minderjährigen Sohn, doch blieb dieser der Hauptherrscher, und die ehrgeizige Mutter mußte sich zunächst mit der Rolle des zweiten Kaisers begnügen. In diesem Rangverhältnis übernahmen Sohn und Mutter die βασιλεία; und ich kann aus den vielerörterten Worten des Theophanes keinen Nachhall einer Opposition gegen diese Regelung, insbesondere gegen die Beteiligung der Eirene an der Kaiserherrschaft an zweiter Stelle herauslesen. παραδόξος bezeichnet Theophanes nicht den Umstand, | daß Eirene als Frau die βασιλεία erhielt[148], sondern den Ratschluß Gottes, daß er eben durch die gemeinsame βασιλεία der Eirene und des Konstantin[149], einer

[147] Theophanes a. a. O. (oben Anm. 145): I 450: ἐξελθὼν ὁ βασιλεὺς σὺν τῷ πατριάρχῃ ἐν τῷ ἱπποδρομίῳ, καὶ ἐνεχθέντος ἀντιμισσίου, παντὸς τοῦ λαοῦ ὁρῶντος, ἐποίησεν ὁ πατριάρχης τὴν εὐχήν, καὶ ἔστεψεν ὁ βασιλεὺς τὸν υἱὸν αὐτοῦ.

[148] Dölger, Byz. Diplomatik (oben Anm. 136) 109.

[149] Weltjahr 6273 = 781 (richtig 780), ed. C. de Boor I 454: Τούτῳ τῷ ἔτει Εἰρήνη ἡ εὐσεβεστάτη ἅμα τῷ υἱῷ αὐτῆς Κωνσταντίνῳ παραδόξως θεόθεν τὴν βασιλείαν ἐγχειρίζεται.

Witwe und eines Waisenkindes, der Bedrückung der Kirche durch den Gottesfeind Konstantin V. ein Ende bereitete. Die Aufstände nach 780 richteten sich demgemäß auch nicht gegen die Regentschaft der Eirene als zweiten Kaisers, sondern (im Interesse des Caesars Nikephoros) gegen die Beschränkung des Thronfolgerechtes auf den ältesten Herrschersohn[150]. Auch der Strategos von Sizilien rebellierte zunächst als Anhänger des Caesars Nikephoros[151], den die Gardenregimenter sogar noch 792 — nach dem kläglichen Versagen Konstantins VI. auf dem bulgarischen Kriegsschauplatz — zum Kaiser erheben wollten[152].

Auch später läßt sich keine grundsätzliche Abneigung gegen das weibliche *Mitkaisertum* der Eirene nachweisen. Opposition löste erst die Bestrebung der Kaiserin zur Änderung des bisherigen Rangverhältnisses zu ihren Gunsten aus, als sie zwischen Februar und Oktober 790[153] ihren Sohn aus der bisherigen Stellung des ersten Kaisers verdrängte und ihren Namen in den Urkunden dem Konstantins VI. voranstellen ließ. Selbst die Bewohner des Themas Armeniakon wollten demgegenüber zunächst nichts anderes als die Beibehaltung der alten Formel „Konstantin und Eirene", und erst unter dem Eindruck der mit der byzantinischen Auffassung unvereinbaren Anmaßung des Hauptkaisertums durch die Kaiserin nahmen sie für die Alleinherrschaft Konstantins VI. und die Absetzung seiner Mutter Stellung, der sich schließlich auch die übrigen kleinasiatischen Themen angeschlossen hatten. Als aber nach einer scheinbaren Aussöhnung Konstantin seine Mutter am 15. Januar 791 wieder als Kaiserin einsetzen ließ, blieb das Thema Armeniakon mit seiner Gegnerschaft gegenüber der Wiederherstellung des ursprünglichen Zustandes „Konstantin und Eirene" isoliert[154].

[150] Ostrogorsky op. cit. (oben Anm. 146) 144.

[151] Theophanes Weltjahr 6273 = 781, ed. cit 45_{25}—46_{2}: Weltjahr 6274 = 782, 455.

[152] Ostrogorsky (oben Anm. 146) 150.

[153] Ostrogorsky, Das Mitkaisertum im mittelalterlichen Byzanz: Anhang zu E. Kornemann, Doppelprinzipat und Reichsteilung im Imperium Romanum (Leipzig-Berlin 1930) 176 und Anm. 3.

[154] Theophanes Weltjahr 6284, ed. cit. 467.

Uns interessiert zunächst diese erste Periode des Hauptkaisertums Konstantins VI. und des Mitkaisertums der Eirene | zwischen dem 8. September 780 und Februar 790, als in der päpstlichen Kanzlei die ersten Urkunden mit der neuen Datumzeile, die von den Regierungsjahren des byzantinischen Kaisers zum erstenmal keine Kenntnis mehr nehmen, dagegen aber an deren Stelle Pontifikatsjahre anführen, erlassen worden sind. Und eben O. charakterisiert diesen Zustand in einer anderen Arbeit[155] folgendermaßen: „In den Datierungen und Akklamationen wird der Name Konstantins vorangestellt. Auch auf den Münzen wagte Eirene zur Zeit ihrer Mitherrschaft nicht, ihren Namen vor denjenigen ihres Sohnes zu setzen . . . und Theophanes bemerkt für 790 und 791 ausdrücklich zweimal, daß von 780 bis 790 die Formel ‚Konstantin und Eirene' gegolten habe, ‚wie wir das von Anfang an übernahmen' ". Er gibt weiter zu, daß Sohn und Mutter in den Akklamationen der Schlußsitzung des Konzils von 787 in der für ihre Rangordnung unmißverständlichen Reihenfolge als „neuer Konstantin und neue Helena" gefeiert wurden. Mag die ehrgeizige und herrschsüchtige Kaiserinmutter die Akten des 7. Konzils zuerst unterschrieben und diese dann dem „mitherrschenden Sohn" zur Mitunterzeichnung überreicht haben, „staatsrechtlich" betrachtet — und in diesem Fall ist eine solche Betrachtungsweise wirklich gerechtfertigt — ist nur die Tatsache von Wichtigkeit, daß dieser Sohn die Konzilsakten doch als αὐτοκράτωρ Φλ. Κωνσταντῖνος πιστὸς μέγας βασιλεύς unterschrieb[156].

Wäre es nun bei dieser eindeutigen staatsrechtlichen Situation für Papst Hadrian I. möglich gewesen, die Jahre 781 und 782 als „kaiserlose Zeiten" zu betrachten und von den Kaiserjahren eben wegen dieser „Kaiserlosigkeit" keine Kenntnis zu nehmen? Und zwar nur deshalb, weil dieser in aller Form gekrönte und auch sonst zur Nachfolge in jeder Hinsicht legitimierte Hauptkaiser damals nur 10 bzw. 11 Jahre alt war und als Regentin seine Mutter im Range eines zweiten Kaisers neben sich hatte? So etwas wäre

[155] Das Kaisertum der Eirene (oben Anm. 132) 224 Anm. 19.

[156] Dölger a. a. O. (oben Anm. 136): Byzantinische Diplomatik 109 Anm. 9.

mit einer Opposition gegen die Regelungen von 776 und 780 und mit einer direkten Stellungnahme gegen Konstantin und Eirene und mit einer indirekten Entscheidung für den Cäsar Christophoros, den Enkel des Bilderstürmers Konstantin V., gleichbedeutend gewesen. So ein Verhalten ist Papst Hadrian gerade für jenes Jahr 781 unmöglich zuzumuten, in dem die Abgesandten der Eirene unter Vermittlung des Papstes in Rom erfolgreiche Verhandlungen über die Ver- | heiratung des Hauptkaisers Konstantin VI. mit der Tochter Karls des Großen führten: O. gerät in einen offenkundigen Widerspruch, wenn er einerseits behauptet, das Jahr 781 habe in Rom als „kaiserlos" gegolten, andererseits aber annimmt, Karl der Große habe gerade in diesem „kaiserlosen" Jahr seine Ernennung zum Patricius durch den Kodizill eines solchen Kaisers angenommen, den der Papst nicht für „regierungsfähig" hielt und *deshalb* in der neuen Datumzeile ignorierte. Selbst der Abschluß des Ehevertrags, bei dem der Papst — nach O. — beiden Parteien „Maklerdienste" geleistet haben soll, wäre mit einer solchen Beurteilung der staatsrechtlichen Lage des Verhandlungspartners wohl unvereinbar. Die vermeintlich „kaiserlose" Zeit zwischen 780 und 790 würde also mit der „reichsverbundenen" Periode Karls zwischen 781 und 787 zusammenfallen!

Daß Hadrian in der Tat auch gar keine im byzantinischen Staatsrecht begründete Bedenken gegen die gemeinsame Kaiserherrschaft von Sohn und Mutter in der protokollarischen Reihenfolge „Konstantin und Eirene" trug, zeigt die Adresse seines an die beiden Majestäten gerichteten Briefes vom 27. Oktober 785 [157]: *Adrianus episcopus servus servorum Dei dominis piissimis serenissimis imperatoribus ac triumphatoribus, filiis diligendis in Deo et domino nostro Jesu Christo, Constantino et Irenae augustis* ... Diese Adresse kommt der vorbehaltlosen Anerkennung des damals noch — mit Ausnahme der Partei des Christophoros — auch in Konstantinopel einstimmig anerkannten, zumindest offiziell geltenden Standpunktes in der Frage der Rangordnung „Konstantin und Eirene" gleich. Eben von Eirene erwartete Hadrian — und zwar nicht erst 785 — die Wiederherstellung des Kultes der Heiligen-

[157] JE. 2448; Migne, Patr. lat. 96, 1215.

bilder, konnte sich also gegen das Hauptkaisertum ihres Sohnes wegen Unmündigkeit und gegen ihr eigenes Mitkaisertum, nur weil sie eine Frau war, keinen Affront ohne die Gefährdung seiner wichtigsten kirchenpolitischen Zielsetzung erlauben.

Daraus folgt aber der unausweichliche Schluß, daß der Grund für das Weglassen der Kaiserjahre in den Urkunden Hadrians I. aus den Jahren 781 und 782 nicht in den innerbyzantinischen Verhältnissen, nicht in der Art und Weise der Regelung der Kaiserherrschaft seit 780, d. h. in einer angeblichen Vakanz des Kaisertums, gesucht werden kann. Der Papst hat die dortige Herrschaft in der Rangordnung „Konstantin und Eirene" für das Ostreich zwar anerkannt, dagegen aber — eben durch das | Weglassen der Kaiserjahre — für Rom jegliche Kaiserherrschaft ignoriert und dieser sogar den Herrschaftscharakter seines Pontifikats durch die Angabe seiner Amtsjahre positiv gegenübergestellt. Diese neue Art der Datierung ohne Kaiser- und nur noch mit Papstjahren kommt mir wie eine aus dem CC c. 18 gezogene Folgerung vor: nachdem Konstantin der Große beschlossen hat, *imperium et regni potestatem orientalibus transferri ac transmutari regionibus ... iustum non est, ut illic* [d. h. *ubi principatus sacerdotum et christiane religionis caput ab imperatore celeste constitutum est*] *imperator terrenus habeat potestatem.* Wenn aber der Kaiser in Rom keine Macht mehr besitzt, können auch die Urkunden nicht nach seinen Regierungsjahren datiert werden, sondern müssen mit den Amtsjahren dessen ersetzt werden, der in der Nachfolge Silvesters I. diesem *principatus sacerdotum* als *dominus* vorsteht.

O. behauptet aber: „Hadrian hat sich eben gerade *nicht* an die Stelle des Kaisers gesetzt, sondern in einem interessanten Kompromißversuch *zugunsten des Kaisers* statt des irdischen Basileus den himmlischen Pambasileus eingesetzt, muß dann aber in Hinblick auf Gottes ewiges Regiment als brauchbare Datierung seine Pontifikatsjahre anführen und rangiert also hier wie in anderen Fällen Karl der Große als der ‚rangzweite'" (S. 318). Der Hinweis auf Gottes ewiges Regiment ist aber kein „interessanter Kompromißversuch" Hadrians „zugunsten des Kaisers", welcher erst wegen der damaligen staatsrechtlichen Lage in Byzanz notwendig geworden wäre, sondern eine bereits vorhandene Formel, die einfach aus einer älteren Datumzeile noch aus der Zeit vor dem Pontifikatsantritt Hadrians wie auch vor dem Beginn der gemeinsamen Kaiserherrschaft „Konstantin und Eirene“ entnommen wurde.

Die Akten des römischen Konzils von 761 weisen noch die folgende Datumzeile auf, die mit der der Papsturkunden übereinstimmt: *Datum III° Nonas Julii, imperante domno Constantino augusto a Deo coronato magno imperatore anno XLIII post consolatum eius anno vicesimo tertio, indictione XIIII.*[158]

Dagegen trägt die römische Synode von 769 die folgende Kopfdatierung: *In nomine patris et filii et spiritus sancti, regnante domino nostro Iesu Christo uno ex eadem sancta trinitate cum eodem patre et spiritu sancto per infinita omnia saecula, mense Aprile, die duodecima, indictione septima.*[159] Die Abhängigkeit der hadrianischen Datumzeilen von 781 und 782 | in dem Hinweis auf die ewige Herrschaft Christi als einer Person in der Hl. Dreifaltigkeit von der Kopfdatierung der Synode von 769 ist wohl eindeutig, und so kann es kaum fraglich sein, daß Hadrian gerade auf diese Vorlage für den ersten Teil seiner Datumzeile zurückgegriffen hat. Bereits 769 hat man also im Gegensatz zu 761 auf die Datierung nach Kaiserjahren verzichtet, diese mit dem Hinweis auf die ewige Herrschaft Christi ersetzt, was damals kaum als „interessanter Kompromißversuch zugunsten des Kaisers“ während einer „kaiserlosen Zeit“ verstanden werden konnte, da damals Konstantin V. noch am Leben war und weder für minderjährig noch regierungsunfähig gehalten werden konnte. Die Erklärung liegt in den besonderen Umständen, unter denen die Lateransynode von 769 stattfand, und worüber wir jetzt eine sehr umsichtige Untersuchung von H. Zimmermann[160] besitzen. Was uns hier besonders angeht, ist die Tatsache, daß der Invasor Konstantin bereits 768 nicht nur in tumultuarischer Weise abgesetzt, sondern im Rahmen einer Synode auch durch einen Gerichtshof verurteilt wurde, indem man ihm seine Pontifikalgewänder, vor allem das Pallium abnahm und ihn in ein Kloster verwies. Erst an dem auf die Ver-

[158] MG. Conc. II 71.

[159] Ebenda 79.

[160] A. a. O. (oben Anm. 124) 13—25.

urteilung folgenden Sonntag, 7. Aug. 769, konnte die Weihe des neugewählten Papstes, Stephans III., vollzogen werden, der jedoch eine weitere Abklärung der Geschehnisse und eine Bestätigung des gegen Konstantin gefällten Urteils durch Einberufung einer die ganze Christenheit, zumindest aber den Westen repräsentierenden Synode anstrebte und deshalb eine Gesandtschaft an König Pippin zur Delegierung einer Abordnung hochgestellter fränkischer Geistlicher richtete. Da Pippin inzwischen starb, ließen seine Söhne, Karl und Karlmann, nicht weniger als 13 Bischöfe nach Rom reisen, wo diese dann den Ablauf der Frühjahrssynode nachhaltig beeinflußten. Man geht wohl kaum fehl, wenn man die von der bisherigen römischen Praxis demonstrativ abweichende Datierung der Synodalakten einerseits aus Rücksichtnahme auf die Synodalväter aus dem Frankenreiche, andererseits aber daraus erklärt, daß die römische Versammlung von 769 für die Bilderverehrung Stellung nahm und die Ikonoklastensynode Konstantins V. von 754 schärfstens verurteilte.[161] Es schien also sowohl mit der fränkischen Beteili- | gung wie auch mit den Beschlüssen zugunsten des Bilderkultes unvereinbar, bei der Datierung jene noch 761 verwendete Formel beizubehalten, welche nach byzantinischen Kaiserjahren und dazu noch nach denjenigen des radikalsten Ikonoklasten, Konstantin V., zählte. Man kann also feststellen, daß bereits 769 die Datierung mit dem Hinweis auf das ewige Regiment Christi sich gegen den Kaiser richtete und mit seiner Ignorierung gleichbedeutend war. Bezeich-

[161] Vita Stephani III (Liber Pontificalis I 477): ... *confundentes atque anathemizantes execrabilem illam synodum, quae in Graeciae partibus nuper facta est pro deponendis ipsis sacris imaginibus.* Wir können also in der Datumzeile derselben Synodalakten — *regnante domino nostro Iesu Christo* usw. — mit Duchesne (Liber Pontificalis I 483 Anm. 46 und danach MG. Conc. II 79 Anm. 6) keine nachträgliche Retouche erkennen, da die Abweichung von der während des 8. Jh.s üblichen Datierung nach Kaiserjahren in der antiikonoklastischen Stellungnahme dieser Synode ausreichend begründet ist. Der Grund für die Verweigerung der Datierung nach Kaiserjahren ist also in diesem Falle der gleiche wie früher bei Philippikos Bardanes (Ende 711 — Pfingsten 713), nämlich die mangelnde Rechtgläubigkeit (Schramm, Anerkennung usw. oben Anm. 8, 452 f.).

nenderweise ging man dabei noch mit äußerster Vorsicht vor, indem man in der praktischen Datierung nur die Indiktion, Monat und Tag angab, obwohl die Synode unter dem Vorsitz eines bereits geweihten Papstes tagte. Eben darin besteht der Unterschied zu den Datumzeilen Hadrians in JE. 2435 und 2437, in denen die Papstjahre zur praktischen Datierung dienen und dadurch die Rolle der Kaiserjahre übernehmen. In der Kenntnis der Vorstufe von 769 kann nunmehr kein Zweifel darüber bestehen bleiben, daß die Datumzeilen Hadrians nicht von den persönlichen Verhältnissen der Kaiserherrschaft abhängen, sondern die grundsätzliche Nichtanerkennung der Kaiserherrschaft in Rom aussprechen und gleichzeitig den Anspruch des Papstes auf die Stellung des „Landesfürsten" auch in bezug auf die Ehrenrechte verkünden wollten.

Daß in dieser Datumzeile sich ein Anspruch auf Gottunmittelbarkeit und daher auf Souveränität anmeldet, geht auch aus der bisher übersehenen Tatsache hervor, daß sie einen bestimmenden Einfluß auf die Kopfdatierung des *Codex Carolinus* von 791 und — in teilweiser Verwandlung zu einer Intitulatio — auch der *Admonitio generalis* von 768 ausübte. Der Vergleich der Datumzeilen von 769, 781 bzw. 782 und 791 bzw. 789 spricht für sich selbst:

769

Regnante domino nostro Jesu Christo uno ex eadem sancta trinitate cum eodem patre et spiritu sancto per infinita secula, mense Aprile, die duodecimo indictione septima.

781 (JE. 2435)

Regnante domino et salvatore nostro Jesu Christo, qui vivit et regnat cum Deo patre omnipotente et spiritu sancto per immortalia secula, anno pontificatus nostri in sacratissima (sede) beati apostoli Petri sub die Deo propitio decimo, indictione quinta.

Cod. Carol. 791

Regnante in perpetuum domino et salvatore nostro Jesu Christo, anno incarnationis eiusdem domini nostri DCCXCI Carolus excellentissimus et a Deo electus rex Francorum et Langobardorum ac patricios Romanorum, anno felicissimi regni eius XXIII.[162] |

[162] MG. Ep. III 476.

782 (JE. 2437)	*Admon. Gen. 789*
Regnante domino Deo et salvatore Jesu Christo cum Deo patre omnipotenti et spiritu sancto per infinita secula, anno Deo propitio pontificatus domini nostri Hadriani in apostolica sede undecimo, indictione undecima.	Regnante domino nostro Jesu Christo in perpetuum. Ego Carolus, gratia Dei eiusque misericordia donante rex ...[163]

Unter den hadrianischen Datumzeilen steht besonders JE. 2437 (782) der Kopfdatierung der Synode von 769 nahe. Sie stellt eine feierliche Erweiterung der Vorlage im ersten und — wie wir bereits sahen — eine ins Monarchische gesteigerte Erweiterung im zweiten Teil dar. Was nun das Verhältnis der Kopfdatierung des *Codex Carolinus* zu den hadrianischen Datumzeilen betrifft, so stimmen beide in dem Hinweis auf die ewige Herrschaft Christi und in der Angabe der Herrscher- bzw. Pontifikatsjahre in gottesgnadentümlichen Wendungen überein. Der Unterschied beschränkt sich bloß darauf, daß in der Kopfdatierung des *Codex Carolinus* nicht nur auf die ewige Herrschaft Christi hingewiesen, sondern dazu auch das laufende Inkarnationsjahr angegeben wird, was sowohl bei JE. 2435 wie auch bei 2437 fehlt. Man hat also die päpstliche Formel in höchst sinnvoller Weise weiter ausgebaut. Der Grund für die Übernahme der päpstlichen Datumzeile ist wohl darin zu suchen, daß sie geeignet erschien, den Anspruch Karls auf Gottunmittelbarkeit, d. h. auf Souveränität wirksam zum Ausdruck zu bringen. Genauso wie Hadrian I., in JE. 2435 und 2437 von 781 bzw. 782, wollte auch Karl mit dieser von der päpstlichen Kanzlei übernommenen Datumzeile verkünden, daß er „außer Gott keine Obrigkeit mehr anzuerkennen gewillt sei" (A. Menzer). Oder wollen wir vielleicht die Kopfdatierung des *Codex Carolinus* so auslegen, daß auch Karl „in einem interessanten Kompromiß-

[163] MG. Capit. I 52, Nr. 22. Im gleichen Wortlaut auch im Vorwort Karls zur Kapitulariensammlung des Ansegisius: ebenda 53.

versuch zugunsten des Kaisers statt des irdischen Basileus den himmlischen Pambasileus eingesetzt“ und seine eigenen Regie- | rungsjahre überhaupt nur als „brauchbare Datierung“ angeführt hat?

Abschließend sei noch ein methodisches Bedenken angemeldet.[164] Wie wir sahen, besitzen wir aus der langen Pontifikatszeit Hadrians I. (9. Februar 772 bis 25. Dezember 795) insgesamt nur drei Urkunden, welche überhaupt eine Datumzeile aufweisen. Von diesen enthält JE. 2395 vom 22. April 772 noch die herkömmliche Datierung nach den Regierungsjahren der Kaiser. Erst mit JE. 2435 vom 1. Dezember 781 tritt die neue kaiserlose, aber auf die ewige Herrschaft Christi hinweisende und die Pontifikatsjahre angebende Datierung auf, die sich mit unwesentlichen Änderungen später noch einmal in JE. 2437 vom 1. November 782 belegen läßt.

Wenn also O. diese neue Datumzeile — ohne Kaiserjahre — mit dem vermeintlich kaiserlosen Zustand seit dem Tode Leons IV. erklären will, so hält er diese Formel automatisch für eine Neuerung erst aus der Zeit nach dem 8. September 780. Mit welchem Recht kann man aber behaupten, daß Hadrian alle seine Urkunden bis zum Tode Leons IV. unbedingt und unverändert mit der kaiserlichen Datumzeile von JE. 2395 noch aus dem Jahre 772 ausstattete? Und mit welchem Recht könnte man andererseits die Möglichkeit schon von vornherein ausschließen, daß Hadrian die neue Datumzeile schon vor 780 angewendet hätte? Der Umstand allein, daß diese neue Datumzeile uns nur aus den Jahren 781 und 782 erhalten geblieben ist, bietet weder für die erste noch für die zweite stillschweigende Annahme O.s eine befriedigende Begründung. Auf keinen Fall sollte man Daten, die sich nur aus dem Zufall der Überlieferung ergeben, zugleich zur Bedeutung von Epochengrenzen der Datierung erheben und auf diese wiederum Theorien aufbauen, die letzten Endes auf solchen *testimonia ex silentio* beruhen. Viel wahrscheinlicher als 780 muß uns als Zäsur für die Einführung der

[164] Solche wurden bereits geäußert von F. L. Ganshof in der Besprechung des Buches von Ohnsorge, Das Zweikaiserproblem im frühen Mittelalter (Hildesheim 1947): Le Moyen Age 1949, 164—173 und zuletzt auch H. G. Beck in der Besprechung der gesammelten Aufsätze O.s, Abendland und Byzanz (Darmstadt 1958): Byz. Zeitschrift 52 (1959) 387 ff.

neuen Datumzeile jenes Jahr 774 erscheinen, in dem anläßlich des ersten Besuchs Karls in Rom die Schenkungsurkunde Pippins von Quierzy (754) vom Frankenkönig in Neuausfertigung bestätigt und auf dem Grab des Apostelfürsten niedergelegt wurde,[165] wodurch die Existenz einer päpstlichen *res publica Romanorum* | schon angesichts des bevorstehenden Zusammenbruchs des Langobardenreiches ihre endgültige Garantie erhielt.

Die gleiche unbewiesene und auch unbeweisbare Voraussetzung liegt aber auch der Motivierung der Datumzeile der Diplome Leos III. durch O. zugrunde. Die Nichtberücksichtigung der Kaiserjahre auch in diesen wird freilich mit der am 15. August 797 erfolgten Blendung Konstantins VI. und mit dem gleichzeitig beginnenden *feminaeum imperium*[166] erklärt. Auch in diesem Fall muß man aber die Frage stellen: wie wird er dann seine Urkunden in der Zeit zwischen seinem Pontifikatsantritt am 27. Dezember 795 und jenem Zeitpunkt datiert haben, in dem er von der am 15. August 797 vollzogenen Blendung des jungen Kaisers Kunde erhielt?

Die konkrete Antwort auf diese Frage ergibt sich aus der nachfolgenden Überprüfung der bisherigen Feststellungen über den Wortlaut der Datumzeilen in den Urkunden Leos III. aus den Jahren 798 und 800 (JE. 2497, 2498, 2499, 2503). Nach A. Menzer[167] lautete diese in allen Fällen wie folgt:

(anno) Deo propitio pontificatus domini nostri in apostolica sede ... atque domni Caroli excellentissimi regis Francorum et Langobardorum et patricii Romanorum, a quo cepit Italiam ...

Daraus mußten sowohl Schramm[168] wie ich[169] und zuletzt auch Ohnsorge (S. 319) u. a. den Schluß ziehen, daß Leo III. aus der Datumzeile des Vorgängers den einleitenden Hinweis auf die ewige Herrschaft Christi weggelassen und dadurch seine Datumzeile noch

[165] Vita Hadriani: Liber Pontificalis I 498, dazu Schramm, Anerkennung usw. (oben Anm. 8) 453.

[166] Annales Laureshamenses Maiores a. 801: MGSS. I (in 2°) 38.

[167] A. a. O. (oben Anm. 136) 31, 63, 70 f., Anm. 40.

[168] Anerkennung usw. (oben Anm. 18) 456.

[169] Vorrechte des Kaisers (oben Anm. 106) 11 ff. [hier S. 37 ff.].

mehr der einer Herrscherurkunde, die im allgemeinen mit der Angabe der eigenen Regierungsjahre zu beginnen pflegte, angeglichen hat. Diese Feststellung ist jedoch nur für JE. 2503 vom 11. April 800, nicht aber in bezug auf alle früheren Urkunden aus dem Jahr 798 richtig.[170] Unter diesen | weist nämlich die im Salzburger Rotulus überlieferte JE. 2498 vom 20. April 798 die folgende Datierung auf:

Data epistola XII Kal. mai, per manum Paschalis primicerii sanctae sedis apostolicae, regnante domino nostro Iesu Christo cum Deo patre omnipotente et spiritu sancto per infinita secula amen. Deo propitio pontificatus domini nostri in apostolica sacratissima beati Petri sede tertio atque domni Caroli excellentissimi regis Francorum et Langobardorum et patricii Romanorum, a quo coepit Italiam anno XXV, indictione VI[171].

Ein Vergleich insbesondere mit JE. 2437 (782) zeigt eindeutig, daß Leo III. zunächst die Datumzeile des Vorgängers, und zwar *mit* dem Hinweis auf die ewige Herrschaft Christi, übernommen hat. Die Neuerung besteht also lediglich — und zwar bezeichnenderweise erst nach der Angabe der eigenen Pontifikatsjahre — in der Angabe der italienischen Regierungsjahre Karls an zweiter Stelle.[172] Angesichts dieser offenkundigen Kontinuität kann die wohl bereits seit Anbeginn seines Pontifikats verwendete Datumzeile Leos III. unter keinen Umständen als eine von den kanzleimäßigen Voraussetzungen unabhängige Reaktion dieses Papstes auf

[170] MG. Ep. V 63, Nr. 5. Eine ähnliche, doch abgekürzte Datumzeile weist auch JE. 2499 vom 20. April 798 (Migne, Patr. lat. 129, 997, statt 967) auf: *Data VI. Kal. Junii anno in sacratissima beati Petri sede III, seu domno Carolo excellentissimo rege Francorum et Langobardorum atque patricio Romanorum a quo capta fuit Italia anno vicesimo quinto indictione sexta.* Hier wäre die Überlieferung und die Treue der Textgestaltung der Edition neu zu prüfen. JE. 2497 vom 8. März 798 ist uns nur in der lateinischen Neuübersetzung des Wilhelm von Malmesbury nach einer alten angelsächsischen Übertragung erhalten geblieben und kann deswegen in diesem Zusammenhang nicht berücksichtigt werden.

[171] Salzburger Urkundenbuch II (1916) 2—4, bes. 4, Nr. 2 a) vgl. Silva-Tarouca a. a. O. (oben Anm. 136) 29.

[172] Deér, Vorrechte des Kaisers (oben Anm. 106) 11 ff. [hier S. 37 ff.].

die erst am 15. August 797 vollzogene Blendung Konstantins VI. gedeutet werden.

Ob der Datumzeile in JE. 2503 vom 11. April 800 die Bedeutung einer besonderen Entwicklungsstufe nur wegen des Weglassens des Hinweises auf die ewige Herrschaft Christi zugesprochen werden kann, möchte ich angesichts der damaligen prekären, ja geradezu gefährdeten Lage Leos III. nach seiner Rückkehr nach Rom eher bezweifeln. Es kann sich ja auch nur um eine Vereinfachung oder um einen Zufall der Überlieferung handeln. Jedenfalls knüpfte Leo III. seit 795 an die hadrianische Formel an. Dieser Ansatz gilt aber auch für seine wirkliche Neuerung, die Einbeziehung Karls in die Datierung, die mit gutem Recht mit jenen Bestrebungen dieses Papstes in Parallele gestellt werden kann, welche auf eine engere Bindung des Königs und Patricius an Rom — freilich zur Festigung seiner scheinbar von Anfang an labilen Stellung — hinzielten.[173] Daß diese engere Bindung damals noch nicht in der Form der kaiserlichen Stellung Karls stipuliert war, zeigt nun der erste Platz, den Leo III. nach dem Vorbild Hadrians nach wie vor | noch für sich beansprucht hat. Wie aus seinen Anweisungen an Angilbert ersichtlich ist,[174] wünschte Karl damals selbst diese vom Papst ihm angebotene gesteigerte *patriciatus nostri firmitas* noch nicht. Erst die Kaiserkrönung vom 25. Dezember 800 schuf auch in der Datierungspraxis wieder eine klare Lage, indem Leo III. unter gänzlichem Verzicht auf die Angabe seiner Pontifikatsjahre in Rückgriff auf die bis 772 verwendete Formel nunmehr *imperante domino nostro Carolo piissimo perpetuo augusto a Deo coronato magno et pacifico imperatore anno* ... seine Briefe und Urkunden datierte.[175]

[173] Annales qui dic. Einhardi a. 796 (ed. cit. 99): (Leo) *rogavitque, ut aliquem de suis optimatibus Romam mitteret, qui populum Romanum ad suam fidem atque subiectionem per sacramenta firmaret.*

[174] Alcuini ep. 92, MG. Ep. IV, 137, siehe: K. Heldmann, Das Kaisertum Karls des Großen, Weimar 1928, 183 Anm. 1.

[175] Silva-Tarouca a. a. O. (oben Anm. 136) 29 Anm. 1; Menzer a. a. O. (oben Anm. 136) 31; Deér, Vorrechte des Kaisers (oben Anm. 106) 12 [hier S. 39]. Siehe alle Briefe Leos III. nach 800 (in MG. Ep. V 87—104), die eine Datumzeile haben.

Wie bereits früher, so möchte ich jetzt erneut mit Nachdruck darauf hinweisen, daß die Beanspruchung und Aneignung mancher wichtiger Kaiserrechte durch den Papst vor 800 keineswegs aus einem papstkaiserlich-hierokratischen Impetus erklärt werden kann. Dafür fehlt eben die wesentlichste Voraussetzung, nämlich die Existenz eines Kaisertums im Westen. In den Tagen Hadrians I. gibt es nur *ein* Kaisertum, und zwar dasjenige im Osten, das aber nicht mehr imstande oder gewillt ist, in die italischen oder abendländischen Verhältnisse aktiv einzugreifen. Deshalb ging es bei Hadrian I. nicht um die Kaiserrechte im allgemeinen, sondern um die Vorrechte des Kaisers in Rom im besonderen. Eben diesen Wesenszug des Vorganges verkennt O., indem er sich darauf beruft, „daß der Kaiser im Bereiche des Kirchengebets seine frühere Ehrenstellung in Rom in Wesentlichem beibehalten hat" (S. 318). Dies habe ich zwar ausdrücklich anerkannt, aber das ganze Problem hat überhaupt nur für das Rangverhältnis zwischen Kaiser und Patricius, nicht aber für die Beziehung von Papst und Kaiser eine Bedeutung. Man hat zwar aller Wahrscheinlichkeit nach sogar unter Hadrian zuerst für den Kaiser und erst an zweiter Stelle für den König-Patricius in der Kirche gebetet,[176] den beiden weltlichen Fürsten geht aber — wenn nicht gerade der Papst die Messe zelebriert —[177] das Gebet für diesen — was in der Kirche ja selbstverständlich ist — voraus.[178] Im Falle des Kirchengebets war | also die rangerste Stellung des Papstes ohne die Anmaßung eines kaiserlichen Reservatrechtes schon von vornherein gesichert!

Anders ging es im Bereiche der Münzprägung vor sich, und zwar auch dann, wenn der Papst, worauf O. großes Gewicht legt (S. 319), auch keine Goldmünzen mit Namensinschrift und mit dem eigenen Bildnis prägen ließ. Da in Rom spätestens seit dem

[176] Vorrechte des Kaisers 63 [hier S. 104], vgl. Fr. Kempf S. I. Die päpstliche Gewalt usw. (oben Anm. 122) 162 und Anm. 93.

[177] Die Vorrechte des Kaisers 52 [hier S. 90 f.]. J. A. Jungmann, Flectere pro Carolo rege: Mélanges M. Andrieu, Strasbourg 1956, 219—228; R. Elze: Deutsches Archiv zur Erforschung des Mittelalters 10 (1953) 223.

[178] L. Biehl, Das liturgische Gebet für Kaiser und Reich (Veröff. d. Görres-Gesellschaft, Sektion f. Rechts- u. Staatswiss., 75. Heft), Paderborn 1937, 56 f.

Tode Konstantins V. (775) überhaupt keine Goldmünzen mehr geprägt wurden,[179] bedeutete die Prägung von Silbermünzen mit dem Bildnis Hadrians I. und mit seiner Bezeichnung in der Münzlegende als *Dominus Noster* doch die Verdrängung des Kaisers aus seinem bisher ausschließlichen, alle Münzsorten umfassenden Münzrecht, ebenso aber auch das Einrücken des Papstes in dieses, vor ihm noch durch keinen seiner Vorgänger ausgeübte Herrscherrecht. Damit hat er sich zumindest mit jenen Herrschern in der abendländischen Welt gleichgesetzt, die Münzen unter ihrem Namen und mit der Anbringung ihres Bildes prägen ließen. Von einer Anerkennung des kaiserlichen Münzrechtes durch den Papst in diesem Bereich könnte nur dann die Rede sein, wenn Hadrian neben den Silbermünzen, die seinen Namen und sein Bild trugen, auch die Prägung von Goldmünzen mit Bild und Namen des Kaisers fortgesetzt oder zumindest auf seinen Silbermünzen den Kaiser in irgendeiner Weise berücksichtigt hätte.

[179] Schramm, Die Anerkennung usw. (oben Anm. 8) 457 f. Für den numismatischen Teil der Anerkennungstheorie Schramms siehe Ph. Grierson, The Coronation of Charlemagne and the Coinage of Pope Leo III: Revue Belge de Philologie et d'Histoire 30 (1952) 825—833, wo die Möglichkeit der Prägung der Denare Karls mit dem Titel *rex Francorum et Langobardorum ac patricius Romanorum* in Rom selbst, und damit auch die Annahme einer mit der päpstlichen in der eigenen Residenz konkurrierenden königlich-patrizialen Münzprägung, neu überprüft und abgelehnt wird. In dieser von mir bisher leider übersehenen Arbeit macht Grierson Feststellungen, die mit meiner früheren und auch hier vertretenen Ansicht über die politisch-staatsrechtliche Bedeutung der selbständigen päpstlichen Münzprägung völlig übereinstimmen: „The tradition of the ancient world was that the *ius monetae* was essentially a regalian right, an attribute of sovereignty ... (828). The evidence of the papal coins, then, is quite plain: up to 800 that feature of sovereignty which was symbolized by the *ius monetae* was vested in the pope alone; after 800 it was shared between the pope and the emperor. The coronation therefore involved a clear and ostentatious increase of Charles' authority in Rome" (829). Mit diesen Feststellungen des gegenwärtig besten Kenners der frühmittelalterlichen Numismatik ist die Interpretation Ohnsorges unvereinbar.

Nachtrag 1970

Was ich dieser Arbeit nachzutragen habe, ist inzwischen unter dem Titel „Zur Praxis der Verleihung des auswärtigen Patriziats durch den byzantinischen Kaiser“, in: Archivum Historiae Pontificiae 8 (1970) S. 7—25 zu lesen. Meiner Kritik an den Patriziats-Thesen von Werner Ohnsorge haben restlos zugestimmt: Peter Classen, Karl der Große, das Papsttum und Byzanz. Die Begründung des karolingischen Kaisertums. Erweiterte Sonderausgabe aus: Karl der Große Band I, hrsg. v. Helmut Beumann. Düsseldorf 1968, S. 552 Anm. 59, 554 Anm. 62, 556 Anm. 70, 558 Anm. 90, dazu S. [74—75], und Hans Georg Beck, in: BZ 59 (1966) 205.

Karolus Magnus et Leo Papa. Ein Paderborner Epos vom Jahre 799. Paderborn 1966 (= Studien und Quellen zur westfälischen Geschichte. Hrsg. im Auftrage des Vereins für Geschichte und Altertumskunde Westfalens, Abt. Paderborn, von Klemens Honselmann. Bd. 8, hrsg. von Joseph Brockmann), S. 1—54.

DAS PADERBORNER EPOS UND DIE KAISERIDEE KARLS DES GROSSEN

Von Helmut Beumann

Inhalt: 1. Papst Leos III. Besuch in Paderborn — 2. Das Epos *Karolus Magnus et Leo papa* und seine Entstehungszeit — 3. Entstehungsort und Informationswert des Epos – 4. Das Epos als Quelle für den „Aachener Kaisergedanken" — 5. Dessen Bestätigung in abhängigen Quellen und in unabhängigen Quellen — 6. Das Epos im Zusammenhang der Ereignisgeschichte — 7. Das Zeugnis Einhards (Vita Karoli c. 28) — 8. Karl der Große, der römische Kaisergedanke und Byzanz — 9. Ämterfiliation nach Theodulf und nach dem Lateranmosaik — 10. Ein Kaiserplan Hadrians I. von 781 — 11. Hadrians Brief von 778 (Codex Carolinus Nr. 60).

Die folgenden Darlegungen dienen der Einführung in die geschichtlichen Fragen und Zusammenhänge, die das Epos *Carolus Magnus et Leo papa* berührt und zugleich beleuchtet. Dabei kann an frühere Studien des Verfassers angeknüpft werden (vgl. unten A. 6, 67 u. 114); auf sie muß daher für die nähere Begründung der hier vorgetragenen Auffassungen wiederholt verwiesen werden. Die weitere Diskussion hat alsdann kräftige Antriebe durch die Aachener Karlsausstellung von 1965 und das in Verbindung mit dieser entstandene Karlswerk (bisher 3 Bände; vgl. Anmerkung 1) erhalten. Nicht zuletzt gaben jedoch die ergebnisreichen Ausgrabungen der letzten Jahre an der Nordseite des Paderborner Doms allen Anlaß, in eine erneute Erörterung und Prüfung der mit der Paderborner Zusammenkunft Karls des Großen und Papst Leos III. zusammenhängenden Fragen einzutreten und in einer nach wie vor durch ständige Bewegung gekennzeichneten Forschungslage eine Zwischenbilanz zu versuchen.

Folgende Abkürzungen werden verwandt:

AHP.	=	Archivum historiae Pontificiae
Ann.	=	Annales
BM.	=	J. Fr. Böhmer und E. Mühlbacher, Die Regesten des Kaiserreichs unter den Karolingern 751—918, 2. Auflage vollendet von J. Lechner (Regesta Imperii 1, 1908)

DA.	=	Deutsches Archiv für Erforschung des Mittelalters
Epp.	=	Monumenta Germaniae historica, Epistolae in Quart
Hg., hg.	=	Herausgeber, herausgegeben
HJb.	=	Historisches Jahrbuch
HZ.	=	Historische Zeitschrift
MG.	=	Monumenta Germaniae historica
MIÖG.	=	Mitteilungen des Instituts für österreichische Geschichtsforschung
NA.	=	Neues Archiv der Gesellschaft für ältere deutsche Geschichtskunde
Poetae	=	Monumenta Germaniae historica, Poetae latini medii aevi
Schulausgabe	=	Monumenta Germaniae historica, Scriptores rerum Germanicarum in usum scholarum seperatim editi
SS.	=	Monumenta Germaniae historica, Scriptores in Folio
ZKiG.	=	Zeitschrift für Kirchengeschichte
Zs.	=	Zeitschrift |

1.

Im Sommer des Jahres 799 war Paderborn Schauplatz eines politischen Vorganges von höchstem Rang und weltgeschichtlicher Tragweite: des Besuches Papst Leos III. bei Karl d. Gr., der hier, inmitten des Sachsenlandes, Hof hielt[1]. Es war die erste Begegnung Karls mit dem Nachfolger Hadrians I., der 795 gestorben war und den Karl 774, 781 und 787 in Rom aufgesucht hatte. Seit der Reise Stephans II. über die Alpen im Jahre 754 hatten die Franken keinen Papst in ihrem Lande gesehen. Damals hatte Stephan II. die fränkische Waffenhilfe gegen die Langobardengefahr erbeten und erlangt. Ein sehr viel ernsterer Anlaß führte diesmal den Papst ins ferne Sachsenland. Am 25. April 799 hatte eine römische Adelsgruppe in der Absicht, Leo zu stürzen, ein Attentat inszeniert und versucht, ihn durch Blendung und Verstümmelung der Zunge amts-

[1] BM. 350 e; zuletzt P. Classen, Karl der Große, das Papsttum und Byzanz, in: Karl der Große, Lebenswerk und Nachleben 1 (hrsg. von W. Braunfels, 1965) S. 569 ff. mit Literaturangaben.

unfähig zu machen[2]. Die Führer des Aufstandes waren der Primicerius Paschalis und der Saccellarius Campulus, Inhaber hoher Ämter der päpstlichen Bürokratie bereits seit den Tagen Hadrians, Paschalis obendrein dessen Neffe. Beide konnten dem Frankenkönig, den sie als Gesandte Hadrians aufgesucht hatten, nicht unbekannt sein. Von den politischen Motiven, die wir nicht kennen, aber voraussetzen müssen, sind die Anklagen zu unterscheiden, die gegen den Papst wegen seiner Lebens- und Amtsführung erhoben wurden. Dem Unternehmen ist freilich nur ein bescheidener Teilerfolg beschieden gewesen: Schon beim Attentat selbst war Leo mit leichten Verletzungen davongekommen. Anschließend gelang es ihm, aus der Haft seiner Gegner und aus der Stadt zu fliehen und sich in den Schutz fränkischer *missi* zu begeben. Vielleicht ist es diesem für die Urheber wohl unerwarteten Ausgang des Putsches zuzuschreiben, daß eine förmliche Absetzung des Papstes, falls diese beabsichtigt war, vollends die Wahl eines Nachfolgers unterblieben sind[3]. Indem der Papst vielmehr den Frankenkönig aufsuchte, verlagerte sich die Auseinandersetzung um seine Person zunächst an dessen Hof und damit nach Paderborn.

Zweifel an der Eignung Leos für das höchste kirchliche Amt hat Karl bereits bei Leos Amtsantritt gehegt[4]. Alkuins Briefwechsel mit Arn von Salzburg enthält | Anspielungen, die in dieselbe Richtung weisen, und bezeugt zugleich die wachsende römische Opposition[5]. Diese hatte es nun immerhin vermocht, den Papst von seinem Amtssitz zu verdrängen.

[2] BM. 348 b; H. Zimmermann, Papstabsetzungen des Mittelalters 1 (in: MIÖG. 69, 1961) S. 27 ff.; Classen in: Karl der Große 1 S. 569.

[3] Zimmermann in: MIÖG. 69 S. 27 f. mit A. 8.

[4] Epp. 4 S. 135 ff. Nr. 92 f.; Classen in: Karl der Große 1 S. 568.

[5] Ebd. S. 569 mit A. 142. Vgl. außer den dort angeführten Briefen Epp. 4 Nr. 146 u. 159 auch den an Erzbischof Arn von Salzburg gerichteten Brief Alkuins Nr. 173, bisher wegen der Anspielungen auf schwere römische Wirren, die auch den Papst betrafen, zu Mai 799 eingeordnet, als früheste Reaktion Alkuins auf Nachrichten über den Anschlag auf Leo III.: *Et ubi fons aequitatis et iustitiae ad omnes per rivulos sanctitatis profluere debuit, ibi maxime iniquitatis palustris profunditas exalatur: sicut forte a sanctissima sede auditurus eris, quid ibi scelerum et nimiae*

Die Nachricht von diesen römischen Vorgängen erreichte Karl in Aachen während des Mai zunächst in der Version, der Papst sei geblendet und somit amtsunfähig. Denn in diesem Sinne wurde Alkuin vom König brieflich informiert[6]. Karl erwog sogleich einen

atrocitatis nuper gestum esse refertur. Hauptanlaß und -inhalt des Briefes ist jedoch Alkuins Glückwunsch zur Verleihung des erzbischöflichen Palliums, das Arn am 20. April 798 erhalten hatte (Germania pontificia 1, bearbeitet von A. Brackmann, 1911 S. 8 Nr. 7). Im Mai 799 lag dies über ein Jahr zurück, und aus diesem Zeitraum sind zahlreiche an Arn gerichtete Briefe Alkuins erhalten. Die Reihe beginnt im Juni 798 mit Brief 146, der nach Arns Rückkehr aus Rom fragt und u. a. Antwort erbittet, *quid Romanorum nobilitas novi habeat adinventum.* Kurz vor dem 4. August (Brief 150) wird der Wunsch nach einer Begegnung mit Arn mit der Bitte um Unterrichtung *de prosperitate domni apostolici* verbunden. Sie wird im September (Brief 156) wiederholt. Den Eingang der mit Ungeduld erwarteten Nachricht Arns bestätigt Brief 157 für Mitte September. Der dürftige Inhalt des erhaltenen Briefes gibt Anlaß zu erneuter Frage nach dem Papst. Ein weiterer Brief Arns traf am 6. Oktober in Tours ein (von Alkuin mit Brief 158 bestätigt). Aus Alkuins Brief 159 vom November wird deutlich, daß in einem neuerlichen Brief Arn endlich auf die Lage des Papstes eingegangen ist, denn Alkuin bestätigt die Informationen *de domni apostolici religiosa vita et iustitia; quales et quomodo iniustas patitur perturbationes a filiis discordiae. Multo me gaudio refocilatum fore fateor, quod pater ecclesiarum pio animo et fideli absque dolo Deo servire satagit.* Arn hatte somit auf wiederholte drängende Fragen Anfeindungen des Papstes durch die Römer bestätigt, den Papst belastende Nachrichten jedoch dementiert. Der verlorene Brief könnte sehr wohl eine Antwort auf Alkuins Brief 173 gewesen sein; dieser wäre dann zwischen den Briefen 158 und 159 (Ende Oktober — Anfang November) einzuordnen. Dazu würde es passen, daß Alkuin in Brief 157 ein Zusammentreffen mit Arn noch erhofft, diese Hoffnung jedoch in Brief 158 aufgegeben hat. Brief 173 bringt eingangs die gleiche Resignation zum Ausdruck. Brief 173 würde damit zu einem interessanten Zeugnis über römische Vorgänge, die zur Vorgeschichte des Aufstandes von 799 zu rechnen wären.

[6] Epp. 4 Nr. 174. Zur Chronologie dieses und der weiteren einschlägigen Briefe vgl. Verfasser, Die Kaiserfrage bei den Paderborner Verhandlungen von 799 (in: Das erste Jahrtausend, Textband 1, 1962) S. 300 A. 35; Classen in: Karl der Große 1 S. 570 mit A. 146 f.

Romzug, doch kollidierte dies mit dem für den Sommer vorgesehenen Feldzug ins Sachsenland, mit dem Alkuin bereits im März gerechnet hatte[7]. Mit Entschiedenheit trat dieser jetzt für den Vorrang der römischen Fragen ein und riet zum Frieden mit den Sachsen. Einem weiteren Brief Karls, auf den Alkuin im Juli antwortete[8], war zu entnehmen, daß der Papst gesund sei und sich auf dem Wege ins Frankenreich befinde. Noch war von der Romfahrt die Rede, an der teilzunehmen Alkuin aufgefordert, aber nicht bereit war. Wenn der hier beant- | wortete Brief Karls noch aus Aachen gekommen war[9], so könnte für die Entscheidung, den geplanten Sachsenfeldzug nicht aufzugeben, die Nachricht von der Gesundheit des Papstes und seiner Absicht, ins Frankenreich zu reisen, den Ausschlag gegeben haben. In seiner Antwort an Alkuin läßt der König freilich erkennen, daß er auch noch in Paderborn, wo er inzwischen eingetroffen war, an einen Romzug für das gleiche Jahr dachte. Bittet er doch Alkuin, wenn er schon selbst nicht teilnehmen wolle, statt dessen einige seiner Schüler aus Tours abzuordnen[10]. Nicht auszuschließen ist, daß dieser zweite Brief Karls bereits nach Leos Ankunft in Paderborn abgesandt worden war, da in ihm nochmals ausdrücklich von der „wunderbaren Gesundheit des Papstes“ die Rede ist. Karls Absicht mag also zunächst den Wünschen Alkuins entsprochen haben, Karl möge den Papst alsbald selbst nach Rom zurückführen und in seinem Amt restituieren[11]. Die Reichsannalen betonen, Karl habe trotz der aus Rom eingetroffenen alarmierenden Nachricht den Sachsenfeldzug nicht aufgegeben. Bedenkt man die protokollarische Sorgfalt, mit der im frühen Mittelalter die Orte für Begegnungen auf höchster Ebene ausgewählt wurden, um je nach Lage der Dinge einem Gefälle oder einem Gleichgewicht der Rang- und Machtverhältnisse zu entsprechen[12], so liegt es nahe, daß Karl mit seiner Disposition, den Papst

[7] Epp. 4 Nr. 169.

[8] Ebd. Nr. 177.

[9] Dies erwägt Classen in: Karl der Große 1 S. 570 A. 147.

[10] Epp. 4 Nr. 178.

[11] Ebd. Nr. 177.

[12] Vgl. den Hinweis von H. Büttner, Heinrichs I. Südwest- und Westpolitik (1964) S. 49 f.

in Paderborn und nicht etwa in Aachen zu empfangen, das beiderseitige Verhältnis hervortreten lassen wollte[13].

Damit verband sich eine weitere Demonstration. In Paderborn, der von Karl schon seit vielen Jahren im Sachsenland bevorzugten Stätte, war inzwischen eine königliche Pfalz und eine „Kirche von wunderbarer Größe“[14] errichtet worden, die Befriedung des Landes war weit fortgeschritten und die Mission hatte verheißungsvolle Anfänge genommen. Wo anders als hier konnte sich Karl überzeugender als Vorkämpfer des christlichen Glaubens und als Heidenbesieger darstellen[15]? Auch sonst hatten dem König solche Gesichtspunkte nicht fern- | gelegen. Dem Empfang des Papstes in Paderborn ist die Überweisung eines großen Teils der riesigen Avarenbeute an die römische Kirche im Jahre 796 zur Seite zu stellen[16]. Es kommt hinzu, daß Karl zwar mit größerem Heeresaufgebot ins Sachsenland einrückte, mit den militärischen Aufgaben jedoch seinen Sohn Karl betraute, um selbst in Paderborn zu residieren[17]. Im Vordergrund standen hier die Verhandlungen mit Leo III., der von Juli bis Oktober anwesend war, sowie mit Abgesandten der römischen Gegenpartei. Nach der Abreise des Papstes erschien noch eine Gesandtschaft des Patricius Michael von Sizilien. So wurden auch

[13] Ann. regni Francorum (Schulausgabe von Fr. Kurze, 1895) S. 107: ... *iter tamen suum, quod in Saxoniam facere constituerat, non omisit.* Dazu: Das erste Jahrtausend, Textband 1 S. 301; Classen in: Karl der Große 1 S. 570.

[14] Ann. Laureshamenses zu 799 (SS. 1 S. 38): *Aedificavit ecclesiam mira (!) magnitudinis.* Dazu: Das erste Jahrtausend, Textband 1 S. 303 A. 53. Vgl. ferner über die Grabungen zur Baugeschichte des Domes (1952—59) die Berichte von Fr. J. Esterhues, H. Thümmler und A. Doms in: Westfalen 43 (1965) S. 119—33. Zu den jüngsten Ausgrabungen an der Nordseite des Domes s. die oben zitierte Originalveröffentlichung dieses Beitrages S. 99.

[15] Das erste Jahrtausend, Textband 1 S. 302 f.; Classen in: Karl der Große 1 S. 570. Den missionsgeschichtlichen Gesichtspunkt betont nachdrücklich K. Hauck, Die fränkisch-deutsche Monarchie und der Weserraum (in: Ausstellungskatalog Kunst und Kultur im Weserraum 800—1600 I, 1966) S. 101.

[16] BM. 328 n.

[17] Ebd. 350 d—f.

die Vertreter Ostroms nach Paderborn dirigiert und nicht nach Aachen, wohin Karl anschließend für den Winter zurückgekehrt ist[18]. Karls Entschluß, trotz allem für den Sommer nach Paderborn zu gehen, war eine politische Entscheidung, die den kommenden Verhandlungen die Richtung wies, mit der sich Karl jedoch zugleich von Alkuin trennte, der gerade dem widerraten hatte[19] und sich denn auch bald bitter darüber beklagen mußte, zu den Paderborner Verhandlungen nicht hinzugezogen zu werden[20]. Die Differenz der Auffassungen war gewiß nicht prinzipieller Natur. Dürfte doch Alkuin selbst den Brief verfaßt haben, mit dem Karl 796 Leo zu seinem Amtsantritt gratuliert, die Geschenke aus der Avarenbeute übersandt und die beiderseitigen Befugnisse mit den berühmten Worten abgegrenzt hatte: „Unser ist es, mit der Hilfe des göttlichen Erbarmens die heilige Kirche Christi allenthalben vor dem Einbruch der Heiden und der Verwüstung der Ungläubigen außen mit den Waffen zu verteidigen und innen mit der Erkenntnis des katholischen Glaubens zu festigen. Euer ist es, Heiliger Vater, mit zu Gott erhobenen Händen wie Moses unser Waffenwerk zu unterstützen, auf daß durch Eure Intercession dank Gottes Führung und Gabe das christliche Volk über die Feinde seines heiligen Namens allezeit und allenthalben Sieg habe und der Name unseres Herrn Jesu Christi in der ganzen Welt gepriesen werde[21]." Für das politische Handeln boten diese Grundsätze gleichwohl einen weiten Spielraum, ganz zu schweigen davon, daß Alkuin den Zeitpunkt, da über den Nachfolger Petri eine Katastrophe hereingebrochen war, schwerlich für geeignet halten mochte, Grundsätze der Gewaltenteilung zu demonstrieren. Letzten Endes stand dem Politiker der Theologe gegenüber. |

[18] Ebd. 350 g—h.

[19] Epp. 4 Nr. 174.

[20] Ebd. Nr. 179; Das erste Jahrtausend, Textband 1 S. 304 f. mit A. 69. Zu weiteren Spannungen zwischen Alkuin und Karl ebd. A. 71.

[21] Epp. 4 Nr. 93 S. 137 Z. 31 ff. Die Übersetzung nach E. Caspar, Das Papsttum unter fränkischer Herrschaft (in: ZKiG 54, 1935) S. 216. Alkuin als Verfasser des Briefes: L. Wallach, Alcuin and Charlemagne (Cornell Studies in Classical Philology 32, 1959) S. 19 im Anschluß an L. Halphen.

2.

Daß Alkuin darauf angewiesen blieb, die ihn aufs höchste bewegenden Paderborner Vorgänge aus dem fernen Tours zu verfolgen und sich durch den in Paderborn weilenden Arn von Salzburg, seinen auch sonst wichtigsten Korrespondenten, auf dem laufenden halten zu lassen, hat uns mit Alkuins Briefen eine unschätzbare Quelle für die Paderborner Verhandlungen eingebracht. Daneben ist, wenn man von den knappen Notizen anderer Quellen absieht, vor allem das Epos zu stellen, dessen lateinischer Text in einer erneuten Revision, zusammen mit einer deutschen Prosaübertragung, hier vorgelegt wird. Der längst bekannte Text ist durch die von Carl Erdmann getroffene Feststellung, daß die Dichtung, in der der Empfang des Papstes durch Karl d. Gr. zu Paderborn ausführlich geschildert wird, unmittelbar unter dem Eindruck der Vorgänge selbst noch in Paderborn und vor der Rückkehr des Papstes nach Rom entstanden ist, als Geschichtsquelle sozusagen neu entdeckt worden[22]. Hatte man bis dahin wegen der imperialen Prädikate, mit denen der Dichter Karl feiert, eine Entstehung nach der Kaiserkrönung vom Weihnachtstage 800 angenommen, so verbietet sich dies, weil die am 4. Juni 800 in Tours verstorbene Königin Liutgard[23] vom Dichter unbefangen als eine Lebende behandelt wird (Vers 184). Eine weitere Einengung der Entstehungszeit ergibt sich daraus, daß der Dichter, der ohnehin nur die Vorgänge des Paderborner Ankunftstages schildert, das weitere Schicksal des Papstes nicht kennt, wenn er mit den Worten schließt: „Mit solchen Ehren wurde Leo von Karl empfangen, er, der vor den Römern geflohen und aus seinem Lande vertrieben worden war.“ Der unbekannte Dichter[24] ist ein leidenschaftlicher Anwalt des Papstes gegenüber dem König, den er im panegyrischen

[22] C. Erdmann, Forschungen zur politischen Ideenwelt des Frühmittelalters (1951) S. 21 ff.; vgl. auch bereits denselben, Das ottonische Reich als Imperium Romanum (in: DA. 6, 1943) S. 418.

[23] BM. 355 a.

[24] Zur Frage der Person vgl. Das erste Jahrtausend, Textband 1 S. 296 A. 2 u. S. 316 A. 133.

ersten Teil des Epos mit überschwenglichem Lob günstig zu stimmen sucht. Eines der Hauptargumente für die gerechte Sache des Papstes ist die von Gott verfügte wunderbare Heilung der Augen und der Zunge. Blendung und Verstümmelung werden somit vorausgesetzt. Doch schon im August hatte Alkuin einem Briefe Karls entnehmen können, das Wunder bestehe vielmehr in der Vereitelung des Anschlages[25]. Im gleichen Sinne hat sich Leo[26] selbst vor der | römischen Synode im Dezember 800 erklärt. Diese Klarstellung ist also spätestens im August 799 und somit in Paderborn erfolgt.

Aus einem an Karl gerichteten Gedicht Theodulfs von Orléans[27] ergibt sich weiterhin, daß die Version von der Blendung und wunderbaren Heilung des Papstes erst von dessen Gegnern angefochten und damit in Frage gestellt worden ist. Denn sie hätten behauptet, eine Blendung und Verstümmelung der Zunge habe gar nicht stattgefunden, und von einer den Papst rechtfertigenden Heilung durch den hl. Petrus könne somit nicht die Rede sein[28]. Da es zuvor von Leo heißt, Karl habe ihn bei sich aufgenommen[29], also in Paderborn empfangen und beherbergt, und da wir wissen, daß auch Leos Gegner eine Vertretung nach Paderborn entsandt

[25] Epp. 4 Nr. 178.

[26] Erklärung vom 23. Dezember 800: ... *qualiter homines mali adversus me insurrexerunt et debilitare voluerunt;* Epp. 5 S. 63. Vgl. die erschöpfende Zusammenstellung und kritische Prüfung der Nachrichten bei S. Abel und B. Simon, Jahrbücher des fränkischen Reiches unter Karl dem Großen 2 (1883) S. 168 ff., und Exkurs I S. 583—87; Caspar in: ZKiG. 54 S. 220 mit A. 20. Zu den von L. Wallach in: Traditio 11 (1955) S. 37—63 vorgebrachten Zweifeln an der Tatsache eines Reinigungseides und der Echtheit des überlieferten Textes, denen sich Zimmermann in: MIÖG. 69 S. 34 anschließt, vgl. Das erste Jahrtausend, Textband 1 S. 296 A. 12; W. Wattenbach und W. Levison, Deutschlands Geschichtsquellen im Mittelalter, Vorzeit und Karolinger 4 (bearbeitet von H. Löwe, 1963) S. 457 mit A. 300; Classen in: Karl der Große 1 S. 578 A. 200.

[27] Poetae 1 S. 523 f., Nr. 32.

[28] Vers 21 f.: *Reddita namque negat, negat haec ablata fuisse, / Haec auferre tamen se voluisse canit* (sc. *seditiosa cohors,* d. h. die Aufständischen).

[29] Vers 13 f.

hatten[30], dürfte diese poetische Darstellung einen Ausschnitt aus den Paderborner Verhandlungen wiedergeben. Das Gedicht selbst gehört in die erste Hälfte des Jahres 800, da es einerseits die Restituierung des Papstes in Rom (Herbst 799) voraussetzt[31], andererseits in die Aufforderung an Karl ausklingt, er möge Orléans besuchen[32]. Dieser Besuch hat in den Monaten Juni—Juli 800 stattgefunden[33]. |

Bemerkenswert ist, daß Theodulf die Darstellung der Papstgegner nicht akzeptiert, sondern daran festhält, Petrus habe durch Wiederverleihung der Augen und der Zunge den Papst gerechtfertigt. Eine gewisse Unsicherheit ist jedoch nicht zu verkennen. Unterläßt er es doch nicht hinzuzufügen, daß es sich um ein kaum

[30] Zustimmung verdient der Hinweis von Classen in: Karl der Große 1 S. 570 A. 150, daß mit einer Anwesenheit von „Führern" der Aufständischen in Paderborn schwerlich gerechnet werden kann. Doch dürfte es sich um Boten gehandelt haben, die über Vollmachten verfügten, da sie nach Alkuins Brief Nr. 179 mehrere Alternativvorschläge zu machen wußten.

[31] Vers 29 f.: *Per se reddit ei membrorum damna pavenda, / et per te sedis officiique decus.* Bei diesem Zeitansatz muß allerdings *reddit* als Kontraktion des Perfekts *reddidit* aufgefaßt werden. Dies wird durch den Bezug auf die Heilung des Körpers nahegelegt, jedoch nicht zwingend erfordert. Auch die Präsensform, die immerhin im Text steht, ergibt einen Sinn: Petrus ist von sich aus imstande, die Wunden des Leibes zu heilen und durch Dich Sitz und Amt wiederherzustellen. Classen paraphrasiert ebenso S. 577 „Karl soll dessen Amt wiederherstellen". In diesem Falle wäre das Gedicht vor Leos Rückkehr nach Rom und damit in die Zeit der Paderborner Verhandlungen von 799 zu stellen und als unmittelbare Reaktion auf die Paderborner Einlassungen der Papstgegner anzusehen. Die schwankende Haltung zur Frage der wunderbaren Rechtfertigung des Papstes würde zu diesem Zeitansatz noch besser passen.

[32] Vers 46: *Et videat dominum urbs Aureliana suum.*

[33] W. von den Steinen, Karl und die Dichter (in: Karl der Große 2, 1965) S. 82 setzt das Gedicht nach Karls Besuch in Orléans und vor seinem Romzug an, an dem Theodulf selbst teilgenommen hat. Ähnlich Classen in: Karl der Große 1 S. 577 A. 193. Die *urbs Aureliana*, die hier Karl zu sehen wünscht, ist jedoch bei Theodulf auch sonst Orléans, vgl. Carmen 30 Vers 34 und 37 Strophe 5, Poetae 1 S. 521 bzw. 529.

geringeres Wunder handeln würde, wenn die Gegner recht hätten und Petrus somit das Attentat überhaupt vereitelt habe[34]. Für diese von Theodulf sozusagen nur hypothetisch eingeführte Alternativdeutung des Sachverhalts hatte sich Alkuin bereits im August 799 auf Grund einer brieflichen Mitteilung Karls entschieden[35]. Die Darstellung Theodulfs stimmt hierin mit der durch Alkuins Briefe verbürgten zeitlichen Abfolge der Vorgänge überein: denn mit guten Gründen haben die Herausgeber Alkuins nach Paderborn gerichteten Brief an Arn von Salzburg, der die Anwesenheit von Vertretern der Papstgegner aus Rom bezeugt, als Brief 179 eingeordnet und ebenfalls in den August gesetzt. Man darf vermuten, daß die Briefe Karls und Arns, die Alkuin im August beantwortete, vom gleichen Boten überbracht worden waren. In beiden hatten sich die Vorstellungen der römischen Gesandten niedergeschlagen: in Arns Schreiben die gegen den Papst erhobenen Anklagen und der Vorschlag, ihm einen Reinigungseid aufzuerlegen oder ihn zum Rücktritt zu veranlassen[36]; im Schreiben des Königs die Klarstellung über den tatsächlichen Verlauf des gegen Leo verübten Anschlages.

Spätestens in der ersten Hälfte des August war somit in Paderborn die Lesart von der Blendung und Verstümmelung erledigt. Der Dichter unseres Epos baut jedoch ganz unbefangen seine Verteidigung des Papstes gerade auf dieser Version auf[37]. So wird man

[34] Vers 23 f.: *Reddita sunt, mirum est, mirum est auferre nequisse, / Est tamen in dubio, hinc mirer an inde magis.*

[35] Epp. 4 Nr. 178 S. 295 Z. 4: ... *qui* (sc. *Deus*) *impias conpescuit manus a pravo voluntatis effectu; volentes caecatis mentibus lumen suum extinguere et se ipsos impio consilio proprio privare capite.*

[36] Ebd. Nr. 179 S. 297 Z. 13—17: *Intellego quoque multos esse aemulatores eiusdem praedicti domni apostolici; deponere eum quaerentes subdola suggestione; crimina adulterii vel periurii illi inponere quaerentes; et tunc, sacramento gravissimi iurisiurandi ab his se purgaret criminibus, ordinantes; sic consilio secreto suadentes, ut deponeret sine iuramento pontificatum et quietam in quolibet monasterio ageret vitam.* Vgl. Das erste Jahrtausend, Textband I S. 309.

[37] Anders zu beurteilen sind die aus der Zeit nach Leos Rehabilitierung stammenden Berichte. Nach dem Sieg des Papstes über seine Gegner scheint

schließen dürfen, daß er sein Gedicht zum Abschluß gebracht | hat, bevor die römischen Gesandten eintrafen oder doch jedenfalls, bevor die Verhandlungen mit diesen zu den Ergebnissen geführt hatten, die durch Karl und Arn an Alkuin übermittelt worden sind.

In die gleiche Richtung weisen auch die Worte, die der Dichter unseres Epos den Papst an die fränkischen Königsboten richten läßt, in deren Schutz er sich nach seiner Flucht aus Rom begeben hat: „Es sei mir vergönnt, des herrlichsten Fürsten Angesicht zu schauen, daß er mit gerechtem Urteil unser Handeln prüfe, daß er als machtvoller Rächer die furchtbaren Mißhandlungen, die wir erduldet, vergelte"[38]. Wiederum aus Alkuins Brief an Arn vom August ergibt sich, daß die Gesandtschaft der Gegner Leos in Paderborn rechtliche Verfahrensfragen erörtert hat. Dabei war vom Reinigungseid die Rede, ein Ausweg, gegen den sich Alkuin beschwörend wendet mit dem Hinweis auf die Immunität des Papstes, auf den kanonischen Grundsatz *apostolicam sedem iudiciariam esse,*

auch der Hof keinen Wert mehr darauf gelegt zu haben, die anfänglichen Nachrichten von der Blendung und Verstümmelung in der Öffentlichkeit zu dementieren. Daran festgehalten haben die Reichsannalen und die Ann. Mettenses priores von 805 (Schulausgabe von B. von Simson, 1905 S. 83: ohne Erwähnung der Zunge) sowie Einhard, Vita Karoli magni (Schulausgabe von G. Waitz und O. Holder-Egger, 1911) c. 28. Die Lorscher Annalen (SS. 1 S. 37 zu 799) unterscheiden: ... *et absciderunt linguam eius et voluerunt eruere oculos eius et eum morti tradere. Sed ... non perficerunt.* Der Bearbeiter der Reichsannalen relativiert den Text seiner Vorlage durch den Zusatz *ut aliquibus visum est* (Schulausgabe S. 107). Mit den Lorscher Annalen stimmt die Vita Leonis auffällig überein: ... *crudeliter oculos evellere et ipsum penitus caecare conati sunt. Nam lingua eius praecisa, et, ut ipsi tunc arbitrati sunt, caecum eum et mutum in media platea dimiserunt.* Nicht minder auffällig freilich, wenn es schon im nächsten Satz heißt: *Postmodum vero ... iterum eum bis oculos et linguam amplius crudeliter eruerunt,* Voraussetzung für die anschließende Heilung durch Petrus *(et visum recepit et lingua ad loquendum illi restituta est)*; Liber pontificalis 2 (hrsg. von L. Duchesne, 1886) S. 4 f. Mit einer annalistischen Entstehung der Vita Leonis harmoniert dieser Befund nicht. Vgl. unten Anm. 125.

[38] Vers 388 ff.

non iudicandam[39]. Wenn unser Dichter Leo von Karl sagen läßt, *iusto nostros examinet actus iudicio*, so läßt er den Papst damit die rechtliche Position der Immunität preisgeben, die Alkuin im August verteidigt, ja er läßt ihn sogar mehr preisgeben, als die Gegner mit dem Vorschlag des Reinigungseides gefordert haben. Tatsächlich war am Ende der Reinigungseid Leos vor dem römischen Konzil vom Dezember 800 die Kompromißlösung, die es erlaubte, ohne die Eröffnung eines förmlichen Gerichtsverfahrens den Grundsatz der apostolischen Immunität[40] gerade noch zu wahren, ohne jedoch auf Kosten jedweden Rechtsgedankens das Amt den Träger uneingeschränkt decken zu lassen[41]. Mit einem gewissen Recht ist darauf hingewiesen worden, es hieße „den Poeten auf eine präzisierte und sehr folgenreich gemeinte Aussage" festlegen[42], wolle man unterstellen, er habe mit den Worten Leos das rechtliche Verfahren im Auge gehabt, mit dessen Hilfe der römische Konflikt bereinigt werden sollte. Es ist einzuräumen, daß es der | Dichter schwerlich im Sinne gehabt haben dürfte, zu so komplizierten Rechtsfragen Stellung zu nehmen. Verglichen mit der delikaten rechtlichen Situation, ist seine Haltung eher von unbefangener Naivität geprägt. Sie entspricht der ersten und sozusagen spontanen Reaktion Alkuins vom Juni 799 (Brief 174), an der er auch im Juli noch festgehalten hat (Brief 177), während diese Unbefangenheit in seinen Briefen vom August (178. 179)[43] gebrochen erscheint. Nichts davon beim Dichter: Karl wird prüfen, urteilen und sodann als Rächer des Papstes handeln. So mag man es sich in der Tat während der Paderborner Julitage und vor den Verhandlungen mit den Abgesandten der Gegenseite vorgestellt haben.

[39] Epp. 4 Nr. 179 S. 297 Z. 24.

[40] Vgl. die Worte der römischen Konzilsväter vom Dezember 800 nach der Vita Leonis: *Nos sedem apostolicam ... iudicare non audemus. Nam ab ipsa nos omnes et vicario suo iudicamur; ipsa autem a nemine iudicatur;* Liber pontificalis 2 S. 7.

[41] K. Heldmann, Das Kaisertum Karls des Großen. Theorien und Wirklichkeit (1928) S. 106; Caspar in: ZKiG. 54 S. 228 f.; Zimmermann in: MIÖG. 69 S. 37.

[42] Von den Steinen in: Karl der Große 2 S. 90 A. 96.

[43] Epp. 4 S. 295 Z. 7-10 und S. 297 Z. 35 f.

Spricht somit alles für eine Entstehung des Epos in der ersten Phase der Paderborner Verhandlungen vor dem Eintreffen der römischen Gesandtschaft, so bedarf es noch eines Wortes zu der Zeit, die dem Dichter für seine kunstvollen 536 Hexameter zur Verfügung gestanden haben könnte. Es ist auf den in der Tat allzu engen Spielraum hingewiesen worden, der sich ergibt, wenn man die Ankunft des Papstes für Ende Juli annimmt und Alkuin bereits im August auf die Einlassungen der römischen Gesandten eingeht[44]. Prüft man die Chronologie in dieser Hinsicht nach, so zeigt sich freilich, daß in Wirklichkeit die Ankunft Leos und die der Gesandten sehr viel weiter auseinanderliegen können. Wenn Karl, der nach dem 13. Juni 799 von Aachen aufgebrochen ist, Alkuin in einem Brief von dem Nahen des Papstes unterrichtete, der nach dem 10. Juli beantwortet wird (Brief 177), so könnte, wie mit Recht bemerkt worden ist[45], dieser Königsbrief sogar noch von Aachen abgegangen sein. Der Papst wäre dann schon auf dem Wege gewesen, als Karl von Aachen aufbrach. Mit einem Eintreffen Leos in Paderborn kann daher schon Anfang Juli gerechnet werden. Der die Anklagen der Römer betreffende Brief Alkuins ist zum August eingereiht worden, weil ausdrücklich die Hitze dieses Monats *(fervor mensis augusti)* als Grund für die von Karl getadelte Schreibfaulheit angeführt wird[46]. Strenggenommen kann dies natürlich auch noch Anfang September im Rückblick auf einen heißen August gesagt worden sein, und so dürfte dieser Brief ebenso wie der entsprechende an Arn (179) mindestens Ende August, wenn nicht Anfang September geschrieben worden sein. Der Weg von Paderborn nach Tours beträgt ca. 800 km, war also von einem berittenen Boten in zwei Wochen gut zu bewältigen. Selbst wenn die römischen Gesandten erst Mitte August in Paderborn eingetroffen sind, konnte Alkuin davon Ende August oder Anfang September unterrichtet sein. Als Spielraum für den Dichter ergäbe sich dann eine Zeit von vier bis fünf Wochen. Legt | man 30 Tage zugrunde, so bedurfte es eines Tagesdurchschnitts von nicht ganz 18 Hexa-

[44] Von den Steinen in: Karl der Große 2 S. 89 A. 94.

[45] Classen, ebd. 1 S. 570 A. 147.

[46] Epp. 4 Nr. 178 S. 295 Z. 12.

metern, bei 20 Tagen eines solchen von knapp 27 Versen. Das sind sehr äußerliche und schematische Erwägungen, die jedoch zu zeigen vermögen, daß von hier aus gegen die vorgeschlagene Entstehungszeit keine Einwände bestehen.

3.

Dieser engere Zeitansatz steht und fällt nun allerdings mit dem hier vorausgesetzten Entstehungsort, der Annahme also, der Dichter sei Augenzeuge gewesen und habe mit seinem Werk versucht, die Sache des Papstes zu unterstützen. Diese unbezweifelbare Tendenz des Werkes reicht freilich, für sich allein genommen, noch nicht aus, die Entstehung der Dichtung in Paderborn zu lokalisieren. Es genügt der Hinweis auf Alkuin, der vom fernen Tours aus auf schriftlichem Wege den Gang der Dinge zu beeinflussen suchte, und ihm kann Theodulf mit seinem bereits erwähnten Gedicht zur Seite gestellt werden. Mit der apologetischen Tendenz verbindet unser Dichter jedoch eine anschauliche Schilderung der Paderborner Vorgänge bis zum Abend des Ankunftstages Leos III. Während Alkuin noch im September 799 von Adalhard von Corbie wissen möchte, ob in Paderborn neue Gebäude errichtet worden seien[47], gibt der Dichter darüber genauere Auskunft als irgendeine andere Quelle: Er bestätigt nicht nur die vorliegenden Nachrichten über eine Paderborner Kirche, sondern kennt auch eine *aula regalis* (Vers 433), die innen mit Bildteppichen geschmückt ist (Vers 524), und weiß von einem Thron zu berichten, von dem aus Karl eine Ansprache an sein Heer halten kann, der somit unter freiem Himmel aufgestellt war (Vers 463)[48]. Diese speziellen Daten sind durch die jüngsten Paderborner Ausgrabungen an der Nordseite des Domes, wenn man den bisher vorliegenden archäologischen Deutungen folgt, bestätigt worden[49]. Der Dichter weiß, daß Paderborn „auf der

[47] Ebd. Nr. 181 S. 299 Z. 13: *Et si nova surgerent tecta in palustribus perfidiae lustris.*

[48] Vgl. auch Vers 449 und vielleicht auch 512.

[49] Siehe die oben zitierte Originalveröffentlichung dieses Beitrages S. 104 ff.

Höhe in einer kahlen Ebene" liegt, „ringsum dehnt sich weit das Gelände. Von der Höhe des Hügels kann man das ganze Heer, den langen Zug der Krieger überschaun, das Lager der Herzöge und der Grafen, die schimmernde Rüstung der Krieger" (Verse 429 bis 430).

Aber auch die Darstellung der Vorgänge läßt sich mit unseren anderweitigen Informationen vereinbaren und wird durch diese, soweit es sich nicht um zusätzliche Nachrichten handelt, gedeckt. Daß Karl im Epos zunächst durch ein Traum- | gesicht über den römischen Anschlag informiert wird, kann kaum auf eine falsche Unterrichtung des Dichters zurückgeführt werden, sondern geht auf das Konto der poetischen Freiheit und der hagiographisch-apologetischen Stilisierung. Wenn er alsdann Karl drei Boten nach Rom senden läßt und Germar als einen von ihnen mit Namen nennt[50], so ergänzt dies die Nachricht des römischen Papstbuches, das als Boten den Erzkapellan Hildibald und den Grafen Askarich angibt[51]. Germar wird in der gleichen römischen Quelle unter denen genannt, die Leo von Paderborn nach Rom zurückgeleiteten. Dadurch wird bestätigt, daß Germar bei diesen Vorgängen herangezogen worden ist, und seine Nennung durch den Dichter darf als selbständige und glaubwürdige Nachricht gewertet werden.

Karls Zug ins Sachsenland wird zunächst nur bis zum Rhein verfolgt (Verse 339—341). Hier wechselt die Szene (Vers 342), und wir hören von der Reise der nach Rom entsandten Boten, von ihrer Begegnung mit Leo und dem gemeinsamen Aufbruch an den Hof Karls. Mit Vers 415 wird Karls Heerfahrt wieder ins Bild gerückt, und wir sehen ihn jetzt den Rhein überschreiten. Dem entspricht es, daß Karl, nachdem er den Rhein erreicht hat, dort zunächst einen *generalis conventus*, eine Reichs- und Heeresversammlung abgehalten hat[52].

[50] Verse 332 ff. und 400.

[51] Vita Leonis im Liber pontificalis 2 S. 6.

[52] BM. 305b; Abel / Simson 2 S. 177 sowie Exkurs II S. 588 f.; Geschichtlicher Atlas von Hessen, Karte 7b (1961), Teilabdruck auch in: Westfälische Zs. 115 (1965) S. 371 zur Arbeit von H. Kindl, Padaribrunno, ein Versuch der Deutung des Ortsnamens Paderborn.

Die zur Lokalisierung des Attentats genannte Laurentiuskirche (Vers 367) wird auch von den sogenannten Einhardannalen erwähnt. Das Papstbuch nennt die Laurentiuskirche ebenfalls, lokalisiert jedoch das Attentat vor dem Kloster St. Stephan und Silvester, einer etwas späteren Station der päpstlichen Bittprozession[53]. Der Dichter weiß sodann, daß der Papst aus der Stadt zu fliehen vermochte und sich in den Schutz des Herzogs Winigis nach Spoleto begab. Erst dort habe ihn Herzog Winigis mit großen Ehren empfangen, während das Papstbuch den Herzog mit Heeresmacht dem Papst nach St. Peter entgegeneilen läßt, wo dieser zunächst Zuflucht gefunden hatte. Nach den fränkischen Quellen soll Leo den Herzog Winigis bereits in St. Peter angetroffen haben, was wohl die geringste Wahrscheinlichkeit hat und auch vom Bearbeiter der Reichsannalen in Übereinstimmung mit dem Papstbuch korrigiert wird[54].

Im Frankenreich gab es hierzu somit verschiedene Versionen. Die richtige scheint sich erst später durchgesetzt zu haben, so daß die abweichende Darstellung des Epos mit seiner frühen Entstehung gut zu vereinbaren ist, als Niederschlag mündlicher und noch verhältnismäßig ungenauer Berichte. Eine Abhängigkeit | von uns bekannten Schriftquellen kommt jedenfalls hier sowenig wie sonst in Frage. Bestätigt wird durch die Vita Leonis des Papstbuches, und nur durch sie, daß Karl seinen Sohn Pippin, den Unterkönig von Italien, dem Papst von Paderborn aus entgegengeschickt hat[55]. Daß der Dichter darüber hinaus diese Verfügung Karls auf die Ankunft eines päpstlichen Boten folgen läßt, der Leos Herannahen ankündigt, ist völlig unbedenklich. Ausdrücklich bestätigt die Vita Leonis, daß Karl den Papst bei der Begrüßung umarmte und küßte[56], sie bestätigt ferner die anschließenden liturgischen Handlungen[57].

[53] Abel / Simson 2 S. 167 A. 2.

[54] BM. 348b; Ann. qui dicuntur Einhardi zu 799 (Schulausgabe von Fr. Kurze, 1895) S. 107.

[55] Vita Leonis im Liber pontificalis 2 S. 6.

[56] Vers 498; Vita Leonis S. 6: *Et pariter se amplectentes cum lacrimis se osculaverunt* . . .

[57] Vers 513—21; Vita Leonis im Liber Pontificalis 2 S. 6: . . . *et a praedicto pontifice Gloria in excelsis Deo inchoante et a cuncto clero suscipiente, oratione super cuncto populo data,* . . .

Gegen eine Paderborner Ortskenntnis scheint Vers 426 zu sprechen: *Est locus insignis, quo Patra et Lippa fluentant.* Paderborn liegt nicht an der Lippe[58], sondern an der Pader, die unterhalb von Dom und Abdinghof aus mehreren ungewöhnlich starken Quellen entspringt und ca. 4 km nordwestlich der Stadt beim heutigen Neuhaus in die Lippe mündet. Immerhin durchfließt diese die weite Ebene, die vom Paderborner Dom- und Pfalzhügel aus nach den unmittelbar anschließenden Worten des Dichters überblickt werden kann. Im übrigen verlegt der Dichter Paderborn gar nicht an das Ufer der Lippe, wenn er sagt: „Es ist da ein berühmter Ort, wo Pader und Lippe fließen; er liegt auf der Höhe in einer kahlen Ebene, ringsum dehnt sich weit das Gelände." Wer nicht ohnehin wußte, wo Paderborn lag, dem wäre mit der Angabe „an der Pader" oder „an den Paderquellen" kaum gedient gewesen, während die Lippe in Verbindung mit der Pader einen guten Wegweiser abgibt. Doch solche Erwägungen dürften beim Dichter nicht einmal im Vordergrund gestanden haben. Denn er bewegt sich hier, wie schon die ersten Worte erkennen lassen *(est locus insignis),* in der Topik des Städtelobes[59] und nennt in diesem Zusammenhang die natürlichen Vorzüge der Lage. Dazu gehört neben dem Hügel mit dem weiten Rundblick der Reichtum an Wasserläufen. Ein weit ausführlicheres Lob Paderborns enthält die jüngere Translatio sancti Liborii[60]. Auch sie nennt, und zwar an erster Stelle, die Lage | inmitten einer weiten Ebene, hebt weiterhin die zahlreichen Quellen

[58] Von den Steinen in: Karl der Große 2 S. 89; vgl. auch S. 92.

[59] Zur Topik des Städtelobes vgl. E. Giegler, Das Genos der Laudes urbium im lateinischen Mittelalter. Beiträge zur Topik des Städtelobs und der Stadtschilderung (Phil. Diss. Masch. Würzburg 1953).

[60] Aus der Zeit des Bischofs Biso (887—909), c. 3, SS. 4 S. 150; hg. von A. Cohausz (Erconrads Translatio S. Liborii, 1966) S. 49 f.; Abel / Simson 2 S. 178 A. 3. Allgemein zu dieser Quelle zuletzt Kl. Honselmann, Die Annahme des Christentums durch die Sachsen im Lichte sächsischer Quellen des 9. Jahrhunderts (in: Westfälische Zs. 108, 1958) S. 214 f.; ders., Reliquientranslationen nach Sachsen (in: Das erste Jahrtausend, Textband 1, 1962) S. 173 ff.; Verfasser, Die Stellung des Weserraumes im geistigen Leben des Früh- und Hochmittelalters (in: Ausstellungskatalog Kunst und Kultur im Weserraum 800—1600 I, 1966) S. 147.

innerhalb des Ortes hervor, die sich zu einem Bett vereinigen, und versäumt nicht, auf weitere Flußläufe hinzuweisen *(nec desunt hinc et alia flumina)*, wobei wiederum an die Lippe und ferner an die Alme zu denken ist. Wenn unser Dichter nur zwei Gewässer namhaft macht, so ist dies auf sein Bedürfnis zurückzuführen, der Vita Martini des Venantius Fortunatus, von der er sich auch sonst vielfach hat leiten lassen[61], eine weitere Einzelheit nachzubilden. Die Verse, die er dort im Auge hatte, lauten:

Ut placide Rhenum transcendere possis et Histrum,
Pergis ad Augustam, qua Virdo et Licca fluentant[62].

Bei Venantius ist von Augsburg die Rede, wo Wertach und Lech fließen, und auch bei ihm führt der Weg dorthin über den Rhein.

Wenn es sich somit zeigt, daß es dem Dichter darauf ankam, den für Augsburg geprägten Vers des Venantius Fortunatus für Paderborn zu adaptieren, dann erklärt dies vollauf die Nennung von gerade zwei Flußläufen, die im übrigen, wie oben dargelegt, zur Lokalisierung Paderborns sehr wohl dienlich sein konnten. Jedenfalls hat er sich hier unter dem Einfluß der literarischen Vorlage weniger weit von der Wirklichkeit entfernt als bei seiner an Vergil orientierten Schilderung vom Bau der Aachener Pfalz nach dem Muster des Baues von Karthago, wo er sich dazu hat hinreißen lassen, auch für Aachen die Aushebung eines Hafenbeckens in seine Darstellung aufzunehmen[63]: Dichterische Imitatio hier wie dort, aber jetzt mit einer wahrlich massiven Korrektur der Wirklichkeit[64]! Das Beispiel zeigt mit aller Deutlichkeit, wie verfehlt es

[61] Das erste Jahrtausend, Textband 1 S. 296 A. 3 und S. 298 mit A. 19; vgl. auch unten S. 330.

[62] Vita Martini IV Vers 641 f.; MG. Auctores antiquissimi 4 S. 368.

[63] Vers 104 nach Vergil, Aeneis 1 Vers 427 f.

[64] Zum rhetorisch-panegyrisch überhöhten Wirklichkeitsbild des Dichters vgl. die Würdigung des Epos bei von den Steinen in: Karl der Große 2 S. 89—93, der allerdings eine sehr viel weiter gehende poetische Verwandlung der Wirklichkeit annimmt und entsprechende Zweifel an der hier erneut vorgetragenen historischen Auslegung äußert. Es fehlt aber auch nicht an Übereinstimmungen: Das Epos kein Fragment (S. 90), entscheidend für den Zeitansatz; zur imperialisierenden Terminologie (*nova Roma, caput orbis, pharus Europae, augustus* usw.): „Auf eine politische

wäre, aus der Lokalisierung Paderborns bei Pader und Lippe auf Unkenntnis der Örtlichkeit schließen zu wollen. Oder soll man es im Ernst einem karolingischen Hofdichter zutrauen, Aachen für eine Hafenstadt angesehen zu haben? |

4.

Spricht somit alles dafür und nichts dagegen, daß unser Dichter den Empfang des Papstes in Paderborn selbst miterlebt und alsbald zur Feder gegriffen hat, um sie in den Dienst Leos III. zu stellen, so wird das Epos damit für die Vorgeschichte der Kaiserkrönung Karls des Großen und für die Geschichte der karolingischen Kaiseridee zu einem Zeugnis von erheblicher Bedeutung. Es ist für diesen Fragenkreis vor allem in seinem ersten Teil in mehrfacher Hinsicht aufschlußreich. Der Dichter legt es hier darauf an, die mächtigste Herrschergestalt seiner Zeit heller als die Sonne erstrahlen zu lassen, als den Inbegriff aller nur denkbaren Herrschertugenden, unter denen — im Einklang mit Karls eigenen bildungspolitischen Maßnahmen und Zielen — literarisch-wissenschaftliche Bildung und nicht zuletzt Weisheit schlechthin eine nicht geringe Rolle spielen. Die in geradezu barocker Weise überladene Panegyrik scheint die Grenzen des guten Geschmacks zu berühren, wenn nicht zu überschreiten, doch müssen wir uns bei unserem Urteil in dieser Hinsicht hüten, die Maßstäbe unserer Zeit ins Spiel zu bringen. Panegyrik kennzeichnet die karlische Hofdichtung auch sonst. Daß Karl sie zu schätzen wußte, ist daher nicht zu bezweifeln. Wie weit man

Absicht kann ich das nicht einengen, so gewiß jener Frankenstolz, der im Epos naiv mitklingt, in den vermutbaren Vorverhandlungen über einen etwaigen Kaisertitel für Karl zur Geltung gekommen sein wird" (S. 93). Ein Wirklichkeitsbezug wird also auch hier vorausgesetzt, und zwar gerade im entscheidenden Punkt. Die Meinungsverschiedenheit betrifft somit nicht das Ergebnis, sondern die Abgrenzung der historischen Wirklichkeit gegen die poetisch überhöhte des Dichters. Die oben vorgetragene Interpretation geht davon aus, daß in der Dichtung historische und poetisch „verwandelte" Wirklichkeit enthalten sind.

damit gehen konnte, ohne das gebotene Maß zu überschreiten, zeigen die an den König gerichteten Briefe Alkuins, der seinen Herrn hinreichend gekannt haben dürfte, um zu wissen, wie dick die Farben aufgetragen werden durften. Wenn Karl im übrigen wissenschaftliche Traktate über philosophische, theologische und chronologische Fragen, die er von seinen Hofgelehrten hatte ausarbeiten lassen, als in seinem Namen stilisierte Briefe an Alkuin richtete und wenn er es zugelassen hat, daß lateinische Gedichte in seinem eigenen Namen verfaßt wurden, so wird nicht eben nahegelegt, es hätte Karl peinlich berühren können, wenn die ihm gewidmete Panegyrik auch den Bereich der literarisch-wissenschaftlichen Bildung einbezog[65].

Um so auffälliger sind jedoch die „politischen" Prädikate, mit denen unser Dichter seinen Herrscher ausstattet. Zwar ist auch für ihn Karl nach wie vor der König *(rex)*, doch läßt er es dabei nicht bewenden. Er ist für ihn zugleich *augustus*[66]. So ist Karl vor dem Weihnachtstage 800 von keinem angeredet oder bezeichnet worden. Es kommt hinzu, daß dieses kaiserliche Prädikat in dem Gedicht durchaus nicht isoliert steht, sondern in der Umgebung zahlreicher weiterer | Prädikate und Charakterisierungen gleichen Inhalts. Hierher könnte bereits der Sonnenvergleich am Eingang gehören, doch braucht darauf kein Gewicht gelegt zu werden. Um ein spezifisches Kaiserprädikat handelt es sich jedoch bei *victor pius atque triumphans* (Vers 27), und mit Recht hat bereits Carl Erdmann auf die Anklänge zur Kaiserdefinition des merowingischen Ämtertraktates bei Wendungen wie *scilicet imperii ut quantum rex culmine reges excellit, tantum cunctis preponitur arte* hingewiesen[67]. Solche über-

[65] Von den Steinen fragt in: Karl der Große 2 S. 92: „Durfte der Verfasser glauben, Karl werde an so ungemessener Panegyrik Gefallen finden?" und bezweifelt von hier aus die Bestimmung der Dichtung für den Vortrag bei Hofe. Mit einer solchen rechnet Hauck in: Ausstellungskatalog Kunst und Kultur im Weserraum 1 S. 101.

[66] Vers 64 und 332.

[67] Vers 86 f.; dazu Erdmann, Forschungen, S. 16 f. und S. 22 mit A. 2; Verfasser, Nomen imperatoris, Studien zur Kaiseridee Karls des Großen (in: HZ. 185, 1958) S. 520 mit A. 2 [hier S. 180]. Im Ämtertraktat heißt es vom Kaiser: *Imperator, cuius regnum procellit in toto orbe, et sub eo*

königliche Stellung wird auch sonst hervorgehoben[68]. Karl ist *Europae venerandus apex, pater optimus* (Vers 93) und „Leuchtturm Europas" (*Europae pharus,* Vers 12), dies im Anschluß wiederum an Venantius Fortunatus, der eine entsprechende Metapher für den heiligen Martin geprägt hatte: Eine in doppelter Hinsicht beziehungsreiche Entlehnung, da Karl so, freilich nur für den Kenner, als Vorkämpfer des christlichen Glaubens mit dem Apostel Galliens in eine typologische Beziehung gesetzt und Europa als der weitere Wirkungsbereich an die Stelle Galliens tritt[69].

Als *pater Europae* steht Karl schließlich neben dem *summus Leo pastor in orbe* (Vers 504). Ein Vorrang des Papstes soll damit nicht angedeutet werden[70]. Denn auch Karls überragende Stellung innerhalb des *orbis* wird unermüdlich hervorgehoben[71]. In diesem weitesten Bereich ist sie derjenigen des Papstes völlig adäquat. Er übertrifft *per orbem* alle Könige an Güte, Gerechtigkeit und Macht

reges aliorum regnorum; G. Baesecke, De gradus Romanorum (in: Festschrift R. Holtzmann, 1933) S. 5.

[68] Vers 28 f.: *Rex cunctos superat reges bonitate per orbem; / Iustior est cunctis cunctisque potentior extat;* Vers 70: *Summus apex regum.*

[69] Vita s. Martini I Vers 49: *Gallica celsa pharus.* Vgl. Das erste Jahrtausend, Textband 1 S. 307 A. 84. Im gleichen Sinne auch E. Rosenstock, Die Furt der Franken und das Schisma (in: E. Rosenstock und J. Wittig, Das Alter der Kirche, 1927) S. 515 f.

[70] So auch von den Steinen in: Karl der Große 2 S. 90.

[71] Zur Aufstellung des fränkischen Heeres *orbis ad instar* beim Empfang des Papstes (Vers 490) Das erste Jahrtausend, Textband 1 S. 304 mit A. 64 und S. 308 mit A. 90. Auch P. E. Schramm, Karl der Große. Denkart und Grundauffassungen — die von ihm bewirkte Correctio („Renaissance") (in: HZ. 198, 1964) schließt S. 330 A. 3 die Möglichkeit nicht aus, daß der Dichter bei der Beschreibung des Empfangszeremoniells den Doppelsinn von *orbis* — Kreis und Erdkreis — im Auge hatte, will jedoch für die kreisförmige Aufstellung als solche sowohl hier als auch bei der sächsischen Stammesversammlung zu Marklo nur praktische Gründe gelten lassen, zögert anderseits aber nicht, das Monogramm auf Karls Metallbulle aus der Königszeit als absichtsvolle Relation zwischen *nomen* und *orbis* zu deuten. Diese Deutung hat allerdings kein Dichter bestätigt. Zur sächsischen Stammesversammlung, die *disposito grandi orbe*

(Verse 28—29), genießt den höchsten Ruhm (Vers 55), und als der höchste unter | den Königen ist er auch der größte Weise auf Erden[72]. Und so ist er denn, alles in allem, das Haupt der Welt, das *caput orbis* (Vers 92). Indem der Dichter diese bisher für Rom übliche Metapher auf die Person des Frankenkönigs überträgt, verleiht er ihm auch die seit alters damit gemeinte Funktion. Es ist dies der früheste Beleg einer solchen Personalisierung der auch in karolingischer Zeit geläufigen Rom-Metapher, womit im übrigen ganz unwillkürlich und gerade deshalb so signifikant der Unterschied des hauptstadtlosen fränkischen Personenverbandstaates zum Römerreich mit institutioneller Hauptstadt ausgedrückt wird.

Man hat sich zu fragen, ob sich in diesen panegyrischen Motiven nur dichterische Phantasie und Freizügigkeit entfaltet oder ob sich zugleich politische Wirklichkeit der Paderborner Tage und Wochen niedergeschlagen hat. Eine vorsichtige Interpretation braucht keinen Wert darauf zu legen, dem Dichter selbst eine andere politische Absicht zu unterstellen als diejenige, die in seinem Plädoyer für Leo III. nun freilich so deutlich wie möglich zutage tritt. Dieser Tendenz mag alles untergeordnet gewesen sein, aber ihr konnte es sehr wohl dienen, auch für die Person Karls, auf den es jetzt vor allem ankam, die richtigen Töne zu treffen, das heißt nicht zu hoch, aber auch nicht zu tief zu greifen. Träfe die auch in unserer Zeit noch gelegentlich vertretene Auffassung zu, Karl habe die Kaiserwürde verabscheut und sie nur einer Überrumpelung durch den Papst zu verdanken gehabt, so hätte der Dichter mit seinen imperialen Anspielungen in einer Ahnungslosigkeit, die sich mit seinen sonstigen guten Informationen schlecht vertragen würde, völlig danebengegriffen. Karl hatte es jedoch schon geraume Zeit vor diesen Ereignissen geduldet, auch in der offiziellen Briefanrede

tagte und bei der der hl. Lebuin *in medio orbe* stand, vgl. Hauck, Ein Utrechter Missionar auf der altsächsischen Stammesversammlung (in: Das erste Jahrtausend, Textband 2, 1964) S. 738. R. Folz, Le Couronnement Impérial de Charlemagne (1964) S. 150, formuliert im Anschluß an Vers 489 f.: „... à la manière d'une couronne, à l'imitation du monde."

[72] Vers 70: *Summus apex regum, summus quoque in orbe sophista.*

mit Prädikaten aus dem Arsenal des kaiserlichen Protokolls bedacht zu werden[73]. |

In die gleiche Richtung geht nun aber auch die Schilderung, die das Epos dem Bau der Aachener Pfalz angedeihen läßt. Denn Karl ist als *caput orbis*, *Europae apex* und *augustus* auch zugleich Herr einer *Roma secunda*, die sich „in neuer Blüte mit großer gewaltiger Masse zum Himmel erhebt“[74]. Gemeint ist die Aachener Pfalz, in der Karl als Bauherr maßgebende Weisungen erteilt. Sie wird auch als das künftige Rom (*ventura Roma*, Vers 98) und weiterhin schlechtweg als *Roma* (Vers 124) bezeichnet. Wie *caput orbis* vom

[73] Vgl. die Briefe Alkuins Nr. 149 von 798 Juli 22, Epp. 4, S. 242 (*... magnifico atque a Deo coronato regi*); Nr. 163 von ca. 799, Epp. 4 S. 263 (*Domini David, rectoris optimi, victoris maximi Flaccus Albinus*); Nr. 197, kurz nach 800 Juni 4, Epp. 4 S. 325 (*Domino piissimo et pacifico regi et praestantissimo triumphatori*); Nr. 202 von 800, Epp. 4 S. 335 (*Maximo atque invictissimo triumphatori atque clementissimo regnorum rectori Karolo regi Francorum et Langobardorum ac patricio Romanorum*). Daneben verdient Alkuins Glückwunsch zum Avarensieg mit der Anrede *Domino excellentissimo et in omni Christi honore devotissimo Carolo regi Germaniae, Galliae atque Italiae* von 796 nach August 10 (Nr. 110, Epp. 4 S. 157) Beachtung, da Karl als Herrscher über die *Germania*, *Gallia* und *Italia* auch im Titel der Libri Carolini und im Text der Lorscher Annalen zu 800 erscheint. Dazu Caspar in: ZKiG. 54 S. 262. Ferner Alkuins Brief 261 (Epp. 4 S. 418 f.), der zusammen mit Brief 262 als Widmungsschreiben zur Alkuin-Bibel vor Weihnachten 800 einzuordnen ist, mit der Wendung *ad splendorem imperialis potentiae vestrae*. Zur Alkuin-Bibel vgl. F. L. Ganshof, La révision de la bible par Alcuin (in: Bibliothèque d'humanisme et renaissance 9, 1947) S. 7—20; G. Ellard, Master Alcuin, Liturgist (Chicago 1956) S. 192 ff.; B. Fischer, Die Alkuin-Bibel (1957). Die Anspielung auf Aachen in Brief 262 (Epp. 4 S. 420 Z. 10) betrifft nicht die Überreichung der Bibel daselbst (so Classen in: Karl der Große 1 S. 577 A. 194); Alkuin erinnert sich (*memoro ... dixisse*) vielmehr an ein früheres mit Karl in Aachen geführtes Gespräch. Gegen die Annahme von Ganshof, Alkuin habe die Bibel zur Kaiserkrönung, von der er vorher gewußt habe, überreichen lassen, bestehen somit keine Bedenken. Nordenfalk in: Ausstellungskatalog Karl der Große (1965) S. 262 Nr. 428; B. Bischoff, Die Hofbibliothek Karls des Großen (in: Karl der Große 2, 1965) S. 45 mit A. 21.

[74] Verse 92—96.

Dichter stillschweigend von Rom auf Karl übertragen wird, so *Roma secunda* von Byzanz auf Aachen, und auch dies erstmalig und in Abweichung vom bisherigen karolingischen Sprachgebrauch, dem Alkuin noch im Juni 799 folgte, wenn er dort im Räsonnement über die drei höchsten Personen in der Welt als deren zweite die *imperialis dignitas et secundae Romae saecularis potentia* nennt[75].

5.

Die bloße Erwägung, die panegyrische und apologetische Absicht des Dichters lege eine politische Relevanz dieser imperialisierenden Momente nahe, vermag vielleicht, für sich allein genommen, noch nicht zu befriedigen. Wir sind jedoch für die Deutung auch nicht bloß auf eine solche immanente Interpretation angewiesen. Hinzu kommt zunächst, daß es sich um Töne handelt, die in der bisherigen und vielfach durchaus auch panegyrischen Hofdichtung nicht belegt sind. Es fällt daher ins Gewicht, daß ihr erstmaliger Gebrauch dort zu beobachten ist, wo „die Kette der Ereignisse" einsetzt, „die unmittelbar auf die Erhebung Karls zum Kaiser zuführen" [76]. Auf diesen Ereigniszusammenhang wird noch einzugehen sein. Wir fragen zunächst, ob und inwieweit eine politische Deutung der imperialisierenden Passagen des Epos durch andere Zeugnisse des karolingischen Zeitalters gestützt wird. Dabei haben wir zu unterscheiden zwischen solchen Quellen, die nachweisbar oder vermutlich vom Epos abhängen und daher in erster Linie als einigermaßen zeitgenössische Interpretationen in Betracht kommen, und solchen, die als unabhängige Zeugnisse herangezogen werden können. |

Zur erstgenannten Gruppe gehört die nach 804 entstandene und Karl gewidmete Ekloge Modoins[77], ein Hirtengedicht nach dem

[75] Epp. 4 Nr. 174 S. 288 Z. 20. Entsprechend Alkuin an den nach Rom aufbrechenden König, Carmen 45 Vers 31 (Poetae 1 S. 258): *Roma caput mundi, primi quoque culmen honoris.*

[76] Classen in: Karl der Große 1 S. 569.

[77] Hrsg. von E. Dümmler in: Poetae 1 S. 382—92; danach verbessert in: NA. 11 (1885) S. 75—91. Dazu: Das erste Jahrtausend, Textband 1

Vorbild Vergils und des Calpurnius. Daneben hat Modoin auch unser Epos benutzt, so beim Vergleich Karls mit der Sonne, wo die Abhängigkeit bis zur wörtlichen Übernahme eines Verses geht, so aber auch bei der Apostrophierung Karls als *caput orbis* und Aachens als *Roma*. Das neue Rom ist freilich inzwischen nicht mehr ein „kommendes Rom", sondern Wirklichkeit geworden:

„Hoch von der neuen Roma Burg überschaut mein Palaemon
Alle die Reiche, die seinem Triumphgebote sich stellen,
Und die Zeiten, zurückverwandelt zur alten Gesittung:
Golden erneut wird Rom der Erde da wiedergeboren" [78].

Der letzte dieser Verse, *Aurea Roma iterum renovata renascitur orbi*, Locus classicus für die sogenannte karolingische „Renaissance", bezieht sich auf die *nova Roma* Karls, wie auch hier Aachen bezeichnet wird. Die Pointe liegt darin, daß Modoin im Anschluß an das Epos von 799 daran auch für den inzwischen im alten Rom zum Kaiser gekrönten Karl festhält. Ebenso hält er jedoch auch daran fest, daß das *caput orbis* nunmehr von Karl selbst dargestellt wird, und die oben für die Übertragung dieses Prädikats gegebene Deutung wird durch Modoin bestätigt: Der Ort, an dem Karl, das *caput orbis*, weilt, darf Rom genannt werden *(Quo caput orbis erit, Romam vocitare licebit / Forte locum)* [79]. Wie im Epos wird auch hier über das bisherige „Neurom" am Bosporus stillschweigend hinweggegangen, ja, ihm wird diese seine bisherige Funktion indirekt abgesprochen. Denn sonst hätte Aachen allenfalls *Roma tertia* genannt werden dürfen. Modoins Ekloge ist gewiß kein politisches Gedicht, doch wird es aus der am Ende angefügten Widmung an Karl deutlich, daß sich der damals wohl noch junge Dichter mit diesem Werk bei Karl einführen möchte. Wessen es bedarf, um bei Karl Gehör zu finden, wird im Gedicht selbst offen erörtert. Im Dialog zwischen einem jungen Dichter

S. 314—17 mit Literaturangaben (A. 120); J. Fleckenstein, Die Bildungsreform Karls des Großen als Verwirklichung der Norma rectitudinis (1953) S. 96 ff.; von den Steinen in: Karl der Große 2 S. 24 und 87 f.

[78] Modoin, Ekloge 1 Verse 24—27 (in: NA. 11 S. 82 f.); Übertragung bei von den Steinen in: Karl der Große 2 S. 88.

[79] Vers 40 f.

(puer) geht es um die Frage, welche Aussichten dieser habe, bei Karl Beifall zu finden. In diesem Zusammenhang hält der Ältere zweifelnd dem Jüngeren entgegen, er habe es bisher an politischen Dichtungen fehlen lassen *(Publica nulla canis, nulli tua carmina digna, / Sed cunctis despecta patent, stultissime vates)*[80]. Die „politischen" An- | spielungen auf die *nova Roma* und das *caput orbis* gehören im Dialog zu den Einlassungen des jüngeren Partners, mit dem sich Modoin identifiziert[81]. So wird nicht nur offen ausgesprochen, daß der Dichter Karls Anerkennung sucht, die rechte Weise, dies Ziel zu erreichen, ist sogar selbst thematisch. Wenn nun dabei die *rustica carmina* (I Vers 29) den *publica carmina* gegenübergestellt werden, die bei Karl die bessere Aussicht haben, Gehör und Beifall zu finden, so müssen wohl die „politischen" Anspielungen der Ekloge im Sinne dieses Gegensatzes gedeutet werden. Auf jeden Fall gilt auch hier, was schon für das Epos vorausgesetzt werden mußte: Modoin, der es selbst ausspricht, daß er Karls Beifall erhoffe[82], mußte ebenso wie der politische Anwalt Leos III. von 799 darauf bedacht sein, auch dann den rechten Ton zu treffen, wenn er selbst gar nicht darauf ausging, ein politisches Programm zu vertreten.

Am Ende des Jahrhunderts, in den letzten Tagen Karls III., hat Notker von St. Gallen in seinen Gesta Karoli das Thema *caput orbis* mit aller Deutlichkeit präzisiert, wenn er vom Romzug Karls im Jahre 800 sagt: *Caput orbis ad caput quondam orbis absque mora perrexit*[83]. Daß Rom seine einstige Rolle als Haupt der Welt schon vor der Kaiserkrönung Karls an diesen verloren hat, ist also auch Notkers Meinung, und die damit verbundene Vorstellung von der Legitimation Karls zum Kaisertum wird ganz entsprechend erläutert. Denn Leo hat Karl nach Rom gerufen, *ut, qui iam re ipsa rector et imperator plurimarum erat nationum, nomen quoque imperatoris caesaris et augusti apostolica auctoritate glorio-*

[80] Ekloge 1 Vers 33 f., in: NA. 11 S. 83.

[81] Von den Steinen in: Karl der Große 2 S. 87 f.

[82] Im Prolog und im Epilog.

[83] Gesta Karoli I c. 26, hrsg. von H. F. Haefele (SS. rer. Germ. NS. 12, 1959) S. 35 f.; hrsg. von R. Rau, Quellen zur karolingischen Reichsgeschichte 3 (Freiherr-vom-Stein-Gedächtnisausgabe, 1960) S. 360.

sius assequeretur[84]. Karl ist der Sache nach bereits *rector* und *imperator* vieler Völkerschaften, ja *caput orbis,* bevor er kraft apostolischer Autorität den Kaisertitel erhält. Dies deckt sich inhaltlich mit dem offiziösen und zeitgenössischen Bericht der Lorscher Annalen über die Vorgänge vom Weihnachtstage 800[85], es | deckt sich aber auch mit den Auffassungen des Paderborner Dichters, der Karls Stellung bereits 799 in gleicher Weise charakterisiert. Diese bis ins Detail gehende Übereinstimmung der Auffassungen braucht nicht unabhängig davon zu sein, daß St. Gallen, das Kloster Notkers, auch die Heimat der einzigen auf uns gekommenen Handschrift des Paderborner Epos ist, und wenn diese in Notkers Tagen dort noch nicht vorgelegen haben sollte — was immerhin möglich erscheint —, so könnte doch ihre Vorlage auch einem Notker zu

[84] Wie vorige Anm.

[85] Ann. Laureshamenses zu 801 in: SS. 1, S. 38. Danach wird Karl von den Konzilsvätern des Kaisertitels für würdig erachtet als ein solcher, *qui ipsam Romam tenebat, ubi semper caesares sedere soliti erant, seu reliquas sedes, quas ipse per Italiam seu Galliam nec non et Germaniam tenebat, quia Deus omnipotens has omnes sedes in potestate eius concessit.* Dazu HZ. 185 S. 525 ff., zu den *sedes per Germaniam* ebd., S. 526 mit A. 4 [hier S. 187 f.]. Da der Rhein die Grenze zwischen der karolingischen *Gallia* und *Germania* bildete (M. Lugge, „Gallia" und „Francia" im Mittelalter = Bonner historische Forschungen 15, 1960, S. 39 f.), gehörte Karls *nova Roma* Aachen, sein *palatium, quod nominavit Lateranis* (siehe unten A. 87) zu den *sedes per Galliam,* während bei *sedes per Germaniam* an ostwärts des Rheins gelegene Pfalzen und somit auch an Paderborn zu denken ist; vgl. die Übersichtskarte von A. Gauert in: Karl der Große 1 nach S. 320, sowie im Ausstellungskatalog Karl der Große (1965) vor S. 17. Zu der in obigen Worten der Lorscher Annalen steckenden Nomen-Theorie vgl. HZ. 185 S. 528 ff. [hier S. 189 ff.]; weitere Belege bei A. Borst, Kaisertum und Namentheorie im Jahre 800 (in: Festschrift P. E. Schramm 1, 1964) S. 36—51 [hier S. 216 ff.]; E. E. Stengel, Abhandlungen und Untersuchungen zur Geschichte des Kaisergedankens im Mittelalter (1965) S. 320 f.; klare Zusammenfassung bei Classen in: Karl der Große 1 S. 586 f. Faksimile der hier einschlägigen Seiten des Wiener Fragments der Lorscher Annalen: Ebd. Abb. 2 vor S. 577, zur Frage des autographen Charakters ebd. A. 197. — Zur Frage der von Alkuin zur Kaiserkrönung, von der er vorher gewußt haben müßte, gewidmeten Bibel vgl. oben A. 73.

Gesicht gekommen sein. Weitere Indizien liefert die Handschrift selbst[85a].

Wie dem aber auch sei: Die oben vorgetragene politische Auslegung der Paderborner Dichtung wird in jeder Hinsicht durch Modoin gestützt, der sie nicht anders verstanden hat, und sollte Notker nicht zu den Lesern des Epos gehört haben, so müßte man schließen, daß dessen Auffassungen auch noch anderwärts in uns unzugänglich gewordenen Quellen überliefert waren und so in Notkers Bewußtsein eintreten konnten. Man kann im Zweifel sein, welches die weitergehende Hypothese ist, die Annahme eines direkten oder eines bloß indirekten Überlieferungszusammenhanges. Die zweite hätte insofern weitergehende Konsequenzen, als bei ihr und gerade bei ihr vorausgesetzt werden müßte, daß wir es mit Reflexen einer politischen Strömung zu tun haben. Eine dritte Möglichkeit, nämlich eine spontane und von Überlieferungen unabhängige Konzeption Notkers, wird man ausschließen dürfen, da in der zweiten Hälfte des 9. Jahrhunderts das karolingische Kaisertum längst von der kurialen, römischen Auffassung geprägt war, so daß die politische Wirklichkeit seiner Zeit als Quelle für Notkers Formulierungen auszuscheiden hat.

Zu den unabhängigen Zeugnissen, die den imperialen Motiven des Paderborner Epos stützend zur Seite zu stellen sind, gehören zunächst die Nachrichten über einen Aachener „Lateran"[86]. Als das früheste unter ihnen besagt das Chronicon Moissiacense zum Jahre 796, Karl habe in Aachen außer der Kirche auch ein *palatium* errichtet, *quod nominavit Lateranis*[87]. Spätere Belege aus der Zeit Ludwigs des Frommen bezeugen, daß damals der Name des Lateran an einem besonderen Gebäude haftete, das auch als *secretarium* bezeichnet wird und vielleicht mit einem der beiden archäologisch gesicherten Annexbauten der Pfalz- | kapelle zu identifizieren ist[88].

[85a] Siehe Fr. Brunhölzl in der oben zit. Originalveröffentlichung dieses Beitrages S. 57 f. m. A. 6.

[86] Erdmann, Forschungen S. 23.

[87] SS. 1 S. 303.

[88] So A. Huyskens, Aachen zur Karolingerzeit (in: Aachen zum Jahre 1951 = Rheinischer Verein für Denkmalpflege und Heimatschutz, 1951) S. 39 ff.; zurückhaltend G. Bandmann, Die Vorbilder der Aachener Pfalz-

Man hat daher die an und für sich präzise Angabe der Chronik von Moissac für irrig halten wollen[89]. In einer noch unveröffentlichten Abhandlung wendet sich jedoch W. Schlesinger[90] gegen solche Zweifel, rechnet vielmehr damit, daß der Name des Laterans ursprünglich dem Aachener *palatium* selbst galt und erst später in Reduktion des ursprünglichen Gedankens an einem Nebengebäude haftengeblieben ist. Selbst bei vorsichtiger Beurteilung dieser Belege wäre es unmethodisch, sie für die Interpretation des Paderborner Epos nicht heranzuziehen. Der Name „Lateran" ist jedenfalls in Aachen sicher belegt. So sollten auch die Indizien für eine Regensburger Parallele, so undeutlich sie auch vorerst noch sein mögen, nicht ignoriert werden[91].

Nicht geringzuachten ist die Bestätigung für die Auffassung der Aachener Pfalz als einer *nova Roma,* die sich aus der Aachener Pfalzanlage selbst und den baugeschichtlichen Zusammenhängen, in die sie einzuordnen ist, ergibt[92]. Die Vorbilder der Pfalzkapelle sind, unbeschadet selbständiger Abwandlungen, in Ravenna und Konstantinopel zu suchen. Eigens aus Rom und Ravenna herbeigeschaffte Marmorsäulen[93], auf die Alkuin im Juli 798[94] anspielt, wurden dem Aachener Zentralbau auf Karls Weisung hin eingefügt. Aus Ravenna hat Karl ein auf Theoderich den Großen bezogenes

kapelle (in: Karl der Große 3, 1965) S. 457. Vgl. auch E. Ewig, Résidence et capitale pendant le haut moyen-âge (in: Revue historique 1963) S. 59; C. Brühl, Zum Hauptstadtproblem im frühen Mittelalter (in: Festschrift für Harald Keller, 1963) S. 53 mit A. 148—52.

[89] Erdmann, Forschungen S. 23 A. 3.

[90] Verfasser dankt seinem Kollegen für freundlich gewährten Einblick in das Manuskript [hier S. 384 ff.].

[91] R. Strobel und J. Sydow, Der „Latron" in Regensburg (in: HJb. 83, 1964), S. 1—27.

[92] Bandmann in: Karl der Große 3 S. 424—62.

[93] Einhard, Vita Karoli c. 26.

[94] Epp. 4 Nr. 149 S. 244 Z. 24 f.; dazu der Brief Hadrians I. an Karl von ca. 787, Codex Carolinus Nr. 81 (Epp. 3, S. 614), mit dem der Bitte Karls entsprochen wird, aus dem Palast von Ravenna musivische und marmorne Spolien zu beziehen; Bandmann in: Karl der Große 3 S. 424 mit A. 5.

Standbild holen und an hervorgehobener Stelle seiner Pfalzanlage aufstellen lassen[95]. Die *aula regia,* im heutigen Rathaus z. T. noch erhalten, steht der Trierer Palastaula in vieler Hinsicht nahe, erinnert jedoch als Dreiapsidensaal an das Triklinium Leos III. im Lateran[96], bestätigt somit die Nachricht *palatium quod nominavit Lateranis* der | Chronik von Moissac. Antikem Vorbild scheint auch die repräsentative Außenkonche *(exedra)* der Pfalzkapelle verpflichtet zu sein, der nunmehr zwei jüngst im Bereich des Atriums freigelegte Halbkreiskonchen zuzuordnen sind[97]. Hier könnte im Schnittpunkt der Achsen des Trichorus[98] schon von Karl der Thron errichtet worden sein, der uns für das 10. und 11. Jahrhundert daselbst bezeugt wird[99]. Das Paderborner „Thronfundament" wäre die gleichzeitige Parallele[100]. Daß wir es bei der Aachener Pfalz

[95] H. Löwe, Von Theoderich dem Großen zu Karl dem Großen (in: DA. 9, 1952) S. 392 ff.; H. Hoffmann, Die Aachener Theoderichstatue (in: Das erste Jahrtausend, Textband 1, 1962) S. 318—35.

[96] W. Sage, Zur archäologischen Untersuchung karolingischer Pfalzen in Deutschland (in: Karl der Große 3, 1965) S. 327; L. Hugot, Die Pfalz Karls des Großen in Aachen (ebd.) S. 546 ff. mit Figur 3 auf S. 547; ders. in: Ausstellungskatalog Karl der Große (1965) S. 395 ff., mit Plan S. 396 und Abb. 119 f.

[97] F. Kreusch, Kirche, Atrium und Portikus der Aachener Pfalz (in: Karl der Große 3, 1965) S. 505 ff. mit Figur 8 nach S. 490 und Figur 12 nach S. 498 sowie Abb. 1 nach S. 514.

[98] Kreusch erkennt ebd. S. 509 eine Absicht darin, daß die Nordsüd-Achsen der beiden seitlichen Halbkreiskonchen gegen den auf der ostwestlichen Mittelachse gelegenen Mittelpunkt der Westfrontnische hin einschwenken.

[99] Dazu Verfasser, Grab und Thron Karls des Großen zu Aachen (in: Karl der Große 4, 1967, S. 9—38) S. 25 ff. u. 35 ff. In der Zusammenstellung von Thron und Westfrontnische könnte, wie ich einem im August 1966 auf dem Magdalensberg (Kärnten) geführten Gespräch mit Herrn Dozent Dr. A. Vetters entnehme, das Motiv des römischen Tribunals aufgegriffen worden sein. Doch ist dies vielleicht nur einer unter mehreren möglichen Aspekten. Auch bleiben weitere Grabungsergebnisse abzuwarten.

[100] W. Winkelmann in der oben zit. Originalveröffentlichung dieses Beitrages S. 105 u. Taf. VIII.

und ihrer Pfalzkapelle mit „imperialer Architektur“ zu tun haben, kann nach den Ergebnissen der kunstgeschichtlichen Forschung nicht bezweifelt werden. Diese Auffassung ist keineswegs neu, doch ist sie, was betont werden muß, durch jüngste Grabungsergebnisse nicht nur nicht eingeschränkt, sondern bekräftigt worden.

6.

Wenn wir zuletzt nach den Konsequenzen fragen, die sich aus dieser Deutung der Paderborner Dichtung für die Vorgeschichte des karolingischen Kaisertums ergeben, so bedeutet dies zugleich eine letzte Prüfung dieser Deutung selbst. Denn ihre Zuverlässigkeit hängt auch davon ab, ob das Epos als eine für diesen Fragenkreis neu erschlossene Quelle sich in plausibler Weise dem Bilde einfügen läßt, das wir aus den übrigen Zeugnissen zu gewinnen vermögen[101]. In dieser | Hinsicht ergibt sich zunächst, daß während des Paderborner Aufenthalts Leos III. daselbst nicht nur nach Lösungen für den Konflikt des Papstes mit seinen römischen Gegnern gesucht wurde, sondern daß auch bereits damals die Kaiserfrage ins Spiel gebracht worden ist[102]. Der zwischen beiden Fragenkreisen be-

[101] In diesem Sinne ist die ideengeschichtliche Analyse notwendiges Mittel der historischen Kritik. Anders Brühl in: Festschrift Keller, S. 53 mit A. 151, der Erdmanns Deutung des Aachener Laterans als Residenz des Papstes bei seinen Besuchen in der *ventura Roma* ausdrücklich zustimmt, „irgendwelche ideengeschichtliche Folgerungen“ jedoch abweist. In der Konsequenz bedeutet dies den Verzicht auf historische Kritik im weiteren Sinne und einen methodischen Rückschritt auch gegenüber der modernen Diplomatik, die sich bei der Analyse von Urkundenfälschungen selbstverständlich zur Klärung von Zeitstellung und Motiven ideengeschichtlicher Gesichtspunkte bedient. Berechtigt ist allerdings die ebd. ausgesprochene Warnung vor „gewagten Spekulationen“; doch gilt diese für jede Forschung, nicht nur für die ideengeschichtliche. Der Verzicht auf ideengeschichtliche Gesichtspunkte kann durchaus unmethodisch sein und kommt schon gar nicht als Ausweis einer besonders kritischen Haltung in Frage.

[102] Vgl. hierzu die kritischen und wohlabgewogenen Ausführungen bei Folz S. 150 (Implikation der Kaiserfrage) und S. 153—56 (zu Alkuins

stehende Sachzusammenhang konnte dies unmittelbar nahelegen[103]. Alkuin und unser Dichter stimmen darin überein, daß bei der gegebenen Lage allein Karl imstande sei, den Papst in Rom zu restituieren und die dortigen Verhältnisse zu seinen Gunsten zu ordnen. Zu Alkuins erster Reaktion auf den römischen Aufstand — in seinem Brief an Karl vom Juni 799 — gehört das vieldiskutierte Räsonnement über die drei höchsten Personen in der Welt[104]. Die erste von ihnen, der Papst, ist von seinem Amtssitz vertrieben, die zweite, der Kaiser der *secunda Roma*, ist abgesetzt, und nur Karl, die dritte *persona in mundo altissima*, der *rector populi christiani*, ist handlungsfähig. Seine königliche Würde ist ohnehin im Vergleich zur Würde der beiden anderen „Personen" höher im Rang *(sublimior)*. Unter den gegebenen Umständen liegt das ganze Heil der Christenheit jetzt bei ihm. Zu den Bedingungen für Karls alleinige Verantwortung und Zuständigkeit gehört jedenfalls nach dieser Darlegung der Sturz des oströmischen Kaisers Konstantin durch seine Mutter Eirene, deren nunmehrige Alleinherrschaft in Byzanz selbst staatsrechtlich umstritten war und von Alkuin ebensowenig anerkannt wurde wie von den Lorscher Annalen, die die Erhebung Karls zum Kaiser in erster Linie auf die byzantinische

Brief 174 und zum Paderborner Epos) sowie bei Classen in: Karl der Große 1 S. 574 f.; W. Schlesinger, Beiträge zur deutschen Verfassungsgeschichte des Mittelalters 1 (1963) S. 216; Stengel S. 317, und K. Hauck in: Ausstellungskatalog Kunst und Kultur im Weserraum 1 S. 101. — Die Nachricht des Johannes Diaconus (Gesta episcoporum Neapolit. c. 48, in: MG. SS. rerum Langobardicarum, S. 428) *hic* (Leo III. nach dem Attentat) *tamen fugiens ad Carolum regem spopondit ei, ut, si de suis illum defenderet inimicis, augustali eum diademate coronaret*, könnte demnach auf guter Überlieferung beruhen. Behandlung der Kaiserfrage in Paderborn ist auch in der älteren Forschung schon vermutet worden, so von H. Luden (1828) und H. Leo (1830). Hierzu Heldmann S. 68 A. 1; A. Borst, Ranke und Karl der Große (in: Dauer und Wandel der Geschichte. Festgabe für K. von Raumer, 1965) S. 461.

[103] So auch Folz S. 150; Classen in: Karl der Große 1 S. 573 f.

[104] Epp. 4 Nr. 174 S. 288 Z. 17—27; Folz S. 149 f. und 153; Classen in: Karl der Große 1 S. 571; Stengel S. 321.

„Thronvakanz" stützen[105]. Anders als der Paderborner Dichter hat Alkuin somit Ostrom nicht aus seinen Erwägungen ausgeschlossen. Indem er vielmehr den Auftrag Karls auf einen lediglich okkasionellen Ausfall der Kaisergewalt stützt, rechnet er doch wohl | mit der Zuständigkeit eines rechtmäßigen Kaisers für die Lösung der in Rom entstandenen Probleme[106].

Auch in der heutigen Forschung besteht Übereinstimmung darin, daß Karl als *patricius Romanorum* in Rom nicht über die volle Jurisdiktion verfügte, daß ihm insbesondere das Recht abging, Kapitalverbrechen abzuurteilen[107]. Bevor Karl die Gegner Leos wegen Majestätsverbrechens, wie es ausdrücklich heißt, zum Tode verurteilte und dann zur Verbannung begnadigte, war er zum Kaiser erhoben worden, und daß bei dieser Reihenfolge der Handlungen der jurisdiktionelle Gesichtspunkt Berücksichtigung gefunden hat, ist unbestritten. Zwar ist Karl nicht allein aus diesem Grunde und sozusagen zur Behebung eines aktuellen jurisdiktionellen Notstandes vom Papst zum Kaiser gemacht worden, aber daß die Kaiserkrönung in den römischen Handlungsverlauf ausgerechnet zwischen den Reinigungseid Leos III. und die Aburteilung seiner Gegner eingeordnet worden ist, läßt sich so am besten erklären.

Auch sonst hat Karl, wie die jüngere eingehende Diskussion der einschlägigen Zeugnisse auch und gerade aus dem Bereich der Herrschaftszeichen und Staatssymbolik ergeben hat, vor seinem Einzug in Rom am 24. November 800 keinerlei kaiserliche Vorrechte in Rom ausgeübt. Vielmehr läßt sich umgekehrt zeigen, wie die Päpste

[105] W. Ohnsorge, Das Kaisertum der Eirene und die Kaiserkrönung Karls des Großen (in: Saeculum 14, 1963) S. 221—47.

[106] Dies ergänzend zu den Darlegungen in HZ. 185 S. 535 f. [hier S. 198 ff.]; Classen in: Karl der Große 1 S. 571; Stengel S. 321. Allgemein zu Alkuins Anteil an Karls Weg zum Kaisertum: HZ. 185 S. 537 ff. [hier S. 201 ff.]; Stengel S. 310 ff. Erwägenswert die vermittelnden Formulierungen bei Classen S. 572 mit A. 163.

[107] Heldmann S. 207 ff.; Caspar in: ZKiG. 54 S. 229 ff.; Zimmermann in: MIÖG. 69 S. 34 mit A. 45; H. Dannenbauer, Grundlagen der mittelalterlichen Welt (1958) S. 59 mit A. 31; Folz S. 150; Classen in: Karl der Große 1 S. 574.

in der zweiten Hälfte des 8. Jahrhunderts in ihrem Streben nach Emanzipation vom Römischen Reich sich schrittweise spezifisch kaiserliche Vorrechte, wie das der Münzprägung, aneigneten und umgekehrt in den Urkunden die Datierung nach den Kaisern fallenließen[108]. Dieser Emanzipationsprozeß fällt zusammen mit der wohl stufenweisen Entstehung des angeblichen Privilegs Konstantins des Großen für Papst Silvester I.[109], das dazu bestimmt war, Rom | und die „westlichen Regionen" von der kaiserlichen Gewalt freizustellen und der *ditio* des Papstes zu unterwerfen. Der Papst erhält hier gleichzeitig selbst kaiserliche Vorrechte einschließlich der Kaiserkrone, die er empfängt, ohne von ihr persönlich Gebrauch

[108] Vgl. zuletzt J. Deér, Zum Patrizius-Romanorum-Titel Karls des Großen (in: AHP. 3, 1965) S. 31—86 [hier S. 240 ff.], dort die frühere Literatur. Siehe auch unten A. 196.

[109] Text bei C. Mirbt, Quellen zur Geschichte des Papsttums und des römischen Katholizismus ([4]1924) S. 107—12 Nr. 228. Der Text auch bei W. Gericke, Wann entstand die Konstantinische Schenkung? (in: Zs. für Rechtsgeschichte, kanonistische Abteilung 43, 1957) S. 80—88. Dazu kritisch H. Fuhrmann, Konstantinische Schenkung und Silvesterlegende in neuer Sicht (in: DA. 15, 1959) S. 523—40; Entgegnung von Gericke, in: Zs. für Rechtsgeschichte, kanonistische Abt. 47 (1961) S. 293—304. Der Text nach der ältesten Handschrift der Pseudoisidorischen Dekretalen (Vat. lat. 630) bei S. Williams, The Oldest Text of the „Constitutum Constantini" (in: Traditio 20, 1964) S. 448—61. Nach Williams handelt es sich bei dieser aus der Mitte des 9. Jahrhunderts stammenden Handschrift auch um die älteste Überlieferung des Constitutum, während bisher das sogenannte Formularbuch von Saint-Denis (Paris BN. 2777) dafür galt. Dieses, noch von W. Levison, Das Formularbuch von Saint-Denis (in: NA. 41, 1917) S. 283—304 der Zeit des 806 gestorbenen Abtes Fardulf zugeschrieben (vgl. auch W. Ohnsorge, Abendland und Byzanz, 1958, S. 82 mit A. 14), wird von Williams S. 450 paläographisch dem Ende des 9. Jahrhunderts zugewiesen. Der Text des CC ist allerdings älter, wie seine Benutzung im Brief Papst Hadrians an Karl von 778, Codex Carolinus Nr. 60 (Epp. 3 S. 586 f. Dazu E. Ewig, Das Bild Konstantins des Großen in den ersten Jahrhunderten des abendländischen Mittelalters, in: HJB. 75, 1956, S. 32 f. sowie unten S. 376 f.) und in der Divisio regnorum von 806 (Schlesinger, Beiträge 1 S. 201 ff.) erkennen läßt. Jüngst auch H. Fuhrmann in: DA. 22, 1966, S. 63 ff.

machen zu wollen. All diese Momente lassen erkennen, daß in der zweiten Hälfte des 8. Jahrhunderts die Rechte und Vorrechte des Kaisers in Rom umstritten waren. Sie bildeten ein Thema, das bei den Paderborner Verhandlungen nach Lage der Dinge nicht gut übergangen werden konnte. Selbst wenn man davon hätte ausgehen können, daß wenigstens die Kompetenzen des ehemaligen Exarchen von Ravenna oder des *dux* von Rom auf Karl übergegangen seien — was aber schwerlich der Fall gewesen sein dürfte[110] —, so hätte den Prozeßbeteiligten auch die Appellation an den oströmischen Kaiser noch offengestanden[111].

Als Paderborner Verhandlungsgegenstand wird die Kaiserfrage unabhängig von solchen Überlegungen durch das Empfangszeremoniell nahegelegt, das Leo III. am 23. und 24. November 800 Karl vor und in Rom gewährte[112]. Bei seinen früheren Besuchen in Rom war Karl wie ein Exarch und Patricius empfangen worden. Der protokollarische Unterschied dieses Empfangszeremoniells zum Empfang durch Leo III. ist eklatant. Er beschränkt sich nicht darauf, daß Karl als Patricius am 1. Meilenstein vor Rom, von Leo III. jedoch am 12. Meilenstein empfangen wurde. Als wesentliche Momente kommen vielmehr hinzu, daß Karl jetzt nicht mehr wie zuvor die Stadt zu Fuß betrat und erst im Atrium von St. Peter dem Papst begegnen konnte, sondern von diesem persönlich am 12. Meilenstein mit einem Festmahl empfangen wurde und alsdann hoch zu Roß in die Ewige Stadt einzog, in allen Formen einer kaiserlichen *processio*, deren Bedeutung er sowenig wie alle Beteiligten und Augenzeugen verkennen konnte. Von einer „Überrumpelung" des Königs durch den Papst — wie sie für den Vorgang in der Peterskirche am Weihnachtstage 800 immer wieder vermutet worden ist — kann beim Empfangszeremoniell schon gar nicht die Rede sein. Nach dieser J. Deér verdankten Klarstellung ist es auch nicht mehr statthaft, daran zu zwei- | feln, daß Karl die ihm von den in Rom versammelten Konzilsvätern angetragene Kaiserwürde

[110] Deér in: AHP. 3 S. 62 f. [hier S. 278 f.].

[111] Heldmann S. 239.

[112] J. Deér, Die Vorrechte des Kaisers in Rom (in: Schweizer Beiträge zur allgemeinen Geschichte 15, 1957) S. 47 ff., besonders S. 44 f. [hier S. 84 ff. u. 80 f.].

ausdrücklich angenommen hat, bevor es zu dem Akklamations- und Krönungsakt in der Peterskirche kam.

Wenn Karl am 23. November 800 sich dazu bereit gefunden hat, wie ein Kaiser in Rom einzuziehen, so liegt es nahe, auch darin eines der Ergebnisse der Paderborner Verhandlungen zu erblicken. Denn in Paderborn hatten Leo und Karl zuletzt miteinander gesprochen, bevor sie sich am 12. Meilenstein vor Rom wieder begegneten. So wird es auch von hier aus verständlich, daß Karl unserem Paderborner Dichter bereits in imperialer Beleuchtung erschienen ist.

7.

Karls Kaiserprozession vom 24. November führt uns insofern über die vorausgeschickten Überlegungen hinaus, als sie schon für Paderborn eine grundsätzliche Übereinstimmung zwischen Karl und Leo in der Kaiserfrage nahelegt. Dem steht die von Einhard wiedergegebene Äußerung Karls gegenüber, er hätte trotz des hohen Feiertages die Kirche nicht betreten, wenn er den Plan des Papstes hätte vorauswissen können[113]. Einhard verwertet diese Äußerung, von der er nicht sagt, wann sie gefallen ist, als Beleg für Karls anfängliche Abneigung gegen das *imperatoris et augusti nomen.* Dieses Kronzeugnis für Karl als „Kaiser wider Willen" würde, wenn es als solches tatsächlich zu gelten hätte, weder mit der hier vorgetragenen Deutung des Paderborner Epos noch mit Karls imperialer *processio* und dem Bericht der Lorscher Annalen zu vereinbaren sein.

Mit vollem Recht ist immer wieder auf das besondere Gewicht hingewiesen worden, das Einhards Worten beizumessen ist, die zwar erst am Ende der zwanziger oder gar in den dreißiger Jahren aufgezeichnet worden sind[114], jedoch von einem Manne, der nach

[113] Vita Karoli c. 28. Dazu HZ. 185, S. 521 ff.; Classen in: Karl der Große 1 S. 589 ff.

[114] Zur Entstehungszeit vgl. Verfasser, Die Historiographie des Mittelalters als Quelle für die Ideengeschichte des Königtums (in: HZ. 180, 1955) S. 460 A. 2 (= derselbe, Ideengeschichtliche Studien, 1962, S. 51 A. 2).

den Worten Walahfrids wie keiner in der Umgebung Karls dessen Vertrauen genoß und in die *familiaritatis secreta* eingeweiht wurde[115]. Zu den vertraulichen Materien, in die Einhard mit Sicherheit eingeweiht worden ist, gehört die Kaiserfrage und das Verhältnis des Frankenreichs zum Papsttum. Denn niemand anders als Einhard hat im Auftrage Karls das für den Papst bestimmte Exemplar der Reichsteilungsakte von Diedenhofen im Jahre 806 | Leo zu Konsens und Unterschrift vorgelegt[116]. Dieser Auftrag erforderte eine eingehende Instruktion. Dabei ist zu berücksichtigen, daß von den beiden Fassungen der Divisio diejenige für den Papst bestimmt gewesen sein dürfte, in der Karl den Kaisertitel der Konstantinischen Schenkung auf sich übertragen hat. Denn darin lag eine entschiedene Zurückweisung der im Constitutum Constantini begründeten päpstlichen Prärogative hinsichtlich des Kaisertums.

Der scheinbare Widerspruch zwischen dem Zeugnis eines so wohlunterrichteten Autors und den genannten zeitgenössischen Quellen bildet ein methodisches Problem, das jedenfalls nicht durch schlichte Ignorierung von Belegen gelöst werden kann, die der jeweiligen These widerstreiten. Wer mit Berufung auf Einhard Karl als Kaiser wider Willen und Opfer einer Überrumpelung durch Leo III. betrachtet, pflegt die Lorscher Annalen in ihrer Berichterstattung entweder anzuzweifeln[117] oder gar nicht erst zu erwähnen[118]. Das

[115] Walahfrids Prolog zur Vita Karoli in der Schulausgabe der Vita von Holder-Egger (1911) S. XXVIII f.

[116] Ann. regni Francorum zu 806, S. 121; dazu Schlesinger, Beiträge 1 S. 199 und 231.

[117] So Dannenbauer, Grundlagen S. 89 ff.

[118] C. Brühl, Fränkischer Krönungsbrauch und das Problem der „Festkrönungen" (in: HZ. 194, 1962) S. 307 ff. Die dort entwickelte Hypothese, Karl sei überhaupt nicht zum Kaiser gekrönt worden, vielmehr habe es sich nur um eine „Kaiserakklamation gelegentlich einer Fest- und Beikrönung" (S. 312) gehandelt, baut bereits auf der Prämisse auf, Karl sei völlig ahnungslos in die Kirche gegangen und von der Kaiserkreierung als solcher überrascht worden, und soll dazu dienen, das Moment der Unwahrscheinlichkeit abzumildern. Dagegen Classen in: Karl der Große 1 S. 581 f. mit A. 218, der S. 584 f. mit Recht ausführt, daß nicht einmal

heißt freilich es sich in unzulässiger Weise leichtmachen[119]. Auszugehen ist von dem, was Einhard sagt, aber auch von dem, was er nicht sagt. Bevor er im 28. Kapitel seiner Karlsbiographie auf die hier interessierenden Fragen eingeht, charakterisiert er am Ende des 27. Kapitels Karls Verhältnis zur römischen Peterskirche und zur Stadt Rom selbst. Die Peterskirche habe Karl vor allen übrigen heiligen Stätten verehrt, habe sie und die Päpste mit reichen Geschenken bedacht. „Und nichts lag ihm während seiner ganzen Regierung so sehr am Herzen, als daß die Stadt Rom durch seinen Beistand und Eifer zu ihrem alten Ansehen gelange und die Kirche des hl. Petrus durch ihn nicht allein in sicherem Schutz und Schirm, sondern auch durch seine Mittel vor allen Kirchen reich und mächtig sei[120].“ Der *ecclesia beati Petri apostoli apud Romam* wird die *urbs Roma* gegenübergestellt, deren *vetus auctoritas* wie- | derherzustellen Karl mehr als alles andere am Herzen gelegen habe[121]. Damit ist freilich zugleich gesagt, daß die *auctoritas* der Stadt Rom vergangen war und auch durch Karl nicht wiederhergestellt worden ist. Denn es ist nach Einhards Meinung anscheinend bei Karls bloßem Wunsch geblieben, für die Stellung der Stadt tatkräftig zu wirken; daß er es wie im Falle der Peterskirche tatsächlich getan habe, muß man aus Einhards Worten nicht herauslesen. Wie dem aber auch sei: Karls Verehrung nicht nur für die römische Kirche,

eine Kaisersalbung auszuschließen ist. Theophanes bezeugt sie, und wenn die westlichen Quellen davon schweigen, so besteht kein Anlaß, den von Brühl (S. 312 f.) eingeschärften Grundsatz hier außer acht zu lassen, demzufolge unsere Quellen bei Krönungen selten die Einzelvorgänge vollständig anführen, sondern oft nur einen einzigen hervorheben.

[119] Schlesinger, Beiträge 1 S. 228, setzt „Verhältnisse von äußerster Kompliziertheit“ voraus.

[120] Schulausgabe S. 32: *Neque ille toto regni sui tempore quicquam duxit antiquius, quam ut u r b s R o m a sua opera suoque labore vetere polleret auctoritate.* Übersetzung nach R. Rau, Quellen zur karolingischen Reichsgeschichte 1 (Freiherr-vom-Stein-Gedächtnisausgabe 5, 1955) S. 199.

[121] Dies wird oft übersehen, vgl. Fleckenstein (s. oben A. 77) S. 95 mit A. 43; Classen in: Karl der Große 1 S. 589.

sondern auch für die vergangene politische Größe Roms läßt sich aus Einhards Karlsbild nicht weginterpretieren.

Im 28. Kapitel ist zunächst von dem Anschlag gegen Leo III. die Rede als dem besonderen Anlaß des letzten Romzuges. Der Papst wird geblendet und an der Zunge verstümmelt *(erutis scilicet oculis linguaque amputata)*, von einer Wiederherstellung kein Wort[122]. Einhard, der es besser wissen mußte, hält also an der durch den Papst längst preisgegebenen Version fest. Das Wunder, das den Papst wieder amtsfähig gemacht haben müßte, bleibt der Kombination des Lesers überlassen. Nicht weniger ergänzungsbedürftig sind die Sätze über den Erwerb der Kaiserwürde. Daß es sich um die Peterskirche und den Weihnachtstag handelte, erfährt der Leser nicht. Und wenn wir nicht aus anderen Quellen wüßten, daß Karl an diesem Tage von den Römern als Kaiser akklamiert und vom Papst gekrönt worden ist, blieben wir für den Zusammenhang zwischen Karls Abneigung gegen das *nomen imperatoris* und dem *consilium pontificis* auf Hypothesen angewiesen, die, wenn sie das Richtige treffen würden, als kühn bezeichnet werden müßten[123]. Einhard will somit nicht über die Vorgänge informieren, sondern setzt deren Kenntnis voraus und beschränkt sich auf einen knappen wertenden und charakterisierenden Kommentar. Unsere Kalamität besteht offenbar darin, daß wir diesen Kommentar nicht nur als solchen auszuwerten haben, sondern zugleich als weitere Quelle für die Vorgänge selbst. Zwar wissen wir aus anderen Zeugnissen, daß es sich um die Peterskirche und den Weihnachtstag gehandelt hat. Nicht mit der gleichen Sicherheit läßt sich jedoch der Plan des Papstes *(consilium pontificis)* bestimmen, der Karl hätte hindern können, die Kirche zu betreten. Die geläufige Annahme, es sei die Kaiserkreierung als solche gewesen, ist nicht zwingend. Sie ist die am weitesten gehende Auslegung und führt zur Kollision mit anderen Zeugnissen. Dank dieser brauchen wir uns auch bei der Rekonstruktion dessen, was Einhard kommentiert, nicht auf so elementare Tatsachen wie Weihnachtstag, Peterskirche und Kaisererhebung zu beschränken. |

[122] Vgl. oben A. 37.

[123] Classen in: Karl der Große 1 S. 590.

So läßt sich mit Sicherheit sagen, daß die nähere Beziehung des *nomen imperatoris et augusti* auf Rom und die Römer von vornherein umstritten gewesen ist. Die offiziösen fränkischen Reichsannalen überliefern hier den Titel *imperator Romanorum*, die römische Papstvita unterdrückt den Genitiv *Romanorum* im Wortlaut der Akklamation, fügt jedoch hinzu, Karl sei auf diese Weise *imperator Romanorum* geworden. Karl hat diesen Titel nicht akzeptiert, die römische Beziehung der neuen Würde vielmehr durch die Wendung *Romanum gubernans imperium* zum Ausdruck gebracht, und dies aus naheliegenden Gründen: Der Titel *imperator Romanorum* hatte anders als die von Karl gewählte justinianische Form [124] keine Tradition und legte obendrein ganz unerwünschte Deutungen nahe, die Einschränkung der Kaiserherrschaft auf die Römer und deren Anerkennung als Reichsvolk des Kaisers auf Kosten der Franken und Langobarden. Die Reichsannalen verhalten sich übrigens in dieser Hinsicht im Vergleich zur Vita Leonis gerade umgekehrt: Hier heißt es im Anschluß an die Akklamation: *ablato patricii nomine imperator et augustus est appellatus* [125]. Diese Form

[124] P. Classen, Romanum gubernans imperium (in: DA. 9, 1952) S. 103 bis 121 [hier S. 4 ff.]; ders. in: Karl der Große 1 S. 587 f.

[125] Dies ergänzend zu Classen, ebd. S. 588 mit A. 263, der den Text der Akklamation in der Fassung der Vita Leonis (ohne Römernamen) für ursprünglich hält. Dem Hinweis des Verfassers in: HZ. 185 S. 523 A. 6 [hier S. 184 A. 40] auf die zeitliche Priorität der Reichsannalen wird die annalistisch-gleichzeitige Entstehung auch der Vita Leonis entgegengehalten (S. 567 mit A. 135). Entfällt somit dieses Argument (vgl. allerdings oben [S. 319 f.] Anm. 37) für die oben erneut vertretene Auffassung, so hat die Fassung der Reichsannalen nach wie vor und erst recht nach Classens Darlegungen (S. 587) über den älteren römischen Titelgebrauch als Lectio difficilior zu gelten. Dieser textkritische Grundsatz ist hier deshalb am Platze, weil ein plausibles Motiv des Reichsannalisten für eine Hinzufügung von *Romanorum* bisher und auch von Classen nicht gegeben werden konnte, wohl aber für dessen Streichung durch den Verfasser der Vita Leonis: Dieser konnte der Amtssprache folgen; Classen S. 587 f. Die Abweichung von ihr spricht nicht gegen die Fassung der Reichsannalen; denn auch in nahezu jeder anderen Hinsicht wich Karls Kaiserkreierung als ein „neuartig kontaminiertes Zeremoniell“ (Classen S. 584) von der Tradition ab. *Imperator Romanorum* ist vor 800 zwar nicht in amtlichen

bietet auch Einhard und stellt ihr im folgenden Satz, der auf die Spannungen zu Ostrom eingeht, *Romani imperatores* als Titel der oströmischen Kaiser gegenüber. Es ist mit Recht darauf aufmerksam gemacht worden, daß Einhard die Herrscher von Byzanz nur an dieser Stelle der Vita so bezeichnet, während er sonst vom „Kaiser von Konstantinopel" oder vom „Kaiser der Griechen" spricht. Durch die römische Quali- | fizierung des byzantinischen Kaisertums gerade und nur an dieser Stelle „wehrt (Einhard) von vornherein den Gedanken ab, Karls Kaisertum als römisches zu verstehen"[126].

Dies berührt sich in auffallender Weise mit der Rolle der *nova Roma*, die unser Paderborner Dichter Aachen zuweist, und mit dem für die Aachener Pfalz überlieferten Namen „Lateran". Die „Aachener Kaiseridee"[127], deren frühesten Beleg das Paderborner Epos bildet, muß also zum Verständnis Einhards und der von ihm wiedergegebenen Kritik Karls herangezogen werden[128]. Jedenfalls läßt sich hiernach der scheinbare Widerspruch unserer Quellen methodisch[129] auflösen. Der „Plan des Papstes", den Karl nicht vorausgesehen hatte, als er in Erwartung der Erhebung zum *imperator et augustus* die Peterskirche am Weihnachtstage betrat, war der Versuch, ihn auf die Würde eines *imperator Romanorum* und

Schriftstücken, wohl aber sonst vereinzelt seit dem 4. Jahrhundert belegt (Classen S. 587 mit A. 259), weitere Anregungen konnte Karls Königstitel *(rex Francorum et Langobardorum)*, sein ebenfalls traditionsloser Titel *patricius Romanorum* sowie der Begriff der *res publica Romanorum* vermitteln; vgl. Codex Carolinus Nr. 6, Epp. 3 S. 489 Z. 18; Nr. 7 S. 493 Z. 22 (Stephan II.: *Cunctus noster populus rei publice Romanorum*); Nr. 8 S. 497 Z. 11 (mit der Gegenüberstellung *cuncte genti Francorum ... sanctam Dei ecclesiam et nostrum Romanorum rei publice populum commisimus protegendum*); Nr. 11 S. 506 Z. 21; Nr. 19 S. 520 Z. 3; Nr. 44 S. 560 Z. 5; Nr. 45 S. 563 Z. 17; Nr. 57 S. 583 Z. 3. Die Ann. Maximiniani (SS. 13 S. 23) ergänzen die Reichsannalen um *nesciente domno Carolo* (zur Krönung) und streichen *Romanorum.*

[126] Classen in: Karl der Große 1 S. 591.

[127] Hierzu zuerst Erdmann in: DA. 6 S. 418 f.; derselbe, Forschungen S. 16 ff.; Stengel S. 317.

[128] So schon Erdmann in DA. 6 S. 418.

[129] D. h., gestützt auf die Überlieferung und im Einklang mit dieser.

damit auf die in der fingierten Schenkung Konstantins niedergelegte päpstliche Kaiseridee festzulegen. Keine Quelle überliefert uns die Worte, mit denen der Papst die von ihm vollzogene Krönung Karls begleitet hat. Wenn aber das *consilium pontificis* Karls Anstoß erregt hat, so wird gerade auf den Anteil des Papstes an der Kaiserkreierung der besondere Nachdruck gelegt.

Es ist nicht eben wahrscheinlich, daß Karl die Krönung durch den Papst, sofern der ausschließliche Weihecharakter gewahrt blieb, als anstößig empfunden hat. Denn für seine Söhne Pippin, Ludwig und Karl hat er den Papst als *coronator* sehr wohl und zweifellos ohne Bedenken akzeptiert und wohl auch gewünscht. Eine Krönung durch den Papst konnte unbedenklich erscheinen, solange sie von politischen Implikationen frei blieb. Gerade dies scheint jedoch bei Karls Kaiserkrönung entgegen vorher getroffenen Vereinbarungen nicht der Fall gewesen zu sein. Schon die Reihenfolge der Handlungen weicht vom oströmischen Gebrauch ab. Folgte dort die Krönung durch den Patriarchen der allein konstitutiven Akklamation, die zudem nicht in der Kirche, sondern im Hippodrom stattzufinden pflegte, so muß es auffallen, daß in der Peterskirche erst nach der päpstlichen Krönung akklamiert worden ist[130]. Damit erhält die Spendung der Kaiserkrone aus den Händen des Papstes einen ungleich stärkeren Akzent, aus der bestätigenden liturgischen Weihe wird eine Initiativhandlung. Dies lenkt den Blick auf die Kaisertheorie des Constitutum Constantini, nach welcher der Papst über eine Kaiserkrone disponieren konnte, die sich auf Rom und die *occidentales regiones* bezog. Den *occidentales regiones* des Constitutum korrespondiert der Begriff | einer *respublica Romanorum* als Ausdruck römisch-päpstlicher Autonomietendenzen in der zweiten Hälfte des 8. Jahrhunderts[131]. Die Kombination dieser Ansätze und Ansprüche konnte in der Tat zur Kreierung eines *imperator Romanorum* führen. Ein solcher wollte Karl jedoch nicht werden,

[130] Caspar in: ZKiG. 54 S. 258 (gegen Dannenbauer); Classen in: Karl der Große 1 S. 584 u. 590 mit A. 276. Leo als „Kaisermacher" in den Augen des Theophanes: Ebd. S. 596.

[131] Vgl. oben A. 125; Caspar in: ZKiG 54 S. 145 ff. Die im Geiste des Constitutum vom Papst in den Vordergrund geschobene Krönung als Anlaß für Karls Verärgerung hat H. Löwe, Die karolingische Reichs-

wie sein weiteres Verhalten bezeugt. In diesem Sinne mag er in der Tat das am Weihnachtstage 800 empfangene *nomen* anfangs (*primo*) verabscheut haben. Er hat jedoch später, nämlich nach den von ihm selbst vorgenommenen Korrekturen, seine Kaiserwürde gegenüber Byzanz „standhaft" behauptet[132].

Eine solche „Überrumpelung" Karls steht nicht im Widerspruch zu einer vorausgegangenen Nominierung. Dann aber kam es zur Konfrontation mit einer für Karl unannehmbaren Modifikation der Kaiseridee, durch die dem Papst und den Römern, und zwar in dieser Reihenfolge, die Prärogative bei der Kaiserkreierung zufallen sollte. Man muß voraussetzen, daß damit Vereinbarungen umgestoßen worden sind, zu denen die schon in Paderborn eingeleiteten Verhandlungen in Rom geführt hatten.

Die in Paderborn erörterte ursprüngliche fränkische Konzeption fassen wir in Umrissen mit dem für Aachen belegten Namen des Lateran und der Bezeichnung Aachens als *nova Roma* im Paderborner Epos. Karls Einzug in Rom am 24. November 800 und seine Zustimmung zur Kaiserfrage des Konzils zeigten jedoch, daß er den Aachener Kaisergedanken im weiteren Verlauf der Verhandlungen, also wohl schon in Paderborn, zugunsten einer römischen Lösung zurückgestellt hat, die dem Papst entgegenkam, ohne der päpstlichen Konzeption voll zu entsprechen. Ein Kompromiß in dieser Richtung lag in der Tat nahe: In seiner völligen Abhängigkeit von fränkischer Hilfe war der aus Rom verdrängte Papst schwerlich in der Lage, mit seinen Wünschen voll durchzudringen. Anderseits wurde Karl auch von fränkischen Kreisen bedrängt, den Papst in Rom zu restituieren und seine Stellung zu sichern. Zur Klärung der delikaten Rechtslage dürften die Einlassungen der Papstgegner das ihrige beigetragen haben. Tatsächlich hat Karl, wie bereits dargelegt, die Gegner Leos erst nach der Kaiserkrönung und unter

gründung und der Südosten (1937) S. 157 ff., im Anschluß an Levillain hervorgehoben. Vgl. auch Folz S. 177 sowie das auf die Krönung bezogene *nesciente domno Carolo* der Ann. Maxim. (s. oben A. 125).

132 Einhard, Vita Karoli c. 28, Schulausgabe S. 32: *Invidiam tamen suscepti nominis, Romanis imperatoribus super hoc indignantibus, magna tulit patientia.*

Inanspruchnahme kaiserlicher Jurisdiktion abgeurteilt. Sah sich Karl vor der Aufgabe, die römischen Verhältnisse zu ordnen, so konnte sich ihm eine römische Legitimation der ins Auge gefaßten Würde schon in Ansehung der jurisdiktionellen Momente empfehlen. |

8.

Andere Gesichtspunkte mögen hinzugetreten sein. Nachdem der Papst Paderborn verlassen und in fränkischer Begleitung den Rückweg nach Rom angetreten hatte, fertigte Karl während der wenigen Tage, die er noch in Paderborn verblieb, eine Gesandtschaft des Patricius Michael von Sizilien ab[133]. Ebenso wie der Papst ist also diese oströmische Legation, wie bereits gesagt, nach Paderborn und nicht nach Aachen dirigiert worden, wohin Karl selbst sich anschließend für seinen Winteraufenthalt begeben hat[134]. Byzantinische Gesandtschaften an den fränkischen Hof werden uns auch zu 797 und 798 gemeldet[135]. 797 hatte ein Gesandter des damaligen Statthalters von Sizilien Nicetas einen Brief Kaiser Konstantins überbracht, der kurz vor dessen Sturz geschrieben worden ist. 798 erschien eine aus Konstantinopel kommende Legation, die von *Michael patricius quondam Frigiae* angeführt wurde und einen Brief der Kaiserin Eirene überbrachte[136]. Die Annahme liegt nahe, daß dieser Michael identisch ist mit dem für 799 bezeugten gleichnamigen Nachfolger des Nicetas in Sizilien[137]. Offenbar oblag dem sizilischen Patricius die Abwicklung des diplomatischen Verkehrs mit dem Frankenreich, und die Abberufung Michaels aus Phrygien, seine Gesandtschaft nach Aachen und anschließende Versetzung nach Sizilien könnte, wenn diese Identifikation zutrifft, zu einem Revirement gehören, das Eirene nach Erlangung der Alleinherrschaft verfügt hat.

[133] BM. 350 f.

[134] Das erste Jahrtausend, Textband 1 S. 301 A. 42.

[135] BM. 338 f. und 347b.

[136] Ann. regni Francorum zu 798, Schulausgabe S. 104.

[137] H. Löwe (wie unten A. 139) S. 32 A. 135; Das erste Jahrtausend, Textband 1 S. 301 A. 42.

Unter den drei erwähnten Gesandtschaften der Jahre 797—99 war diese die ranghöchste, und zu ihr erfahren wir auch einiges über den Gegenstand. Die Reichsannalen, auf die wir zunächst angewiesen sind, fügen den Worten *epistolam Herenae imperatricis ferentes* erklärend hinzu: *Nam filius eius Constantinus imperator anno superiore a suis comprehensus et excecatus est.* Da Eirene hier erstmals genannt wird, während noch im vorigen Jahresbericht vom *imperator* die Rede gewesen war, erklärt sich der *nam*-Satz als notwendige Erläuterung für den inzwischen eingetretenen Herrschaftswechsel. Der Annalist fährt dann fort: *Haec tamen legatio tantum de pace fuit. Quos cum absolvisset, absolvit etiam cum eis et Sisinnium fratrem Tarasii Constantinopolitani episcopi iamdudum in Italia proelio captum.* Worin die politische Gegenleistung für die Freigabe eines prominenten griechischen Gefangenen bestanden hat, erfahren wir nicht. Daß es „gleichwohl nur" um den Frieden ging, klingt wenig überzeugend. Das *tamen* | hängt als adversative Verknüpfung in der Luft, das *tantum* gibt dem Satz den Charakter einer Richtigstellung[138].

Diesen Nachrichten über die Gesandtschaft von 798 ist eine 798 oder 799 wahrscheinlich im Kloster Saint-Amand aufgezeichnete und in einer Kölner Handschrift des Jahres 805 abschriftlich überlieferte komputistische Notiz zur Seite zu stellen, deren Verfasser den Zeitpunkt seiner Aufzeichnung durch die Angabe *quando missi venerunt de Grecia ut traderent ei (sc. Karolo) imperium* näher zu bestimmen sucht. Aus den übrigen Zeitangaben ergibt sich nach der eingehenden und überzeugenden Darlegung H. Löwes[139], der diese Quelle der Vergessenheit entrissen hat, eine Einordnung der Nachricht entweder zu 798 nach Oktober 8 oder zu 799 vor Oktober 9. Dabei ist der ersten der beiden Möglichkeiten die größere Wahrscheinlichkeit zuzusprechen. Nicht in gleicher Weise überzeugt der Versuch, die *missi de Grecia* der Kölner Notiz als eine Gesandtschaft von politischen Gegnern der Eirene zu deuten, da uns eine solche nirgends belegt ist. Denn die *Grecie sublimitates*,

[138] Anders Löwe (wie folgende Anm.) S. 27 ff.

[139] Eine Kölner Notiz zum Kaisertum Karls des Großen (in: Rheinische Vierteljahrsblätter 14, 1949) S. 7—34.

nach denen sich Alkuin in einem Brief vom Juni 798 bei Arn in der Annahme erkundigt, dieser habe aus Rom auch davon Kenntnis[140], dürften doch wohl eher auf die Kaiserin Eirene und deren geblendeten Sohn Konstantin zu beziehen sein als auf eine in Rom aufgetauchte byzantinische Gesandtschaft. Der Plural steht dieser Annahme nicht im Wege, da Konstantin zwar geblendet und vom Thron verdrängt war, mit seinem Ableben jedoch erst um 802 gerechnet werden muß[141]. In seinem Brief über die drei höchsten Personen in der Welt bezeichnet Alkuin den Papst als *apostolica sublimitas*[142], verwendet das Prädikat also für Personen der höchsten Ebene. Doch selbst wenn Alkuins Frage auf eine byzantinische Gesandtschaft zu beziehen wäre, gäbe es keinen triftigen Grund, diese von der durch die Reichsannalen bezeugten Legation Eirenes zu trennen. Auch diese traf im Herbt 798 in Aachen ein, ganz in Übereinstimmung mit der Zeitstellung der Kölner Notiz. Im übrigen hat Löwe die Identität beider Gesandtschaften als Alternative immerhin erwogen und in diesem Zusammenhang die Worte der Reichsannalen *haec tamen legatio tantum de pace fuit* als „offiziöses Dementi weitergehender Besprechungen" in Betracht gezogen[143]. |

Die Deutung der Kölner Notiz macht erhebliche Schwierigkeiten und kann in diesem Rahmen nicht versucht werden. Lediglich negative Abgrenzungen erscheinen möglich: Die Umdatierung der chronologisch festverankerten Notiz in das Jahr 802[144] ist methodisch gewiß unzulässig, und als Einladung zur Herrschaft in Konstantinopel kann sie ebensowenig verstanden werden[145]. Ob man es

[140] Epp. 4 Nr. 146 S. 236 Z. 6; Löwe in: Rheinische Vierteljahrsblätter 14 S. 24 f.

[141] Ohnsorge in: Saeculum 14 S. 223; anders Löwe in: Rheinische Vierteljahrsblätter 14 S. 12 und mit dieser Voraussetzung S. 25. Entscheidend in diesem Zusammenhang, daß Alkuin noch im Juni 799 nur von einer Absetzung Konstantins weiß; Epp. 4 Nr. 174 S. 288 Z. 21.

[142] Ebd. S. 288 Z. 17.

[143] Löwe in: Rheinische Vierteljahrsblätter 14 S. 30 A. 131 u. A. 135.

[144] Ohnsorge, Abendland S. 69 A. 23.

[145] So auch Classen in: Karl der Große 1 S. 567, der im übrigen die Kölner Nachricht ebenfalls eher auf Eirenes Gesandtschaft von 798 beziehen möchte.

Eirene wird zutrauen können, zum Zwecke einer außenpolitischen Entlastung ihrer innenpolitisch unsicheren Stellung die Anerkennung des Frankenkönigs als eines nicht ranggleichen Westkaisers angeboten zu haben, bleibe dahingestellt. Die rein chronologische und nicht historiographische Natur der Aufzeichnung und obendrein ihre Zeitstellung vor 800 lassen es jedenfalls nicht zu, sie kurzerhand beiseite zu lassen. So wird man es nicht ausschließen können, daß Karl über die Kaiserfrage in diesen Jahren auch mit Byzanz Verhandlungen geführt hat, und in diesem Zusammenhang erhält die Nachricht der Annales Guelferbytani zu 799 *et missi imperatissa (!) ibi fuerunt* Gewicht[146]. Sie deutet darauf hin, daß der von Karl noch in Paderborn empfangene Gesandte des sizilischen Präfekten Michael von Eirene beauftragt war oder doch wenigstens einen Brief der Kaiserin überbracht hat.

Schließlich verdient auch die Gesandtschaft Beachtung, die bei Karl am 23. Dezember 800 in Rom eintraf, am Tage des päpstlichen Reinigungseides und zwei Tage vor der Kaiserkrönung. Sie war vom Patriarchen von Jerusalem abgeordnet und überbrachte Schlüssel mehrerer heiliger Stätten, darunter solche vom Grabe des Herrn und von der Stadt Jerusalem, sowie eine Fahne[147]. Schon 799 hatte Karl durch einen Gesandten des Patriarchen von Jerusalem Reliquien vom Grabe des Herrn empfangen[148]. Im folgenden Jahre ordnete er den Priester Zacharias *de palatio suo* als Gegengesandtschaft mit Geschenken nach Jerusalem ab[149], und eben dieser Zacharias kehrte in Begleitung der am 23. Dezember 800 in Rom eintreffenden Gesandtschaft des Patriarchen zurück. Der Ankunftstermin gerade zwei Tage vor der Kaiserkrönung in Rom kann Zufall gewesen sein. Der Gesandtschaftsverkehr mit Jerusalem als solcher paßt jedoch viel zu gut zu dem Bilde Karls, der sich von Alkuin und anderen als David und Schirmherr der gesamten | Christenheit feiern ließ, als daß nicht auch erwogen werden könnte,

[146] SS. 1 S. 45 zu 799; *Karolus plaidavit ad Lippihamme, inde perrexit ad Phaderprunnin; . . . Et hic venit papa Leo ad eum et alii Romani consiliatores eius 203; et missi imperatissa ibi fuerunt.*

[147] BM. 370b.

[148] Ebd. 350h.

[149] Ebd.

die Gesandten seien mit Bedacht am 23. Dezember vorgelassen worden[150].

Doch was besagt dieser weiträumige diplomatische Verkehr, dem Karls Beziehungen zur arabischen Welt zur Seite zu stellen wären[151], für die hier erörterten Fragen? Es handelt sich um Vorgänge, die ebenso wie die Paderborner Verhandlungen zeitlich im unmittelbaren Vorfeld der Kaiserkrönung liegen und den damaligen Aktionsradius des Frankenherrschers charakterisieren. Sie erlauben es nicht, Karls Erwägungen über die Kaiserfrage näher zu präzisieren. Nur so viel läßt sich vielleicht sagen: Gerade in den Jahren, die der Kaiserkrönung vorausgingen, war Karl damit beschäftigt, seine Stellung in der christlichen Umwelt seines Reiches näher zu bestimmen. Die Annahme der Kaiserwürde fügt sich in diesen Rahmen ein.

In unserem Zusammenhang ist dieser universale Horizont ein Hinweis auf weitere mögliche Gesichtspunkte, die im Verein mit den Erfordernissen der gegebenen Lage Karl geneigt stimmen konnten, den römischen Grundlagen einer Kaiserwürde größere Bedeutung beizumessen als zuvor bei der „Aachener" Konzeption. Freilich ist auch diese als „nichtrömisch" nur im Sinne einer Distan-

[150] Heldmann S. 107 f. hält den Termin für einen „merkwürdigen Zufall", betont jedoch den universalen Aspekt. Jerusalem metaphorisch für Aachen und *templum Salomonis* für die Aachener Pfalzkapelle bei Alkuin: Epp. 4 Nr. 145 S. 235 Z. 7. Karls Königtum beleuchtet aus diesem Gesichtswinkel W. Mohr, Karl der Große, Leo III. und der römische Aufstand von 799 (in: Archivum Latinitatis Medii Aevi 30, 1960) S. 39 bis 98; derselbe, Die karolingische Reichsidee (1962); derselbe, Christlich-alttestamentliches Gedankengut in der Entwicklung des karolingischen Kaisertums (in: Judentum im Mittelalter = Miscellanea Mediaevalia 4, hrsg. von P. Wilpert, 1966) S. 382—409. Das bereits durch die Königssalbung seit 751 vorgegebene Leitbild des alttestamentlichen Königtums hat zentrale Bedeutung für die politische Theologie der karolingischen Königszeit, doch führt von hier aus kein direkter Weg zum Kaisertum. Für dieses ist das davidische Königtum jedoch wegen seines auf die gesamte Christenheit bezogenen Anspruchs von Bedeutung. Siehe auch Classen in: Karl der Große 1 S. 572 mit A. 163a.

[151] W. Björkman, Karl und der Islam (in: Karl der Große 1, 1965) S. 672—82.

zierung von den Römern und der Stadt Rom, nicht aber von der Idee des Romanum Imperium aufzufassen, da sie ja auf die Konstituierung einer *nova Roma* hinauslief. Der Gedanke an einen Verzicht auf Rom kann gewiß nicht unterstellt werden. Bei den Erwägungen der Jahre 799 und 800 ging es in dieser Hinsicht um die Verteilung der Akzente, im übrigen um die der Kompetenzen, um die alte Frage der Gewaltenteilung. Hat Karl sich somit zunächst zu einer stärkeren Betonung der stadtrömischen Komponente bereit gefunden, so zeigt sein Verhalten nach der Kaiserkrönung ein Zurückschwingen des Pendels in die Ausgangslage. Schon die seit 801 gewählte Form des Kaisertitels enthält den nachdrücklichen Hinweis auf die Völker der Franken und Langobarden als die politischen Verbände, auf die die Herrschaft des Königs gegründet war, der zugleich die Würde | eines *imperator* und *augustus* innehatte. Als solcher lenkte er auch das *Romanum imperium*, nicht als eine Kreatur der Stadtrömer, eher in Analogie zu Justinian, der ebenfalls von einer *nova Roma* aus geherrscht und in Italien eingegriffen hatte.

Ein Bekenntnis zu Theoderich d. Gr. war die Überführung der Reiterstatue aus Ravenna nach Aachen[152]. Die Vereidigung aller *fideles* auf seine Kaiserwürde 802[153] stellte erneut und unmißverständlich klar, daß er nicht nur und schon gar nicht in erster Linie als Kaiser der Römer gelten wollte, sondern die neue Würde auf sein gesamtes Reich bezog. Dieser Eid bedeutete die Anerkennung und Bestätigung der Kaiserwürde durch die *fideles* des fränkischen Reichsvolkes und kommt in seiner Wirkung einer nachgeholten „Kaiserwahl" durch diese nahe. Eine weitere Etappe bildet die Reichsteilungsakte von 806[154] als Reaktion auf Leos III. Besuch um die Jahreswende von 804 auf 805. Die Frage einer künftigen Nachfolge in der Kaiserwürde wurde vertagt und damit offengelassen, der Schutz der römischen Kirche zunächst in die Hände der Söhne und Nachfolger Karls als Könige der für sie bestimmten

[152] Siehe oben A. 95.

[153] BM. 381; Schlesinger, Beiträge 1 S. 220; Classen in: Karl der Große 1 S. 594 f. mit A. 302.

[154] Das Folgende nach Schlesinger, Beiträge 1 S. 193—232; vgl. auch Classen in: Karl der Große 1 S. 599 f.

Teilreiche gelegt. Spätestens jetzt war der Wortlaut der Konstantinischen Schenkung am fränkischen Hof bekannt geworden[155], wie die Entlehnung ihres Kaisertitels in der für den Papst bestimmten Fassung der Divisio erkennen läßt. Sie ist also als Karls Reaktion auf die päpstlichen Ansprüche aufzufassen, die aus dem Constitutum abgeleitet werden konnten. Im Jahre 813 hat Karl schließlich in konsequenter Rückkehr zum Aachener Kaisergedanken seinen Sohn Ludwig in der fränkischen *nova Roma* unter Anlehnung an die oströmische Form der Nachfolgeregelung zum Mitkaiser und Nachfolger im Kaisertum gemacht und diese Regelung durch eine fränkische Reichsversammlung ausdrücklich sanktionieren lassen[156]. Dieser Rückkehr zur Konzeption von 799 korrespondieren als literarische Zeugnisse die Annales Mettenses priores, eine fränkische Hauschronik aus dem Jahre 805, in der die imperiale Stellung der Karolinger unter indirekter Zurückweisung des Gedankens an eine römische Provenienz bis in die Tage Pippins des Mittleren zurückdatiert wird[157], gehören aber auch Modoins Eklogen, in denen die imperialen Gedanken des Paderborner Epos weitergesponnen und präzisiert werden. |

9.

Im Mittelpunkt der Überlegungen, die im Frankenreich durch den römischen Aufstand von 799 hervorgerufen worden sind, stand die Frage der Legitimation Karls für sein Eingreifen in Rom. Sie hatte eine staatsrechtlich-jurisdiktionelle und eine „theologische" Seite, da sowohl der staatsrechtliche Status von Rom als auch die Stellung des Papstes in Kirche und Welt, insbesondere sein Verhältnis zur weltlichen Gewalt berührt waren. Dieser Aspekt tritt in unseren Quellen ungleich stärker hervor als jener und darf schon deshalb nicht vernachlässigt werden. Im übrigen müssen wir davon

[155] Wahrscheinlich jedoch schon früher, vgl. unten S. 377 ff.

[156] Schlesinger, Beiträge 1 S. 95 f.

[157] Löwe in: DA. 9 S. 390 ff.; H. Hoffmann, Untersuchungen zur karolingischen Annalistik (Bonner historische Forschungen 10, 1958) S. 61 ff.; Schlesinger, Beiträge 1 S. 220 ff.; Stengel S. 318; Classen in: Karl der Große 1 S. 600.

ausgehen, daß nach Auffassung des Zeitalters theologischen Argumenten nicht von vornherein ein geringeres politisches Gewicht zukam als „staatsrechtlichen". Am leichtesten hatte es in dieser Hinsicht Alkuin. Für ihn war Karl längst der von Christus bevollmächtigte Lenker des *populus christianus*, der Christenheit, und die nicht nur von ihm als illegal betrachtete Herrschaft der Eirene sowie die Handlungsunfähigkeit des Papstes konnten in seinen Augen die Lage nur zugunsten umfassender Vollmachten Karls vereinfachen[158]. Der wohl von ihm verfaßte Brief an Leo III. von 796[159] hatte im übrigen mit der klaren Beschränkung der päpstlichen Befugnisse auf die geistliche Fürbitte und Interzession eine Gewaltenteilung festgelegt, die dem Frankenkönig umfassende Vollmachten auch in allen kirchlichen Angelegenheiten zusprach. Die Verteilung der Kompetenzen innerhalb der Kirche, die Stellung des Königs in ihr und zu ihr, sein Verhältnis zum Papsttum und zur römischen Kirche insbesondere und schließlich die Ableitung dieser Befugnisse ist jedoch durch das Außergewöhnliche der Lage, der man sich 799 und 800 gegenübersah, erneut auf die Tagesordnung gelangt.

Der von Alkuin eingeschärfte Grundsatz der päpstlichen Immunität war von nicht geringerer Erheblichkeit als die Frage der römischen Blutgerichtsbarkeit. Wenn Karl den Papst rehabilitieren und restituieren sollte, so bedurfte er dazu auch einer religiösen Vollmacht, die ihm nicht vom gleichen Papst vermittelt sein durfte, den es jetzt kraft solcher Vollmacht in sein kirchliches Amt wiedereinzusetzen galt. In diese Richtung gehen Erörterungen Theodulfs in dem bereits herangezogenen Gedicht aus dem Jahre 800[160]. Der hier einschlägige Gedankengang ist folgender: Petrus hat den Papst in Rom vor dem Anschlag seiner Feinde gerettet und ihn alsdann dem weiteren Schutze Karls anvertraut, der in dieser Hinsicht als Vertreter des hl. Petrus wirken soll. Petrus hat von sich aus die schrecklichen Verletzungen des Leibes geheilt, durch Karl hat er Leo im Amt resti- | tuieren lassen. Als Inhaber der Himmelsschlüssel hat Petrus verfügt, daß auch Karl eigene Schlüssel besitzt; Karl

[158] Epp. 4 Nr. 174 S. 288 f.

[159] Siehe oben A. 21.

[160] Poetae 1 S. 523 f. Nr. 32, siehe oben S. 317 f.

herrscht über die Kirche, Petrus über den Himmel; Karl herrscht über des Petrus Besitz *(patrimonium Petri?)*, über Klerus und Volk, Petrus wird dereinst Karl zu den himmlischen Chören geleiten[161].

Die Konsequenz, mit der in ständigem Wechsel von Petrus und Karl die Rede ist, läßt keinen Zweifel daran zu, daß in Vers 31 *(Caeli habet hic claves, proprias te iussit habere)* Petrus als Inhaber der Himmelsschlüssel und Karl als Inhaber eigener Schlüssel einander gegenübergestellt werden[162]. Daß die erste Vershälfte, wie man gemeint hat[163], auf den Papst zu beziehen sei, dürfte wohl überdies aus sachlichen Gründen ausscheiden. Bedenklich erscheint es freilich auch, die eigenen Schlüssel Karls, über die dieser auf Anordnung des hl. Petrus verfügt, als *caeli claves*, Himmelsschlüssel, zu deuten, wie dies bisher geschehen ist. Der Text erfordert solches nicht, wenn es sein Wortlaut auch zulassen würde. Eher ist an die *claves confessionis s. Petri* zu denken, die Karl 796 von Leo III. zusammen mit einem *vexillum Romanae urbis* erhalten hatte[164]. Auch diese Schlüssel haben eine Beziehung zum hl. Petrus, sind aber Karl durch den Papst vermittelt worden. Wenn es naheliegt, daß Theodulf diese Schlüssel im Auge hat, so scheint er den Nachdruck auf ihre Verleihung durch den hl. Petrus zu legen. Nur indirekt berücksichtigt er mit der Wendung *proprias te iussit*

[161] Vers 25—34:

Nam salvare Petrus cum posset in urbe Quirina,
Hostibus ex atris insidiisque feris,
Hunc tibi salvandum, rex clementissime, misit,
Teque sua voluit fungier ille vice.
Per se reddit ei membrorum damna pavenda,
Et per te sedis officiique decus.
Caeli habet hic claves, proprias te iussit habere,
Tu regis ecclesiae, nam regit ille poli.
Tu regis eius opes, clerum populumque gubernas,
Hic te caelicolas ducet ad usque choros. Poetae 1 S. 524.

[162] A. Hauck, Kirchengeschichte Deutschlands 2 (3/4 1912) S. 121; F. Kampers, Rex et sacerdos (in: HJb. 45, 1925) S. 499; H. Helbig, Fideles Dei et regis (in: Archiv für Kulturgeschichte 33, 1951) S. 287; Folz S. 159.

[163] So Mohr in: Archivum Latinitatis Medii Aevi 30 S. 65.

[164] Ann. regni Francorum zu 796, Schulausgabe S. 98.

habere eine vermittelnde Funktion des Papstes. An der jurisdiktionellen Hoheit Karls über die Kirche einschließlich der römischen auf Grund unmittelbarer Bevollmächtigung durch den hl. Petrus bleibt kein Zweifel.

Dieser Ämterfiliation ist das Mosaik zur Seite zu stellen, das Leo III. sehr wahrscheinlich nach seiner Rückkehr aus Paderborn im Triklinium des Lateranpalastes anbringen ließ[165]. In diesem päpstlichen Repräsentationssaal hat nach Paderborn | die mit den weiteren Untersuchungen beauftragte fränkische Kommission getagt. Im ganzen waren drei Investiturszenen dargestellt. In der Apsis sah man die Aussendung der Apostel durch Christus. An den beiden Stirnwänden befand sich je eine Dreiergruppe, deren rechte am besten überliefert ist. Hier knieten zu Füßen des hl. Petrus Papst Leo und König Karl, durch Beischriften eindeutig gekennzeichnet. Aus der Rechten des hl. Petrus empfängt Leo das Pallium, aus der Linken Karl eine Fahnenlanze. Weniger gut gesichert ist die Überlieferung für die linke Dreiergruppe. Folgt man dem von Alemanni 1625 veröffentlichten Stich[166], so war hier der thronende Christus dargestellt und zu dessen Füßen links[167] Konstantin, als solcher durch Beischrift bezeichnet, zu seiner Rechten eine geistliche Person. Dieser überreicht Christus ein Schlüsselpaar, während Konstantin eine Fahne erhält, deren Tuch allerdings nicht

[165] Nur in frühneuzeitlichen Kopien überliefert; vgl. die Abbildungen bei P. E. Schramm, Die deutschen Kaiser und Könige in Bildern ihrer Zeit 1 (1928) Tafelband Abb. 4a-m; Classen in: Karl der Große 1 Abb. 1 nach S. 576; Ausstellungskatalog Karl der Große Abb. 8 nach S. 40. Zur Überlieferung ausführlich P. E. Schramm, Die zeitgenössischen Bildnisse Karls des Großen (Beiträge zur Kulturgeschichte des Mittelalters und der Renaissance 29, 1928) S. 4 ff. Zur Deutung zuletzt Deér in: Schweizer Beiträge 15 S. 34 ff. [hier S. 67 ff.]; Classen S. 575 f. Dieser spricht sich für Entstehung im Jahre 800 aus. Man hat sich allerdings zu fragen, ob die dann für Planung und Ausführung zur Verfügung stehende Zeit nicht zu eng bemessen ist.

[166] Schramm, Kaiser und Könige 1, Tafelband Abb. 4 l; G. B. Ladner, Die Papstbildnisse des Altertums und des Mittelalters 1, 1941, Fig. 101, S. 115.

[167] „Rechts" und „links" für die Stellung der Personen zueinander stets im heraldischen Sinne.

an einer Lanze befestigt ist, sondern an einem Stab mit aufgesetztem Kreuz. Die Deutung der zur Rechten knienden Gestalt ist, da die Beischrift fehlt, umstritten. Sie ist schon früh und häufig für Silvester I. in Anspruch genommen worden, doch sprechen die Schlüssel eher für Petrus, so daß sich diese Deutung in letzter Zeit durchgesetzt hat. Hinsichtlich der politischen Aussage des Bildprogramms ist die Voraussetzung, daß nicht Silvester, sondern Petrus gemeint war, zugleich die weniger weit gehende Hypothese. Sie wird auch deshalb den folgenden Erörterungen zugrunde gelegt.

Im ganzen handelt es sich um eine umfassende Darstellung der Ämterfiliation und Ämterverteilung. Quelle aller Amtsvollmachten ist Christus, der unmittelbar die Apostel und insbesondere Petrus, aber ebenso unmittelbar und ohne apostolische Vermittlung Konstantin den Großen autorisiert. Auf der rechten Seite erscheinen Leo und Karl vergleichsweise mediatisiert, da diese die ihnen zugedachten Würdezeichen aus den Händen des hl. Petrus empfangen. Karl wird in den Beischriften ausdrücklich als *rex*, nicht als *patricius Romanorum* bezeichnet und schon gar nicht mit kaiserlichen Titeln oder Prädikaten belegt.

Für unseren Zusammenhang ist zweierlei entscheidend: die immediate Investitur Karls durch Petrus und die typologische Beziehung, die zwischen Konstantin und Karl hergestellt wird. Karl erscheint als *novus Constantinus*, wobei das Ter- | tium comparationis in erster Linie die Stellung beider zur Kirche sein dürfte, während es eine offene Frage bleibt, inwieweit auch die weltlichen Herrschaftsbefugnisse mit in Betracht gezogen worden sind. Im Hinblick auf Zeit und Ort der Anbringung dieses Mosaiks ist bemerkt worden, daß „die schwebende Frage, wem das Gericht in Rom zustehe, ... mit diesem Bilde bereits vor der ‚Kaiserkrönung' beantwortet" war, „wenn nicht im juristischen, so doch im Sinne der kirchlichpolitischen Theorie Leos III." [168]. Um eine Umsetzung der Ämterfiliation des Constitutum Constantini in die Ikonographie handelt es sich allerdings nicht [169]. Es fehlt die Gestalt Silvesters I.[170], die

[168] Classen in: Karl der Große 1 S. 576.

[169] Deér in: Schweizer Beiträge 15 S. 37 [hier S. 71].

[170] Ladner, S. 120. Vgl. jedoch die methodische Einschränkung oben S. 362 f. und unten S. 366 f.

unentbehrlich wäre, und die Position Konstantins auf der einen, Karls auf der anderen Seite bringen eine typologische Korrespondenz zum Ausdruck, die im Constantinianum nicht angelegt ist.

Nahegelegt wird jedoch der Vergleich mit dem an Karl gerichteten Gedicht Theodulfs von 800. Das dort festgehaltene Filiationsschema steht der rechten Seite des Lateranmosaiks insofern nahe, als in beiden Fällen Karl in gleicher Weise wie der Papst die Amtsvollmacht unmittelbar vom hl. Petrus entgegennimmt. Als wesentlicher Unterschied springt es lediglich ins Auge, daß weder bei Theodulf noch in sonstigen einschlägigen fränkischen Quellen die Gestalt Konstantins erscheint. Ihn hatte jedoch schon Papst Hadrian in einem an Karl gerichteten Brief von 778 [171] eingeführt, in dem er mit Anspielung auf die Konstantinische Schenkung dem Frankenkönig die Rolle des „Kaisers" Konstantin für den Fall in Aussicht stellt, daß er sich in vergleichbarer Weise um die römische Kirche verdient mache. Auf diesen Brief wird noch näher einzugehen sein [172]. Hier geht es zunächst um die Frage, ob sich der *rex Carulus* ebenso wie im Brief Hadrians als potentieller *novus Constantinus imperator* interpretieren läßt und, wenn ja, ob in bloß religiös-kirchlichem Sinne oder auch in einem politisch-staatsrechtlichen. Zur Begründung einer ausschließlich religiös-kirchlichen Deutung zieht Deér den an Eirene und Konstantin VI. gerichteten Brief Hadrians von 785 heran [173], in dem die Adressaten als *novus Constantinus et nova Helena* apostrophiert werden. Gemeinsam ist beiden Konstantinsvergleichen das Tertium comparationis: die *elevatio, exaltatio* und *renovatio* der römischen Kirche, und insofern steht in der Tat der kirchliche Gesichtspunkt im Vordergrund. Doch | dürfen die erheblichen Unterschiede dieser beiden Belege nicht über-

[171] Codex Carolinus Nr. 60, Epp. 3 S. 387 Z. 16.

[172] Vgl. unten S. 376 ff.

[173] Ph. Jaffé, Regesta pontificum Romanorum, 2. Ausgabe, bearbeitet von P. Ewald u. a. 1 (1885) Nr. 2448; Mansi 12 Sp. 1057, Migne, Patrologia Latina 96 Sp. 1215; dazu Caspar in: ZKiG. 54 S. 163 ff., Deér in: Schweizer Beiträge 15 S. 38 f. [hier S. 72 f.] und derselbe in: AHP. 3 S. 77 [hier S. 296].

sehen werden. Deér selbst weist[174] auf das ganz andere Gewicht hin, das dem Prädikat „neuer Konstantin" bei den tatsächlichen Nachfolgern des ersten christlichen Kaisers einerseits und bei den Frankenkönigen anderseits zukommt. Von der Selbstverständlichkeit, mit der sich der Konstantinsvergleich gegenüber Ostrom verwenden ließ, konnte im Westen kaum die Rede sein. Denn hier wurde einem König das Prädikat *novus Constantinus imperator* in Aussicht gestellt, unter ausdrücklicher Hinzufügung des Kaisertitels, der gegenüber den oströmischen Majestäten beiseite gelassen worden ist. Es kommt hinzu, daß Hadrian gegenüber Karl — anders als gegenüber Ostrom — in diesem Zusammenhang die Konstantinische Schenkung heranzieht und deren politisches Programm, insbesondere bei dem auf Restituierung der *potestas in his Hesperiae partibus* gerichteten Wunsch, voraussetzt[175]. Zwar bringt die politisch-theologische Ikonographie des Mosaiks die im Constitutum begründete Prärogative des Papstes hinsichtlich eines westlichen Kaisertums nicht zum Ausdruck, doch kann man sich für eine unpolitische Auffassung des Bildprogramms nicht gerade auf Hadrians Brief berufen. Dieser weist vielmehr, wie noch näher auszuführen ist, in die umgekehrte Richtung.

Im Vordergrund des ikonographischen Programms stehen allerdings nicht die Beziehungen der beiden weltlichen Herrscher zueinander, sondern der Gedanke der apostolischen Sukzession nach dem Schema Christus — Petrus — Leo, der dadurch besonders hervorgekehrt wird, daß der auf der Konstantinsseite kniende Petrus als Thronender auf der Karlsseite wiederkehrt und so beide Gruppen miteinander verknüpft. Die von der linken zur rechten Gruppe führende Linie der apostolischen Sukzession läßt sich sogar zweimal ziehen: vom thronenden Christus über den thronenden Petrus zum knienden Leo einerseits, vom thronenden Christus über den knienden Petrus zum knienden Leo anderseits. Der Kreis, der sich hier schließt, läßt die beiden Herrschergestalten aus. Die Sonderstellung, die ihnen dadurch zufällt, hat auch die Wirkung einer Hervorhebung und legt es dem Betrachter nahe, auch nach ikono-

[174] Ebd. S. 38.

[175] Siehe unten S. 376 ff.

graphischen Anhaltspunkten für die zwischen ihnen bestehenden Beziehungen zu suchen. Da das Schema der beiden Dreiergruppen, bei dem allein Petrus zweimal erscheint, auf die apostolische Sukzession zugeschnitten ist, kann an eine Konstantinsnachfolge Karls schwerlich gedacht worden sein.

Für die Deutung sind jedoch auch die Attribute zu berücksichtigen, die den knienden Personen von den beiden thronenden überhändigt werden. Die Bedeu- | tung der Schlüssel und des Palliums ist klar. Mit ihnen erhalten Petrus und Leo die „Sinnbilder ihrer Gewalt“ [176], so daß auch die Bedeutung der Attribute Konstantins und Karls in dieser Richtung zu suchen ist. Durch die Überlieferung ist das *vexillum* Karls, zugleich als Fahnenlanze, gesichert. Nicht so das Attribut Konstantins, doch wird auch für ihn übereinstimmend eine Fahne angenommen. Dafür spricht die wohl intendierte Parallelität der beiden Gruppen [177], die freilich durch die Verschiedenheit der geistlichen Attribute eingeschränkt wird und am Ende auch auf Barberinis Restaurierung zurückgehen könnte. Schlüssel und Pallium waren allerdings in der Tradition ausreichend verankert; für das Attribut Karls kann dies nicht gelten, wie allein schon die heutigen Meinungsverschiedenheiten über seine Deutung zeigen. Anders bei Konstantin: Ein *vexillum* in seiner Hand hätte als Labarum [178] einen einwandfreien Sinn und eine feste Tradition für sich, so daß die Konstantinsfahne für das Attribut Karls bestimmend werden konnte.

Ein Christusmonogramm, wie es für die Konstantinsfahne vorauszusetzen wäre, ist allerdings an Karls *vexillum* in den beiden erhaltenen Zeichnungen nicht zu finden, so daß zwar vergleichbare, aber nicht identische Objekte einander gegenübergestellt und somit Zusammenhang und Unterschied zugleich nahegelegt werden. Fragt man, wiederum unter Berücksichtigung der Parallelität beider Gruppen, nach dem Unterschied, seinem Grade und seiner Bedeutung, so ist von dem allgemeinen Gefälle zwischen der linken und der rechten Gruppe auszugehen, das mit den einander korrespon-

[176] Deér in: Schweizer Beiträge 15 S. 37 [hier S. 71].

[177] So ebd.

[178] Ebd. S. 39 [hier S. 74] im Anschluß an Ladner.

dierenden Gestalten von Christus und Petrus auf der Ebene der Thronenden, von Petrus und Leo auf der Ebene der Knienden hervortritt, sich im Rangunterschied zwischen dem Kaiser und dem König fortsetzt und auch vor den geistlichen Attributen der Schlüssel und des Palliums nicht haltmacht. Karls Fahne ist also nach diesen Relationen in ihrer Bedeutung niedriger anzusetzen als diejenige Konstantins. Ihr dürfte aber auch im Vergleich zum Labarum ein „weltlicherer" Charakter zukommen, im gleichen Maße nämlich, wie das Pallium als Zeichen der geistlichen Amtsgewalt auf Erden sich von den Himmelsschlüsseln unterscheidet.

Mit diesen Erwägungen läßt sich die mehrfach vertretene Annahme vereinbaren, nach der es sich bei Karls Fahnenlanze um das *vexillum Romanae urbis* handelt, das Leo III., der Schöpfer des Mosaiks, 796 zusammen mit den Schlüsseln des Petrusgrabes Karl übersandt hat. Die Bedenken, die J. Deér[179] gegen die aus- | führliche Begründung dieser Auffassung durch C. Erdmann[180] erhoben hat, sind auch kaum von durchschlagender Art. Daß die Römer nicht eine einzelne, die Stadt als solche repräsentierende Fahne geführt hätten, vielmehr lediglich eine Mehrzahl von *vexilla* für die einzelnen Regionen, nimmt auch Erdmann an, und Deérs Deutung des *vexillum Romanae urbis* von 796 als einer „symbolischen Reduktion, die ... in den Vorstellungen der Stadtpersonifizierung wurzelt"[181], ist sinngemäß ebenfalls von Erdmann schon herangezogen worden. Die weiteren Einwände besagen, daß das politisch-staatsrechtliche Moment, das mit dem Banner der Stadt Rom eingeführt worden wäre, weder mit dem Charakter der bisherigen Konstantinsvergleiche Hadrians noch mit dem durchaus päpstlich-römischen Charakter des ikonographischen Programms zu vereinbaren sei. Daß die Konstantinsvergleiche solche Einschränkung nicht zu begründen vermögen, wurde gezeigt. Und als „unrömisch" läßt sich das *vexillum Romanae urbis* gewiß nicht an-

[179] Ebd. S. 18 ff. [hier S. 47 ff.].

[180] C. Erdmann, Kaiserliche und päpstliche Fahnen des hohen Mittelalters (in: Quellen und Forschungen aus italienischen Archiven und Bibliotheken 25, 1933/34) S. 1—48.

[181] Deér in: Schweizer Beiträge 15, S. 22 [hier S. 52].

sprechen. Wenn Leo ein solches Objekt an Karl gesandt hat, was sicher bezeugt ist und von niemandem bezweifelt wird, dann ist schwerlich einzusehen, weshalb es im Bildungsprogramm des Lateranmosaiks als Fremdkörper beanstandet werden sollte. Beanstandet wird auch nicht so sehr das Attribut als solches, vielmehr die ihm von Erdmann und im Anschluß an diesen auch von P. E. Schramm [182] zugeschriebene Funktion eines Investitursymbols germanisch-fränkischer Herkunft. Ob diese Weiterung zwingend folgt, wenn man die Fahnenlanze der Karlsseite als *vexillum Romanae urbis* anspricht, kann hier dahingestellt bleiben [183]. Für die Banner-Tradition von 796 nimmt Deér dies selbst nicht an. Anderseits wird man fränkische Einflüsse auf das Bildprogramm nicht ausschließen können, wenn man an die historische Lage der Entstehungszeit denkt. Die Übereinstimmung der Karlsseite mit Theodulfs Ämterfiliation im Gedicht von 800 legt es jedenfalls nahe, diesen Gesichtspunkt im Auge zu behalten.

Festzuhalten bleibt die deutliche Schranke, die das Lateranmosaik von der im Constitutum Constantini niedergelegten päpstlichen Kaiseridee trennt. Vielmehr zeigt die enge Berührung mit Theodulfs Gedicht von 800, daß die politisch-theologische Aussage des Mosaiks in der Lage des Jahres 800 auch vor fränkischen Augen unangefochten bestehen konnte. Selbst eine so extreme Fixierung der Gewaltenteilung wie die des Königsbriefes an Leo III. von 796 ist von diesem | durch die bildliche Darstellung, mit der auch sie sich zur Deckung bringen ließ, nicht zurückgewiesen worden.

Halten wir uns an diese Zeugnisse aus der Zeit zwischen Leos Rückkehr nach Rom und seiner durch den Reinigungseid vom 23. Dezember 800 bewirkten Rehabilitierung, so zeichnet sich in Umrissen eine Linie ab, auf die sich Papst und König hinsichtlich der Grundfragen ihres beiderseitigen Verhältnisses geeinigt haben könnten. Sie läßt sich für das Verhältnis des Frankenkönigs zum

[182] P. E. Schramm, Die Anerkennung Karls des Großen als Kaiser (in: HZ. 172, 1951) S. 470 f.

[183] Erst recht bleibt von dieser Deutung die Frage unberührt, ob Karl vor 800 in Rom kaiserliche Ehrenrechte wahrgenommen hat oder ob ihm solche vom Papst vindiziert worden sind.

hl. Petrus bis in die Tage Stephans II. und Pippins und darüber hinaus zurückverfolgen[184]. Nach der Rehabilitierung dürfte der Papst jedoch, im Wiederbesitz seiner vollen Handlungsfreiheit, abweichende Dispositionen getroffen haben. Karls Zustimmung zur Annahme der Kaiserwürde lag bereits vor, und in dieser Zeitspanne zwischen dem 23. und 25. Dezember hat das *consilium pontificis*, auf das Einhard anspielt, seinen historischen Ort.

Die Bedeutung unseres Epos als Quelle für das Thema der Paderborner Verhandlungen, für die Vorgeschichte der Kaiserkrönung Karls des Großen, für den „Aachener Kaisergedanken" als einer fränkischen Alternative zum römisch-päpstlichen, für die Rolle, die der Aachener Pfalz in diesem Zusammenhang zugedacht war, für ihre imperiale Architektur und nicht zuletzt für die Deutung der jüngsten Paderborner Grabungsergebnisse ist damit umschrieben. Daß bei der Paderborner Zusammenkunft Leos III. und Karls des Großen auch über die Kaiserfrage verhandelt wurde, ist hiernach hinreichend gesichert, so daß sich in Paderborn eine Entscheidung von weltgeschichtlicher Tragweite angebahnt hat. Ob den Gedanken an eine solche Rangerhöhung des mächtigsten und größten der bisherigen Frankenkönige allein die Lage eingegeben hat, die der Anschlag auf Leo III. und seine Vertreibung aus Rom heraufbeschworen hatte, muß allerdings bezweifelt werden. Es kann hier nicht näher ausgeführt werden, in welcher Weise einzelne Elemente des Kaisergedankens in Karls Königszeit, ja sogar in der seines Vaters verwurzelt sind[185]. Ebendort vermögen wir die Ausgangspunkte für die Schwankungen zu erkennen, denen Kaisertum und Kaiseridee im weiteren Verlauf ausgesetzt blieben. Von einer eindeutigen Kaiseridee Karls des Großen kann sowenig die Rede sein wie von einer fest umrissenen karolingischen oder gar mittelalterlichen Kaiseridee. Karl selbst hat sich offensichtlich, wie es bei einem Politiker nicht anders erwartet werden kann, in seiner

[184] Ausführlich belegt und erörtert bei Th. Zwölfer, Sankt Peter, Apostelfürst und Himmelspförtner (1929) S. 64 ff.

[185] Vgl. hierzu die eingehenden Darlegungen bei Schlesinger, Beiträge 1 S. 215 ff. Für die angelsächsische Komponente Stengel S. 287 ff.

Haltung zur Kaiserfrage von der jeweiligen Lage bestimmen lassen, ohne freilich eine Grundposition | aufzugeben, die in ersten Umrissen im Paderborner Epos widergespiegelt wird und sich bis zum Jahre 813 weiterverfolgen läßt.

Der Einfluß der außerordentlichen politischen Lage ist hier mit Händen zu greifen, und wenn unser Epos erst auf Grund einer möglichst genauen zeitlichen Einordnung und damit auf dem Hintergrund der konkreten geschichtlichen Vorgänge zum Reden gebracht werden konnte, so gilt dies auch für alle übrigen die Kaiserfrage betreffenden Quellen: In jedem Falle erfordert ihre Auslegung sorgfältige Beachtung von Zeitstellung und politischer Lage. Wir haben auch keinen Anlaß, Karl eine monolithische Unbeweglichkeit zu unterstellen. Die Frage, ob er Kaiser werden wollte oder nicht, ob er darauf hingearbeitet hat oder dafür mühsam gewonnen werden mußte, ist im Lichte dieser Erwägungen allzuwenig differenziert. Zu fragen wäre vielmehr, ob es in der wechselnden Abfolge der politischen Konstellationen und Pläne schon in Karls Königszeit Situationen gegeben hat, die den Gedanken an eine imperiale Rangerhöhung des Frankenkönigs nahelegen konnten. An einem solchen Zeugnis fehlt es nicht.

10.

Eine heute in Rom liegende Lorscher Handschrift des 10. Jahrhunderts enthält eine Reihe von christlichen Inschriften, die aus verschiedenen Städten Italiens, wie Ravenna, Mailand, Pavia, Ivrea und so auch aus Rom, zusammengetragen worden sind[186]. Darunter findet sich ein Altartitel, in dem folgender Gedankengang in Distichen ausgeführt wird: Christus, der Herr des Himmels und Sohn der Jungfrau, hat die Lenkung dieser Welt durch Priester und Könige, aus deren beider Geschlecht er selbst stammte, vorgesehen. Die Gläubigen *(oves fidei)* hat er dem Hirten Petrus unterstellt, auf daß dieser sie seinem Vertreter Hadrian anvertraue. Aber auch

[186] Cod. Vat. Palat. 833; Poetae 1 S. 101—107. Dazu die Vorbemerkung S. 100. [Die Edition von De Rossi — vgl. Nachtrag unten S. 383 — war mir vor Redaktionsschluß der Erstveröffentlichung nicht erreichbar.]

das *Romanum imperium* spendet er in der ihm treu ergebenen Stadt solchen Dienern *(famulis)*, die ihm wohlgefällig sind. Und nun der entscheidende Satz: *Quod* (sc. *Romanum imperium*) *Carolus mire praecellentissimus hic rex / Suscipiet dextra glorificante Petri.* So gipfelt das Gedicht in dem Wunsch, König Karl möge das *Romanum imperium* aus der Hand des hl. Petrus empfangen. Die daran anschließenden letzten beiden Verse *(Pro cuius vita triumphisque haec munera regno / Obtulit antistes congrua rite sibi)* weisen auf Gaben hin, die | der Leser des Altartitels vor sich sah *(haec munera)* und die Hadrian *pro vita triumphisque* Karls dargebracht hatte[187].

[187] Ebd. S. 106 Nr. XIII: *In Altare*

Caelorum Dominus, qui cum patre condidit orbem,
Disponit terras virgine natus homo.
Utque sacerdotum regumque est stirpe creatus,
Providus huic mundo curat utrumque geri.
Tradit oves fidei Petro patore regendas,
Quas vice Hadriano crederet ille sua.
Quin et Romanum largitur in urbe fideli
Imperium famuli[s] qui placuere sibi.
Quod Carolus mire praecellentissimus [hic] rex
Suscipiet dextra glorificante Petri.
Pro cuius vita triumphisque haec munera regno
Obtulit antistes congrua rite sibi.

In Vers 8 ist *Imperium famulis* statt *Pontificatum famuli* der Handschrift einleuchtende Konjektur der Herausgeber Papebroch und Dümmler. Weitere Emendationsvorschläge stellt Schramm, HZ. 172, 1951, S. 462 Anm. 1 zusammen: Pagi und Gregorovius: *vexillum.* Ein *Romanum vexillum* ist jedoch sonst nicht belegt und wäre nicht dasselbe wie das von Leo III. gespendete *Romanae urbis vexillum.* Diese Konjektur ist vom Lateranmosaik eingegeben, wie denn auch Gregorovius das Gedicht auf eine entsprechende bildliche Darstellung bezieht, die er am Altar voraussetzt. Ganz abgesehen von den erheblichen Konsequenzen für die Geschichte der Fahnen ist an dieser Stelle aus Gründen der inneren Symmetrie kein Würdezeichen, sondern eine Würde oder Funktion zu erwarten. De Rossi und Duchesne: *patriciatum* und (v. 9) *quem. Patriciatum* paßt jedoch so wenig in den Vers wie das *pontificatum* der Hs., beide erfordern die Emendation von *quod* zu *quem*, und vom Patriziat konnte mit Bezug auf Karl 781 schwerlich *suscipiet* gesagt werden, da er die

Für die zeitliche Einordnung ergibt sich aus der Nennung Hadrians eine Eingrenzung auf dessen Amtszeit (772—95). Die Stiftung des Altartitels zugunsten Karls wird man unbedenklich mit einem Romaufenthalt des Königs in Verbindung bringen können, so daß die Jahre 774, 781 und 787 in Frage kommen. Schon Heldmann[188] hat mit Recht für die nähere Datierung auf folgende in der Handschrift und bei Dümmler anschließende Inschrift aufmerksam gemacht: |

In palleo altaris.
Pastor ovile Dei servans sine crimine Petre,
Qui praebes Christi pabula sancta gregi:
Tu Caroli clemens devoti munera regis
Suscipe, quae cupiens obtulit ipse tibi.
Hildegarda pio cum quo regina fidelis
Actibus insignis mentis amore dedit.

Würde bereits seit 774 besaß. Das von Schramm erwogene *principatum* paßt wiederum weder in den Vers noch zu *quod*.

Für die Lesart *imperium* spricht:

1. die innere Logik des Gedichtes. Gott hat gewollt, daß die Welt durch Priester und Könige regiert wird. Dementsprechend sind die *oves fidei* dem hl. Petrus und seinen Nachfolgern anvertraut worden. Die dem entsprechende weltliche Funktion ist eine römische *(Romanum).*

2. Vorbild für Aufbau und Gedankengang des Altartitels: der in der Hs. vorausgehende Titel *In Altare* (*Vox arcana patris,* Duchesne, Lib. pont. 1 S. 310) aus der Zeit des Papstes Pelagius II. (579—590). Die Übereinstimmung erstreckt sich auch auf die Terminologie *(humanam sumens de virgine formam — cum plebe fideli — offert munera — Romana ... sceptra ... quorum imperio — pro quibus antistis).* Dem päpstlichen Amt wird hier das *imperium* der *Romana sceptra* gegenübergestellt.

3. Das *pontificatum* der Hs. ist offensichtlich eine nachträgliche Änderung, bei welcher der ursprüngliche Begriff durch sein Gegenteil ersetzt worden ist.

[188] Heldmann S. 445. In der Hs. Vat. Pal. 833, von der mir ein Mikrofilm vorliegt, bilden die Tituli aus St. Peter in Rom auf den Blättern 27r—29v eine geschlossene Gruppe. Ich gebe die Überschriften in der Reihenfolge der Handschrift, dazu das jeweilige Incipit: *In paradiso*

Hier wird der hl. Petrus selbst gebeten, die vom König Karl gemeinsam mit der Königin Hildegard dargebrachten Gaben entgegenzunehmen. Nichts liegt näher, als beide Inschriften auf den gleichen Altar zu beziehen. In der einen erscheint Papst Hadrian als Stifter, in der anderen das Königspaar. Als einziger Heiliger wird in beiden Petrus genannt, im zweiten ausdrücklich als Empfänger der *munera regis*. Geht man von der Zusammengehörigkeit beider Titel aus, so handelt es sich um den gleichen Petrusaltar in Verbindung mit einem Romaufenthalt Karls und der Königin Hildegard. Diese ist 783 gestorben[189] und weilte 781 gemeinsam mit Karl in Rom[190]. Alles spricht somit dafür, die beiden Inschriften eines Petrusaltars mit dem Besuch von 781 in Verbindung zu bringen und auf den Altar der römischen Peterskirche zu beziehen.

Betrachtet man nun die für Karls Romfahrt von 781 bezeugten Vorgänge, so springt als erstes die Schenkung der Sabina und einer Reihe fiskalischer Einkünfte an die römische Kirche und damit den hl. Petrus ins Auge. Dies blieb zwar erheblich hinter dem umfassenderen Schenkungsversprechen Pippins zurück, das Karl bei seinem ersten Romaufenthalt 774 unter feierlicher Deponierung des Privilegs auf dem Altar und der Confessio sancti Petri sowie in einer zweiten Ausfertigung auch auf dem Petrusgrab erneuert hatte[191]. Die Schenkung von 781 war das Ergebnis eines Kompromisses, bei dem der Papst seinerseits auf die in den Schenkungsversprechungen von 754 und 774 zugestandenen weitergehenden Ansprüche verzichtet zu haben scheint. Wie in den beiden Altartiteln war es also zu Geschenken Karls an den hl. Petrus und zu einer Gabe Hadrians zugunsten des *regnum (haec munera regno /*

beati Petri (Quamvis clara fides); In fronte eiusdem ecclesiae (Credite victuras) [f. 27r]; *Super limina in introitu ecclesiae (Qui regni claves); In porta eiusdem dextra (Lumine sed magno)* [f. 27v]; *In sinistra (Lux arcana Dei)* [f. 28r]; *In throno (Iustitiae sedis)* [f. 28v]; *In altare (Vox arcana patris); In eodem (Caelorum dominus* = Dümmler Nr. XIII) [f. 29r]; *In palleo altaris (Pastor ovile* = Dümmler Nr. XIV) [f. 29v].

[189] BM. 261b.

[190] Zu Hildegards Teilnahme am Romzug ebd. 231a und 236.

[191] Ebd. 235b; Classen in: Karl der Große 1 S. 551 u. 558.

Obtulit antistes) gekommen. Liegt es zunächst nahe, bei den *munera* der Altartitel an kostbare Weihegaben zu den- | ken, die auf dem Altar bei solchem Anlaß dargebracht worden wären, so wird durch die ausdrückliche Bezeichnung der königlichen Schenkungen als *munera* in dem bestätigenden Brief Hadrians vom gleichen Jahr die Möglichkeit eröffnet, die *munera* überhaupt auf Privilegien zu beziehen, die auf dem Petrusaltar, wie schon 774, niedergelegt worden sind[192].

Darf man hiernach Zeitstellung und Ort der beiden Altartitel als einigermaßen gesichert betrachten, so ergibt sich die Möglichkeit, den im ersten der beiden Titel ausgesprochenen Wunsch, Petrus möge Karl das Römische Reich übertragen, in den geschichtlichen Zusammenhang zu stellen. Als derjenige, der den Wunsch ausspricht, kommt in erster Linie Hadrian selbst in Frage, der anschließend genannte Spender der *munera* zugunsten des Reiches. Von ihm hat Karl bei diesem Romaufenthalt seinen vierjährigen Sohn Karlmann auf den Namen Pippin taufen lassen, wobei eine Gevatterschaft *(compaternitas)* zwischen Karl und Hadrian, aber auch zwischen der Königin und dem Papst[193] hergestellt wurde. Der Getaufte sowie sein Bruder Ludwig wurden alsdann vom Papst zu Königen gesalbt und gekrönt. Beide sollten Unterkönige im

[192] Cod. Carolinus Nr. 68 von 781 (Epp. 3 S. 597). Vgl. vor allem den Satz ... *multis documentis de vestris allatis muneribus ecclesia beati Petri enituit, tam de civitatibus quam de diversis territoriis sub integritate eidem Dei apostolo a vobis offertis* (S. 597 Z. 34). Der Terminus *munera* für die Schenkung Karls legt es bei der engen Zusammengehörigkeit der beiden Altartitel nahe, auch die von Hadrian dem *regnum (haec munera regno / Obtulit antistes)* dargebrachten *munera* auf ein Privileg zu beziehen, mit dem Hadrian 781 auf weitergehende Ansprüche verzichtet hat und mit dem Classen in: Karl der Große 1 S. 558 mit Anm. 87 im Anschluß an J. Ficker und J. Haller (gegen Caspar) rechnet. Duchesne (Liber pontificalis 1 S. 516 N. 31) und P. E. Schramm, Die Anerkennung Karls d. Gr. als Kaiser, HZ. 172, 1951, S. 462 deuten jedoch *regnum* als „Krone". Dies hätte Konsequenzen, deren Erörterung an dieser Stelle zu weit führen würde. Der Kaiserplan Hadrians gewänne dann in einer wichtigen Einzelheit noch deutlichere Umrisse.

[193] Ebd. S. 598 Z. 7: *pro ... spiritali commatre, domna regina;* so auch danach öfters.

Reiche Karls sein, Pippin in Italien, Ludwig in Aquitanien, Karl herrschte danach über mehrere *reges* und *regna*.

Aus den fränkischen Quellen ergibt sich für diesen Romzug außerdem ein Bündnis Karls mit der Kaiserin Eirene, der Witwe des 780 verstorbenen Leon IV. und Mutter von dessen Sohn und Nachfolger Konstantin VI., für den sie selbst, der Form nach als Mitkaiserin, die Regentschaft führte[194]. Das Bündnis wurde durch eine Verlobung Konstantins VI. mit Karls Tochter Rothrud untermauert. Die Initiative dazu dürfte von Eirene ausgegangen sein, die schon damals Anlaß hatte, mit allen Mitteln nach einer Sicherung ihrer politisch umstrittenen Stellung zu suchen[195]. Der Preis für dieses Bündnis war anscheinend ein förmlicher byzantinischer Verzicht auf die alten Ansprüche des Reichs in Italien. Ursächlich dürfte | mit diesem byzantinisch-fränkischen Bündnis der für das gleiche Jahr bezeugte Aufstand des Patricius und Strategen Elpidius von Sizilien gegen Eirene zusammenhängen, den die Kaiserin erst durch den Einsatz einer großen Flotte niederschlagen konnte. Elpidius floh nach Afrika und warf sich dort zum Gegenkaiser auf. Chronologische Differenzen in der byzantinischen Berichterstattung gegenüber der fränkischen lassen es zweifelhaft erscheinen, ob das fränkisch-byzantinische Bündnis als Ursache oder als Folge des sizilischen Aufstandes zu gelten hat. Nur nach den fränkischen Quellen ist das Bündnis zu Karls Romaufenthalt im Frühjahr 781 zu stellen, und in diesem Falle wäre der Aufstand des Elpidius als Reaktion auf die territoriale Verzichterklärung Eirenes aufzufassen.

Folgt man dieser in der modernen Forschung vorherrschenden Auffassung, so erhält der an Karl gerichtete Kaiserwunsch Hadrians seinen plausiblen historischen Ort. Zweifellos ist das fränkische Bündnis mit Byzanz eine Enttäuschung für Hadrian gewesen, die seine ebenfalls vorauszusetzende Enttäuschung über Karls reduzierte Territorialschenkung an die römische Kirche noch übertreffen konnte. Denn in diesem Bündnis wurden alle päpstlichen Hoffnungen auf eine antibyzantinische Revindikationspolitik des Fran-

[194] Das Folgende nach Classen in: Karl der Große 1 S. 558 f.

[195] Zur innenpolitischen und staatsrechtlichen Stellung der Eirene Ohnsorge in: Saeculum 14 S. 223ff.; Deér in: AHP. 3 S. 73ff. [hier S. 292ff.].

kenherrschers zugunsten der römischen Kirche zunichte. In dieser Lage konnte eine an Karl gerichtete Aufforderung, selbst die Kaiserwürde zu übernehmen, darauf hinzielen, Karl unter Ausnutzung der umstrittenen Stellung Eirenes auf einen antibyzantinischen Kurs festzulegen[196]. Es wäre dies der gleiche Gedanke, den wenig später der Patricius Elpidius in die Tat umzusetzen gesucht hat, wenn auch ohne jeden Erfolg.

Karl hat sich offensichtlich durch ein solches Ansinnen nicht beirren lassen, so daß dieser päpstliche Kaiserplan von 781 eine Episode ohne greifbare Folgen geblieben ist. Freilich wird man im Lichte dieses Präzedenzfalles schon gar nicht mehr davon ausgehen können, daß die Vorgeschichte des karolingischen Kaisertums erst im Paderborner Sommer 799 ihren Anfang genommen hat, von der Annahme ganz zu schweigen, die Kaiserwürde sei am Weihnachtstage 800 sozusagen aus heiterem Himmel, ohne alle Vorbereitung auf Karl herniedergefallen. |

11.

Mit Karls Romzug und der Schenkung von 781 hängt auch der an Karl gerichtete Brief Hadrians von 778[197] eng zusammen. Er besagt, daß die Taufe Karlmanns durch den Papst schon für Ostern

[196] Vgl. auch die Ersetzung der Kaiserjahre in den Urkunden Hadrians durch die Formel *regnante domino et salvatore nostro Ihesu Christo*, zuerst belegt mit Jaffé/Ewald Nr. 2435 vom 1. Dezember 781 (!). Dies bedeutet Negation der Kaiserherrschaft in Reichsitalien und paßt zur bereits früher belegten Idee einer *res publica Romanorum* ebenso wie zu den Zielen der Konstantinischen Schenkung. Vgl. zuletzt Deér in: AHP. 3 S. 72 ff. [hier S. 290 ff.]. Zusammenhang mit dem Constitutum Constantini: Ebd. S. 78. Die erstmalige Bezeugung zu 781 kann auf dem Zufall der Überlieferung beruhen. Letzte Datierung nach Kaiserjahren: Jaffé/Ewald Nr. 2395 von 772 Februar 20. So kommt auch Karls Schenkungsversprechen von 774 als Anlaß für die Änderung in Frage; Deér S. 82 [hier S. 303].

[197] Codex Carolinus Nr. 60, Epp. 3, S. 585 ff.; dazu Caspar in: ZKiG. 54 S. 157 ff., und Ewig in: HJb. 75, S. 32 ff.

778 in Aussicht genommen worden war, Karl den damals geplanten Romzug jedoch nicht ausgeführt hat. Mit der Bitte, Karl möge an dieser Absicht festhalten, verbindet Hadrian die weitere nach der Erfüllung des Schenkungsversprechens von 774. Karl möge auf diese Weise zur Erhöhung der römischen Kirche ebenso beitragen, wie einst in den Tagen Silvesters I. Kaiser Konstantin die römische Kirche erhöht und ihr „Gewalt in diesen westlichen Gegenden" verliehen hat. Wenn Karl durch Einlösung seines Versprechens die Schenkung Konstantins verwirkliche, könnten alle Völker in den Ruf einstimmen: *„Domine, salvum fac regem, et exaudi nos in die, in qua invocaverimus te; quia ecce novus christianissimus Dei Constantinus imperator his temporibus surrexit, per quem omnia Deus sanctae suae ecclesiae beati apostolorum principis Petri largiri dignatus est."* Bis hierher erfährt man über die päpstlichen Ansprüche lediglich so viel, wie der Konstantinsvergleich hergibt, also jedenfalls die *potestas in his Hesperiae partibus.* Denn daß dieser Vergleich einen Restitutionswunsch enthält, ergibt sich aus der Anknüpfung des folgenden Satzes mit *Sed et cuncta alia . . . vestris temporibus restituantur.* In ihm werden Besitzansprüche in Tuszien, Spoleto, Benevent, Korsika und der Sabina namhaft gemacht, die auf Schenkungen verschiedener Kaiser, Patrizier und anderer gottesfürchtiger Männer beruhten. Sie sind also nicht identisch mit der vorher genannten Schenkung Konstantins, doch wird auch ihre Restituierung Karl ans Herz gelegt.

Diesen Restitutionswünschen folgt der Satz *Unde et plures donationes in sacro nostro scrinio Lateranensae reconditas habemus.* Hadrian hat, so heißt es weiter, diese im lateranensischen Archiv vorhandenen Belege Karl durch seine Gesandten vorlegen lassen. Völlig offen bleibt es nach diesem Wortlaut, ob die dem König zugeleiteten Privilegien lediglich die zuletzt mit *Sed et cuncta alia* eingeführten Besitztitel betrafen[198] oder zugleich die an erster

[198] So Caspar in: ZKiG. 54 S. 158, der mit Anforderung von Belegen für die Einzelansprüche des Papstes durch Karl rechnet und die vorgelegten Urkunden nur auf „privaten Patrimonienbesitz innerhalb der genannten politischen Bezirke, nicht öffentliche Hoheitsrechte" bezieht. Für die unter *Sed et cuncta alia* angeführten Titel leuchtet dies ein, und

Stelle genannten Verfügungen Konstantins. Daß unter den präsentierten Donationes sich auch diejenige Kon- | stantins befunden hat, ist einigermaßen wahrscheinlich. Dafür spricht zunächst, daß der diesen Komplex betreffende Abschnitt des Briefes sich an mehreren Stellen so eng mit dem Text des Constitutum berührt, daß an dessen Benutzung nicht gut gezweifelt werden kann[199]. Dieses existierte also bereits, und es ist dann schwer einzusehen, weshalb Hadrian ausgerechnet das für seine an erster und betonter Stelle genannten allgemeinen Ansprüche verfügbare Dokument nicht vorgelegt haben sollte. Es kommt hinzu, daß der vage und summarische Hinweis auf eine Verfügung Konstantins ohne die Vorlage des Constitutum für den Adressaten unverständlich bleiben mußte. Man wird sich auch zu fragen haben, ob die Karl zugeleiteten urkundlichen Belege überhaupt Originale gewesen sind und nicht vielmehr Abschriften, was sich schon aus Gründen der Sicherheit empfehlen mußte. Zwischen diesen ließ sich die auf Konstantins Namen lautende Fiktion in äußerlich unauffälliger Weise unterbringen, in unverdächtiger Gemeinschaft mit echten Dokumenten glaubwürdigen Inhalts.

Hadrians Brief an Karl von 778 kommt somit als Zeugnis für die Übersendung des Constitutum an den Frankenkönig sehr wohl in Betracht. Geht man hiervon aus, so erscheint ganz von selbst der den *gentes* in den Mund gelegte Ruf *Ecce novus christianissimus Dei Constantinus imperator his temporibus surrexit* als die Andeutung einer möglichen Konsequenz aus der in der Donatio Constantini enthaltenen kurialen Kaiseridee. Denn nach der fingierten Schenkung verfügte der Papst auch über eine von ihm selbst in Anspruch genommene Kaiserkrone, konnte also einen *novus*

sehr wohl mag hier die Vorlage urkundlicher Belege auf einen Wunsch Karls zurückgehen. Doch hat der Papst, wie die sorgfältige Stilisierung des Briefes zeigt, die Beschränkung auf Einzeltitel nicht akzeptiert, indem er diese erst in 2. Linie und sozusagen hilfsweise nach den öffentlichen Hoheitsrechten geltend machte.

[199] Ewig in: HJb. 75 S. 32 ff.; Gericke in: Zs. für Rechtsgeschichte, kanonistische Abteilung 43 S. 27 ff.

Constantinus imperator jederzeit kreieren. Ausdrücklich weist der Brief auf die näheren mündlichen Instruktionen der päpstlichen Gesandten hin, die Brief und Urkunden zu überbringen hatten.

Erst auf dem Hintergrund dieses Briefes werden auch die Worte *Romanum largitur in urbe fideli / Imperium famulis qui placuere sibi* des besprochenen Altartitels von 781 ganz verständlich. Es erübrigt sich hiernach, mit Heldmann[200] daran Anstoß zu nehmen, daß der Fall bisher nicht vorgelegen hatte. Ohnehin gibt das Präsens *largitur* der Aussage eher den Charakter einer Satzung, die besagt, daß die römische Kaiserwürde in der Stadt Rom verliehen wird. Dies war in der Tat aus der Donatio Constantini abzuleiten, auf die sich Hadrian — übrigens ebenfalls unter Verwendung des Verbs *largiri (potestatem ... largiri dignatus)* — bereits bezogen hatte. Der dort in Aussicht gestellten Akklamation zum *novus Constantinus imperator* entspricht im Altartitel von 781 die Bitte *quod Carolus suscipiet.*

Rundet sich somit das Bild zu einem in den Jahren 778 bis 781 faßbaren Kai- | serplan Hadrians I., so verdient allerdings auch der Unterschied Beachtung, der hinsichtlich der Ämterfiliation zwischen Brief und Altartitel zu erkennen ist. In diesem ist von Konstantin nicht mehr die Rede. Ausdrücklich heißt es vielmehr, Karl möge das *Romanum imperium* aus der Rechten des hl. Petrus entgegennehmen. Die unmittelbare Investitur durch Petrus entspricht der rechten Gruppe des Lateranmosaiks und dem besprochenen Gedicht Theodulfs von 800. Endlich wird in den Versen von 781 die kaiserliche Gewalt als Herrschaft über das *Romanum imperium* charakterisiert, also in der abstrakten Form, der Karl selbst nach 800 zugestimmt hat. Auch der Bindung an die Stadt Rom *(in urbe fideli)* hat er in seiner Antwort auf die Kaiserfrage des Konzils von 800 nicht widersprochen. Der Papst ist allenfalls auf die Rolle des Interzessors beschränkt, von den *Romani* ist überhaupt nicht die Rede. Faßt man den Brief Hadrians von 778 als Ausdruck der kurialen römischen Kaiseridee im Sinne der Donatio Constantini auf, so läßt sich die im Altartitel von 781 festgehaltene Konzeption als

[200] Heldmann S. 445.

nichtkuriale römische Kaiseridee bezeichnen, positiv vielleicht als die Idee eines Petrus-Kaisertums. Denn der entscheidende Unterschied besteht im völligen Zurücktreten des Papstes hinter dem Apostelfürsten, der in den Beziehungen zwischen den fränkischen Königen und der römischen Kirche seit Pippin eine beherrschende und von den Franken anerkannte Stellung einnahm[201].

Fragt man nach den Erwartungen, mit denen Karl am Weihnachtstage 800 die Peterskirche betreten haben könnte, so kommt das in dem Altartitel Hadrians I. von 781 festgehaltene Konzept als Anhaltspunkt in Frage. Das *consilium pontificis* hingegen, der „Plan des Papstes", der Karl hätte veranlassen können, die Peterskirche am Weihnachtstage 800 nicht zu betreten, dürfte auf der Linie gelegen haben, die Hadrians Brief von 778 erkennen läßt. 781 hat Karl beide Konzeptionen abgelehnt. Bei den in Paderborn eingeleiteten Verhandlungen der Jahre 799 und 800 hat er sich für die eine von ihnen gewinnen lassen, wurde jedoch mit der anderen konfrontiert und kehrte daher schließlich zur dritten Variante zurück, die in den ersten Paderborner Wochen entwickelt worden war: zum Aachener Kaisergedanken.

[201] Ein Nachklang im Brief Hadrians an Karl von 782, Codex Carolinus Nr. 72 (Epp. 3 S. 602 f.). Hier wird nicht nur das Romprädikat *caput totius mundi* zum erstenmal für die römische Kirche beansprucht (vgl. auch Codex Carolinus Nr. 94, S. 636 Z. 5; dazu Caspar in: ZKiG. 54 S. 168; W. Ullmann, Die Machtstellung des Papsttums im Mittelalter, 1960, S. 155 mit A. 50 u. 52), sondern auch einander gegenübergestellt: *Quia, quantum caput totius mundi, eandem sanctam Romanam ecclesiam, eiusque rectorem simulque pontificem amplectendo seu fovendo honorabiliterque glorificando diligitis, tantum vos beatus Petrus apostolorum princeps inconcussos facit triumphos hic et in futuro victores super omnes regnare reges.* Zu beachten ist, daß die Herrschaft über alle Könige (hegemoniales und imperiales Königtum; vgl. Schlesinger, Beiträge 1 S. 224 ff.; Stengel S. 310 ff.) für die Zukunft *(in futuro)* als Verleihung durch den hl. Petrus verheißen, zugleich aber der römischen Kirche als „Haupt der ganzen Welt" gegenübergestellt wird.

Nachtrag 1971

1966, im gleichen Jahre wie der vorstehende Beitrag, sind erschienen:

Handbuch der Kirchengeschichte, hrsg. von H. Jedin, III, Die mittelalterliche Kirche, 1. Halbband: Vom kirchlichen Frühmittelalter zur gregorianischen Reform.

L. Falkenstein, Der „Lateran" der karolingischen Pfalz zu Aachen (Kölner historische Abhandlungen, hrsg. von Th. Schieffer, 13).

Im Handbuch der Kirchengeschichte hat E. Ewig der Karolingerzeit eine auch für die politische Geschichte höchst beachtenswerte Darstellung gewidmet. Hadrians Brief von 778 (Codex Carolinus Nr. 60) wird, wie schon 1956 (siehe oben Anm. 109), als Terminus ad quem für das CC in Anspruch genommen (S. 69 f.). Wegen des Rechtsinhalts möchte Ewig dem Pontifikat Hadrians, näherhin den Jahren 774—778, gegenüber früheren Ansätzen den Vorzug geben. Dies paßt zu der oben S. 376 ff. begründeten These, nach der Hadrian das CC 778 an Karl geschickt hat. S. 102 ff. kommen die in diesem Beitrag, dessen Erstveröffentlichung nicht mehr berücksichtigt werden konnte, entwickelten Gesichtspunkte in kritisch abwägender Darstellung zur Geltung. Daß Karl „eine Kaiserproklamation durch die Franken unter Ausschluß der Römer ... nicht vorgeschwebt haben" kann (S. 108), geht angesichts des Aachener Krönungsaktes von 813 zu weit, doch dürfte sich Karl durch den Gesichtspunkt der staatsrechtlichen Legitimität zugunsten der römischen Lösung haben bestimmen lassen. Beachtung verdient Ewigs Hinweis auf die vom Papst geleistete Proskynese (S. 108 Anm. 6). Sie spricht gegen eine auf das CC gestützte Annahme, „Leo III. sei in der Rolle eines Papstes erschienen, der selbst Rang und Attribute eines Kaisers besessen habe." Dies paßt zum Bildprogramm des Lateranmosaiks (oben S. 362 ff.), das ebenfalls die im CC enthaltenen Ansprüche nicht hervorkehrt, schließt jedoch nicht aus, daß Leo und die Römer sich stärker in den Vordergrund gespielt haben, als es Karl erwünscht sein konnte.

Falkenstein geht S. 95 ff. ausführlich auf das Paderborner Epos ein und setzt sich außer mit Erdmann (vgl. oben Anm. 22) mit den hier vorgetragenen Auffassungen auseinander, insoweit sie in Grundzügen bereits an anderer Stelle veröffentlicht worden waren (vgl. in diesem Sammelbande S. 174 ff. sowie den oben Anm. 6 zitierten Aufsatz von 1962). Im Vordergrund steht die Frage nach dem Quellenwert des Epos für die Baugeschichte der Aachener Pfalz, nicht so sehr für die politische Ideengeschichte. Hält man beides auseinander, so lassen sich die Unterschiede der Auffassungen erheblich reduzieren. Wenn oben im Anschluß an Erdmann von einem „Aachener Kaisergedanken" gesprochen worden ist, so nicht im Sinne eines städtebaulichen, sondern eines politischen Programms. An welchem der Aachener Gebäude der Name des Laterans tatsächlich gehaftet hat, kann auch von F. nicht überzeugend geklärt werden. Vgl. die kritische Rezension von H. Hoffmann in: Rheinische Vierteljahrsblätter 32, 1968, S. 575—577.

Der 1968 erschienenen Sonderausgabe seines oben Anm. 1 zitierten Beitrages hat P. Classen einen ausführlichen Nachtrag angefügt und dort die Diskussion zahlreicher Einzelprobleme fortgeführt. Auch zu einigen der hier entwickelten Thesen wird Stellung genommen.

Zur Frage des Kaisertitels, seiner Vorgeschichte und seiner Bedeutung ist inzwischen auch H. Wolfram, Intitulatio I. Lateinische Königs- und Fürstentitel bis zum Ende des 8. Jahrhunderts (MIÖG Ergänzungsband 21, 1967) heranzuziehen.

Man vergleiche ferner

zu Anm. 15: K. Hauck, Die Ausbreitung des Glaubens in Sachsen und die Verteidigung der römischen Kirche als konkurrierende Herrscheraufgaben Karls des Großen (Frühmittelalterliche Studien 4, 1970, S. 138—172);

zu Anm. 100: W. Winkelmann, Die Königspfalz und die Bischofspfalz des 11. und 12. Jahrhunderts in Paderborn (ebd. S. 398—415), S. 401 mit Anm. 16;

zu Anm. 109: Die Edition des CC von H. Fuhrmann (Constitutum Constantini, MGH Fontes iuris Germanici antiqui in usum scholarum 10, 1968);

zu Anm. 157: Irene Haselbach, Aufstieg und Herrschaft der Karlinger in der Darstellung der sogenannten Annales Mettenses priores. Ein Beitrag zur Geschichte der politischen Ideen im Reiche Karls des Großen (Historische Studien 412), 1970;

zu Anm. 186: Die maßgebende Edition der Lorscher Sammlung bei De Rossi, Inscriptiones Christianae urbis Romae II 1, Rom 1888, S. 142 ff. Die hier behandelten Inschriften das. S. 145 f. Anstelle dieser (bis zum Redaktionsschluß der Erstveröffentlichung nicht erreichbaren) Edition wurde ein Mikrofilm der Handschrift herangezogen (vgl. Anm. 188).

Studien zur europäischen Vor- und Frühgeschichte, hrsg. von Martin Claus, Werner Haarnagel, Klaus Raddatz. Herbert Jankuhn gewidmet. Karl Wachholtz, Neumünster 1968, S. 258—281.

BEOBACHTUNGEN ZUR GESCHICHTE UND GESTALT DER AACHENER PFALZ IN DER ZEIT KARLS DES GROSSEN

Von Walter Schlesinger

Über die Aachener Pfalz ist in letzter Zeit mancherlei gearbeitet worden[1], nicht zuletzt im Zusammenhang mit der großen Karls-Ausstellung des Jahres 1965[2]. Das Wort haben neben den Kunsthistorikern in erster Linie die Kenner der lokalen Geschichte ergriffen. Herangezogen wurden dabei nicht nur die Schriftquellen, sondern auch die Grabungsergebnisse, die noch bestehenden Bauten und die topographischen Gegebenheiten. Aber auch die allgemeine Pfalzenforschung, die auf Initiative von Wilhelm Berges und anderen unter Leitung des Max-Planck-Instituts für Geschichte in Göttingen in erfreulicher Weise in Gang gekommen ist[3] und die von Herbert Jankuhn außerordentliche Förderung erfahren hat, hat natürlich Aachen ihr Augenmerk zugewandt. Handelt es sich

[1] Eine knappe Bibliographie, die weiterzuhelfen vermag, bietet L. Hugot in: Karl der Große, Werk und Wirkung, Ausstellungskatalog 1965, S. 399 f.

[2] Karl der Große, Lebenswerk und Nachleben, hrsg. W. Braunfels, 4 Bde. 1965/67. Künftig zitiert als KW (Karlswerk). Zur Aachener Pfalz in Bd. 1 vor allem W. Kaemmerer, Die Aachener Pfalz Karls d. Gr. in Anlage und Überlieferung, aber auch J. Fleckenstein, Karl der Große und sein Hof; in Bd. 3 G. Bandmann, Die Vorbilder der Aachener Pfalzkapelle, F. Kreusch, Kirche, Atrium und Portikus der Aachener Pfalz, L. Hugot, Die Pfalz Karls d. Gr. in Aachen, W. Sage, Zur archäologischen Untersuchung karolingischer Pfalzen in Deutschland.

[3] Vgl. GWU 1965, Heft 6, mit Vorträgen von H. Heimpel, W. Schlesinger und C. Brühl, sowie Deutsche Königspfalzen, Beiträge zu ihrer historischen und archäologischen Erforschung (Veröff. d. Max-Planck-Instituts für Geschichte 11), bisher 2 Bde. 1963/65.

doch bei der dortigen Pfalz nicht nur um die bekannteste, sondern in der Tat um die wichtigste Pfalz der gesamten karolingischen Zeit, einen Platz, der auch weiterhin, durch die ganze deutsche Kaiserzeit und darüber hinaus, von höchster Bedeutung für die deutschen Könige gewesen ist. Im Sommer 1965 fand in Marburg im Rahmen solcher Forschungen eine Seminarübung über die Aachener Pfalz statt, die einen Besuch in Aachen selbst einschloß. Er war für alle Teilnehmer, ganz abgesehen von der Ausstellung, in höchstem Grade aufschlußreich[4]. Um in die Diskussion über die Deutung der noch vorhandenen Bauten und der Grabungsergebnisse wirklich eingreifen zu können, ist freilich ein solcher Besuch viel zu kurz. Es sollen daher einige Beobachtungen mitgeteilt werden, die sich in erster Linie aus den Schriftquellen ergeben, die, hat man einmal eine Anschauung gewonnen, sich auch fern von Aachen in intensiver Weise studieren lassen.

Aachen liegt im äußersten Osten einer sogenannten „Kernlandschaft" der frühen Karolinger[5], die ihr Zentrum wohl im Raum von Lüttich hatte. Jupille und Herstal, vielleicht in ihrer Bedeutung einander ablösend, waren die zentralen Pfalzen[6] und wurden von der mächtigen Burg Chèvremont geschützt, die im 8. Jh. als Novum Castellum bezeugt ist[7], also wohl als frühkarolingische Anlage gelten muß, da dieser Name später durch den heutigen ersetzt wird. Das Bistum Lüttich hatte seinen Sitz ursprünglich in Maastricht; die Verlegung wird mit der Funktion von Herstal und Chèvremont zusammenhängen. Die Ostgrenze der Diözese schließt Aachen gerade noch ein, dessen Randlage damit deutlich wird.

[4] Für wiederholte Führung und eingehende Diskussionen habe ich den Herren Msgr. Stephany, L. Falkenstein, L. Hugot und — bei einem früheren Besuch — W. Kaemmerer zu danken.

[5] E. Hlawitschka, Die Vorfahren Karls d. Gr., KW I.

[6] BM² 34, 66, 137, 139 c, 143 a, 144, 150 usw. betr. Herstal; Jupille: BM² 21, 89 b; vgl. ferner F. L. Ganshof in Mélanges F. Rousseau (Bruxelles 1958), S. 309/10 (vermutlicher Aufenthalt Kg. Pippins a. 756) und neuerdings M. Josse, Le domaine de Jupille des origines à 1297 (Bruxelles 1966).

[7] BM² 221, 1115 *Novo Castello*; Die Urkunden der dt. Karolinger 4, nr. 15, *Capremons*; vgl. auch SS 15, S. 440.

Hier befand sich ein Königshof, wie an nicht wenigen anderen Orten dieses Gebietes auch; es ist mit einem ganzen System von Königshöfen zu rechnen, wie ein solches beispielsweise auch im Rhein-Main-Gebiet erkennbar ist[8]. Zu einem Haupthof gehörten | jeweils Nebenhöfe, und zu allen Höfen gegebenenfalls auf weitere Siedlungen verteilte abhängige Bauern in wirtschaftlicher Selbständigkeit neben dem in Eigenwirtschaft stehenden, mit Gesinde bewirtschafteten Landbesitz. Zur Zeit Ludwigs des Frommen ist dies auch für Aachen selbst einigermaßen erkennbar: *per domos servorum nostrorum tam in Aquis quam in proximis villulis nostris ad Aquis pertinentibus* heißt es in dem Capitulare de disciplina palatii Aquisgranensis aus der Zeit um 820[9]. Ein halbes Jahrhundert später, im Vertrag von Meerssen[10], wird dann ein *districtum Aquense* genannt, das ebenso ein Fiskalbezirk gewesen sein muß wie das sich im Text anschließende *districtum Trectis* (Maastricht). Eine Urkunde Zwentibolds[11] schließlich spricht *de fisco nostro Aquisgrani palatii* und sichert damit Aachen als Haupthof.

Es zeigt sich also, daß während des ganzen 9. Jh.s in Aachen ein Wirtschaftshof bestand, und nichts hindert uns, ihn mit der königlichen *villa* gleichzusetzen, die in den Reichsannalen zu 765 und 768 erscheint[12]. Wo dieser Hof gelegen hat, läßt sich nicht mit

[8] Lorscher Reichsurbar im Codex Laureshamensis, hrsg. K. Glöckner, Nr. 3671—3675; zur Interpretation F. Schwind, Die „Grafschaft“ Bornheimer Berg, Hess. Jb. f. Landesgesch. 14 (1964), S. 4 f. Weitere Untersuchungen sind im Gange. Aus der früheren Literatur ragt hervor O. Bethge, Bemerkungen zur Besiedelungsgeschichte des Untermainlandes in frühmittelalterlicher Zeit, Jahresber. der Humboldtschule zu Frankfurt/M. 1910/11 und 1913/14. Das System der Königshöfe um Aachen ist noch erkennbar im Indiculus reddituum regalis ecclesiae B. M. V. Aquisgrani aus dem 12. Jh., in: O. S. Ernst, Histoire du Limbourg, Bd. 6 (1847), S. 83 ff. Für Aachen selbst werden genannt *II appendicia imperatoris, ex quibus habent fratres decimam et nonam.* Es muß sich um Zubehör des alten Königshofs handeln.

[9] MG. Cap. I, S. 297 f.

[10] BM² 1480.

[11] MG. Die Urkunden d. Dt. Karolinger IV, S. 37.

[12] Ann. r. Fr., hrsg. Kurze, S. 22, 28.

Bestimmtheit sagen, da Überreste bisher nicht zutage getreten sind. Einen Hinweis gibt vielleicht der Name „Hof", der schon im Mittelalter an dem Gebiet östlich der Krämerstraße, die heute den Pfalzbereich im Osten begrenzt, haftet[13]. Hier, in unmittelbarer Nähe der Pfalz Karls des Großen, wird man die *villa* von 765/68 mit einer gewissen Wahrscheinlichkeit suchen dürfen. Ein bloßer Gutshof war sie freilich schon damals nicht mehr, denn sowohl Pippin wie Karl haben hier 765/66 und 768/69 überwintert und das Weihnachtsfest wie das Osterfest gefeiert. Dies setzt nicht nur geräumige und verhältnismäßig aufwendige Wohngebäude voraus, die geeignet waren, die königliche Hofhaltung monatelang zu beherbergen, sondern vor allem natürlich das Vorhandensein einer Kirche. Überreste eines offensichtlich vorkarlischen, nicht geosteten, sondern mit dem römischen Straßensystem fluchtenden Kirchenbaus sind unter dem Marienmünster wirklich zutage getreten[14], und möglicherweise ist dies die Kirche von 765/68. Doch steht der Vermutung nichts im Wege, daß es damals bereits mehrere Kirchen gegeben habe, eine zum Hofe gehörige Kapelle etwa *(oratorium)* und eine Pfarrkirche für den ganzen Aachener Bezirk, wie sie bei anderen karolingischen Fiskalhöfen nachweisbar sind. Reste vorkarlischer Wohngebäude wurden bisher nicht gefunden. Man sieht, daß für systematische Grabungen noch viel zu tun ist.

Von baulichen Maßnahmen hören wir dann aus der Zeit Karls. *Aquisgrani regiam exstruxit,* sagt Einhard im 22. Kapitel seiner Karlsvita, und im 26. Kapitel berichtet er von der Erbauung einer *plurimae pulchritudinis basilica.* Selbständige Bedeutung hat daneben eine Nachricht des Chronicon Moissiacense zu 796[15], einer Quelle, die engste Verwandtschaft mit den Annales Laureshamenses

[13] 1385: *dit sind die ander huysser up den hoff;* Aachener Stadtrechnungen aus dem 14. Jh., hrsg. J. Laurent (1866), S. 358. Zu vergleichen ist 1344 und 1349 *supra curiam,* ebda. S. 149, 202.

[14] Hierzu zuletzt Hugot in KW III, S. 537 f., mit Lit. (H. Christ) und Kreusch, ebda. S. 464 f.; Abb. 427. Vgl. auch dens., Über Pfalzkapelle und Atrium zur Zeit Karls des Großen (Dom zu Aachen, Beiträge zur Baugeschichte IV, 1958), S. 38 ff.

[15] SS 1, S. 303. Zur Verwandtschaft mit den Annales Laureshamenses vgl. F. Kurze, Über die karolingischen Reichsannalen von 741—829,

zeigt, die uns noch beschäftigen werden: *Nam ibi firmaverat sedem suam atque ibi fabricavit ecclesiam mirae magnitudinis, cuius portas et cancella fecit aerea, et cum magna diligentia et honore, ut potuit et decebat, in ceteris ornamentis ipsam basilicam composuit. Fecit autem ibi et palatium, quod nominavit Lateranis; et collectis thesauris suis de regnis singulis in Aquis adduci praecepit.* Beide Quellen unterscheiden also deutlich die Erbauung der Pfalz und die Erbauung der Kirche. Diese wurde angeblich 804 von Papst Leo III. geweiht, wäre damals also | vollendet gewesen; doch ist die Nachricht erst spät überliefert [16]. Sieht man sich nach anderen Datierungsmöglichkeiten um, so stößt man auf einen Brief Hadrians I. von 786/87, der Karl Mosaik und Marmor aus der Pfalz zu Ravenna zusagt [17]. Da Einhard berichtet, Karl habe die Aachener Pfalzkapelle mit Marmor aus Rom und Ravenna schmücken lassen (c. 26), wird diese damals also im Bau gewesen sein. Mindestens im Rohbau fertig war sie nach einem Briefe Alkuins 798 [18]. Ob schon die Taufe des Tuduns der Avaren und seines Gefolges 795 oder 796 [19] in dieser Kirche stattfand, muß offenbleiben. Karl hat für sie Reliquien in großer Anzahl erworben und zu unbekannter Zeit Kleriker zu regelmäßiger Abhaltung des Gottesdienstes *ob dignitatem apicis imperialis* eingesetzt; beides bezeugt Karls Enkel, Karl der Kahle, in der Stiftungsurkunde für das Kollegiatstift Compiègne vom 5. Mai 877, nachdem er ein halbes Jahr vorher selbst in Aachen gewesen war [20]. Man wird vermuten dürfen, daß

NA 21 (1896), S. 26 ff. Kurze sieht in diesem Teil der Chronik wohl mit Recht überhaupt nur die Abschrift einer erweiterten Fassung der Laureshamenses.

[16] Ann. Tielenses, SS 24, S. 22. Dazu die in die Barbarossa-Urkunden von 1166 inserierte Fälschung (Cod. Dipl. Aquensis, hrsg. Chr. Quix, 1839/40, II, nr. 166) und eine heute nicht mehr vorhandene Inschrift an der Westseite der Kirche, KW III, S. 485.

[17] Epp. 3, S. 614.

[18] Epp. 4, S. 244.

[19] BM² 333 a.

[20] Recueil des Actes de Charles II le Chauve, hrsg. Tessier, Bd. 2, S. 461. Hier ist auch von *multiplicibus ornamentis* die Rede. Zu berücksichtigen ist, daß Karl der Kahle schon 870 in Aachen Hochzeit gefeiert

Kirchenbau und Pfalzbau nebeneinander hergingen oder vielleicht besser, daß erst die Pfalz, dann die neue Kirche begonnen wurden; das Umgekehrte dürfte schwerlich anzunehmen sein. Dem entspricht, daß die Reichsannalen zu 788 erstmals das Aachener *palatium* nennen[21], während sie vorher nur von der dortigen *villa* gesprochen hatten; der Text stammt vom selben Verfasser. In den Urkunden wird 786 das erste Mal *palatio nostro* datiert[22], während die Datierungen *palatio publico* von 769 und 777[23] zweideutig sind; sie können sowohl das Pfalzgebäude wie die Pfalzversammlung meinen und haben wohl in der Tat diese letztere im Auge. Man muß den Baubeginn in jedem Fall vor 786 setzen, d. h. in eine Zeit, als Herstal und Worms noch die bevorzugten Pfalzen Karls waren. Mit dem Brand der Wormser Pfalz 791/92 hat also der Neubau von Aachen nichts zu tun. Karl muß vielmehr die Absicht gehabt haben, die Zahl seiner Pfalzsitze *(sedes)* zu vergrößern. In diesen Zusammenhang gehört anscheinend die Erbauung der Pfalzen in Ingelheim, Paderborn, Frankfurt, Salz, später auch Nymwegen, vielleicht Regensburg — und eben Aachen selbst. Ich halte es nicht für ausgeschlossen, daß die von Ermoldus Nigellus beschriebenen Ingelheimer Fresken[24], die sowohl die Gründung Roms wie die Konstantinopels einbezogen, auf diese Bautätigkeit Karls typologischen Bezug genommen haben[25]. Fertig, oder besser gesagt gebrauchsfertig, war die Pfalz jedenfalls 789, so daß jene große Reichsversammlung nach Aachen berufen werden konnte, auf der die Admonitio generalis erlassen wurde[26]. Das

hatte, die Kirche und ihre Einrichtungen also gut gekannt haben muß. Zu den Reliquien vgl. H. Schiffers, Der Reliquienschatz Karls des Großen und die Anfänge der Aachenfahrt (1951). Höhepunkte des Reliquienerwerbs sind 798 und 799 erkennbar.

[21] Wie Anm. 12, S. 84.

[22] DK d. Gr. 152.

[23] Ebda. 55 f., 118.

[24] MG. Poetae 2, S. 64 v. 190 ff.

[25] Hierzu H. Fichtenau, Byzanz und die Pfalz zu Aachen, MIÖG 59 (1951), S. 38.

[26] BM² 299—302.

heißt nicht, daß nicht auch weiterhin gebaut wurde, zumal sich der Bau der Kirche ohnehin länger hinzog. Ob man dafür allerdings den Verfasser des sog. Paderborner Epos von 799 als Kronzeugen anführen darf, der in dichterischer Sprache von Bauarbeiten in Aachen berichtet, mag dahingestellt bleiben; er könnte, besondere Zwecke verfolgend, in dichterischer Freiheit Vergangenheit und Gegenwart in eins gesetzt haben[27]. |

Dieser Dichter nun bezeichnet bekanntlich im Zuge seiner Beschreibung der Aachener Baumaßnahmen Aachen als zweites und als künftiges Rom, *Roma secunda* und *Roma ventura*[28], mit einem Namen also, der sonst Konstantinopel vorbehalten blieb. Dem Bezug auf Rom entspricht der Name *Lateranis*, den Karl nach dem Chronicon Moissiacense seiner Pfalz gegeben hat[29]. Der Name setzt insofern in Erstaunen, als der römische Lateran bekanntlich seit alter Zeit die Residenz der Päpste und sein Name für eine Königspfalz somit nicht recht geeignet war. In der Tat heißt später nur ein bestimmtes Gebäude *(domus)* der Aachener Pfalz so, das *secretarium* der Pfalzkapelle, das 816, 817 und 836 als Tagungsort von Synoden diente[30], und die Nachricht des Chronicon Moissia-

[27] MG. Poetae I, S. 366 ff.; jetzt auch in Karolus Magnus et Leo Papa, hrsg. J. Brockmann (1966), von F. Brunhölzl ediert. Hier auch S. 1—54 eine Würdigung des Gedichts insgesamt als einer wichtigen historischen Quelle von H. Beumann: Das Paderborner Epos und die Kaiseridee Karls des Großen [hier abgedruckt S. 309 ff.]. Beumann zeigt, daß die Aussagen des Gedichts nur dann wirklich zum Sprechen gebracht werden, wenn man den Zeitpunkt der Abfassung in der „Kette der Ereignisse“ berücksichtigt und andere Zeugnisse vergleicht. Die Schilderung der Bautätigkeit Karls steht v. 94 ff.

[28] v. 94, 98; vgl. auch v. 124. W. von den Steinen, KW II, S. 89 ff. sieht auch in der Nennung des zweiten Rom, wenn ich recht verstehe, nur eine Häufung großer Worte. Der Text oben ergibt, daß ich dieser Ansicht nicht zu folgen vermag.

[29] Wie Anm. 15. Hierzu L. Falkenstein, Der „Lateran“ der karolingischen Pfalz zu Aachen (1966). Hier S. 93 ff. auch eine Erörterung der in den beiden vorigen Anmerkungen genannten Stellen des Paderborner Epos, die die gleiche Tendenz verfolgt wie von den Steinen.

[30] Conc. 2, S. 344, 705 Vgl. Corpus consuetudinum monasticarum I, hrsg. K. Hallinger (1963), S. 457, 473. Nach J. Semmler, Zur mona-

cense ist demgemäß von Carl Erdmann als ein Mißverständnis angesehen worden[31]. Auch L. Falkenstein weiß mit ihr nichts Rechtes anzufangen und versucht — wenig überzeugend — darzulegen, auch schon diese Stelle beziehe sich nur auf ein einzelnes Gebäude der Pfalz[32]. Er zeigt, wie schon Erdmann, daß unter *secretarium* die Sakristei einer Kirche verstanden werden muß, die gelegentlich auch als Konziliensaal verwendet werden konnte[33]. Daß der Name Lateran in Aachen in die Zeit Karls des Großen zurückreicht, bestreitet er nicht[34].

In der Tat wird man das Zeugnis des Chronicon Moissiacense oder wohl genauer der erweiterten Laureshamenses, deren vielerörterter Bericht zur Kaiserkrönung des Jahres 800 zeigt, daß dem Verfasser selbständige Informationen vorlagen, nicht einfach beiseite schieben können. Man wird vielmehr überlegen müssen, was Karl veranlaßt haben könnte, einen Namen, der ihm schon von seinen wiederholten Besuchen in Rom her als Bezeichnung des dortigen Papstpalastes geläufig sein mußte, auf sein eigenes *palatium* in Aachen zu übertragen.

Auszugehen ist dabei von einer Quelle, die scheinbar in ganz anderen Zusammenhängen steht, von der Divisio regnorum des Jahres 806[35]. Sie ist in zwei Fassungen überliefert. In der einen legt Karl sich einen Teil des Kaisertitels des Constitutum Constantini (künftig CC) bei[36]; es ist mit aller Wahrscheinlichkeit

stischen Gesetzgebung Ludwigs des Frommen, DA 16 (1960), S. 332 ff., sind die Beschlüsse zweier Versammlungen von 816 und 817 zu scheiden, so daß also nicht zwei, sondern drei Zeugnisse vorliegen.

[31] C. Erdmann, Forschungen zur politischen Ideenwelt des Frühmittelalters (1951), S. 23, Anm. 3.

[32] Wie Anm. 29, S. 22 ff.

[33] S. 112 ff.

[34] S. 159.

[35] MG. Cap. I, S. 126, Anm. a; dazu W. Schlesinger, Kaisertum und Reichsteilung, Zur Divisio regnorum von 806, zuletzt in: ders., Beiträge zur deutschen Verfassungsgeschichte, Bd. 1 (1963) [hier abgedruckt S. 116 ff.].

[36] C. Mirbt, Quellen zur Geschichte des Papsttums und des römischen Katholizismus, 4. Aufl. (1924), S. 107.

diejenige, die von Einhard im Auftrag des Kaisers dem Papst zur Unterschrift überbracht wurde. Daß es sich wirklich um den Kaisertitel des CC handelt, ist völlig gesichert, denn der byzantinische Kaisertitel, wie er bis zur Zeit des Heraklius († 641) in lateinischer Übersetzung üblich war, enthält das Wort *inclitus*, das im CC und eben auch in der Divisio regnorum fehlt; anderwärts konnte, soviel ich sehe, diese Fassung des Titels nicht nachgewiesen werden[37]. Da es in der Divisio regnorum nicht zuletzt auch um die Frage der Nachfolge im Kaisertum ging, zeigt sich, daß das CC für den Kaiser wie für den Papst eine wichtige Rolle bei der Erörterung dieser Frage gespielt haben muß, und dies lag insofern nahe, als die Fälschung in der Tat dem Papst die Verfügung über eine — von ihm selbst nicht in Anspruch genommene — kaiser- | liche Krone und über den Westteil des Reiches zuwies und der Papst es gewesen war, der Karl in Rom am Weihnachtstage des Jahres 800 eine Kaiserkrone aufgesetzt hatte. Dann aber kann Karl nicht entgangen sein, daß nach dem CC zusammen mit der Krone auch das *palatium imperii nostri Lateranense, quod omnibus in toto orbe praefertur atque praecellit palatiis*[38], dem Papste übergeben worden war, und es muß, wenn er 806 im Kaisertitel auf das CC Bezug nahm, erwogen werden, daß auch bei der Verwendung des Namens Lateran für das eigene *palatium* eine solche Bezugnahme beabsichtigt war. Es wäre unkritisch, diese Erwägung zu unterlassen. Sie könnte nur entfallen, wenn sich zeigen ließe, daß Karl im Jahre 796 das CC, das er 806 bestimmt kannte, noch nicht kennen konnte. Eben dies aber hat bisher niemand zu beweisen vermocht; es ist im

[37] Falkenstein, S. 78, stellt diesen Sachverhalt so dar: „Ferner hat Walter Schlesinger auf einige kaiserliche Epitheta im Protokoll der Divisio regnorum von 806 hingewiesen, von denen er annahm, sie seien aus dem Protokoll des Constitutum Constantini übernommen worden." Für die Verwechslung einer nur skeptischen mit einer kritischen Haltung, die auch sonst in dem Buche entgegentritt, scheint mir diese Formulierung bezeichnend zu sein. Der Versuch, die Skepsis zu begründen, wird, wie man sieht, an dieser Stelle nicht gemacht. Wir dürften uns glücklich schätzen, wenn alles in der Geschichte Karls des Großen so gut erkennbar wäre wie die Übernahme dieses Kaisertitels aus dem CC.

[38] Mirbt, wie Anm. 36, S. 111.

Gegenteil soeben nochmals in überzeugender Weise deutlich gemacht worden, daß der bekannte, 778 an Karl gerichtete Brief Hadrians I.[39] bei diesem entweder die Kenntnis des CC bereits voraussetzt oder sie ihm durch Übersendung eines Exemplars vermittelte[40]. Man wird also weitere Argumente beizubringen versuchen müssen, welche die in Frage stehende Bezugnahme wahrscheinlich machen können. Sie sind von der Forschung seit langem bereitgestellt worden.

Die Kirche des römischen Lateran, die nach dem CC Konstantin als *caput et verticem omnium ecclesiarum in universo orbe terrarum* gegründet hatte und die nach dem Liber Pontificalis zur Zeit Karls als *basilica Salvatoris qui (!) et Constantiniana* bezeichnet wurde[41], trug bis weit ins 9. Jh. hinein den gleichen Salvatortitel wie der Altar der Aachener Pfalzkapelle *in eminentiori loco . . . caeteris altaribus*, an dem im Jahre 813 Ludwig der Fromme die Kaiserkrone empfing[42]. Es kommt hier nicht so sehr darauf an, ob die Pfalzkapelle einen ursprünglichen Salvatortitel besaß; dies läßt sich nicht erweisen und ist vielleicht sogar insofern unwahrscheinlich, als Salvator ja erst mit der Benennung der Pfalz als Lateran eingeführt worden sein könnte. Wichtig ist vielmehr, daß der Salvatoraltar eine vor allen anderen Altären herausgehobene Stellung

[39] Epp. 3, S. 585 ff.

[40] Beumann, wie Anm. 27, S. 52 f. [hier S. 377 f.].

[41] Mirbt, wie Anm. 36, S. 110 f.; Lib. Pont., hrsg. Duchesne, II, S. 3.

[42] Thegan 6; SS 2, S. 591. Zur Frage des Patroziniums der Aachener Pfalzkirche ausführlich Falkenstein, S. 62 ff. Das Ergebnis, S. 77, hat mich nicht überzeugt. Es wird übersehen, daß die gleiche Kirche recht häufig mehrere Patrozinien haben kann, die keineswegs immer nebeneinander genannt werden müssen, und daß der sog. Patrozinienwechsel dann nur bedeutet, daß eines dieser Patrozinien sich in den Vordergrund schiebt und das ursprüngliche Hauptpatrozinium schließlich verdrängt. Für Aachen möchte man einen solchen Wechsel auf Grund einer Urkunde Lothars I. von 855 annehmen, die Th. Schieffer, Festschr. J. Quint (1964), S. 187 ff., als echt erwiesen hat und in der eine Schenkung der Aachener Pfalzkapelle *ad honorem beatae Mariae genitricis dei semperque virginis et sancti Salvatoris* gemacht wird; ebenda, S. 193, und Die Urkunden der deutschen Karolinger, 3, S. 306. Regino, hrsg. Kurze, S. 72, spricht dagegen noch von der *basilica sancti Salvatoris et sanctae genitricis Mariae*,

besaß, so herausgehoben, daß Thegan es ausdrücklich hervorhebt und daß hier und nicht am Marienaltar die Kaiserkrönung Ludwigs stattfand, der Altar also eine besondere Beziehung zum Kaisertum besessen haben muß. War dies der Fall, so liegt eine Bezugnahme auf die römische Laterankirche, die *basilica Salvatoris qui et Constantiniana,* nahe.

Es kommt hinzu, daß in dem von Adalhard, also einem Zeitgenossen und Vetter Karls, stammenden Teile von Hinkmars De ordine palatii die Einrichtung des Amtes des *apocrisiarius* als des obersten geistlichen Pfalzwürdenträgers ausdrücklich auf das Vorbild des CC, das die Schaffung eines Verbindungsmannes zwischen Rom und dem neuen *palatium* des Kaisers nötig gemacht habe, zurückgeführt wird[43], so daß die Vermutung naheliegt, das CC

wie dies der kirchlichen Rangordnung entspricht. Ein ebensolcher Wechsel zwischen Marien- und Salvatorpatrozinium scheint auch in Frankfurt stattgefunden zu haben, nur in umgekehrter Richtung: hier blieb Salvator siegreich; vgl. Die Urkunden der deutschen Karolinger, 1, S. 218, 358. Die Patrozinien der deutschen Pfalzkapellen verdienten eine zusammenhängende Untersuchung.

[43] MG. Cap. II, S. 522; dazu L. Schmidt, Hinkmars De ordine palatii und seine Quellen (Diss. Frankfut/M. 1962), S. 42 ff., der wahrscheinlich zu machen sucht, daß die Stelle von Hinkmar stammt, aber zugeben muß, daß das Wort *apocrisiarius* nicht in die Gedankenwelt Hinkmars gehört (S. 42, Anm. 2). Die Erinnerung an das CC ist im Zusammenhang des Ganzen höchst merkwürdig und kann immerhin auf einer Reminiszenz Adalhards an Maßnahmen beruhen, die geplant waren, aber nicht auf die Dauer durchgeführt wurden. Zur Sache vgl. J. Fleckenstein, Die Hofkapelle der deutschen Könige, 1. Bd. (1959), S. 45 ff., und J. Bärmann, Zur Entstehung des Mainzer Erzkanzleramts, ZRG Germ. Abt. 75 (1958), S. 42 ff. Soviel ist klar, und dies ist auch die Meinung Hinkmars/Adalhards: wenn es in Aachen einen Apocrisiarius gab, dann war eine Parallele zu Konstantinopel/Byzanz, dem „zweiten Rom", hergestellt, und Karl trat damit in Parallele zu Konstantin. Die Zurückführung des Amtes bereits auf Fulrad von St. Denis in c. 15 (S. 523) besagt nicht, daß damals die Bezeichnung bereits eingeführt wurde, denn Fulrad ist der erste Erzkapellan, den wir kennen (Fleckenstein, S. 45), und Hinkmar sagt in c. 16 (S. 523) ausdrücklich: *Apocrisiarius autem, quem nostrates capellanum vel palatii custodem appellant.*

könne wenigstens zeitweise | auch sonst für Ausgestaltung und Benennung des Palatiums und seiner Funktionäre als vorbildlich ins Auge gefaßt worden sein[44].

Weitere Argumente haben die Kunsthistoriker beigebracht. Sie sollen zunächst zurückgestellt werden[45]. Auch wenn man sie beiseite läßt, fehlt es, wie gezeigt, nicht an Hinweisen auf Beziehungen des Aachener Lateran-Namens zum CC und damit zum römischen Lateran, so wie er im CC charakterisiert wird, unabhängig von der Nachricht des Chronicon Moissiacense. Nimmt man diese jedoch für bare Münze, wird man mitten in die teilweise noch immer strittigen Probleme um das Kaisertum Karls des Großen hineingeführt. Die Schlüsse, die dann gezogen werden müssen, sollen zur Diskussion gestellt werden.

Die Forschung[46] unterscheidet bekanntlich einen „römischen" und einen „nichtrömischen" Kaisergedanken[47]. „Römisch" ist auch der „kuriale" Kaisergedanke, den man aber zweckmäßigerweise vom nichtkurialen römischen Kaisergedanken scheidet[48]. Der erste christliche Kaiser, Konstantin, galt dem Mittelalter in besonderer Weise als Vorbild[49]. Gerade er aber war es gewesen, der das Kai-

[44] Ohne daß weitere Schlüsse daraus gezogen werden können, sei immerhin erwähnt, daß eine grobe und plumpe Fälschung auf den Namen Karls zu 802, welche die angeblichen Sonderrechte der Friesen beurkundet und der zweiten Hälfte des 13. Jh.s entstammt, *Lateranis* datiert ist (DK d. Gr., S. 395). Es ist möglich, daß der römische Lateran damit gemeint ist, es ist aber auch möglich, daß es nicht der Fall ist. Eine Erinnerung an die Benennung der Aachener Pfalz müßte sich dann über die Jahrhunderte erhalten haben.

[45] Vgl. unten S. 401.

[46] Die unendliche Literatur über das Kaisertum Karls d. Gr. wurde zuletzt zusammengefaßt von P. Classen, Karl der Große, das Papsttum und Byzanz, KW I. Auf diese vorzügliche Darlegung des gegenwärtigen Forschungsstandes sei ein für allemal nachdrücklich hingewiesen, ebenso auf R. Folz, Le Couronnement impérial de Charlemagne (1964).

[47] Am klarsten dargelegt bei Erdmann, wie Anm. 31.

[48] Den „kurialen" Kaisergedanken hat W. Ohnsorge so benannt und besonders betont, vgl. seine Aufsatzsammlung Abendland und Byzanz (1958).

[49] E. Ewig, Das Bild Konstantins d. Gr. im frühen Mittelalter, HJb. 75 (1956).

sertum von Rom abgelöst und nach dem Osten verpflanzt hatte, wo es zur Zeit Karls in ununterbrochener Kontinuität, wenn auch in einer gewissen provinziellen Beschränkung weiterlebte. Allerdings hatte es auch nach Konstantin ein westliches, römisches Kaisertum gegeben, aber dies war schließlich erloschen. An dieses Kaisertum war anzuknüpfen, wenn als Gegenposition zu Byzanz ein „römischer" Kaisergedanke erneut realisiert werden sollte, oder eben an das CC, dem zufolge Konstantin dem Papst Silvester mit dem Palatium — *tam palatium nostrum* — zugleich den ganzen Westteil des Reiches — *quamque Romae urbis et omnes Italiae seu occidentalium regionum provincias, loca et civitates* — übertragen hatte[50], so daß der Papst gleichsam an die Stelle des westlichen Kaisers gerückt war. *Unde ut non pontificalis apex vilescat, sed magisamplius quam terreni imperii dignitas et gloriae potentia decoretur,* so hatte das CC diese Übertragung begründet, und damit zugleich den Rückzug des Kaisertums nach dem Osten: *ubi principatus sacerdotum et christianae religionis caput ab imperatore caeleste constitutum est, iustum non est, ut illic imperator terrenus habeat potestatem.* Die Erneuerung eines westlichen Kaisertums ohne Mitwirkung oder gar Zustimmung des Papstes erschien damit ausgeschlossen[51]. Dies war der kuriale Kaisergedanke. |

Der „nichtrömische", „hegemoniale", „fränkische" (aber nicht „germanische", sondern nur germanisierte) Kaisergedanke geht aus von der über das bloß „gentile" Königtum hinausweisenden Herrschaft über viele Völker[52]. Der aus der Merowingerzeit stammende

[50] Mirbt, S. 112.

[51] Entgegen dem Druck bei Mirbt gehören die Worte *ad imitationem imperii nostri* nicht zu dem zitierten mit *unde* beginnenden Satz, sondern zum vorhergehenden, der den Stratordienst behandelt; vgl. E. Kantorowicz, Constantinus strator, in: Mullus, Festschr. Theodor Klauser (1964), S. 182, Anm. 3. Dies ändert jedoch nicht viel, da sich die „Einleitung" des folgenden Satzes mit *unde* offensichtlich auf diese Wörter bezieht. Bemerkenswert für die Datierung des CC ist, daß Kantorowicz zeigt, daß der Strator-Satz nicht interpoliert ist, wie meist angenommen wird.

[52] Hierzu besonders E. E. Stengel, Kaisertitel und Souveränitätsidee, DA 3 (1939), und Erdmann (wie Anm. 31), S. 3 ff.; ferner E. E. Stengel, Imperator und Imperium bei den Angelsachsen, DA 16 (1960).

sogenannte Ämtertraktat hatte sie dem Kaiser zugeschrieben: *Imperator, cuius regnum procellit in toto orbe, et sub eo reges aliorum regnorum*[53]. Von dieser Konzeption aus lag es nahe, den Herrscher über andere *reges* oder nach deren Beseitigung *gentes* und *regna* wenn nicht Kaiser zu nennen, so ihm doch eine kaisergleiche Stellung zu vindizieren. Schon Pippin III. hat sich mit Nachdruck eine solche Stellung unter Inanspruchnahme des Willens Gottes zugeschrieben. In einer Urkunde von 762 heißt es[54]: *Et quia divina nobis providentia in solium regni unxisse manifestum est . . . et quia reges ex Deo regnant nobisque gentes et regna pro sua misericordia ad gubernandum commisit . . .* Er vergleicht sich dann mit Moses und Salomo, und die Publikationsformel gilt schließlich *omnibus tam propinquis quam externis nationibus*, so daß wirklich der *totus orbis* angesprochen ist. Es ist im Sinne des Ämtertraktats folgerichtig, wenn Alkuin von Pippin sagte: *scit namque omnis populus, quibus nobilissimus victor celebratur triumphis vel quantum terminos nostri dilataverit imperii*[55], wenn er also sonst nur dem Kaiser zukommende Ausdrücke verwandte. Der König selbst hat diesen umfassenden Herrschaftsanspruch schon 755, am Jahrestag seiner Salbung durch den Papst in St. Denis 754, in einer Urkunde für dieses Kloster[56] auf die einfachste und treffendste Formel gebracht, indem er seinen Willen der *sagacetas omnium fidelium Dei et nostrorum* bekanntgab, der gesamten Christenheit also, deren Mitglieder aber zugleich als seine eigenen Getreuen erscheinen. Reich und Kirche werden somit in gewisser Weise in eins gesetzt. Im Grunde ist damit das *imperium Christianum* Alkuins bereits konzipiert. Doch sollte man nicht übersehen, daß die Franken Herrschaft dieser Art nur selten als kaisergleich gekennzeichnet haben; sie gingen vielmehr von einem Monopolanspruch erhebenden Großkönigtum aus, das seine Leitbilder in den Königsgestalten des Alten Testaments fand.

[53] Druck von G. Baesecke, Festschr. R. Holtzmann (1933), S. 5.

[54] DP 16.

[55] SS rer. Merov. 7, S. 134. Vgl. S. 133 von Karl d. Gr.: *qui modo cum triumphis maximis et omni dignitate gloriosissime Francorum regit imperium.*

[56] DP 8.

Karl hat dieselbe Formel wie Pippin 755 in zwei Urkunden vom Sommer 799 wieder aufleben lassen[57], zu einer Zeit, als nach der gegen Leo III. gerichteten römischen Revolte der Empfang des Papstes in Paderborn bereits beabsichtigt gewesen sein muß und Alkuin seinen bekannten Brief schrieb, der die königliche Würde Karls, nachdem die päpstliche und die kaiserliche als vakant aufgefaßt werden konnten, als den beiden anderen Gewalten an Macht, Weisheit und Würde überlegen und als das alleinige Heil der Kirche Christi pries[58], so daß also gefragt werden darf, ob der König die Erlangung des Kaisertums damals bereits erwogen hat. Aber auch 791, nach dem Sieg über die Avaren, tritt die Formel in einem Briefe an Fastrada schon einmal entgegen[59]; wir kommen hierauf zurück. Vor allem jedoch scheint Karl dem Gedanken der Herrschaft über viele Völker dadurch eine neue Wendung gegeben zu haben, daß er sie als Herrschaft über viele Provinzen des ehemaligen Römerreiches faßte und damit zugleich die Erinnerung an die Teilung des Römischen Reiches in West und Ost aufgriff: *Incipit opus ... Caroli nutu Dei regis Francorum, Gallias Germaniam Italiamque sive harum finitimas provintias ... regentis*, heißt es 792 in den Libri Carolini[60]; dem stehen die *partes Graeciae* gegenüber. Möglicherweise war es Alkuin, auf den dieser Gedanke zurückgeht; in einem Briefe von 796 redete er jedenfalls Karl als den *rex Germaniae, Galliae atque Italiae* an[61]. Wir erinnern uns, daß die Annales Laureshamenses, die | über die Hintergründe der Kaiserkrönung Karls offenbar gut unterrichtet waren, ganz ähnlich sagen, aber mit Zuspitzung auf den faktischen Besitz der kaiserlichen *sedes*: *qui ipsam Romam tenebat, ubi semper Caesaras sedere soliti erant, seu reliquas sedes quas ipse per Italiam seu Galliam nec non et Germaniam tenebat; quia Deus omnipotens has omnes sedes in potestate eius concessit, ideo iustum eis esse videbatur, ut ipse ...*

[57] DK d. Gr. 188, 189.

[58] Epp. 4, S. 288. Die *imperialis dignitas* erscheint hier bemerkenswerterweise als die *secundae Romae saecularis potentia.*

[59] Form. S. 510.

[60] Conc. 2, Suppl., S. 1. Über die Beziehung dieses Titels zu dem des Cap. Francof. von 794 vgl. H. Baethgen, NA 36 (1911), S. 665.

[61] Epp. 4, S. 156, nr. 110.

ipsum nomen (sc. imperatoris) *aberet*[62]. Die Argumentation erinnert in bemerkenswerter Weise an die im Jahre 751 dem Papste Zacharias von Pippin und den Franken gestellte Frage. Wir stellen die Frage, was außerhalb Roms als *sedes* zu gelten habe, zunächst zurück und bemerken nur, daß in d i e s e n Formulierungen römischer und nichtrömischer Kaisergedanke miteinander verschmolzen erscheinen.

Es ist durchaus möglich, daß diese die *sedes* und Provinzen des Reiches in den Vordergrund schiebenden Wendungen an das CC anknüpften: *tam palatium nostrum quamque Romae urbis et omnis Italiae seu occidentalium regionum provincias* hatte es dort geheißen. Die Verbindung der Herrschaft über die westlichen Provinzen mit dem Besitz der kaiserlichen *sedes,* also des *palatium* und der *urbs Roma,* ist unschwer auch aus dem CC herauszulesen, obwohl dort das Wort *sedes* nur für das kirchliche Zentrum erscheint. Daß das CC bereits bei den Verhandlungen von 754 eine Rolle gespielt habe, ist oft behauptet worden[63] und ist wenigstens für eine Vorform aus hier nicht zu erörternden Gründen auch meine Ansicht, kann hier aber aus dem Spiele bleiben; zur Zeit Pauls I. oder spätestens Hadrians I. war es nach der herrschenden Meinung[64] jedenfalls vorhanden und konnte somit von Karl benutzt werden. Der unbefangene Leser wird einem vielerörterten Briefe Hadrians an Karl von 778 sogar entnehmen, daß ihm da-

[62] SS 1, S. 38.

[63] So z. B. von Hauck, KG. 2, S. 26; H. Böhmer, RE prot ThK 11³, S. 6 (1902); J. Haller, Papsttum 1² (1950), S. 435; R. Holtzmann, HZ 145 (1931), S. 324; L. Halphen, Charlemagne et l'empire Carolingien (1949), S. 30; W. Ullmann, The growth of papal government in the Middle Ages (1955), S. 74. Weiteres Schrifttum bei W. Gericke, Wann entstand die konstantinische Schenkung, ZRG Kan. Abt. 43 (1957), insbesondere das Literaturverzeichnis S. 76 ff. Ergänzungen dazu bei D. Maffei, La donazione di Constantino nei giuristi medievali (Milano 1964), S. 7 ff. Eine Neuausgabe stellt H. Fuhrmann DA 21 (1965), S. 293, in Aussicht. Sein großer Aufsatz DA 22 (1966), S. 63—178, erschien erst nach Abschluß dieser Studie, er berührt das hier Vorgetragene nicht.

[64] Die von Scheffer-Boichorst, MIÖG 10 und 11 (1889/90), mit stilistischen Indizien begründet wurde.

mals ein Exemplar des CC zusammen mit anderen Schenkungsurkunden übersandt wurde, wahrscheinlich in Abschrift[65]. Die Frage, ob Karl die Schenkung für „echt", d. h. für vollzogen, hielt oder nicht, hat für uns zunächst nur theoretische Bedeutung. Tat er es nicht, so konnte er den Standpunkt vertreten, er selbst sei sozusagen unmittelbar an die Stelle Konstantins getreten, da dessen Schenkung an den Papst nicht stattgefunden habe oder, dies wäre eine Variante, nicht rechtskräftig geworden sei. Als Nachfolger Konstantins im Westen vertrat er dann die „reine" römische Kaiseridee. Für diese Auffassung könnten die Formulierungen der Divisio regnorum von 806 sprechen. Hielt er aber das CC für rechtsgültig, so bot ihm der 754 von Pippin mit Papst Stephan geschlossene Vertrag[66], den er selbst 774 mit Hadrian erneuert hatte[67], die Möglichkeit, als *defensor* der römischen Kirche deren von Konstantin übertragene weltliche Befugnis an sich zu ziehen. Hierfür könnte Karls bekannter Brief von 796 an Leo III. sprechen[68], der das „bilaterale" *sanctae paternitatis pactum* von 774 (Karl hatte an einer Taufhandlung Hadrians in der Salvatorkirche im Lateran, der angeblichen Taufkirche Konstantins, teilgenommen, daher [com]*paternitas*)[69] nunmehr, vielleicht auf schon 754 gebrauchte Formeln zurückgreifend, als *eiusdem fidei et caritatis inviolabile foedus* auch auf Leo ausdehnte und die Gegenseitigkeit in der Gegenüberstellung *nostrum — vestrum* trefflich hervorhob; schon im vorhergehenden Satze klingt sie in der Formulierung *me ... apostolica benedictio consequatur .. ; Romanae ecclesiae sedes .. nostra .. devotione defendatur* in der Gegenüberstellung von *benedictio* und *defensio* an. Der Papst ist auf Segen und Gebet beschränkt; alles übrige fällt Karl zu. Trotzdem würde das Ganze in die „kuriale" Idee eines westlichen Kaisertums | einzuordnen sein.

[65] Vgl. Anm. 39 und 40.

[66] Überlieferung BM² 74.

[67] Hierzu Waitz, VG. III³, S. 180 mit Note 3.

[68] Epp. 4, S. 137.

[69] Das Verhältnis wurde erneuert durch die Taufe Pippins 781 durch den Papst; seitdem nannte er Karl *compater*. Über (com)paternitas vgl. Folz (wie Anm. 46), S. 133 f.

Man sieht, daß es keinen großen Unterschied ausmacht, ob man diese oder jene Auffassung vorzieht.

Wir kehren endlich nach Aachen zurück. Daß Aachen eine der von den Lorscher Annalen ins Auge gefaßten *sedes* war, wo immer man die übrigen suchen möge, steht wohl außer Frage: es ist das neue Rom mit einem neuen Lateran, dem aber neben Säulen und Marmor aus Rom zugleich Baustücke aus dem *palatium* von Ravenna, der Kaiserresidenz und dem ehemaligen Sitz des Exarchen und damit einer *sedes Italiae,* eingefügt waren. Es wird dann auch verständlich, weshalb das von Karl errichtete Saalgebäude, wenn man den offenbar durch Grabung gestützten Auffassungen der örtlichen Forschung folgen darf, vielleicht die Trierer Basilika, eine Aula palatina aus der Zeit Konstantins, zum Vorbild nahm[70]. Die Erinnerung an deren ursprüngliche Bestimmung wird sich erhalten haben, da sie in fränkischer Zeit vermutlich als Königspfalz benutzt wurde[71]. Nicht zu übersehen sind allerdings die wesentlichen Abweichungen des Aachener von dem Trierer Bau. Der Eingang befand sich in Aachen anscheinend nicht an der der Apsis gegenüberliegenden Schmalseite, sondern man vermutet zwei Eingänge an der südlichen Langseite[72]. Beide Langseiten waren überdies durch halbkreisförmige Exedren gegliedert, so daß eine Art Dreikonchenanlage entstand, die in der Gestalt des Atriums vor der Kapelle, wie sie die Grabungen sichergestellt haben, eine merkwürdige

[70] Hugot, KW III, S. 553 f., mit Grundriß S. 547; Sage ebda., S. 327. Die aus dem Anfang des 12. Jh.s stammenden Gesta Treverorum berichten: *Qui etiam Karolus multum marmor et museum plurimum de Treveri ad Aquis palacium vexit;* SS 8, S. 163. Zur Gestalt der Palastaula zuletzt W. Reusch in Frühchristliche Zeugnisse im Einzugsgebiet von Rhein und Mosel, hrsg. Th. Kempf und W. Reusch (1965), S. 144 ff., mit Plan S. 146. Bemerkenswert ist der narthexartige Querbau an der Eingangsseite im Süden. Er fehlt der Basilika Saint-Pierre-aux-Nonnains in Metz; vgl. ebenda S. 162 f. Sie könnte gleichfalls als Vorbild für Aachen in Betracht kommen, doch vermutet Reusch, daß es sich hier nicht um einen Palast, sondern um eine Kirche handelt, die vielleicht unvollendet blieb.

[71] Geschichte des Trierer Landes, Bd. 1, hrsg. R. Laufner (1964), S. 234 (Ewig), 317 f. (Böhner).

[72] Sage, KW III, S. 328; vorsichtiger Hugot, ebda. S. 555.

Parallele hat. Notker nannte diesen Bau *basilica humana,* im Gegensatz zur *basilica divina,* der Pfalzkirche[73]. Am ehesten folgt er hier wohl den Etymologien Isidors (15, 4, 11). Das Vorbild dieser Dreikonchenanlage ist nun vielleicht in der Tat nicht in Trier, sondern im römischen Lateran zu suchen, in dem sogenannten Triklinium Leos III., das eine ganz ähnliche Grundrißgestalt zeigt[74]. Man hat sogar den Lateran insgesamt als „Idealmodell“

[73] Ed. Haefele, S. 41.

[74] Ph. Lauer, Le palais de Latran (1911), S. 119, dazu die Pläne S. 3 und am Schluß. Vgl. auch den Hinweis von Sage, KW III, S. 327, und schon Fichtenau (wie Anm. 25), S. 41. Zu Lauer skeptisch Falkenstein, S. 33 ff. Im Triklinium fand im Jahre 800 die Untersuchung der fränkischen Missi gegen die Gegner Leos III. statt, und hier wurden wahrscheinlich damals jene Mosaiken in der mittleren Apsis und an der Stirnwand angebracht, die Karl in typologischer Parallele zu Konstantin, den Papst aber in Parallele zum hl. Petrus zeigten; vgl. dazu Classen (wie Anm. 46), S. 575 f., mit älterer Literatur, und Beumann (wie Anm. 27), S. 40 ff. Die „kuriale“ Kaiseridee stellen sie schon deshalb nicht dar, weil die für diese unentbehrliche Gestalt Silvesters fehlt. Karl, ausdrücklich als *rex* bezeichnet, empfängt das Vexillum unmittelbar von St. Peter, ohne jede Beteiligung des Papstes, der seinerseits das Pallium erhält. So ist eher die Auffassung des bei Anm. 68 zitierten Briefes Karls an Leo III. von 796 wiedergegeben. Dabei ist zu beachten, daß dieser Brief die Antwort Karls auf die Übersendung des Banners der Stadt Rom durch Leo war. Zur Deutung vgl. J. Deér, Die Vorrechte des Kaisers in Rom, Schweizer Beiträge z. allg. Gesch. 15 (1957), S. 21 ff., und zu den Mosaiken ebda., S. 23 ff. Stimmt man Deér zu, so ergibt sich, daß Karl an Rom kein besseres Recht hatte als an Jerusalem (S. 22). Dies könnte allenfalls die Auffassung des Papstes, nicht aber die Karls gewesen sein. Fraglich bleibt, ob das Banner des Mosaiks mit dem Banner von 796 identisch gedacht werden darf. Über die Vorstellungen, die Karl 796 mit der Übersendung des Banners verband, sind wir nicht unterrichtet. — Was die Deutung der Mosaiken betrifft, so ist zu beachten, daß die Wendung der Akklamation von 800 *vita et victoria* in der Beischrift ebenfalls auftaucht, aber auf den Papst und Karl verteilt, und daß bereits der erwähnte Brief Hadrians an Karl von 778 diesem die Bezeichnung *novus Constantinus imperator* in Aussicht stellt. Vgl. im übrigen den in Anm. 27 genannten Aufsatz von H. Beumann, S. 40 ff.

der Aachener Pfalz angesehen[75], übrigens bereits unter Hinweis auf die Bedeutung der zitierten Stelle | des Chronicon Moissiacense. Auf weitere baugeschichtliche Probleme soll hier nicht eingegangen werden[76].

In dieser Aachener Pfalz hat Karl 794, 795, 796, 798, 799, 801, 802, 803 das Weihnachtsfest gefeiert, also fast alljährlich; nur 797 hielt ihn der Sachsenkrieg fern, und 800 war er in Rom[77]. Es ist daher einigermaßen erstaunlich, wenn die offiziösen Reichsannalen zu 804 berichten, der Kaiser habe Mitte November die Nachricht erhalten, Papst Leo wolle mit ihm Weihnachten feiern, *ubicumque hoc contingere potuisset*[78]. Aachen wäre für diesen Zweck zweifellos das Nächstliegende gewesen, zumal wenn sich hier, wie Erdmann angenommen hat, ein nach Vorbild des päpstlichen Palastes in Rom Lateran genanntes, für den Papst bestimmtes Absteigequartier befunden hätte, dessen Vorhandensein auch die Marienkirche als päpstliche Kirche habe erscheinen lassen und das identisch war mit einer *domus pontificis*[79], von der Einhard spricht. Eine Beziehung zum Lateran des CC bliebe dann außer Betracht. Das Weihnachtsfest 804 wurde aber nicht in Aachen gefeiert, und der Annalist verbirgt nur sehr ungeschickt, daß diese Pfalz offenbar von vornherein gar nicht in Erwägung gezogen wurde, wenn er sagt, der Papst habe sich, da er einmal in der Lombardei war, plötzlich entschlossen, über die Alpen zu reisen, und Karl sei ihm

[75] R. Krautheimer, The Carolingian Revival of early Christian Architecture (The Art Bulletin 24, 1942, Nr. 1), S. 35 f.; vgl. auch S. 14 über die Bedeutung des CC. Dazu wiederum Falkenstein, S. 50 ff., skeptisch.

[76] Vor allem bleibt zu klären, seit wann die Grundrißgestalt des Trikliniums Karl bekannt sein konnte; nach dem Liber Pontificalis (hrsg. Duchesne, II, S. 3 f.) wurde es erst von Leo III. erbaut, es war 799 vollendet (vgl. Classen, wie Anm. 46, S. 575 mit Anm. 180, und Falkenstein, S. 36 ff.). Dies schließt jedoch nicht aus, daß ein Gebäude mit ähnlichem Grundriß vorherging, das dann erst recht als der Saal Konstantins gelten konnte; vielleicht deutet die Wendung *ponens in eo fundamenta firmissima* darauf hin.

[77] Belege bei BM².

[78] Hrsg. Kurze, S. 119.

[79] Wie Anm. 31, S. 23 f.

nach Reims entgegengereist. Gefeiert wurde vielmehr in Quierzy[80], wo gerade fünfzig Jahre früher Pippin dem Papste sein Schenkungsversprechen gegeben und beurkundet hatte. Erinnerte die Wahl des Ortes an diesen so folgenreichen Akt, so die des Festes an .die vor erst vier Jahren erfolgte nicht minder folgenreiche Kaiserkrönung.

Die Frage, wer nicht in Aachen, sondern in Quierzy feiern wollte, der Papst oder Karl, ist leicht zu beantworten: der Papst, denn sonst hätte der Annalist einfach berichten können, Karl habe den Papst in Quierzy empfangen, wie er dies zu 799 von Paderborn berichtet. Sehr viel schwieriger ist es, die Gründe des Papstes zu ermitteln. 799 blieb ihm keine Wahl des Ortes, er kam als Bittsteller und Angeklagter dorthin, wo er den König treffen konnte, und man muß umgekehrt fragen, warum dieser ihn nicht in Aachen empfing, zumal der Papst schließlich die Paderborner Salvatorkirche *mirae magnitudinis* — also auch hier eine Salvatorkirche wie im Lateran und *mirae magnitudinis* wie in Aachen! — dann doch nicht weihen durfte oder wollte, obwohl sie fertig war, sondern sich mit der Weihe eines Stephansaltars in ihr begnügte[81]. Fast gewinnt man den Eindruck, Karl habe den Papst absichtlich von Aachen fernhalten wollen. Ganz anders ist die Lage 804. Offenbar wollte der Papst unbereinigte Probleme, die — wenigstens nach seiner Ansicht — mit den Vorgängen von 754 und 800 zusammenhingen, erörtern, und hierzu schien ihm Quierzy der geeignete Ort. Da Karl, wie bereits dargelegt wurde, ein reichliches Jahr später in der sogenannten Divisio regnorum, das ist das Grundgesetz über die Ordnung des Reiches nach seinem Tode, in der einen, wohl für den Papst bestimmten Ausfertigung den Kaisertitel des CC verwendet, ist es so gut wie sicher, daß auch dieses auf dem Verhandlungstisch von Quierzy lag. Es ist zwar nicht, wie früher vermutet wurde, gerade um diese Zeit im benachbarten St. Denis abgeschrieben worden, aber doch in einer besonderen „fränkischen“, von der bei Pseudo-Isidor überlieferten abweichenden jüngeren

[80] BM² 408 a.

[81] SS 5, S. 150. Das Weihedatum der Kirche ist der 6. Dezember, der Papst war aber schon am 29. November wieder in Rom.

Fassung in dem fränkischen Königskloster überliefert, ohne daß man weiß, woher dieser Text stammt und wie er nach St. Denis gelangte[82]. |

Geht man hiervon aus, so liegt die Vermutung nahe, daß der Grund des Papstbesuches, den der Text der Reichsannalen eher verschleiert als enthüllt, wenn er von einem Reliquienfund in Mantua spricht, der eine Überquerung der Alpen im Winter gewiß nicht nötig machte, noch immer unerfüllte, mit dem Schenkungsversprechen Pippins zusammenhängende territoriale Forderungen des Papstes in Italien waren, die, wie schon 778, mit dem CC in Zusammenhang gebracht wurden, dann und vor allem aber Differenzen in der Auffassung des Kaisertums, die in der verschiedenen Beurteilung des gleichen Schriftstücks ihren Grund hatten, das ja die Basis des „kurialen" Kaisergedankens war. Neuere Arbeiten[83] haben, zunächst völlig unabhängig vom Wortlaut der Annales Laureshamenses, gezeigt, daß dem Weihnachtstage 800 Verhandlungen vorausgingen, die schon 799 in Paderborn zu einer gewissen Übereinstimmung zwischen Kaiser und Papst hinsichtlich des künftigen Kaisertums Karls geführt haben müssen. Wenn der Akt in der Peterskirche am Weihnachtstage des Jahres 800 von Karl dann eben doch als eine Überraschung, in gewisser Weise sogar als eine Überrumpelung aufgefaßt werden konnte, wie nicht nur aus

[82] Für um 804 W. Levison, Aus rheinischer und fränkischer Frühzeit (1948), S. 391. Neuerdings hat S. Williams, The oldest text of the Constitutum Constantini, Traditio 20 (1964), S. 448—461, aus paläographischen Gründen die Niederschrift des CC in St. Denis erst in die letzten Jahrzehnte des 9. Jh.s gelegt. Schon E. Griffe, Bull. de littérature eccl. 59 (1958), S. 207, war für spätere Datierung der Schrift eingetreten. Zustimmend neuestens H. Fuhrmann, Konstantinische Schenkung und abendländisches Kaisertum, DA 22 (1966), S. 71. In diesem Aufsatz wird die handschriftliche Überlieferung in dem oben angegebenen Sinne geklärt.

[83] Vgl. Anm. 46; dort insbesondere Classen, S. 574, und vorher H. Beumann, Nomen imperatoris, HZ 185 (1958) [hier S. 174 ff.], dens., Die Kaiserfrage bei den Paderborner Verhandlungen von 799, in: Das erste Jahrtausend, Textband 1, hrsg. V. H. Elbern (1962), sowie jetzt seinen Anm. 27 genannten Aufsatz.

Einhard, sondern auch aus den Annales Maximiniani[84] hervorgeht, so kann dies somit nur an der Art gelegen haben, wie der Papst die Kaiserkrönung durchführte, die so nicht vereinbart war und die nach der Auffassung der Zeit unliebsame Rechtsfolgen nach sich ziehen konnte. Der komplizierte Kaisertitel Karls und seine späte Führung anscheinend nach einer Zeit des Experimentierens[85] lassen vermuten, daß die Differenzen auch nicht nachträglich ausgeglichen wurden. Sie bestanden, wie immer wieder vermutet worden ist, und ich stimme dem zu, hinsichtlich des Rechtsgrunds des Kaisertums, also der Akklamation durch die Römer, und der Art der Mitwirkung des Papstes bei seiner Übertragung, also dem Aufsetzen der Krone, doch wohl nicht ohne Krönungsspruch, der aber bezeichnenderweise nirgendwo überliefert ist, vermutlich eben deshalb, weil er Karl anstößig erschien. Sie werden deutlich im Gegensatz der Ereignisse von 800 und 813, 813 und 816, 817 und 823. Auf Karls Krönung durch den Papst folgt 813 die Krönung Ludwigs durch den Vater, nach Thegan sogar in Form einer Selbstkrönung. 816 wird die Krönung durch den Papst nachgeholt, doch krönt schon im folgenden Jahre Ludwig nach dem Beispiel des Vaters seinen Sohn Lothar wiederum selbst, der dann 823 vom Papst ebenfalls gekrönt wird, *rogante Paschale papa,* wie es ausdrücklich heißt. Die Differenzen werden noch deutlicher, wenn man das CC in die Betrachtung einbezieht.

[84] SS 13, S. 22. Man sollte die Stelle nicht wegzuinterpretieren suchen, solange ihre Datierung und die Abhängigkeitsverhältnisse der karolingischen Annalenwerke nicht völlig geklärt sind. Es ist aber zu beachten, daß die in den Text der Reichsannalen eingefügten Wörter *nesciente domno Carolo* sich nur auf das Aufsetzen der Krone durch den Papst beziehen, also auf die Art der Durchführung der Kaisererhebung, nicht auf diese insgesamt. Wer sagt uns, ob nicht Karl eine auf dem Altar liegende Krone sich selbst aufsetzen wollte, wie er dies 813 seinem Sohne Ludwig befahl?

[85] Vgl. den Titel von Cap. I, nr. 98, von 801. Da das Kapitular bei F. L. Ganshof, Was waren die Kapitularien (1961), nicht erscheint, dürfte die Datierung feststehen. Vgl. im übrigen zum Kaisertitel Karls E. Caspar, Das Papsttum unter fränkischer Herrschaft (Neuausgabe 1956), S. 173 ff., dazu P. Classen, Romanum gubernans imperium, DA 9 (1952) [hier S. 4 ff.].

W. Ohnsorge hat schon 1951 darauf hingewiesen, daß das CC in seiner Konsequenz dem Papste die Stellung eines „Oberkaisers" des Westens zuwies, d. h. desjenigen, der von sich aus das römische (westliche) Kaisertum zu vergeben hatte[86], falls ein solches wiederhergestellt werden sollte. Dabei war er der Ansicht, Leo habe 804 den Text für seinen Besuch bei Karl fabriziert. Lag dieser aber, und damit folgen wir nur der herrschenden Meinung, bereits vor 800 vor[87], kann er schwerlich in den Verhandlungen zwischen Karl und dem Papst, die aller Wahrscheinlichkeit nach schon 799 stattfanden, außer Betracht geblieben sein; ihre Zähflüssigkeit erklärt sich dann sehr einfach. Nachdem Karl 754 zusammen mit Vater und Bruder vom Papste zum | König und *patricius Romanorum* geweiht worden war[88], mußte ihm eine päpstliche Mitwirkung auch beim etwaigen Erwerb des *nomen imperatoris* gewiß als wünschenswert erscheinen, zumal 751 dem karolingischen Geschlecht schon das *nomen regium* mit Hilfe der apostolischen *auctoritas*

[86] Die Konstantinische Schenkung, Leo III. und die Anfänge der kurialen römischen Kaiseridee, ZRG Germ. Abt. 68 (1951), wieder abgedruckt in dem Anm. 48 genannten Werk. Ebenso schon 1942 Krautheimer (wie Anm. 75), S. 14.

[87] Diese Möglichkeit hat Ohnsorge, seine These verteidigend, a. a. O. S. 19 Anm. 79 und S. 189 mit Anm. 26 immerhin eingeräumt.

[88] An dieser Nachricht und an der Echtheit der sog. Clausula de unctione Pippini ist festzuhalten; alte und neue Versuche, die Unechtheit zu erweisen, überzeugen nicht. Die Entscheidung hängt ab von der Beurteilung des Verhältnisses der sog. Revelatio des Abtes Hilduin von St. Denis von 855 zur Clausula. Die Revelatio benutzt den Liber Pontificalis, die Ann. r. Fr. und das CC; sie steht einerseits dem CC näher als der Clausula, andererseits aber auch der Clausula näher als dem CC, so daß folgendes Stemma naheliegt:

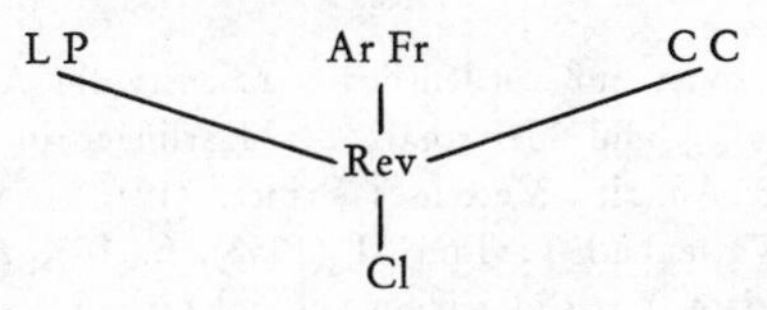

Es kann aber auch die Revelatio sowohl aus dem CC wie aus der Clausula geschöpft haben, die ihrerseits ebenfalls auf das CC zurückgriff; da

zugefallen war. Damals hatte diese das neue karolingische Königtum gegenüber dem alten Königtum der Merowinger zwar nicht legitimiert, aber doch gestützt, und ebenso konnte sie jetzt ein etwaiges neues karolingisches Kaisertum gegenüber dem alten Kaisertum in Byzanz stützen. Karl war aber offenbar nicht bereit, dem Papste ein sozusagen exklusives Recht zur Übertragung des kaiserlichen *nomen* zuzugestehen, an welchem dieser jedoch, so muß man schließen, starr festgehalten hat. Weder in Paderborn noch in Rom konnte somit eine volle Einigung erzielt werden. Die von den Franken in Rom vertretene Position geben offenbar die Annales Laureshamenses richtig wieder: der Besitz Roms und der westlichen Provinzen mit ihren *sedes* qualifizierte Karl zum Kaiser, als Reichsvolk sollte der *universus* (oder *qui aderant seu reliquus*) *populus christianus* gelten. Seinen Sitz in Rom zu nehmen, beabsichtigte Karl nicht, sondern ein zweites Rom sollte in Aachen entstehen und war dort schon vorbereitet, wobei Karl mit der Benennung seiner Pfalz als Lateran wie dann wieder mit dem Kaisertitel der Divisio regnorum von 806 gleichsam hinter das CC zurückgriff und so die Position des Papstes a limine ablehnte. Wie weit dieser in den Verhandlungen Karl in vielleicht zweideutigen Formulierungen ent-

es sich um die im Frankenreiche bisher unbekannte Salbung handelt, ist es nicht verwunderlich, wenn beide Texte sich am CC orientierten, wo nun einmal von einer Salbung die Rede war. Es ergibt sich dann folgendes Stemma:

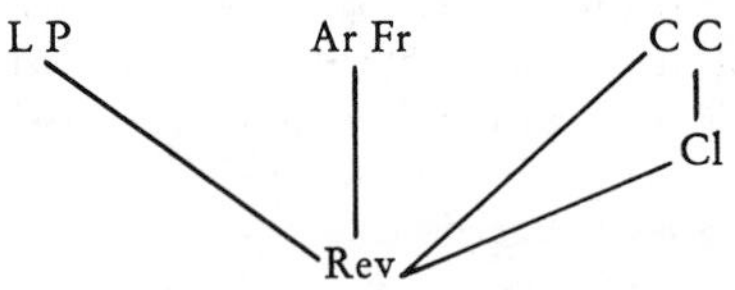

Dies gegen die sonst außerordentlich verdienstvolle Arbeit von Irene Haselbach, Aufstieg und Herrschaft der Karlinger in der Darstellung der sogenannten Annales Mettenses Priores (1970), Exkurs II. Ältere Literatur bei Wattenbach-Levison II (1953), S. 163, Anm. 6. — Zur Frage des Patriciates Karls allgemein vgl. zuletzt J. Deér, Zum Patricius-Romanorum-Titel Karls des Großen, Arch. Hist. Pontif. 3 (1965) [hier S. 240 ff.].

gegengekommen ist und damit wenigstens den Anschein der Übereinstimmung erweckte, können wir nicht wissen. Mit der Krönung des Weihnachtstages 800 schuf er jedenfalls vollendete Tatsachen in seinem Sinne, die Karl zunächst hinnahm, da er wohl wegen der Heiligkeit des Ortes sofortigen Protest unterließ. Den Standpunkt des Papstes machte er sich natürlich trotzdem nicht zu eigen. Den Titel *imperator Romanorum*, der durch die Reichsannalen für die Akklamation überliefert ist, den aber der Liber Pontificalis und die sonst auf den Reichsannalen beruhenden Maximiniani, die mit Bezug auf die Krönung durch den Papst gesagt hatten *nesciente domno Carolo*, an dieser Stelle bezeichnenderweise unterdrücken und der somit ein Streitpunkt gewesen sein muß[89], hat er nicht geführt, da dies als Anerkennung der Stadtrömer als Reichsvolk hätte mißdeutet werden können, und Aachen blieb zunächst die *nova Roma*, wohin noch 801 die Theoderich-Statue aus Ravenna überführt wurde, einerseits doch wohl im bloßen Wetteifer mit dem römischen Marc Aurel, dessen Standbild vor dem römischen Lateran stand, man stößt immer wieder auf diesen Namen, andererseits aber in dem Bewußtsein, daß es sich bei diesem König um den selbständigen Herrscher der *Romae urbis et omnes Italiae seu occidentalium regionum provinciae*, wie das CC formulierte, handelte, der hier nach der von Paulus Diaconus zu 476 angesetzten Auflösung des Westreiches[90] an die Stelle des Kaisers getreten war; es ist natürlich wichtig, daß Paulus dem Gelehrtenkreis an Karls | Hof angehört hatte. Beachtenswert ist, daß die Marc-Aurel-Statue bei ihrer ersten Erwähnung im 10. Jh. als *caballus Constantini* bezeichnet wurde[91].

[89] LP hrsg. Duchesne, S. 7 und SS 13, S. 22. An der Sache ändert sich nichts; *et ab omnibus constitutus est imperator Romanorum*, fährt der Text des LP fort. Auch die Proskynese, an deren Faktizität wohl niemand zweifelt, wird vom LP unterdrückt, doch wohl, weil sie als Idolatrie Anstoß erregt hatte, während die Reichsannalen über sie berichten. Es zeigt sich, daß sie für diese Dinge die zuverlässigere Quelle sind.

[90] MG. A A 2, S. 211.

[91] Fichtenau (wie Anm. 25), S. 49 f.

Fraglich bleibt, ob die in den achtziger und neunziger Jahren errichteten weiteren Pfalzen Karls als *sedes* im Sinne der Laureshamenses gelten sollten und ob daran festgehalten wurde. Bemerkenswert ist jedenfalls, daß es auch in Regensburg einen Lateran gegeben hat, der später als *Latron* erscheint und, drückt man es vorsichtig aus, zur dortigen Pfalz in Beziehung stand und ihr benachbart war[92]. Auch eine Salvatorkirche war vorhanden[93]. Es erscheint mir nicht ausgeschlossen, daß wir den Reflex eines Pfalzneubaus oder -umbaus vor uns haben, der von Karl in den Jahren 791/93 beabsichtigt war, als er drei Jahre in Regensburg „residierte“[94]. Er feierte dort dreimal hintereinander Weihnachten und Ostern. Eine Donaubrücke wurde errichtet und der „Karlsgraben“ zwischen Altmühl und Rednitz als Schiffahrtsweg zwischen Rhein und Donau mit ungeheurem Arbeitsaufwand begonnen[95]. Er wurde nicht vollendet, und so verhielt es sich wohl auch mit der möglicherweise in Regensburg projektierten und Lateran genannten Pfalz. Wichtig scheint mir zu sein, daß damals, nach dem Awarensieg von 791, die Wendung *fideles Dei ac nostri* in einem Brief Karls an Fastrada auftaucht, wie wir uns erinnern, m. W. das einzige Mal vor 799. Die Regensburger Pläne treten dadurch in ein besonderes Licht, nämlich das des imperialen Königtums. Nicht nur Aachen, Regensburg und Paderborn, sondern auch Frankfurt hatte übrigens eine Salvatorkirche wie der Lateran, ebenso wie Ravenna eine solche als Pfalzkapelle besaß. In Modoins Ekloge, einer zwischen 804 und 814 am Hofe Karls entstandenen Dichtung mit politischer Absicht[96], heißt es: *Quo caput orbis* (d. i. Karl) *erit, Romam vocitare licebit*

[92] R. Bauerreiss, Ein „Lateranpalast“ in Altbayern, Jb. 1963 f. altbayer. Kirchengesch. (1963) und vor allem R. Strobel und J. Sydow, Der „Lateran“ in Regensburg, HJb. 83 (1964).

[93] DK II 3. In dieser Urkunde ist von einem *palatium vetus atque destructum* die Rede. Die Lage kennt man nicht.

[94] *residebat*, Ann. Einh. hrsg. Kurze, S. 91.

[95] Ebenda, S. 86—93. Zum Karlsgraben H. H. Hofmann, Fossa Carolina, KW I.

[96] Hierzu Beumann, Kaiserfrage (wie Anm. 83), S. 314 ff., und Paderborner Epos (wie Anm. 27), S. 20 f. [hier S. 333 f.].

forte locum[97]. Für die Beurteilung der Pfalzgründungen Karls ist die Stelle natürlich von großer Bedeutung, gerade wenn sie vielleicht die unausgesprochenen Gedanken des Kaisers in Anlehnung an eine antike Formulierung in Worte zu fassen suchte, wie dies Hofdichtung zu tun pflegt[98]. Im übrigen bleibt zu beachten, daß die Annales Laureshamenses konsequent nur Aachen *palatium* nennen, dies aber immer; ähnlich verfährt das Chronicon Moissiacense, wo nur ein einziges Mal auch Ingelheim *palatium* heißt. Als *sedes* bezeichnen beide Quellen nur Aachen[99].

Leo III. suchte 804 anscheinend, abgesehen von seinen territorialen Forderungen, die er auch nach 804 immer wieder erhoben hat, unter Berufung auf das CC Karl von dieser „fränkischen" Begründung des Kaisertums, von dieser „Aachener Kaiseridee", wie Erdmann formuliert hat, die aber doch, wie ersichtlich, den „Rom-

[97] Poetae 1, S. 386 v. 40 f.

[98] Läßt man nur die von den römischen Cäsaren benutzten *sedes imperii* gelten, kann man neben Rom etwa Ravenna, Mailand, Trier, Arles in Italien und Gallien als *sedes* Karls anführen; die Germania der Laureshamenses schwebt dann in der Luft, denn hier gab es keinen solchen Kaisersitz. An einen bloßen Zusatz des Annalisten ist aber bezüglich der Germania schon wegen der Formulierung des Herrschaftsumfangs in den Libri Carolini nicht zu denken, so daß mit Aachen offenbar weitere neue *sedes* neben die alten gestellt werden. In Betracht kommt neben Regensburg und Paderborn auch Frankfurt.

[99] SS 1, S. 30 ff., 297 ff. Die Laureshamenses sprechen nur von der *sedes sua,* die Chronik dagegen sagt mehrfach *sedes regia.* An zwei Stellen, zu 800 und 801, fügt sie zu *sedes* der Laureshamenses *(in) Aquis* hinzu, womit das besondere Interesse dieser Quelle an Aachen gekennzeichnet ist. In diesen Zusammenhang gehört auch die Stelle über den Aachener Lateran. Sehr bezeichnend ist eine Änderung der Chronik gegenüber den Annalen zu 798: *apud Haristallio novo* wird erweitert zu *apud Haristallo sede nova.* Dies ist die einzige Stelle, an der eine *sedes* neben Aachen auftaucht, abgesehen von Rom als der *sedes* des Papstes. Es wird deutlich, daß Aachen als die eigentliche *sedes* gedacht ist, neben der aber weitere errichtet werden können. Bedeutungsvoll ist natürlich die Übertragung des Namens der alten Maas-Pfalz nach Sachsen. Demgegenüber wirkt die Erklärung des Namens, die beide Quellen geben, als unorganischer Zusatz. Weitere Untersuchung ist nötig.

gedanken“ durchaus einbezog, abzubringen und ihn für die „kuriale“ Linie zu gewinnen. Nach Aachen ging er zunächst nicht, und in der Tat mußte es als | Zumutung für den Papst betrachtet werden, in einem „Lateran“ abzusteigen, in dem nicht er, sondern Karl der Hausherr war. Auf welche Weise er seine Absichten zu verwirklichen gedachte, d. h. welche Mittel er besaß, einen Druck auf Karl auszuüben, ist uns unbekannt. Man kann nur vermuten, daß er die Möglichkeit angedeutet hat, die seit 803 unüberbrückbar scheinenden Schwierigkeiten mit Byzanz durch Hinweis auf das CC aus dem Wege zu räumen und daß damals bereits die Frage der Nachfolge im Reiche auftauchte, bei welcher der Papst schon wegen der *defensio* der römischen Kirche und neuerdings auch wegen des Kaisertums ein Wort mitzureden beanspruchte.

Die Verhandlungen verliefen geheim, Reichsannalen wie Liber Pontificalis schweigen darüber. Es fällt auf, daß Karl, nachdem er mit dem Papste, dem er bis Reims entgegengereist war, in Quierzy Weihnachten gefeiert hatte, diesen ins Medarduskloster nach Soissons brachte, sich selbst aber nach Chelles begab, angeblich wegen einer Erkrankung seiner sich dort aufhaltenden Schwester Gisela[100]. Wären die Annales Mettenses priores, ein Werk, das ein Jahr später abgeschlossen wurde und eine Geschichte des Aufstiegs des karolingischen Hauses zu königs-, ja kaisergleicher Stellung bereits vor der 751 mit päpstlicher Hilfe durchgeführten Königserhebung Pippins III. zu geben versuchte, wirklich in Chelles entstanden, wie vermutet worden ist[101], würde der Besuch Karls in ein bezeichnendes Licht gerückt werden. Es ist übrigens diese Quelle, die entgegen den Reichsannalen den wahren Grund des Papstbesuches von 804 mitteilt: *Leo papa suum* (d. i. Karls) *colloquium desiderans*[102]. Man begab sich dann wieder nach Quierzy und

[100] BM², 408 a—d. Möglicherweise fand der Besuch in Chelles von Soissons aus schon vor Weihnachten statt, so daß nur mit einem Aufenthalt in Quierzy zu rechnen ist.

[101] H. Hoffmann, Untersuchungen zur karolingischen Annalistik (1958), S. 53 ff.

[102] Hrsg. v. Simson, S. 92.

schließlich nach Aachen, wo das Erscheinungsfest begangen wurde[103]. Die Nachricht der Reichsannalen, der Besuch Leos bei Karl habe acht Tage gedauert, bezieht sich anscheinend nur auf den Aachener Aufenthalt[104]. Von einer etwaigen Weihe der Pfalzkapelle durch Leo verlautet hier nichts[105].

Der gemeinsame Besuch Aachens bekräftigte den Ausgleich, der in Quierzy erzielt worden sein muß. Wie er aussah, läßt sich nur aus den Ereignissen und Zuständen der folgenden Jahre erschließen. Der Papst stimmte offenbar im Prinzip den Regelungen zu, die ein reichliches Jahr später in der Divisio regnorum beurkundet wurden und die er dann — soviel wir wissen — widerstandslos unterschrieb, also der Reichsteilung und der gemeinschaftlichen Ausübung der *cura et defensio ecclesiae sancti Petri* durch die Söhne Karls, die damit als im karolingischen Hause erblich anerkannt wurde[106]. Karl seinerseits verzichtete auf die Errichtung einer *secunda Roma.* Von ihr ist, wenn ich recht sehe, nach Modoin nicht mehr die Rede, und nichts hindert uns, dessen Gedicht ins Jahr 804 zu setzen. Karl verzichtete folgerichtigerweise auch auf den Namen Lateran für die Aachener Pfalz[107]. Er wurde auf das *secretarium,* den südlichen Annexbau der Pfalzkapelle, beschränkt, das jetzt erst dem Papste als Quartier zugewiesen und von ihm auch wirklich bewohnt worden war; seither trug dieser Bau den von Einhard (c. 32) überlieferten Namen *domus pontificis*[108]. Die fränkisch-römische

[103] BM² 408 e. Vgl. aber Anm. 100. Rechnet man für diese Tage mit höchster politischer Aktivität, erscheint die in zwölf Tagen zurückgelegte Strecke zwar als ungewöhnlich, aber nicht als ausgeschlossen.

[104] Hrsg. Kurze, S. 119.

[105] Falkenstein, S. 36 ff., verweist mit Recht die späten Weihenachrichten in das Reich der Legende.

[106] Vgl. den Anm. 35 genannten Aufsatz.

[107] Umgekehrt taucht interessanterweise für den römischen Lateran seit dem Beginn des 9. Jh.s, jedenfalls noch unter Leo III., die Bezeichnung *palatium* auf, während vorher *patriarchium* üblich gewesen war; vgl. K. Jordan, Die Entstehung der römischen Kurie, ZRG Kan. Abt. 28 (1939), S. 101.

[108] Falkenstein hat sich S. 129 ff. ausführlich mit der Frage der Aachener *domus pontificis* beschäftigt, ohne zu einer eindeutigen Lösung zu ge-

„Aachener“ Kaiseridee verlor ihre römische Komponente und kehrte | zum Gedanken der Herrschaft über viele Völker zurück: in der Divisio regnorum von 806 griff Karl die Formel von 755, 791 und 799 in der Form *omnibus fidelibus sanctae Dei ecclesiae ac nostris* wieder auf, eine Wendung, die in der anderen, für den Papst bestimmten Ausfertigung in Anlehnung an das CC in *omnibus fidelibus sancte Dei ecclesie et cuncto catholico populo ... gentium et nationum, quae sub imperio ac regimine nostro constitutae sunt*

langen. Würde man seinen Vorschlag, sie als Sitz des Erzkaplans zu deuten, mit seiner eigenen Methode prüfen, so müßte der Nachweis verlangt werden, daß Einhard den Erzkaplan als *pontifex* bezeichnet hat oder daß diese Bezeichnung wenigstens an einer anderen Stelle der zeitgenössischen Überlieferung begegnet. Dieser Nachweis kann nicht erbracht werden, und somit handelt es sich um eine reine Hypothese. Die oben im Text vorgetragene Deutung, die Falkenstein S. 138 f. ebenfalls erwogen hat und ablehnt, ist ebenfalls eine Hypothese, kann sich aber immerhin darauf berufen, daß Einhard das Wort *pontifex* nicht selten für den Papst tatsächlich verwendet. Es ist zu fragen, ob *domus pontificis* eine sozusagen „amtliche“ Bezeichnung war. Die Frage dürfte zu verneinen sein. Die zufällige Erwähnung bei Einhard c. 32 läßt eher auf einen beim Pfalzpersonal üblichen Namen schließen, der dann volkssprachlich gewesen sein müßte und nur bei Einhard in der lateinischen Übersetzung erscheint. Daß der Besuch des Papstes in Aachen Eindruck machte, ist wohl selbstverständlich, und daß an seinem Quartier der Name „Papsthaus“ haftenblieb, ist nach allem, was wir über solche Namensgebung wissen, durchaus möglich. Naheliegend ist auch, daß ihm ein stattlicheres Quartier angewiesen wurde als den sonstigen Geistlichen, die bei Hofe mehr oder minder regelmäßig erschienen, und daß dieses Quartier in unmittelbarer Nähe der Kirche lag. Diesen Anforderungen würden die Annexbauten der Kirche entsprechen; mit einem von ihnen, sei es nun der nördliche oder der südliche, wird die *domus pontificis* im allgemeinen identifiziert, sofern man sie mit dem *secretarium* und damit mit dem „Lateran“ gleichsetzt. Falkenstein zeigt S. 169 ff. überzeugend, welche Schwierigkeiten die räumliche Festlegung des *secretarium* macht. Daß die Identifizierung mit einem der Annexbauten immer noch die beste Lösung ist, solange nicht unvermutete archäologische Befunde auftauchen, ist auch seine Ansicht, wenn ich recht verstanden habe. Dann aber ist nach dem Dargelegten auch die Gleichsetzung mit der *domus pontificis*

noch weiter abgewandelt wurde[109]. *Ecclesia* und *imperium* waren damit deutlich unterschieden. An die Stelle der Renovatio Romani imperii trat im weiteren Verlauf folgerichtigerweise die Renovatio regni Francorum.

Diese Ausfertigung für den Papst freilich trägt nun, und dies scheint das Gesagte illusorisch zu machen, wie schon erwähnt, den Kaisertitel des CC. Aber dies zeigt nur, daß über den Modus der Übertragung des Kaisertums auch 804 keine Einigung erzielt werden konnte. Papst und Kaiser hielten jeweils an ihrer Auffassung fest. So ist es zu erklären, daß in der Divisio Regnorum die Nachfolgefrage für das Kaisertum ungeregelt bleiben mußte und daß Karl sogar die Möglichkeit seiner Teilung nach dem Vorbilde Konstantins durchblicken ließ. Die ganze Tragweite der päpstlichen Handlungsweise am Weihnachtstage des Jahres 800 mußte Karl bei der Formulierung dieses Grundgesetzes nochmals auf das deutlichste vor Augen treten, nicht nur die Behinderung seiner freien Verfügungsgewalt bei der Regelung der Nachfolge, sondern auch die Belastung seiner kaiserlichen Herrschaft überhaupt durch die ständig gegebene Möglichkeit der Einmischung von Rom her. Allein schon die Tatsache, daß der Papst um eine Unterschrift in einer im Grunde rein fränkischen Angelegenheit ersucht werden mußte, wie sie ja

möglich, und aus dieser Gleichsetzung ergeben sich weitere Möglichkeiten. Wenn die Bezeichnung Lateran für die Aachener Pfalz insgesamt aus politischen Gründen aufgegeben werden sollte oder mußte, so konnte sie doch ohne Bedenken für ein Gebäude weitergeführt werden, das dem Papste wie der römische Lateran als Wohnung gedient hatte und das nur für geistliche Zwecke verwendet wurde. Ich möchte absichtlich moderne Ausdrücke benutzen: es wurde eine „Sprachregelung" gefunden, die den Sinn der Bezeichnung „entschärfte" und es den Verhandlungspartnern ermöglichte, „das Gesicht zu wahren". Ich glaube nicht, daß die hinter diesen Ausdrücken stehenden Realitäten „unmittelalterlich" sind; sie sind menschlich. Nochmals möchte ich betonen, daß es sich um eine Hypothese handelt. Sie versucht, die spärlichen und teilweise widersprüchlichen Quellen nicht isoliert zu betrachten, sondern sie in einen sinnvollen Zusammenhang zu bringen. Ich meine, daß sich nur so überhaupt Ergebnisse in dieser schwierigen Frage erzielen lassen.

[109] MG. Cap. I, S. 126.

tatsächlich eingeholt worden ist, wird ihm anstößig genug gewesen sein. Es war Einhard, der 806 die Divisio regnorum nach Rom zur Unterschrift brachte[110], und er wird gewiß auch bei der Abfassung des Textes beteiligt gewesen sein, wie z. B. die Verwendung des Ausdrucks *consors regni* nahelegt[111]. Er bedurfte natürlich der Instruktion, und zu dieser Zeit muß ihm gegenüber jene mißmutige Äußerung Karls gefallen sein, die der Forschung soviel Kopfschmerzen gemacht hat: er würde an jenem Tage, obgleich es ein hohes Fest war, die Kirche nicht betreten haben, wenn er des Papstes Absicht hätte vorherwissen können[112]. |

Das Papsttum hat es dem überlegenen, wenn auch nicht gerade skrupulösen diplomatischen Geschick Leos III. im Jahre 800 und seiner Unnachgiebigkeit im Jahre 804 zu danken, daß das ganze Mittelalter hindurch die Kaisererhebung durch den Papst vollzogen wurde, nach 800 zuerst wieder 816 in Reims, und zwar bezeichnenderweise mit der angeblichen Krone Konstantins, womit die Bedeutung des nie genannten, aber stets im Hintergrunde stehenden CC erneut unterstrichen wurde. Aber auch Karl, dem man den Blick für die Bedeutung der weltgeschichtlichen Entscheidung, die zu treffen war, wohl zutrauen darf, hat nicht nachgegeben, wie die Benutzung des Kaisertitels des CC zeigt. Ich wage die Hypothese, daß er das CC für gefälscht gehalten hat, wie dann Otto III. in ähnlicher Situation[113], daß er aber keine Möglichkeit sah, die Fälschung zu beweisen. Es ist zu vermuten, daß sich die Päpste der Unrechtmäßigkeit der im CC erhobenen Ansprüche bewußt waren. Nur so ist es zu erklären, daß immer wieder um die Dinge herumgeredet

[110] Ann. r. Fr., hrsg. Kurze, S. 121. Übrigens wurde auch 817 für die Ordinatio imperii die päpstliche Bestätigung eingeholt; Epp. 5, S. 225.

[111] MG. Cap. I, S. 127; V. Karoli 30, hrsg. Holder-Egger, S. 34.

[112] c. 28, ebda. S. 32. Der „Kunstgriff“, dessen sich Einhard bediente, wenn er an dieser Stelle die Kaiser in Byzanz gegen seine sonstige Übung als *Romani imperatores* bezeichnete und damit Karl von diesem Titel distanzierte (vgl. Classen, wie Anm. 46, S. 591), zeigt, in welcher Richtung die Erörterungen sich damals bewegten.

[113] DO III 389. Die Prunkausfertigung, die der Kaiser hier im Auge hat, wurde bezeichnenderweise wohl aus Anlaß der Kaiserkrönung Ottos d. Gr. fabriziert.

wurde, ohne sie beim rechten Namen zu nennen, was dazu geführt hat, daß von manchen Forschern sogar die Existenz des CC zur Zeit Karls bestritten worden ist[114]. Karl hat, und dies darf ich als starke Stütze der vorgetragenen Hypothesen — um solche handelt es sich natürlich — betrachten, im Jahre 813, also noch zu Lebzeiten Leos, auf einer Reichsversammlung in der Aachener Pfalz die Frage der Übertragung des *nomen imperatoris* nochmals mit den Großen des Reiches eingehendst erörtert, *interrogans omnes a maximo usque ad minimum, si eis placuisset, ut nomen suum, id est imperatoris, filio suo Hludowico tradidisset*, also jedes einzelnen Zustimmung zur Übertragung des Kaisertums durch eigene Hand auf den einzig übriggebliebenen Sohn erbeten[115]. Solch sorgfältige Vorbereitung des dann am 11. September 813 am Salvatoraltar der Aachener Pfalzkapelle ohne jede Beteiligung des Papstes, ja selbst ohne Beteiligung der Geistlichkeit, der nichts als die Zelebrierung einer Messe verblieb, vollzogenen Krönungsaktes an Ludwig dem Frommen[116] läßt erkennen, daß der alte Kaiser Widerstand gegen diese einseitige Lösung der Streitfrage erwartete. Aber er blieb aus, das CC wurde auch jetzt nicht als Zeugnis gegen einen Krönungsakt ins Feld geführt, der seinerseits doch die Geltung der Konstantinischen Schenkung grundsätzlich in Frage stellen mußte. Einer Erörterung der Echtheitsfrage wollte der Papst anscheinend aus dem Wege gehen. Er begnügte sich mit der klagenden Bemerkung in einem Briefe an Karl: *nostrum servitium, ut videmus, nemini aptum fuit*[117]. Die Reimser Krönung Ludwigs des Frommen am 5. Oktober 816 durch den Papst unter Verwendung einer angeblichen Krone Konstantins[118] zeigte, daß er sich taktisch richtig verhalten hatte.

[114] Über die verschiedenen Theorien zur Entstehungszeit vgl. die Angaben bei W. Schlesinger, Beiträge zur deutschen Verfassungsgeschichte, 1. Bd. (1963), S. 202 Anm. 29 und S. 345, Ergänzung dazu.

[115] Thegan c. 6; SS 2, S. 691.

[116] BM² 479 b. Auf die Nennung Roms und des Römischen Reichs im Kaisertitel der Laudes (Chron. Moiss. SS 2, S. 259) wie der Urkunden hat Karl für den Sohn verzichtet.

[117] Epp. 5, S. 103.

[118] BM² 633 a. Es bleibt offen, ob es die Krone war, mit der Karl gekrönt worden war.

Die „kuriale“ Konzeption war damit wieder in den Vordergrund gespielt.

Zwar ergab sich aus dem schwankenden Charakter Ludwigs des Frommen 817 nochmals ein Rückschlag, aber seit 823 ist Rom als Krönungsort nicht mehr umstritten gewesen, und seitdem war die päpstliche Krönung bei einer Kaisererhebung nicht mehr zu umgehen, obwohl doch der Papst vor dem Jahre 800 niemals etwas mit der Erhebung des Kaisers zu tun gehabt hatte[119]. Das | CC hatte

[119] Die hier vertretene Auffassung wurde in ähnlicher Weise bereits 1916 von Albert Brackmann geäußert: Die Erneuerung der Kaiserwürde im Jahre 800, in Festschr. A. Hauck (1916); zuletzt Ges. Aufsätze (1941), bes. S. 547. Der Aufsatz ist in der Forschung merkwürdig wenig beachtet worden. Zu vergleichen sind aber H. Löwe, Die karolingische Reichsgründung und der Südosten (1937), S. 157 ff., und H. Beumann, Das Kaisertum Ottos des Großen, HZ 195 (1962), S. 549. — Eine Frage für sich ist der ursprüngliche Zweck der Fälschung des CC; vgl. dazu E. Caspar, Das Papsttum unter fränkischer Herrschaft (Neudruck 1956), S. 19 ff., und Ewig (wie Anm. 49), S. 29 ff. Die Frage ist nicht zu trennen von der Frage, wem man das Machwerk als echt anbieten konnte; der byzantinischen Diplomatie schwerlich. Mit der Wiederherstellung eines westlichen Kaisertums hatte das CC ursprünglich sicherlich nichts zu tun. Wohl aber wirkte es hierauf ein, nachdem eine solche Möglichkeit einmal gegeben war; so auch Ewig, S. 36. Die erste für uns erkennbare gedankliche Verknüpfung in dieser Richtung steht in dem erwähnten Briefe Hadrians I. von 778 an Karl (MG. Epp. 3, S. 587), der einerseits daran erinnert, daß Konstantin der Kirche die Gewalt in diesen westlichen *(Hesperiae)* Landen geschenkt habe, andererseits den „neuen Konstantin“ nennt, den Gott ihr jetzt gegeben habe. Das Gewicht dieser Anspielung für die Existenz des CC in diesem Jahre ist bekanntlich umstritten. Die Passage wäre nach meiner Ansicht für Karl, zumal es sich um die Territorialforderungen des Papstes handelt, unverständlich und damit sinnlos gewesen, wenn er die Grundthese des CC nicht gekannt hätte. Vgl. Folz (wie Anm. 46), S. 134 f., und neuestens Beumann (wie Anm. 27), S. 52 ff. [hier S. 377 ff.], mit weiteren wichtigen Folgerungen. Ohnsorge (wie Anm. 86), S. 189 Anm. 26, hat mich nicht überzeugt. Es bleibt die Frage, wann und auf welche Weise Karl diese Grundthese kennengelernt hat. Sie ist wohl am einfachsten so zu beantworten, daß sie am fränkischen Hofe schon seit 754 bekannt war und daß dann 778 der Text übersandt wurde.

seine Wirkung getan, und es ist bezeichnend, daß es bei der Erneuerung des abendländischen Kaisertums 962 in einer Prunkausfertigung wiederum vorgelegt wurde[120].

Aachen aber, des Charakters eines zweiten Roms entkleidet, wurde trotzdem zum Krönungsort der deutschen Könige des Mittelalters. Nicht weniger als 34 Könige und 11 Königinnen sind zwischen 936 und 1531 hier gekrönt worden. Es war Otto der Große, der mit der einzigartigen *universalis electio* des Jahres 936 diese Tradition begründete. Daß er dabei an Karl d. Gr. anknüpfte, wird nicht nur durch Widukind nahegelegt, der die *basilica magni Karoli* als Ort der Handlung ausdrücklich nennt, sondern auch dadurch, daß der Akt offenbar als weithin sichtbare Demonstration für die Legitimität des liudolfingischen Königtums in der Nachfolge Karls und der karolingischen Könige gemeint war, denn wenige Wochen vorher war mit der Krönung Ludwigs IV. d'Outremer in Laon die Restauration der Karolinger im Westreich erfolgt. Der Besitz der *praecipua cis Alpes regia sedes*, wie Otto selbst in einem Diplom von 965 Aachen nannte[121], erschien als der Erweis solcher Rechtmäßigkeit, und es ist bezeichnend, daß noch zu 978 die St. Galler Annalen den Überfall des französischen Königs Lothar auf Aachen damit begründen, er habe die *sedes regni patrum suorum* zurückerwerben wollen[122]. Otto III. sprach im Jahre der Öffnung des Karlsgrabes von Aachen, *ubi nostra sedes ab antecessore nostro scilicet Karolo famosissimo imperatore augusto constituta atque ordinata esse dinoscitur*[123].

In Aachen lokalisierte im 11. Jh. Wipo mit dem von Karl errichteten *publicus thronus regalis* das *totius regni archisolium*[124], und wiederum ein Jahrhundert später spricht Friedrich Barbarossa in einer Urkunde von 1174 von *sedes et caput regni*[125]. Die entscheidende Bedeutung, die im Thronstreit nach 1198 der Krönung am

[120] Hierzu zuletzt Fuhrmann (wie Anm. 82), S. 120 ff.

[121] DO I 316.

[122] SS 1, S. 80.

[123] DO III 347.

[124] Hrsg. H. Bresslau, S. 21.

[125] UB. f. d. Gesch. d. Niederrheins, hrsg. Lacomblet, 1, Nr. 451.

rechten Ort, eben in Aachen, beigemessen wurde, ist bekannt. Damals formulierte ein Zeitgenosse, einer der Fortsetzer der Chronik Sigeberts von Gembloux, kurz und bündig: *A diebus enim Karoli Magni sedes regni est Aquisgrani*[126]. Die Ideologie schlägt eine Brücke über vier Jahrhunderte. Der Frage einer etwaigen ideologischen Kontinuität nachzugehen, auch für die quellenarme Zeit des 9. und beginnenden 10. Jh.s, dürfte eine lohnende Aufgabe künftiger Forschung sein. Als Ausgangspunkt für die Verknüpfung des Aachener *archisolium regni* mit der Person Karls kann dabei vielleicht ein Satz des Chronicon Moissiacense zu 814 dienlich sein: *Ludovicus autem, filius eius, sedit super thronum patris sui Karoli*[127].

Die Erörterung der mit dem Namen Lateran für die Aachener Pfalz verbundenen Fragen hat uns weit von Aachen abgeführt, aber auch immer wieder nach Aachen zurückkehren lassen. Wie sah die Pfalz aus, die Karl zu einem neuen Rom zu machen beabsichtigt hatte? Die Nachrichten der Schriftquellen zu diesem Thema fließen spärlich, und wir bewegen uns daher auf recht unsicherem Boden, wenn wir sie einigermaßen beantworten wollen. Selbstverständlich betrachten wir es nicht als unsere Aufgabe, jedem einzelnen Gebäude nachzugehen, das irgendwann in den Quellen auftaucht, oder überhaupt in Konkurrenz mit der lokalen Aachener Geschichtsforschung | zu treten, auf deren Ergebnisse wir uns vielmehr dankbar beziehen. Es sollen, wie der Titel des Aufsatzes besagt, nur einige Beobachtungen mitgeteilt werden, die vielleicht geeignet sind, auch der Lokalforschung den einen oder anderen neuen Gesichtspunkt zu geben.

Das der Zeit um etwa 820 zugeschriebene Capitulare de disciplina palatii Aquisgranensis[128] gewährt einen verhältnismäßig deutlichen Einblick in die Mannigfaltigkeit der damals in Aachen anwesenden Personengruppen, für die entsprechende Unterkünfte vorhanden

[126] SS 6, S. 434.

[127] SS 1, S. 311. Im übrigen ist anzuknüpfen an das grundlegende Werk von R. Folz, Le Souvenir et la Légende de Charlemagne dans l'Empire germanique médiéval (1950).

[128] MG. Cap. I, S. 297 f.

gewesen sein müssen; gegenüber Hinkmar/Adalhard[129] hat die Quelle den Vorzug, daß sie keinerlei (unter Umständen verfälschende) theoretische Elemente enthält. Die allgemeinste Bezeichnung ist wohl *ministerialis palatinus* (c. 1), was jeden mit dem Pfalzdienst Befaßten bezeichnen kann; an anderer Stelle wird die Umschreibung *hi, qui nobis in nostro palatio deserviunt* verwendet (c. 3). Wenn an noch anderer Stelle (c. 8) von *agentes vel ministeriales* gesprochen wird, so ist schwer zu entscheiden, ob ein Hendiadyoin vorliegt oder nicht. Besondere Aufträge haben die *actores*. Genannt wird der *actor* Ratbert, dessen *ministerium* die Aufsicht über die *domos servorum* in Aachen und den benachbarten Dörfern umfaßte, sich also wohl über den Bezirk des *fiscus* erstreckte. Vielleicht darf man Ratbert als eine Art Domänenamtmann betrachten, die zeitgenössische Bezeichnung wäre *villicus*. Ernaldus beaufsichtigte die *mansiones negotiatorum*, der Kaufleute also, die auf dem Markte oder anderwärts *(in mercato sive aliubi)*, d. h. wohl in ihren Häusern, Handel trieben; es handelte sich sowohl um Christen wie um Juden. Wenn beide Kategorien vom gleichen *actor* beaufsichtigt wurden, läßt dies den Schluß zu, daß es eine bestimmte Judengasse noch nicht gab, daß also deren spätere Lage keine Rückschlüsse auf die Ausdehnung des karolingischen Pfalzbereichs zuläßt[130]. Wenn Petrus und Gunzo die Aufsicht über *actores* führten, die im Besitze von *scruae* und anderen *mansiones* waren, so ist das Wort *actor* hier wiederum in einem anderen Sinne gebraucht: es bedeutet Handwerker, und *scrua* ist anscheinend die Werkstatt. Arbeitsteilige Wirtschaft fand also im karolingischen Aachen statt, neben Handel und Gewerbe auch Landwirtschaft, und dies alles im Dienste und im Auftrage des Königs. Ständisch sind die Bewohner Aachens teils frei (c. 3), teils unfrei (c. 2). Unfreie wohnen auch in den zugehörigen *villulae*, alle anderen Gruppen sind in Aachen selbst zu suchen. Hier ist, wie wir von Einhard erfahren, ein *vicus* vorhanden, der teilweise im Westen der Kirche liegt; andere Teile

[129] De ordine palatii, Cap. II, S. 517 ff., dazu J. Schmidt, Hinkmars De Ordine palatii und seine Quellen, Diss. Ffm. 1962, und C. Brühl, Hinkmariana, DA 20 (1964).

[130] Dies gegen Kaemmerer, KW I, S. 345.

des *vicus*, der als „Wik" kein bloßes Dorf war, sind also anderwärts zu suchen. Zum eigentlichen Pfalzbezirk gehörte er nicht. Im *vicus* dürfte sich auch das *mercatum* befunden haben, der Marktplatz, auf dem neben Kauf und Verkauf auch die Auspeitschung straffälliger Unfreier stattfand. Er ist im Westen der Kirche, vor dem Eingang zum Atrium, zu vermuten, wo sich noch heute ein kleiner freier Platz, der Fischmarkt, befindet. An ihm lag später das Grashaus, das erste Rathaus der Bürgersiedlung[131]. Das Vorhandensein eines festen Marktplatzes schon um 820 ist auch stadtgeschichtlich bemerkenswert. Überblickt man die Überlieferung, so kann der Aachener *vicus* nicht ganz klein gewesen sein. Zweifellos ist aus ihm die spätere Stadt hervorgegangen.

Der eigentliche Pfalzbezirk ist, wenn nicht ummauert, so doch umzäunt zu denken. Die Bestimmung, daß der Komplice den Verbrecher strafweise um das *palatium* tragen mußte (c. 3), scheint mir dies vorauszusetzen. Um eine eigentliche Befestigung handelt es sich sicherlich nicht, doch ist daran zu erinnern, daß eine solche im Mittelalter nicht nur am Bering, sondern z. B. auch als fester Turm angelegt gewesen sein kann. Der sog. Granusturm gilt im unteren Teil als karolingisch. Er hat vielleicht zur Verwahrung der Schätze gedient, die nach dem Chronicon Moissiacense aus dem | ganzen Reichsgebiet in Aachen konzentriert wurden[132]. Die Lage des Pfalz-

[131] Die Stadtrechnungen des 14. Jh.s nennen mehrere Märkte, darunter 1344 ein *novum forum* neben dem als *forum* bezeichneten Platz; Laurent (wie Anm. 13), S. 151, 150. Gleichzeitig gibt es ein *forum salis*, S. 144, und 1338 ein *forum rotarum*, S. 126. Der Platz vor dem heutigen Rathaus ist jedenfalls nicht der Hauptmarkt, sondern begegnet 1385 als *mart vůr deme grosen sale*, S. 359, und 1391 als *mart vur deme groissen huys*, S. 385. Gleichzeitig gibt es den Neumarkt, S. 383, und fast gleichzeitig (1383) den Kornmarkt, S. 94. Genaue Untersuchung tut not. Die *domus civium* erscheint 1334, S. 107, und oft, ist aber älter, vgl. z. B. 1302 *ante cameram consilii supra domum civium*, W. Mummenhoff, Regesten der Reichsstadt A., 2. Bd. (1937), nr. 22.

[132] SS 1, S. 303. Falkenstein, S. 156 ff., möchte das *secretarium* als Schatzkammer in Anspruch nehmen; im Vergleich mit dem *vestiarium* des Lateran in Rom sei der Name Lateran (nicht *vestiarium*!) auch für das *secretarium* verwendet worden. Belege hierfür gibt es ebensowenig

bezirks läßt sich teilweise noch heute im Stadtgrundriß verfolgen. W. Kaemmerer hat trefflich gezeigt, wie wohlerwogen die Lage des Saalbaus auf dem höchsten Punkte einer Geländezunge zwischen versumpften Bachniederungen war[133], wozu nur zu bemerken ist, daß schon der Königshof Pippins und auch schon die römische Siedlung diese Geländezunge benutzt hatten, an deren Osthang ja auch die seit ältester Zeit bekannten Heilquellen zutage traten. Nützlich wäre es, wenn der Verlauf der Römerstraßen, über den Kaemmerer und Hugot abweichende Angaben machen[134], wirklich festgelegt werden könnte. In Zukunft wird es hoffentlich möglich sein, bei Ausschachtungsarbeiten und dgl. zutage tretende Indizien für Altstraßenverläufe einem Fachmann, d. h. einem Vertreter der provinzialrömischen Archäologie, zur Prüfung zugänglich zu machen. Festzuliegen scheint eine Straße von Lüttich nach Jülich, die im Zuge der Jacobstraße und Großkölnstraße verlief. Sie bestimmte die Orientierung der Baublöcke der römischen Siedlung, und in diese Orientierung fügte sich anscheinend auch die unter dem Marienmünster gefundene vorkarlische Kapelle ein[135]. Das Münster selbst und auch der Saalbau sind genau geostet, so daß, wie z. B. auch in Frankfurt[136], eine Umorientierung der frühmittelalterlichen gegenüber den spätantiken Bauten stattfand, was auf einen zeitweiligen Abbruch der Besiedlung hindeutet. Was den Umfang des Pfalzbezirks betrifft, so haben wiederum Kaemmerer

wie für den Granusturm. Hervorgehoben werden muß, daß die in Aachen gesammelten Schätze, zu denen wohl auch der Avarenschatz gehörte, von den liturgischen Geräten und Gewändern einer Sakristei natürlich unterschieden werden müssen.

[133] KW I, Lageplan nach S. 336.

[134] Pläne KW I vor S. 337, III nach S. 534.

[135] Vgl. den Plan KW III, S. 427. Ob allerdings mehr als der Altar wirklich festliegt, kann ich nicht entscheiden.

[136] Plan bei J. H. Hundt und U. Fischer, Die Grabungen in der Altstadt von Frankfurt a. M. 1953—57, in: Neue Ausgrabungen in Deutschland (1958); ein ergänzter Plan bei O. Stamm, Spätrömische und frühmittelalterliche Keramik der Altstadt Frankfurt am Main, in: Schriften des Frankfurter Museums für Vor- und Frühgeschichte 1 (1962).

und Hugot ihn zu rekonstruieren versucht[137]. Ich möchte in eine Erörterung ihrer verdienstvollen Untersuchungen nicht im einzelnen eintreten, sondern mir erlauben, einen eigenen Vorschlag zu machen, der sich der Methoden moderner Stadtgrundriß-Forschung bedient.

Auf einem Plan, der die genau vermessenen Grundstücksgrenzen des frühen 19. Jh.s zeigt[138] — weiter zurück reicht genaue Vermessung nicht —, heben sich am Markt, am Büchel, in der Eselsgasse (heute Buchkremerstraße) und an der Schmiedstraße rundlich verlaufende Züge von Grundstücksgrenzen heraus, die, würde man sie in ungefährer Fortsetzung der Rundung miteinander verbinden, ein Oval ergeben würden, das allerdings im Westen und im Südosten gestört ist, wo sich die Grundstücksgrenzen unter gar keinen Umständen in einen ovalen Verlauf einfügen lassen. Im Südosten befand sich der Bäderbezirk, wie noch heute, im Osten das „Kloster", d. h. der Teil des Stiftsgebiets, in dem die Stiftsherrnkurien lagen, wie schon die großen Grundstücke vermuten lassen, die auf dem Plan erkennbar sind. Der Komplex gehörte um 1754 zur Münster-Immunität, wie eine damals angelegte Charta figurativa zeigt, die Kaemmerer erläutert hat[139]. Man muß also auch diesen zwischen Klappergasse und Jakobstraße spitz zulaufenden Komplex zum Pfalzbezirk rechnen, der hier nicht nochmals in Worten umschrieben werden soll, da er aus der beigegebenen Planskizze ersichtlich ist. Es sei bemerkt, daß Mauerreste, die weiter nördlich am halben Hang nach dem Augustinerbach zu entdeckt und mit einem Denar Ludwigs d. Fr. datiert wurden, nicht als Teile einer Umfassungsmauer des Pfalzbezirks erweisbar sind[140].

Innerhalb dieses Bezirks stellen Kirche mit Atrium, Saalbau (Rathaus) mit Granusturm und der Verbindungstrakt zwischen beiden ein festes Gerüst dar, da ihr Vorhandensein für die Zeit Karls | sicher bezeugt ist und die Bausubstanz zu jeweils verschieden großen Teilen bis in diese Zeit zurückreicht[141], wenn auch teilweise

137 Pläne KW I, vor S. 337, und III, nach S. 542.

138 Ich verdanke ihn der Freundlichkeit Dr. L. Falkensteins, dem ich für seine mannigfache Hilfe zu großem Dank verpflichtet bin.

139 KW I, S. 338 ff.

140 So auch, wenn ich recht verstehe, Sage, KW III, S. 326, Anm. 18.

141 Kreusch, KW III, S. 463 ff.; Hugot, ebda. S. 542 ff.

die Reste nur gering sind und unsichtbar in späteren Bauten stecken. Weiteres kennen wir aus Grabungen [142], die aber niemals vollständig publiziert worden sind, was gewiß kein Ruhmesblatt in der langen Geschichte der so umfangreichen und vielgestaltigen Aachen-Forschung darstellt. Nach den Plänen Clemens von 1912 und 1915 [143]

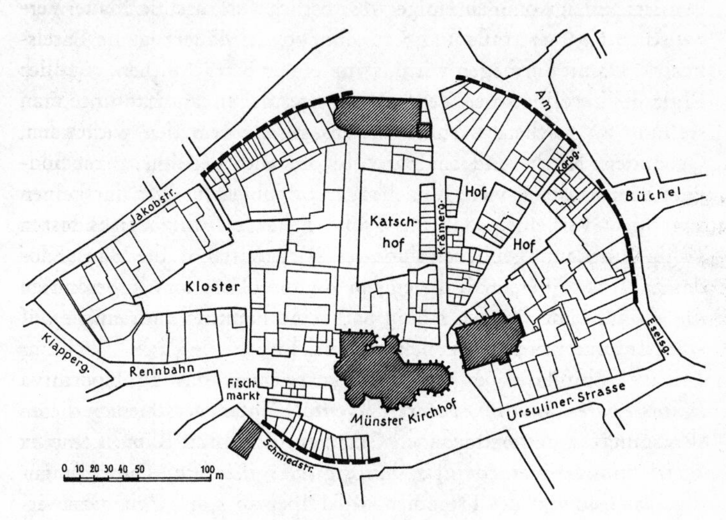

Das Pfalzgelände in Aachen.

besitzen wir nunmehr die Pläne von Kreusch und Hugot [144], die aber keineswegs alle jemals zutage getretenen Befunde enthalten. Dazu wird in Hugots Plan ein Begriff des „gesicherten" Mauerwerks zugrunde gelegt, der nicht mit dem übereinstimmt, was die Archäologen darunter zu verstehen pflegen. Für unsere Zwecke

[142] Eine knappe Geschichte der Aachener Grabungen bietet F. Kreusch, Die Archäologie am Aachener Dom, in: Kirche und Burg in der Archäologie der Rheinlande (Führer des Rheinischen Landesmuseums Bonn, Nr. 8, 1962).

[143] Fouilles du Palais Carolingien et de la Cathédrale d'Aix-la-Chapelle, Rev. de l'Art chrétien 1912; Die Kunstdenkmäler der Rheinprovinz 10, III (1924), S. 65.

[144] KW III, S. 465 und nach S. 542.

mögen diese Pläne immerhin genügen. Sie zeigen vor allem neben Kirche und Atrium, Saalbau und Verbindungstrakt die beiden Annexbauten der Kirche, die für den gesamten Kirchenkomplex eine kreuzförmige Gestalt ergeben, und in der Mitte des Verbindungstrakts einen großen Querbau, der als Torbau gedeutet worden ist; hinzu kommen einige west-östlich verlaufende Mauerzüge zwischen Krämerstraße und Katschhof sowie Mauerzüge im Bäderbezirk. Damit vermögen wir uns von einem beträchtlichen Teile der Pfalz in karolingischer Zeit eine einigermaßen anschauliche Vorstellung zu machen, darunter gewiß gerade von den wichtigsten Gebäuden, Kirche und Saalbau, obwohl auch bei ihnen, insbesondere dem Saalbau, viele Einzelfragen offenbleiben. Wir dürfen uns aber nicht verhehlen, daß uns große Teile des Pfalzbezirks bisher völlig unbekannt geblieben sind: der Wirtschaftshof, die Häuser für das zahlreiche Personal, diejenigen für die Gäste und insbesondere die Wohnräume für den König und seine Familie; auch einige Geschäftsräume werden anzunehmen sein. |

Das Capitulare de disciplina verzeichnet das Pfalzpersonal *(ministeriales palatini, actores, agentes)* unter verschiedenen Gesichtspunkten in verschiedenen Gruppen. Es gibt z. B. *ministeriales regis, ministeriales coniugis, ministeriales filiorum*. Dies gilt für die Zeit Ludwigs des Frommen, wird aber zu Karls Zeit nicht viel anders gewesen sein, der sich zwar 781 von seinen Söhnen Ludwig und Pippin trennte, in dessen Pfalz aber dafür seine Töchter lebten, die nach der Beobachtung Alkuins „wie die gekrönten Tauben durch die Räume der Pfalz schwirrten“ [145]. Ob die Aufgliederung der persönlichen Dienerschaft verschiedene Haushaltungen voraussetzt, kann nicht entschieden werden, ist aber wahrscheinlich. In jedem Falle sind eine nicht geringe Anzahl von Wohnräumen vorauszusetzen.

Da *comites qui actores non sunt* genannt werden (c. 2), muß es auch *comites* gegeben haben, die Pfalzdienst taten; ob die in c. 8 genannten *comites palatini* ihre Zahl erschöpften, mag dahingestellt bleiben. Die ganze Menge der Hofbediensteten, wie sie bei Hinkmar/Adalhard und anderwärts entgegentreten, soll hier nicht ange-

[145] Epp. 4, S. 392.

führt werden, doch wollen wir den Hinweis nicht unterlassen, daß sie untergebracht werden mußten, und zwar, so steht zu vermuten, nicht wie die Kaufleute, Handwerker und unfreien Bauern und Knechte im *vicus,* sondern im Pfalzbereich, und dasselbe gilt für die Untergebenen *(homines)* dieser *actores,* die ausdrücklich genannt werden. Das Kapitular zeugt gewiß von dem etwas säuerlichen Reformeifer der ersten Jahre Ludwigs d. Fr., läßt aber doch erkennen, daß die Mißstände, die abgestellt werden sollten, wirklich vorhanden waren und einen ziemlich großen Wohnbereich für das Pfalzpersonal voraussetzen, mit abgeschlossenen Wohnungen, in denen man nicht zur Pfalz gehörige Leute und auch einmal eine *meretrix* verbergen konnte. Die *ministeriales palatini* werden ausdrücklich angewiesen, die Behausungen ihrer Untergebenen und Kollegen *(pares)* zu kontrollieren. Hinzu kommen die Unterkünfte für die eigentliche Hofgesellschaft, die uns J. Fleckenstein soeben in lebendigen Farben geschildert hat[146]. Derselbe Autor klärt auch die Funktion der Aachener Pfalzkapelle als Sitz und Mittelpunkt der Hofkapelle im personalen Sinne, die zur Zeit Karls d. Gr. vielleicht noch nicht als Kollegiatstift aufgefaßt werden kann, aber mit Residenzpflicht der Kapelläne und regelmäßiger Durchführung der Stundengebete der Sache nach einem solchen nahekam[147]. Auch für diesen Personenkreis mußte eine entsprechende Unterkunft vorhanden sein. Ob sie bereits an der Stelle des späteren „Klosters" zu suchen ist, steht dahin; sicherlich aber befand sie sich im Bereiche der späteren Stiftsimmunität.

Die Personenzahl der in der Pfalz Anwesenden war sicherlich während der Überwinterungen des Königs am größten; sie verminderte sich natürlich, wenn er auf der Reise, auf der Jagd oder im Felde war. Gerechnet werden mußte aber mit der Unterbringung der größeren Zahl, die gerade im Winter nicht nur provisorisch sein konnte. Zu den dauernd Anwesenden kamen die Gäste auf Zeit.

[146] KW I, S. 24 ff.

[147] J. Fleckenstein, Die Hofkapelle der deutschen Könige, 1. Bd. (1959), S. 100 mit Anm. 365. Wichtig ist das dort zitierte Diplom Karls d. K. für Compiègne. Existent im Rechtssinne war das Aachener Stift 855; vgl. Th. Schieffer, Die älteste Kaiserurkunde der Aachener Kirche, in: Festschr. J. Quint (1964).

Bischöfe, Äbte, Grafen und Vasallen, zusammengefaßt unter dem Begriff *seniores,* waren nach dem Capitulare de disciplina während ihres Aufenthalts in der Pfalz in *mansiones* untergebracht, die dem *mansionarius* unterstanden; er hatte *iuniores* als Gehilfen[148]. Man wird sich also Gästehäuser vorzustellen haben, die vom Pfalzpersonal verwaltet wurden. Dem entspricht die Äußerung Notkers, Karl habe außer für Gott und für sich selbst Gebäude auch für die Bischöfe, Äbte, Grafen und aus aller Welt zusammenströmenden Gäste *mirifice* errichten lassen[149]. Eigene Absteigequartiere großer Herren am Pfalzort[150] waren offenbar in karolingischer Zeit noch nicht üblich. Es ist eine Ausnahme, wenn der Erzkaplan Hilduin ein eigenes Haus *(domus)* mit Hauskapelle *(oratorium)* besaß[151]. Ob auch Einhard eines hatte, ist mir zweifelhaft. Er spricht stets nur im | Plural von der *domus nostra*; nach dem Bericht über die in Aachen sich abspielenden Ereignisse bei der Einholung der Reliquien der heiligen Marcellinus und Petrus könnte auch ein Gästehaus darunter verstanden werden[152].

Wirklichen Aufschluß über die Lage aller dieser Gebäude könnten nur Grabungen bringen. Vermuten wird man sie am ehesten im Osten des Katschhofes, dessen Existenz in karolingischer Zeit Notker mit dem Ausdruck *latissima curtis* bezeugt[153]. Auch seine sonstigen Angaben sind uns wichtig: das Personal schildert er nicht weniger farbig als das Capitulare de disciplina[154], und vor allem spricht er ausdrücklich von den *mansiones omnium cuiusdam dignitatis hominum, quae ita circa palatium peritissimi Karoli eius dispositione constructae sunt*[155]. Im Osten des Pfalzbezirks in Richtung auf Wirtschaftshof und Bäderbezirk war genug Raum für

[148] Dieser *mansionarius* ist also ein anderer als der bei Hinkmar/Adalhard, De ordine palatii c. 23, MG. Cap. II, S. 525.

[149] Gesta Karoli I 27, hrsg. Haefele, S. 38.

[150] C. Brühl, Zum Hauptstadtproblem im frühen Mittelalter, Festschr. Harald Keller (1964).

[151] Einhard, SS 15, 1, S. 246.

[152] Ebenda.

[153] Wie Anm. 149 II 21, S. 92.

[154] Ebenda.

[155] I 30, S. 41.

diese Gebäude. Die *procerum habitacula*, also wohl die Gästehäuser, waren nach Notker *a terra in sublime suspensa*, also vermutlich auf Pfeilern errichtet, *ut sub eis . . . militum milites et eorum servitores* untergebracht werden konnten[156], in provisorischer Art also, wie es bei einem kürzeren Aufenthalt im Gästehaus möglich und offenbar üblich war. Man wird sich diese Gebäude nur teilweise steinern denken dürfen. Sie waren vielmehr sicherlich ganz oder teilweise aus Fachwerk oder auch ganz aus Holz errichtet.

Hier mag sich die Frage nach der Lage des Tiergartens anschließen, der ebenso wie sonstige Gartenanlagen für die karolingische Zeit gut bezeugt ist[157]. Geht man davon aus, daß er von Mooren umgeben, von Bächen umflossen und von einer Höhe aus zu überschauen war, muß man ihn unterhalb des Pfalzgeländes im Osten suchen, wo 1018 der Name *Bruel* haftet[158]. Er gehörte also nicht zum eigentlichen Pfalzbereich und war besonders eingehegt. Andere Gärten werden im Westen des Pfalzbereichs beim späteren „Kloster“ vermutet[159]. Ausgeschlossen ist dies nicht; sie würden sich dort sogar sehr passend, wie wir sehen werden, vor der Schauseite der Pfalz befunden haben. Ein späterer Übergang in Stiftseigentum hätte eine Parallele im Brühl.

Wo aber wohnte Karl selbst? Seine Wohnung ist natürlich in genügender Distanz von den Gebäuden vorzustellen, die das Personal beherbergten. Zwar sagt Notker, diese hätten *circa palatium* gelegen[160], aber was heißt *circa*? Jedenfalls nicht mehr als „nahe bei“, und das ist ein relativer Begriff. Unter *palatium* versteht Notker hier wohl in der Tat die königliche Wohnung, denn er sagt weiter, daß Karl von seinem Söller aus die Wohngebäude der Pfalzleute so beobachten konnte, daß er alles sah, was die Ein- und Ausgehenden vornahmen. Das wird nicht ganz wörtlich zu nehmen

[156] Ebenda.

[157] K. Hauck, Tiergärten im Pfalzbereich, in: Deutsche Königspfalzen (wie Anm. 3), Bd. 1, S. 39 ff., mit allen Belegen; dazu Kaemmerer, KW I, S. 336, mit Anm. 98.

[158] DH II 380. Vgl. Kaemmerers Plan KW I nach S. 336.

[159] Kaemmerer, KW I, S. 340.

[160] I 30, S. 41.

sein, bleibt aber zu beachten, während das ebenfalls von Notker erzählte Narrenspiel beim Empfang einer byzantinischen Gesandtschaft[161] als Anekdote zu betrachten ist, die nicht lokalisiert werden kann. Am wichtigsten sind die Nachrichten Einhards, weil sie ganz ungefärbt sind. Er erzählt, er habe frühmorgens im *palatium* Hilduin vor der Tür des königlichen Schlafgemachs sitzend und das Erscheinen Ludwigs d. Fr. erwartend vorgefunden. Beide traten dann an ein Fenster, von dem aus man den Blick auf die unterhalb liegenden Teile der Pfalz *(in inferiora palatii)* hatte. Dort standen sie, sich anlehnend, und sprachen miteinander[162].

Das Schlafgemach befand sich also in dem Obergeschoß eines Steinbaus mit tiefen Fensterhöhlen, die zwei Männern Platz zum Anlehnen boten; das Fenster ging nach dem Katschhof. Die Tür des Schlafzimmers scheint sich nach einem Gang geöffnet zu haben, der besonders Vertrauten zugänglich war. Erwäge ich, wo diese Bedingungen zugetroffen haben könnten, so komme ich auf | den Verbindungstrakt zwischen Aula und Kirche. Die Beschreibung dieses Baus ist von Kreusch gegeben worden[163] und braucht hier nicht wiederholt zu werden. Sie rechnet mit einem Gang im Osten und durch eine Trennwand aus Fachwerk davon abgeteilten Zimmern, die sorgfältig ausgearbeitete Dreifensteranlagen mit innerer Nische hatten. Ein nach Osten gerichtetes Fenster hat sich nicht erhalten; hier wird mit kleineren Fenstern gerechnet. Jedenfalls war die Mauer auf dieser Seite dicker, so daß hier die Nische entstehen konnte, die Einhards Schilderung voraussetzt. Die innere Breite des Bauwerks beträgt 4,70 m, so daß neben dem Gang genügend Raum für Wohngemächer verbleibt. Vor allem aber ist ja der Raum über dem Querbau mit etwa 30 mal 15 m hinzuzurechnen; hier konnten recht repräsentative Räume untergebracht werden. An der Ostseite des Querbaus mag sich der Söller befunden haben, von dem Notker spricht. Von hier aus konnte man jedenfalls die gesamte Pfalz und insbesondere die *mansiones* auf der gegenüberliegenden Seite des Katschhofs übersehen.

[161] II 6, S. 56.

[162] SS 15, 1, S. 245.

[163] KW III, S. 511, unter der Bezeichnung Portikus.

Kreusch identifiziert den Gesamtbau mit Einhards *porticus, quam inter basilicam et regiam operosa mole construxerat* (c. 32)[164], und in der Tat scheint ja die Lagebezeichnung vorzüglich zu passen — wenn *regia* und Saalbau identisch sind. Diese Gleichsetzung, die nicht ausgeschlossen ist, nimmt Kreusch aber gerade nicht vor[165], wie mir scheint mit Recht, und dann freilich entfällt das Hauptargument für die Gleichsetzung mit der *porticus*. Gegenargumente gewinnen dann an Bedeutung: der Bau zielt gar nicht auf die Kirche, sondern auf das Ostende des Atriums, und er bricht außerdem ca. 8,50 m vor der Nordwestecke der Kirche ab. Zudem sagt Einhard gar nicht mit Bestimmtheit, daß es sich um einen Verbindungsbau gehandelt habe, sondern er will vielleicht nur die Lage kennzeichnen. Entscheidend ist m. E., daß das Gebäude seiner ganzen Gestalt nach gar nicht auf einen Schlag *usque ad fundamenta* einstürzen konnte, wie Einhard berichtet[166]. Schließt man sich unserem obigen Vorschlag an, so könnte der Bau selbst die *regia* gewesen sein, und der zusammengestürzte Bau hätte zwischen ihm und der Kirche die Verbindung hergestellt, d. h. wohl auf jene Tür in halber Höhe des nördlichen Treppenturmes zugeführt, die sich heute ins Leere öffnet. Man könnte sich denken, daß dieser Bau nach seinem Einsturz durch einen provisorischen Holzbau ersetzt wurde, der dann nach dem Bericht der Reichsannalen schon 817, also nach wenigen Jahren, wiederum zusammenbrach, weil das Holz morsch geworden war[167], was allerdings nach so kurzer Zeit schwer verständlich wäre. Freilich unterläßt der Chronist auch nicht die Bemerkung, daß das Bauholz von vornherein schlecht war *(cum et fragili materia esset aedificata)*, so daß die weitere Erläuterung möglicherweise nur das Versagen der Pfalzhandwerker verschleiern soll. Vermutungen über die Gestalt der beiden Bauwerke erübrigen sich für den Historiker; allenfalls der Baufachmann könnte Vorschläge machen.

Ich möchte meinen Vorschlag für die Lage des königlichen Wohnbaus noch durch eine Beobachtung stützen, die zwar nicht Quellen

[164] S. 512.

[165] Ebenda.

[166] V. Karoli 32, hrsg. Holder-Egger, S. 36.

[167] Ann. r. Fr., hrsg. Kurze, S. 146.

der Karolingerzeit zugrunde legt, aber einen nach dem Wortlaut der einen Quelle in die Zeit Karls d. Gr. zurückreichenden Gegenstand betrifft. Thietmar III 8 berichtet, der Karolingerkönig Lothar habe mit einem starken Heer Aachen eingenommen *(palacium et sedem regiam)* und es gewagt, den Adler auf sich hin auszurichten, *sibique verso aquila designare. Haec stat,* so fährt er fort, *in orientali parte domus, morisque fuit omnium hunc locum possidentium ad sua eam vertere regna*[168]. Richer III 71 berichtet denselben Vorgang etwas anders: *Aeream aquilam quae in vertice palatii a Karolo magno acsi volans fixa erat in vulturnum converterunt. Nam Germani eam in favonium converterant, subtiliter significantes Gallos suo equitatu quandoque posse devinci*[169]. Es kann uns hier gleich sein, nach welcher Richtung Lothar den Adler gewendet hat und was der Grund dafür war. Wichtig ist uns nur, daß er von Karl d. Gr. auf dem Dachfirst des Palatiums angebracht worden war, daß er die Flügel öffnete *(acsi volans)* | und daß er entweder nach Osten oder Westen blickte. Für das Dach des Saalbaus ist dies sinnlos, man würde den Adler in jedem Falle von der Seite gesehen haben, so daß die geöffneten Flügel gar nicht zur Geltung kamen, und nimmt man Thietmar hinzu, so würde das Herrschaftszeichen zudem an das östliche und an das westliche Ende des Daches zu rücken sein, gleichviel, ob die Himmelsrichtungen vertauscht sind oder nicht. Der Adler stand dann in jedem Falle nicht in der Mitte, sondern seitlich auf dem Saalbau. Ganz anders würden sich die Dinge darstellen, wenn man sich den Adler auf dem Dache des sog. Querbaus angebracht denkt. Dann wandte er dem Beschauer die ausgebreiteten Flügel zu, und ob er nun im Osten oder im Westen stand, so stand er doch immer in der Mitte des Gesamtbaus. Über der Wohnung des Königs hatte der Adler zweifellos einen passenden Platz. Seinen ursprünglichen Standort vermute ich, Richer folgend, im Westen, also dem Ankömmling zugekehrt, denn im Westen befand sich unter dem Querbau der Haupteingang zur Pfalz. Dem entspricht der Westeingang der Kirche mit dem vorgelagerten Atrium, wo 936 bei der Krönung Ottos des

[168] Hrsg. R. Holtzmann, S. 106.

[169] Hrsg. R. Latouche, S. 88.

Großen ein Thron stand, von dem hier nicht gehandelt werden soll[170]. Ich halte das Atrium übrigens für identisch mit der *porticus, quae tunc curticula dicebatur* bei Notker I 31[171], wo die Geistlichen Karl vor dem Frühgottesdienst erwarteten. Wahrscheinlich ist die Stelle gemäß II 21 *curticulas Aquarumgrani, quas Latini usitatius porticuum nomine vocant*[172], zu verbessern in *curticula, quae tunc porticus dicebatur*.

Es ist dem heutigen Besucher Aachens schwer vorstellbar, daß die Schauseite der Pfalz sich im Westen befunden habe, denn dort ist heute der Eindruck total zerstört, und den Katschhof betritt man gewöhnlich von Osten, von der Krämerstraße her. Aber wo soll sie sonst gewesen sein? Im Osten befanden sich mit Bestimmtheit die Badeanlagen und mit Wahrscheinlichkeit die Wirtschafts- und Wohngebäude, die schwerlich eine repräsentative Front ergaben. Der Saalbau wendete sich dem Katschhof zu, wohin sich vielleicht seine Tore öffneten; was man von Norden her erblickte, war Rückseite. Erst bei dem Umbau zum Rathaus wurde sozusagen eine Drehung um 180 Grad vorgenommen. Von Süden her bot sich die gewiß imposante Seitenansicht der Kirche dar, die man aber von hier aus nicht betreten konnte. So bleibt nur die Westfront, vom Beschauer aus links die Riesenapsis des Saalbaus zeigend, rechts die eindrucksvolle Fassade des Westbaus der Kirche, in der Mitte den Querbau mit dem Adler und der Durchfahrt unten. Von Westen her, dies ist am Anfang dieser Untersuchung betont worden, wurde die Aachener Pfalz errichtet, und nach Westen blickte sie infolgedessen. Ist dies richtig, dann wird man auch nicht zögern, den Platz der Theoderichstatue[173] mitten vor der Westfassade der Pfalz zu vermuten, in angemessenem Abstand vom Querbau. Auch hier konnte sie das Gesicht dem Palatium zuwenden und von der Kirche

---

[170] Über die Probleme, die dieser Thron im Zusammenhang mit dem Grab Karls stellt, handelt H. Beumann in KW IV (1967), S. 9—38.

[171] S. 42.

[172] S. 92.

[173] H. Hoffmann, Die Aachener Theoderichstatue, in: Das erste Jahrtausend, Textband 1, hrsg. V. Elbern (1962). Skeptisch Falkenstein, S. 53 ff.

aus gesehen werden[174], und sie stand nicht in der Nachbarschaft des Prangers *(cippus)*, der noch auf der Zeichnung Dürers auf dem Katschhof zu sehen ist[175]. Theoderich stand dann nicht in der Pfalz, sondern, wie Marc Aurel vor dem Lateran, vor der Pfalz. Welche Bedeutung der Wahl gerade dieses Königs im Rahmen des Aachener Kaisergedankens zukam, bedarf weiterer Nachforschung, die von der Situation 829 und Walahfrids Versus de imagine Tetrici auszugehen hat[176].

Zusatz 1971: Die Leser dieser Abhandlung werden nachdrücklich auf L. Falkenstein, Zwischenbilanz zur Aachener Pfalzenforschung, Zs. d. Aachener Gesch.-V. 80 (1970), S. 7—71 hingewiesen.

[174] Walahfrid, MG. Poetae II, S. 372 v. 74 f.; dazu Hoffmann S. 323, der den Standort auf dem Katschhof annehmen möchte. Gegen alle Lokalisierungsversuche Falkenstein, S. 59, besonders Anm. 81.

[175] A. Curtius, Albrecht Dürer in Aachen, Zs. d. Aachener G. V. 9 (1887).

[176] MG. Poetae 2, S. 370 ff. Grundlage jeder weiteren Erörterung ist H. Löwe, Von Theoderich dem Großen zu Karl dem Großen, DA 9 (1952), S. 392 ff., dazu Hoffmann, S. 318 ff. und F. v. Bezold, Kaiserin Judith und ihr Dichter Walahfrid Strabo, HZ 130 (1924). Es muß sich um eine Art Protestaktion gegen den Vorgang des Weihnachtstages 800 gehandelt haben. Die Kritik Walahfrids ist aus den Kämpfen verständlich, die nach der Ordinatio imperii von 817 schließlich zur Rückkehr zu den Prinzipien von 806 führten; vgl. Hoffmann, S. 327 ff. Weiter zu klären ist der Bezug auf das Schicksal des Kaisergedankens in diesen Jahren.

AUSWAHL-BIBLIOGRAPHIE

(* = abgedruckt in diesem Band)

Adelson, Howard — Baker, Robert, The Oath of purgation of Pope Leo II. in 800 (Traditio 8, 1952, S. 35—80).

Baar, P. A. van den, Die kirchliche Lehre der Translatio Imperii Romani bis zur Mitte des 13. Jh.s (Analecta Gregoriana 78, 1956).

Bäseler, Gerda, Die Kaiserkrönungen in Rom und die Römer von Karl d. Gr. bis Friedrich II. (800—1220) (Diss. Freiburg 1919).

Belting, Hans, Studien zum beneventanischen Hof im 8. Jh. (Dumbarton Oaks Papers 16, 1962, S. 141—193).

Bertolini, Ottorino, Carlomagno e Benevento (KLN I, S. 609—671).

Beumann, Helmut, Die Kaiserfrage bei den Paderborner Verhandlungen von 799 (Das erste Jahrtausend, Textband 1, 1962, S. 296—317).

* Ders., Nomen Imperatoris. Studien zur Kaiseridee Karls d. Gr. (HZ 185, 1958, S. 515—549).

Ders., Romkaiser u. fränkisches Reichsvolk (Festschrift E. E. Stengel 1952, S. 157—180).

* Ders., Das Paderborner Epos u. die Kaiseridee Karls d. Gr. (in: Karolus Magnus et Leo Papa. Ein Paderborner Epos vom Jahre 799. Paderborn 1966).

Bork, Ruth, Zu einer neuen These über die konstantin. Schenkung (Festschrift A. Hofmeister 1955, S. 39—56 u. Wiss. Zs. d. Univ. Greifswald 4, 1954/55, S. 247—251).

* Borst, Arno, Kaisertum u. Namentheorie im Jahre 800 (Festschrift P. E. Schramm 1, 1964, S. 36—51).

Brackmann, Albert, Die Anfänge der Slavenmission und die Renovatio Imperii des Jahres 800 (SB d. preuß. Akad. d. Wiss. 11, 1931).

Ders., Die Erneuerung der Kaiserwürde im Jahre 800 (Geschichtl. Studien, A. Hauck gewidmet, 1916, S. 121—134).

Braunfels, Werner (Hrsg.), Karl d. Gr., Lebenswerk u. Nachleben (KLN) (4. Bde. Düsseldorf 1965—67, insbes. Bd. I — 3. Aufl. 1967: Persönlichkeit u. Geschichte hrsg. v. H. Beumann).

Brühl, Carl-Richard, Fränkischer Krönungsbrauch und das Problem der „Festkrönungen" (HZ 194, 1962, S. 265—326).

Caspar, Erich, Das Papsttum unter fränkischer Herrschaft (Zs. f. Kirchengesch. 54, 1935, S. 132—264 — Neudr. Darmstadt 1956).

Classen, Peter, Karl d. Gr., das Papsttum u. Byzanz. Die Begründung d. karolingischen Kaisertums (KLN I, 1965, S. 537—608; erweit. Sonderausg. Düsseldorf 1968, 80 S.).

* Ders., Romanum gubernans Imperium. Zur Vorgeschichte der Kaisertitulatur Karls d. Gr. (Deutsches Archiv 9, 1952, S. 103—121).

Dannenbauer, Heinrich, Zum Kaisertum Karls d. Gr. u. seiner Nachfolger (Zs. f. Kirchengesch. 49, 1930, S. 301—306).

Ders., Die Quellen z. Gesch. d. Kaiserkrönung Karls d. Gr. (Kl. Texte f. Vorles. u. Übungen hrsg. v. H. Lietzmann 161, 1931)

Ders., Das Römische Reich u. der Westen vom Tode Justinians bis zum Tode Karls d. Gr. (Grundlagen d. mittelalterl. Welt 1958, S. 44—93).

* Deér, Josef, Die Vorrechte des Kaisers in Rom (772—800) (Schweizer Beitr. z. allg. Gesch. 15, 1957, S. 5—63).

* Ders., Zum Patricius-Romanorum-Titel Karls d. Gr. (Archivum Historiae Pontificiae 6, 1965, S. 31—86).

Ders., Zur Praxis der Verleihung des auswärtigen Patriziats durch den byzantinischen Kaiser (Archivum Historiae Pontificiae 8, 1970, S. 7—25).

Dölger, Franz, Byzanz u. d. europ. Staatenwelt. Ausgewählte Aufsätze u. Vorträge (Darmstadt 1953).

Döllinger, Ignaz von, Das Kaisertum Karls d. Gr. u. seiner Nachfolger (Münchner Hist. Jahrbuch 1865, S. 299—416 u. in: Akadem. Vorträge 3, 1891, S. 63—174).

Droegereit, Richard, Kaiseridee und Kaisertitel bei den Angelsachsen (Zs. d. Sav. Stiftung f. Rechtsgesch. = ZSRG, Germ. Abt. 69, 1952, S. 24—73).

Eichmann, Eduard, Die Kaiserkrönung im Abendland Bd. 1, 1942, S. 23 ff.

Ensslin, Wilhelm, Zur Frage nach der ersten Kaiserkrönung durch den Patriarchen und zur Bedeutung dieses Aktes im Wahlzeremoniell (Byzant. Zs. 42, 1943/49, S. 101—115, separat 1947).

Erdmann, Carl, Studien zur polit. Ideenwelt des Frühmittelalters (1951).

Ewig, Eugen, Die Abwendung des Papsttums vom Imperium u. seine Hinwendung zu den Franken u. Das Zeitalter Karls d. Gr. (in: Handb. z. Kirchengesch. hrsg. v. H. Jedin Bd. III, 1, Freiburg-Basel-Wien 1966).

Falkenstein, Ludwig, Der „Lateran" der karolingischen Pfalz zu Aachen (Kölner Histor. Abh. 13, 1966, 200 S.).

Fichtenau, Heinrich, Byzanz u. die Pfalz zu Aachen (Mitt. d. Österr. Inst. f. Geschichtsforsch. = MIÖG 59, 1951, S. 1—54).

Ders., Il concetto imperiale di Carlo Magno (Problemi delle Civiltà Carolingia 1954, S. 251—298).

Ders., Karl d. Gr. u. das Kaisertum (MIÖG 61, 1953, S. 257—334; repr. Neudr. Darmstadt 1971).

Fleckenstein, Josef, Karl d. Gr. (Persönlichkeit u. Gesch. Bd. 28, 1962, 91 S.).

Ders., Die Bildungsreform Karls d. Gr. (1953).

Folz, Robert, Le couronnement impérial de Charlemagne 25 décembre 800 (Trente journées qui ont fait la France 3, 1964).

Ders., L'idée d'empire en occident du Ve au XIVe siècle (Collection historique 1953).

Ders., Le souvenir et la légende de Charlemagne dans l'Empire germanique médiéval (1950).

Fuhrmann, Horst, Konstantinische Schenkung u. Silvesterlegende in neuer Sicht (DA 15, 1959, S. 523—540).

Ders., Konstantinische Schenkung u. abendländisches Kaisertum (DA 22, 1966, S. 63—178).

Ganshof, François L., The Imperial coronation of Charlemagne, theory and facts (Glasgow University Publ. 79, 1949).

Ders., Notes sur les origines byzantines du titre „patricius Romanorum" (Annales de l'Institut de philologie et d'histoire orientales et slaves 10, 1950, S, 261—282).

Ders., Le programme de gouvernement impérial de Charlemagne („Renovatio Imperii", Atti della giornata intern. di studie per il millenario, Ravenna 4—5, novembre 1961—1963, S. 63—96).

Ders., Les relations extérieures de la monarchie franque sous les premiers souverains carolingiens (Annali di storia del diritto 5/6, 1961/62, S. 1—53).

Gericke, Wolfgang, Wann entstand die Konstantinische Schenkung? (ZSRG, Kan. Abt. 43, 1957, S. 1—88).

Ders., Das Constitutum Constantini und die Silvesterlegende (ZSRG, Kan. Abt. 44, 1958, S. 343—350).

Goez, Werner, Translatio Imperii. Ein Beitrag zur Geschichte des Geschichtsdenkens u. d. polit. Theorien im Mittelalter u. in der frühen Neuzeit (1958, bes. S. 62 ff.).

Grauert, Hermann, Widmungs-Epistel, nebst einigen Bemerkungen zur Kaiserkrönung Karls d. Gr. (Beitr. z. der Renaissance u. Reformation, J. Schlecht dargebr., 1917, VII—XXI).

Grierson, Philip, The Coronation of Charlemagne and the Coinage of Leo III. (Revue belge de philol. et d'histoire 30, 1952, S. 825—833).

Haller, Johannes, Die Karolinger u. das Papsttum (HZ 108, 1912, S. 38 bis 76 u. in Abh. z. Gesch. d. Mittelalters 1944, S. 1—40).
Halphen, Louis, Études critiques sur l'histoire de Charlemagne VI: Le couronnement impérial de l'an 800 (Rev. hist. 134, 1920, S. 57—77).
Ders., Charlemagne et l'empire carolingien (= L'Évolution del'Humanité XXIII, Paris 1947).
Hampe, Karl, Zur Kaiserkrönung Karls d. Gr. (Zs. f. Kirchengesch. 26, 1905, S. 465—467).
Heldmann, Karl, Das Kaisertum Karls d. Gr. Theorien und Wirklichkeit. (Quellen u. Studien zur Verfassungsgesch. d. deutschen Reiches in Mittelalter u. Neuzeit VI, 2, 1928, dazu: ZSRG, Germ. Abt. 49, 1929, ZSRG, Germ. Abt. 50, 1930, S. 625—659 u. 659—668.)
Himmelreich, Laetus, Papst Leo III. u. d. Kaiserkrönung Karls d. Gr. im Jahre 800 (Diss. München 1920).
Hirschfeld, Theodor, Das Gerichtswesen der Stadt Rom vom 8.—12. Jh. wesentlich nach stadtröm. Urkunden (Archiv f. Urkundenforsch. 4, 1912, S. 419—562).
Huelsen, Christian, Osservazioni sulla biografia di Leone III. nel Liber Pontificalis (Atti della Pont. Accad. di archaeol., serie 3, rend. 1, 1923, S. 107—119).
Kahl, Hans-Dietrich, Herrscherkrone u. Weihekrone. Studien zur Entstehungsgesch. mittelalterl. Symbolhandlungen mit Kronen. (Habil. Schr. Gießen 1964.)
Kampers, Fritz, Vom Werdegang d. abendl. Kaisermystik (1924).
Ders., Rex et sacerdos (Hist. Jahrbuch 45, 1925, S. 495—515).
Ladner, Gerhart B., I mosaici e gli affreschi ecclesiastico-politici nell' antico Palazzo Lateranense (Rev. di Arch. Crist. 12, 1935, S. 265—292).
Ders., Die Papstbildnisse des Altertums u. d. Mittelalters 1: Bis z. Ende d. Investiturstreits (Mon. d. Antichità Crist. 4, 1941).
Laehr, Gerhard, Die Konstantinische Schenkung in der abendländischen Literatur des Mittelalters bis zur Mitte d. 14. Jh.s (Histor. Studien 166, 1926).
Leclère, Léon, A propos du couronnement de l'an 800 (Mélanges Paul Frédéricq 1904, S. 181—187).
Levillain, Léon, Le couronnement impérial de Charlemagne (Revue d'histoire de l'église en France 18, 1932, S. 5—19).
Levison, Wilhelm, Konstantinische Schenkung u. Silvester-Legende (Misc. Francesco Ehrle 2, Studi e Testi 38, 1924, S. 159—247 u. Aus rhein. und fränk. Frühzeit, 1948, S. 390—465).
Lintzel, Martin, Das abendländ. Kaisertum im 9. u. 10. Jh. Der röm. u. fränkisch-deutsche Kaisergedanke von Karl d. Gr. bis auf Otto d. Gr.

(Welt als Gesch. 4, 1938, S. 421—447 u.: Ausgew. Schriften 2, 1961, S. 122—141).

Löwe, Heinz, Von den Grenzen des Kaisergedankens in der Karolingerzeit (DA 14, 1958, S. 345—374).

Ders., Eine Kölner Notiz zum Kaisertum Karls d. Gr. (Rhein. Vierteljahresblätter 14, 1949, S. 7—34).

Ders., Von Theoderich d. Gr. bis zu Karl d. Gr. Das Werden des Abendlandes im Geschichtsbild des frühen Mittelalters (DA 9, 1952, S. 353 bis 401).

Mayer, Theodor, Staatsauffassung in der Karolingerzeit. (HZ 173, 1952 u. in: Das Königtum, seine geistlichen u. rechtl. Grundlagen — Mainauvorträge 1954, Darmstadt 1965, S. 109 ff.).

Mohr, Walther, Karl d. Gr., Leo III. u. der röm. Aufstand von 799 (Arch. lat. medii aevi 30, 1960, S. 39—98).

Ders., Reichspolitik und Kaiserkrönung in den Jahren 813 u. 816 (Wa 20/1960 S. 168—186.

Ders., Die karolingische Reichsidee (teorum Christianum Bd. 5/1962).

Ders., Die kirchl. Einheitspartei u. die Durchführung der Reichsordnung von 817 (Zs. f. Kirchengesch. 72/1961, S. 1—45).

Ders., Christlich-alttestamentl. Gedankengut in der Entwicklung des karoling. Kaisertums (Miscell. Mediaevalia 4, 1966, S. 382—409).

Munz, Peter, The Origin of the Carolingian Empire (1960).

Oexle, Otto Gerhard, Die Karolinger u. die Stadt des hl. Arnulf (in: Frühmittelalterl. Studien hrsg. v. K. Hauck, 1967, S. 301 ff.).

Ohnsorge, Werner, Abendland u. Byzanz. Gesammelte Aufsätze zur Gesch. d. byzantin.-abendländ. Beziehungen u. des Kaisertums (Darmstadt 1958).

Ders., Das Zweikaiserproblem im früheren Mittelalter. Die Bedeutung des byzantin. Reiches für die Entwicklung der Staatsidee in Europa (1947).

Ders., Aspekte der Byzanzpolitik Karls d. Gr. (Byzant. Forschungen 1, 1971).

Ohr, Wilhelm, Zwei Fragen zur ältern Papstgeschichte 1: Die angebliche Schuld Leos III. (Zs. f. Kirchengesch. 24, 1903, S. 327 bis 352).

Ders., Die Kaiserkrönung Karls d. Gr. Eine kritische Studie (1904).

Ders., Die Ovationstheorie über die Kaiserkrönung Karls d. Gr. (Zs. f. Kirchengesch. 26, 1905, S. 190—213).

Ostrogorski, Georg, Die Entwicklung der Kaiseridee im Spiegel der byzantin. Krönungsordnungen (1936).

Ottolenghi, Lelio, Della dignità imperiale di Carlo Magno (1897).

Pfeil, Elisabeth, Die fränkische u. deutsche Romidee des frühen Mittelalters (Forsch. z. mittelalterl. u. neueren Gesch. 3, 1929).

Pfeil, Sigurd Graf von, Der Augustus-Titel der Karolinger (Welt als Gesch. 19, 1959, S. 194—210).

Reindel, Kurt, Die Kaiserkrönung Karls d. Gr. (Histor. Texte — Mittelalter hrsg. v. Borst u. Fleckenstein 1966).

Rota, Ettore, La consecrazione imperiale di Carlo Magno. L'orientazione anti-romana della monarchia franca (Studi di storia e di diritto in onore di Enrico Besta 4, 1939, S. 189—209).

Sackur, Ernst, Ein römischer Majestätsprozeß und die Kaiserkrönung Karls d. Gr. (HZ 87, 1901, S. 385—406).

Scheibe, F. C., Geschichtsbild, Zeitbewußtsein u. Reformwille bei Alcuin (Arch. f. Kulturgesch. 41, 1959, S. 35—62).

* Schlesinger, Walter, Kaisertum u. Reichsteilung. Zur Divisio regnorum von 806 (Forsch. z. Staat u. Verfassung, Festgabe f. F. Hartung 1958, S. 9—52 u.: Beiträge z. dt. Verfassungsgesch. d. Mittelalters 1, 1963, S. 193—232).

* Ders., Beobachtungen zur Gesch. u. Gestalt der Aachener Pfalz in der Zeit Karls d. Gr. (in: Studien z. europ. Vor- u. Frühgesch. — Festgabe H. Jankuhn, 1968, S. 258—281).

Schneider, Fedor, Rom u. Romgedanke im Mittelalter. Die geistigen Grundlagen der Renaissance (1926).

Schneider, Friedrich, Die Darstellung u. Beurteilung der Kaiserkrönung am 25. Dezember 800 bei den neueren Geschichtsschreibern (Wiss. Zs. d. Univ. Jena 2, 1952/53, S. 39—45).

Schoenian, Ernst, Die Idee der Volkssouveränität im mittelalterl. Rom (Frankfurter histor. Forsch., Neue Folge 2, 1919, S. 28 ff.).

Schramm, Percy Ernst, Die Anerkennung Karls d. Gr. als Kaiser. Ein Kapitel aus der Gesch. d. mittelalterl. Staatssymbolik (HZ 172, 1951, S. 449—515; separat: Darmstadt 1952).

Ders., Herrschaftszeichen u. Staatssymbolik. Beiträge zu ihrer Gesch. vom 3. bis zum 16. Jh. (Schriften der MGh 13, 1—3, 1954/56).

Ders., Karl d. Gr. im Lichte der Bild- u. Wortzeugnisse (KLN I, 1965, S. 15—23).

Ders., Karl d. Gr. im Lichte der Staatssymbolik. Karoling. u. otton. Kunst (Forsch. zur Kunstgesch. u. christl. Archäologie 3, 1957, S. 16—42).

Ders., Metallbullen d. Karoling. u. sächsischen Kaiser (DA 24, 1968, bes. S. 7 ff.).

Ders., Kaiser, Könige u. Päpste. Gesammelte Aufsätze z. Gesch. d. Mittelalters Bd. I, 1968 (überarbeitete u. ergänzte Fassung d. einschläg. Arbeiten mit neuen Beiträgen).

Sickel, Wilhelm, Die Kaiserkrönungen von Karl bis Berengar (HZ 82, 1899, S. 1—37).

Ders., Die Kaiserwahl Karls d. Gr., eine rechtsgeschichtl. Erörterung (MIÖG 20, 1899, S. 1—38).

Ders., Die Verträge der Päpste mit den Karolingern u. das neue Kaiserthum (Dt. Zs. f. Gesch. Wiss. 11, 1894, S. 301—351 u. 12, 1894/95, S. 1—43).

Sperling, Eva, Studien zur Gesch. der Kaiserkrönung u. -weihe (Diss. Freiburg 1918).

Stein, Ernst, Zum mittelalterl. Titel „Kaiser der Römer" (Forsch. u. Fortschr. 6, 1930).

Steinen, Wolfram von den, Entstehungsgesch. der Libri Carolini (Quell. u. Forsch. aus ital. Arch. u. Bibl. 21, 1929/30, S. 1—93).

Ders., Karl d. Gr. u. die Libri Carolini (Neues Archiv 49, 1932, S. 207 bis 280).

Stengel, Edmund E., Den Kaiser macht das Heer. Studien zur Gesch. eines polit. Gedankens (1910).

Ders., Kaisertitel u. Souveränitätsidee. Studien zur Vorgesch. des modernen Staatsbegriffs (DA 3, 1939, S. 1—56).

Ders., Imperator u. Imperium bei den Angelsachsen. Eine wort- u. begriffsgeschichtl. Untersuchung (DA 16, 1960, S. 15—72).

Tellenbach, Gerd, Römischer u. christl. Reichsgedanke in der Liturgie d. frühen Mittelalters (SB der Heidelberger Akad. 25, 1935).

Treitinger, Otto, Die oström. Kaiser- u. Reichsidee nach ihrer Gestaltung im höfischen Zeremoniell (1938; 3. unveränd. Aufl. Darmstadt 1956).

Ullmann, Walter, Die Machtstellung des Papsttums im Mittelalter. Idee u. Geschichte (1960).

Wallach, Luitpold, The Genuine and Forged Oath of Pope Leo III. (Traditio 11, 1955, S. 37—63).

Ders., The Roman Synod of December 800 and the Alleged Trial of Leo III. (Harvard Theol. Review 49, 1956, S. 123—142).

Williams, Schafer, The oldest text of the „Constitutum Constantini" (Traditio 20, 1964, S. 448—461).

Zimmermann, Harald, Papstabsetzungen des Mittelalters I: Die Zeit der Karolinger (MIÖG 69, 1961, S. 1—84).